안중근 자료집 제17권

일본 신문 중 안중근 기사 Ⅰ

−도쿄 아사히신문

편역자 신운용(申雲龍)

한국외국어대학교 사학과 졸업
한국외국어대학교 대학원 사학과 졸업(문학박사)
한국외국어대학교 사학과 강사
(사)안중근평화연구원 책임연구원

안중근 자료집 제17권
일본 신문 중 안중근 기사 I-도쿄 아사히신문

1판 1쇄 펴낸날 | 2016년 03월 26일

기 획 | (사)안중근평화연구원
엮은이 | 안중근 자료집 편찬위원회

총 괄 | 윤원일
편역자 | 신운용

펴낸이 | 서채윤
펴낸곳 | 채륜
책만듦이 | 김미정·김승민·오세진
책꾸밈이 | 이현진·이한희

등 록 | 2007년 6월 25일(제2009-11호)
주 소 | 서울시 광진구 자양로 214, 2층(구의동)
대표전화 | 02-465-4650 | 팩스 02-6080-0707
E-mail | book@chaeryun.com
Homepage | www.chaeryun.com

이 책은 '안중근 의사 전집 발간 연구사업'으로 서울특별시의 인쇄비 지원을 받아 만들었습니다.

안중근 자료집 제17권

일본 신문 중 안중근 기사 Ⅰ

-도쿄 아사히신문

(사)안중근평화연구원

채륜
CHAE RYUN

발간사 _ 하나

안중근 의사의 삶과 교훈

'안중근의사기념사업회'에서는 2004년부터 역사, 정치, 경제학자들과 일본어, 한문 번역 전문가들을 모시고 안중근전집발간위원회(위원장: 조광 교수, 고려대학교 명예교수)를 구성하여 안중근 의사와 관련된 자료를 모아 약 40여 권의 책으로 자료집을 발간하기로 하였습니다. 안중근 자료집 발간의 참뜻은 100년 후 안중근 의사가 오늘 우리에게 요구하는 시대정신을 확인하고 실천하는 계기를 만들자는 것입니다. 이를 위해 자료집 발간에 앞서 역사적 안중근과 오늘의 안중근정신을 확인하고 연구할 필요가 있다는 것을 자료집 발간위원들과 정치, 경제, 역사, 인권 등 여러 분야의 전문가들이 제언하고 동의하였습니다. 이에 따라 우리 사업회에서는 안중근 의사 의거와 순국 100주년을 준비하면서 10여 차례의 학술대회를 개최하였습니다. 특히 2008년 10월 24일에는 한국정치학회와 공동으로 한국외국어대학교에서 "안중근 의사의 동양평화론"을 주제로 학술대회를 하였고, 의거와 순국 100주년에 안중근 의사의 정신을 실천하기 위한 방안을 모색하는 국제학술대회를 개최하고 지속적으로 안중근 의사의 뜻을 실현하기 위한 연구 사업을 위해 노력하고 있습니다. 2004년 이후 학술대회 성과를 묶어 안중근 연구 총서 5권으로 이미 출판하였습니다. 특히 안중근 의사의 의거와 순국 100주년을 맞아 남북의 동포가 함께 개성과 여순감옥에서 안중근 의사를 기억하며 남북의 화해와 일치를 위해 노력하기로 다짐한 행사는 참으로 뜻깊은 사건이었습니다.

역사를 기억하는 것은 역사적 사실로부터 미래를 지향하는 가치를 확인하는 것입니다. 일본 제국주의의 잔혹한 식민지 통치와 2차 세계대전의 잔혹한 역사적 잘못에 대해 이미 일본 국민과 학자들도 비판과 반성을 통해 동아시아 국가들과 화해를 시대적 가치로 제시하고 있습니다.

그럼에도 불구하고 한국현대사학회가 중심이 된 교과서포럼과 교학사 역사교과서 논쟁에서 보여준 식민지근대화론을 주장하거나 이에 동조하는 학자들, 특히 국사편찬위원장을 역임한 이태진 교수, 공주대학교 이명희 교수, 권희영 한국학중앙연구원 교수, 안병직, 박효종, 이인호, 유영익, 차상철, 김종석 교수 등이 보여준 언행은 비판받아 마땅하다고 생각합니다.

특히 "정신대는 일제가 강제동원한 것이 아니라 당사자들이 자발적으로 참여한 상업적 매춘이자 공창제였다."(교과서포럼 이영훈 교수), "그 시기(일제강점기)는 억압과 투쟁의 역사만은 아니었다. 근대 문명을 학습하고 실천함으로써 근대국민국가를 세울 수 있는 '사회적 능력'이 두텁게 축적되는 시기이기도 하였다."(박효종 교수)고 주장하며 분명한 사실조차 왜곡하려는 현대사학회와 교과서포럼의 구성원들에게 진심으로 안타까움을 넘어 인간적 연민을 갖게 됩니다.

안중근 연구 사업은 안중근 자료집이 역사적 사실에 한정되지 않고 우리 역사와 함께 진화하고 발전하기를 바라는 자료집 발간에 참가하는 위원들과 우리 사업회의 소망이 함께하고 있습니다. 2009년 안중근 의사 의거 100주년을 맞아 자료집 5권을 출판한 이후 많은 어려움으로 자료집 발간이 지체되는 것을 안타까워한 서울시와 서울시의회 의원들의 지원으로 자료집 완간을 위한 계획을 수립하게 되었습니다. 앞으로 순차적으로 40여 권의 자료집을 3년여에 걸쳐 완간할 것입니다.

저는 지난 85년부터 성심여자대학교(현재 가톨릭대학교와 통합)에서 〈종교의 사회적 책무〉라는 주제로 20여 년간 강의를 했습니다. 강의를 하면서 학생들로부터 새로운 시각과 신선함도 배우고 또한 학생들을 격려하며 자극하기도 했습니다. 새 학년마다 3월 26일 안중근 의사 순국일을 맞아 〈안중근 의사의 삶과 교훈〉을 학생들에게 강의하고 안중근 의사의 자서전, 공판기록 등 그와 관련된 책을 읽고 보고서를 제출토록 과제를 주고 이를 1학기 학점에 반영했습니다. 학생들은 누구나 숙제를 싫어하지만 학점 때문에 내 요구에 마지못해 응했습니다. 그런데 학생들의 보고서를 읽으면서 저는 큰 보람을 느끼곤 했습니다. 그중 큰 공통점은 거의 모든 학생들이 "안 의사에 대해서는 어린 시절 교과과정을 통해 일본의 침략자 이토 히로부미(伊藤博文)를 사살한 분 정도로만 알고 있었는데 그분의 자서전을 읽고는 그분의 투철한 신념, 정의심, 교육열, 사상, 체계적 이론 등을 깨달았고 무엇보다도 우리 민족의 선각자, 스승임을 새삼 알게 되었다"고 고백했습니다.

그렇습니다. 우리에게 귀감이 되고 길잡이가 되는 숱한 선현들이 계시지만 안중근 의사야말로 바로 지금 우리 시대에 우리가 되새기고 길잡이로 모셔야 할 스승이며 귀감입니다.

그러나 스스로 자신을 낮추며 나라와 겨레를 위해 목숨까지 바친 안 의사의 근본 정신은 간과한 채 거짓 언론과 몇몇 무리들은 안 의사를 형식적으로 기념하면서 안 의사의 삶을 장삿속으로 이용하기만 합니다. 참으로 부끄럽고 가슴 아픈 일입니다. 그뿐 아니라 나라를 빼앗긴 피눈물의 과정, 일제의 침략과 수탈을 근대화의 계기라는 어처구니없는 주장을 감히 펼치고 있는 이 현실, 짓밟히고 삭제되고 지워지고 조작된 역사를 바로 잡기 위한 역사학도들의 피눈물 나는 노력과 뜻있는 동지들의 진정성을 아직도 친일매국노의 시각으로 훼손하고 자유당 독재자 이승만, 그리고 유신체제의 군부독재자 박정희 등 이들의 졸개들이 으쓱거리고 있는 이 시대는 바로 100년 전 안중근 의사가 고민했던 바로 그때를 반영하기도 합니다.

역사와 국가공동체 그리고 교회공동체의 모든 구성원들은 조선 침탈의 원흉 이토 히로부미를 안 의사가 제거하였다는 업적과 동양 평화와 나라의 독립을 위하여 헌신하시고 제안한 방안들을 얼마나 지키려 하였는지, 일본의 한국병탄(倂呑)에 동조하거나 협력하였던 외국인 선교사들을 거부하고 직접 하느님의 뜻을 확인하려하신 그 신앙심에 대하여 진심으로 같이 고백하였는지 이제는 깊게 반성하여야 합니다. 확인되지도 않는 일본인들 다수가 안 의사를 존경하는 것처럼 호도하고 안 의사의 의거의 정당성을 일본과 그에 협력하였던 나라들에게 당당하게 주장하지도 않았으면서 그 뜻을 받들고 있는 것처럼 때가 되면 모여서 묵념하는 것이야말로 역사를 모독하고 안 의사를 훼손하고 있다는 것도 이 기회에 함께 진심으로 반성하여야 합니다. 심지어 안 의사 연구의 전문가인 양 온 나라에 광고하면서 진정한 안 의사의 의거의 정당성과 사상과 그 생각을 실현하려는 방안을 하나도 제시하지 않고 있는 사람들의 속내를 과연 무엇이라고 해석하여야 합니까?

안중근 자서전의 공개과정과 내용

안중근은 의거 후 중국 여순 감옥에 갇혀 죽음을 앞두고 자신의 삶을 되돌아보면서 〈안응칠 역사〉를 기술하였습니다. 아직 원본은 발견되지 않았지만, 1969년 4월 일본 동경에서 최서면 씨가 한 일본인으로부터 입수한 〈안중근 자서전〉이라는 필사본과 1979년 9월 재일동포 김정명(金正明) 교수가 일본 국회도서관 헌정연구실 '7조 청미(七條淸美)' 문서 중에서 '안응칠 역사'와 '동양평화론'의 등사 합본을 발굴함으로써 더욱 명료해졌습니다(신성국, 의사 안중근(도마), 지평, 36~37, 1999).

우리 안중근의사기념사업회와 (사)안중근평화연구원에서는 안중근 자료집 발간과 함께 안중근 자서전을 새롭게 번역하여 출간할 계획입니다. 〈안중근 자서전〉은 한자로 기록된 문서로 한글번역 분량은 신국판 70여 쪽에 이르지만 해제를 덧붙여야하기에 그 두 배에 이를 것입니다. 안 의사는 감옥생활 5개월 동안 감옥에서 유언과 같은 자서전 〈안응칠 역사〉를 집필한 뒤 서문, 전감, 현상, 복선, 문답 등 5장으로 구성된 〈동양평화론〉의 서문과 전감은 서술하고 나머지 3개장은 완성하지 못한 채 순국하셨습니다.

안 의사는 자서전에서 출생과 성장과정(1879~1894) 등 15세 때까지의 회상을 서론과 같이 기술하고, 결혼, 동학당(東學黨)과의 대결, 갑신정변(1894), 갑오농민전쟁(1895)에 대한 청년시절 체험을 얘기하고 있습니다. 이어 그는 19세 때인 1897년 아버지와 함께 온 가족이 세례 받게 된 경위와 빌렘(J. Wilhelm, 한국명: 홍석구)신부를 도와 황해도 일대에서 선교에 전념하던 일을 증언하면서 특히 하느님 존재 증명방법과 그리스도를 통한 구원론, 각혼, 생혼, 영혼에 대한 설명, 하느님의 심판, 부활영생 등의 기본적 교리를 천명하고 있습니다. 이 증언을 통해 우리는 그의 돈독한 신앙과 19세기 말엽의 교리체계를 이해하고 확인할 수 있습니다.

안 의사는 빌렘신부를 도와 선교에 힘쓰면서 교회공동체나 주변의 억울한 사람들을 만나면 그들의 권리나 재산을 보호하기 위하여 스스로 위험을 감수하고 앞장섰습니다. 우리는 신앙인으로서 청년 안중근의 열정과 정의심을 몇 가지 사례를 통해 확인할 수 있습니다. 당시 서울의 세도가였던 전 참판 김중환(金仲煥)이 옹진군민의 돈 5천 냥을 빼앗아간 일이 있었는데 이를 찾아주기 위해 서울까지 가서 항의하고 꼭 갚겠다는 약속을 얻어내기도 했습니다. 또 다른 일은 해주 병영의 위관 곧 오늘의 표현으로는 지방군부대 중대장 격인 한원교(韓元校)가 이경주라는 교우의 아내와 간

통하여 결국 아내와 재산까지 빼앗은 횡포에 대해 법정투쟁까지 벌이면서 사건을 해결하려 했으나 결국 한원교가 두 사람의 자객을 시켜 이경주를 살해한 일을 회상하면서 끝내 한원교가 처벌되지 않는 불의한 현실을 개탄하였습니다. 안중근 의사의 이와 같은 정의감과 불의한 현실적 모순에 대한 그의 고뇌와 갈등을 우리는 여러 대목에서 확인할 수 있습니다. 이 자서전을 읽을 때마다 우리는 19세기 말 당시의 상황과 안중근 의사의 인간미를 새롭게 깨닫고 그의 진면목을 대하게 됩니다.

선교과정에서 안 의사는 무엇보다도 교육의 필요성을 절감하고 빌렘신부와 함께 뮈텔(G.Mutel, 한국명: 민효덕)주교를 찾아가 대학설립을 건의하는데 두 번, 세 번의 간청에도 불구하고 뮈텔은 "한국인이 만일 학문을 하게 되면 신앙생활에 좋지 않을 것이니(不善於信敎) 다시는 이러한 얘기를 꺼내지 말라"라고 거절했습니다. 고향으로 돌아오는 길에 안 의사는 뮈텔의 이러한 자세에 의노를 느끼며 마음속으로 "천주교의 진리는 믿을지언정 외국인의 심정은 믿을 것이 못된다" 하고 그때까지 배우던 프랑스어를 내던졌다고 술회하고 있습니다. 특히 교회공동체와 사제에게 가장 성실했던 신앙인 안 의사는 1907년 안 의사의 독립운동을 못마땅하게 여기며 독립투쟁을 포기할 때에만 비로소 성사생활을 할 수 있다면서 성사까지 거부했던 원산성당의 브레 사제(Louis Bret, 한국명: 백류사) 앞에서 당당하게 신앙을 증거하고 끝까지 독립운동을 지속했습니다. 당시 대부분의 선교사들이 일제에 영합하는 정교분리의 원칙에 따라 독립운동을 방해하고 반대하였음에도 불구하고 해외에서 무장투쟁을 펼치며 마침내 이토 히로부미를 주살하였습니다. 여기서 우리는 선교사의 한계를 뼈저리게 느끼며 하느님과의 직접적인 관계를 생각하셨던 안 의사의 신앙적 직관과 통찰력을 엿볼 수 있습니다. 특히 프랑스 사제들의 폐쇄적 자세와 인간적 한계를 극복한 성숙한 신앙인의 결단과 자세는 우리 모두의 귀감이며 사제와 주교 때문에 신앙이 흔들리는 우리 시대의 많은 형제자매들에게 안 의사는 참으로 든든한 신앙의 길잡이입니다.

일본의 침략이 노골화되자 안 의사는 가족과 함께 이주할 계획으로 상해를 방문했고 어느 날 성당에서 기도하고 나오던 길에 우연히 르각(Le Gac, 한국명: 곽원량) 신부를 만나 깨우침을 얻게 됩니다. 안 의사의 계획을 듣고 르각 신부는 프랑스와 독일의 국경지대인 알자스 지방을 예로 들면서 많은 이들이 그 지역을 떠났기에 다시는 회복할 수 없게 되었다고 설명하면서 만일 조선인 2천만 명이 모두 이주계획을 가지고 있다면 나라가 어떻게 되겠느냐 하면서 무엇보다도 ①교육 ②사회단체돕기 ③공동협심 ④실력양성을 해야 한다고 강조했습니다. 이에 안 의사는 진남포로 돌아와 돈의학교를 인수하고 야학 삼흥학교를 설립하여 후학을 위해 교사로서 봉사했습니다. 삼흥(三興)이란 국사민(國士民), 곧 나라와 선비와 백성 모두가 흥해야 한다는 그의 교육이념이기도 합니다. 또한, 안 의사는 국채보상운동에도 안창호와 함께 참여하고 스스로 사업도 하였으나 일본인들의 방해로 실패하게 됩니다.

그 후 1907년 정미 7조약으로 군대가 해산되고 경찰, 사법권 등 국가 권력이 일본에게 넘어가고 고종이 강제 퇴위를 당하자 일본의 한국의 보호와 동양 평화에 대한 주장이 한국을 일본의 식민지로 병탄하려는 의도라고 확신하고 독립군에 투신합니다. 독립군 시절 일본군인과 상인 등을 포로로 잡아 무장해제한 후 돌려보낸 일화는 유명합니다. 엄인섭 등 독립군들은 일본인 포로 2명을 호송하기도 어렵고 번거로우니 제거하자고 주장했으나 안중근은 독립군은 스위스 만국공법(萬國公法)을 지켜야 한다고 주장하며 공법에 따라 포로들을 관리할 수 없다는 이유로 이 둘을 석방했습니다. 이 일로 인해 위치가 노출되어 독립군부대는 일본군의 급습을 받고 완전히 괴멸되었습니다. 안 의사는 1달 반 동안 쫓기면서 여러 차례 죽을 고비를 넘깁니다. 이러한 과정에서 동행했던 2명의 동지들에게 세례를 베풀었고 죽을 고비마다 안 의사는 하느님께 전적으로 의탁하며 기도와 신앙으로 살아날 수 있었다고 기록하고 있습니다.

미완의 원고 〈동양평화론〉

이후 안 의사는 독자적으로 독립운동을 전개하다가 1909년 연추의 김씨댁 여관에서 11명의 동지들과 함께 대한독립의 결의를 다지며 자신의 손가락을 잘랐습니다. 안 의사는 이를 정천동맹(正天同盟)이라 했습니다. 하늘을 바로 세우고, 하늘 앞에서 바르게 살겠다는 서약이며 봉헌이었습니다. 그리고 이토 히로부미의 러시아 방문 소식을 접하고 그를 응징하기로 동지들과 계획하고 마침내 1909년 10월 26일에 하얼빈에서 침략자 이토 히로부미를 주살(誅殺)하였습니다. 이토 히로부미의 주살에 대하여 안 의사는 15가지의 죄상을 주장하였습니다. 그러나 그 근본적인 죄과에 대해 대한국의 독립국으로서의 지위 보장에 대한 명백한 약속 위반과 동양평화를 해치는 주범으로서 온 세상을 기만 죄로 죽음이 마땅하다고 주장하였습니다. 동양의 평화를 이루는 구체적인 방안들을 안 의사는 자신의 미완성의 원고인 동양평화론에서 제시하였습니다. 동양 삼국의 제휴를 통하여 평화회의 체제를 구성하고 상공업의 발달을 촉진하여 삼국의 경제적인 발전을 도모하고 이의 지원을 위하여 공동은행의 설립과 삼국연합군대의 창설과 교육을 통하여 백인들의 침략을 견제 대비하여야 진정한 세계평화를 유지할 수 있다고 제안 주장하였습니다. 어느 한 나라의 군사 경제적인 발전만으로는 평화와 발전이 불가능하다는 것을 안 의사는 간파하고 있었던 것입니다. 한나라의 강성함은 필히 주변국들과의 불화의 원인이 되므로 연합과 연대를 통하여 공동의 발전과 평화를 유지하기 위한 다자간 협력 체제와 이를 위한 국제기구의 필요성에 대해 안 의사는 강력한 소신을 가지고 있었던 세계 평화주의자였습니다. 국제적인 갈등의 해결 방법들을 제안한 안 의사의 생각을 읽으면 오늘 우리에게 부여되어있는 과제들을 돌아보게 됩니다. 분단의 해소를 통한 통일을 모두가 염원하고 있지만 그 구체적인 과정을 실천하기에는 아주 많은 난관을 우리 스스로 만들어 가고 있는 현실을 직면하게 됩니다. 남과 북의 대립, 그에 앞서 치유되지 않고 있는 지역, 계층 세대 간의 갈등과 반목이라는 부끄러운 현실 속에서 안 의사의 자서전을 대할 때마다 죄송스러움과 한계를 절감하게 됩니다.

신뢰를 지킨 빌렘사제

안 의사는 대한독립군 참모중장으로서 거사의 정당성과 이토 히로부미의 죄상을 밝히는 의연한 주장에도 불구하고 여순 감옥에서 일제의 부당한 재판을 통하여 사형을 선고받고 죽음을 앞두고 두 동생들을 통하여 뮈텔주교에게 성사를 집전할 사제의 파견을 요청하였습니다. 그러나 뮈텔주교는 '안 의사가 자신의 범죄를 시인하고 정치적인 입장을 바꾸도록' 요구합니다. 곧 독립운동에 대한 잘못을 스스로 시인해야만 사제를 파견할 수 있다고 이를 거절합니다. 더구나 여순의 관할 주교인 술래(Choulet)와 일본 정부의 사제 파견에 대한 동의가 있었음에도 불구하고 뮈텔주교의 입장은 완강하였습니다. 이에 빌렘신부는 스스로 뮈텔주교에게 여순으로 간다는 서신을 보내고 안 의사를 면회하여 성사를 집전하고 미사를 봉헌하였습니다. 이 일로 뮈텔주교는 빌렘신부에게 성무집행정지 조치를 내렸으나 빌렘신부는 뮈텔주교의 부당성을 바티칸에 제소하였고 뮈텔주교에게는 공식적 문서를 통하여 주교의 부당한 명령을 지적하고 죽음을 앞둔 신자에게 성사를 집행하는 것은 사제의 의무이며 권리임을 강조했습니다. 바티칸은 성사집행이 사제로서의 정당한 성무집행임을 확인하였습니다. 그러나 뮈텔과의 불화로 빌렘은 프랑스로 돌아가 안중근을 생각하며 여생을 마쳤습니다.

〈동양평화론〉의 저술을 마칠 때까지 사형 집행을 연기하기로 약속한 일본 법원의 약속 파기로 순국을 예견한 안 의사는 동생들에게 전한 유언에서 나라의 독립을 위하여 국민들이 서로 마음을 합하고 위로하며 상공업의 발전을 위하여 힘써 나라를 부강하게 하는 것이 독립의 초석임을 당부하시고 나라가 독립되면 기뻐하며 천국에서 춤을 출 것이라고 하였습니다. 사실 현재 우리나라는 부강해졌고 국민들의 소득 수준은 높아졌습니다. 그러나 부의 편중으로 가난한 사람들은 점점 늘어가고 일자리가 없는 사람들의 수는 정부 통계로도 그 수를 짐작하기가 어려운 실정입니다. 그런데 국론은 분열되어 있고 정책은 일관되게 부자들과 재벌들을 위해 한 쪽을 향해서만 달려가고 있습니다. 상식이 거부되고 있는 현실입니다. 안 의사가 다시 살아나 설득을 하신다면 과연 이들이 안 의사의 말씀에 귀를 기울이겠습니까?

역사는 반복이며 미래를 위한 창조적 길잡이라고 했습니다. 오늘도 안중근과 같은 의인(義人)을 박해하고 괴롭히는 또 다른 뮈텔, 브레와 같은 숱한 주교와 사제들이 엄존하고 있는 이 현실에 대해 후대에 역사는 과연 어떻게 평가하겠습니까?

십인십색이라는 말과 같이 사람의 생각은 늘 같을 수만은 없습니다.

그러나 함께 생각하고, 역사의 삶을 공유하는 것이 우리의 도리이기에 이 자료집을 만들어 우리시대 미완으로 남아있는 안중근 의사의 참뜻을 실현할 것을 다짐하고 후대 역사의 지침으로 남기려 합니다.

자료집 발간을 위해 도와주신 박원순 시장님과 서울시 관계자분들 그리고 서울시의회 새정치민주연합 전 대표 양준욱 의원님, 임형균 의원님에게 진심으로 감사드립니다. 10년을 넘게 자료집 발간을 위해 한결같은 마음으로 애쓰고 계시는 조광 교수님, 신운용 박사, 윤원일 사무총장과 자료집 발간에 참여하고 계시는 편찬위원들과 번역과 교정에 참여해 주신 모든 분들, 출판을 맡아준 채륜의 서채윤 사장님과 직원분들 모두에게 감사와 위로의 인사를 드립니다.

안 의사님, 저희는 부끄럽게도 아직 의사님의 유해를 찾지 못했습니다. 아니, 잔악한 일본인들이 안 의사의 묘소를 아예 없앤 것 같습니다. 그러나 이 책이 그리고 우리 모두의 마음이 안 의사를 모신 무덤임을 고백하며 안 의사의 열정을 간직하고 살

기로 다짐합니다. 8천만 겨레 저희 마음속에 자리 잡으시어 민족의 일치와 화해를
위한 열정의 사도가 되도록 하느님께 전구해 주십시오.

안 의사님, 우리 겨레 모두를 돌보아주시고 지켜주소서.

아멘.

2016년 3월
안중근의사기념사업회, (사)안중근평화연구원 이사장
함 세 웅

발간사 _ 둘

"역사를 잊은 민족에게 미래는 없다."

역사는 현재를 살아가는 우리에게 거울과 같은 존재입니다. 우리는 지나온 역사를 통해 과거와 현재를 돌아보고 미래를 설계해야 합니다. 암울했던 일제강점기 우리 민족에게 빛을 안겨준 안중근 의사의 자료집 출간이 더욱 뜻 깊은 이유입니다.

107년 전(1909년 10월 26일), 만주 하얼빈 역에는 세 발의 총성이 울렸습니다.

전쟁에 몰입하던 일제 침략의 부당함을 전 세계에 알리고 나아가 동양의 평화를 위해 동양 침략의 선봉에 섰던 이토 히로부미를 안중근 의사가 저격한 사건입니다. 안중근 의사의 하얼빈 의거는 이후 수많은 독립운동가와 우리 민족에게 큰 울림을 주었고, 힘들고 암울했던 시기를 분연히 떨치고 일어나 마침내 조국의 광복을 맞이하게 했습니다.

그동안 독립 운동가들의 활동상을 정리한 문집들이 많이 출간되었지만, 안중근 의사는 뛰어난 업적에도 불구하고 관련 자료가 중국과 일본, 러시아 등으로 각각 흩어져 하나로 정리되지 못하고 있었습니다.

이번에 발간되는 『안중근 자료집』에는 안중근 의사의 행적과 사상, 그 모든 것이 집대성되어 있습니다. 이 자료집을 통하여 조국의 독립과 세계평화를 위해 일평생을 바친 안중근 의사의 숭고한 희생정신과 평화정신이 대한민국 전 국민의 가슴에 깊이 아로새겨져 우리 민족의 미래를 바로 세울 수 있는 밑거름이 될 수 있기를 기원합니다.

2016. 3
서울특별시장 박 원 순

발간사 _ 셋

역사 안에 실재하는 위인을 기억하는 것은 그 삶을 재현하고 실천하는 것입니다.

지금 우리 시대 가장 존경받는 분은 안중근 의사입니다.

특히 항일투쟁기 생존했던 위인 중 남북이 함께 기억하고 있는 유일한 분이기도 합니다.

그것은 "평화"라는 시대적 소명을 실천하자는 우리 8천만 겨레의 간절한 소망이 담긴 징표라고 저는 생각합니다.

안중근 의사는 20세기 초 동양 삼국이 공존할 수 있는 평화체제를 지향했고 그 가치를 훼손하고 힘을 앞세워 제국주의 질서를 강요하는 일제를 질타하고 이토 히로부미를 주살했습니다.

안중근 의사 의거 100년이 지난 지금 중국대륙에서 새롭게 안중근을 조명하고 있습니다. 그것은 100여 년 전 동양을 위협했던 제국주의 세력이 다시 준동하고 있다는 증거이며 안중근을 통해 공존의 아름다운 가치를 회복하자는 다짐입니다.

안중근 의사는 동양평화론을 저술하기 전에 "인심단합론"이라는 글을 남기셨습니다.

지역차별과 권력 그리고 재력 등 개인과 집단의 상대적 우월을 통해 권력을 행사하거나 집단을 통제하려는 의지를 경계하신 글입니다. 그런 행위는 공동체를 분열하고 해체하는 공공 악재가 되기 때문에 이를 경계하라 하신 것입니다.

해방 이후 지난 70년 우리 사회는 끊임없는 갈등과 분열을 경험하고 있습니다. 이런 상황을 문제로 인식하고 해결하려는 의지를 공동체가 공유하기보다 당연한 결과로 받아들이며 갈등과 분열을 사회 유지 수단으로 이용하고 있습니다.

사회구성원으로 살아가는 한 개체로서 인간은 자신의 의지와 관계없이 역사와 정치 이념의 영향을 받게 됩니다. 안중근 의사는 차이를 극복하고 서로 존중하는 공동체 유지 방법을 "인심단합론"이라 했습니다. "동양평화"는 그를 통해 이루어지는 결과입니다.

우리 사회는 민주화와 경제화 과정에 있습니다.

미완의 제도들은 갈등의 원인으로 작용하고 있으며 아름다운 공동체를 위해 많은 문제를 해결해야 한다는 것을 모두 알고 있습니다.

오늘은 어제의 결과이며 미래의 모습입니다. 지난 역사와 그 안에 실재했던 우리 선열들의 가르침은 우리에게 많은 지혜를 알려 주고 있습니다. 그 중에도 "안중근"이 우리에게 전하려는 "단합"과 "평화"는 깊이 숙고하고 논의를 이어가야 할 우리 시대 가치입니다.

안중근 의사의 독립전쟁과 공판투쟁 등 그분의 모든 행적을 담은 자료를 모아 자료집으로 만들어 우리 시대 자산으로 삼고 후대에 전하는 일에 기꺼이 동참해 오늘 작은 결실을 공동체와 함께 공유하게 되었습니다. 앞으로 이보다 더 많은 자료를 엮어 발간해야 합니다. 기쁜 마음으로 함께 결실을 거두어 낼 것입니다.

안중근 자료집 발간을 통해 많은 분들이 안중근 의사의 나라의 독립과 민족의 자존을 위해 가졌던 열정과 결단을 체험하고 우리 시대 정의 실현을 위해 헌신할 것을 다짐하는 계기가 되기를 바랍니다.

10년이 넘도록 안중근 자료집 발간을 위해 애쓰고 계시는 안중근의사기념사업회, (사)안중근평화연구원 이사장 함세웅 신부님과 임직원 여러분들에게 진심으로 존경과 감사의 인사를 드립니다.

서울특별시의회 새정치민주연합 전 대표의원
양 준 욱

편찬사

안중근은 1909년 10월 26일 하얼빈에서 대한제국의 침략에 앞장섰던 이토 히로부미를 제거해서 국가의 독립과 동양평화에 대한 의지를 드높인 인물이다. 그에 대한 연구는 한국독립운동사 연구에 있어서 중요한 부분을 이루고 있으며, 그의 의거는 오늘날까지도 남북한 사회에서 적극적 의미를 부여받고 있다. 안중근의 독립투쟁과 그가 궁극적으로 추구했던 평화에 대한 이상을 밝히는 일은 오늘을 사는 우리 연구자들에게 공통된 과제이다.

안중근이 실천했던 일제에 대한 저항과 독립운동은 5백 년 동안 닦아온 우리 민족문화의 특성을 가장 잘 나타내주고 있다. 조선왕조가 성립된 이후 우리는 문치주의를 표방하며 문민(文民)들이 나라를 다스렸다. 그러나 개항기 이후 근대 우리나라 사회에서는 조선왕조가 유학사상에 바탕한 문치주의를 장려한 결과에 대한 반성이 일어나기도 했다. 문치주의로 나라는 이른바 문약(文弱)에 이르게 되었고, 그 결과로 나라를 잃게 되었다는 주장이 제기된 것이었다.

그러나 조선왕조가 표방하던 문치주의는 불의를 용납하지 않고 이욕을 경시하면서 정의를 추구해 왔다. 의리와 명분은 목숨만큼이나 소중하다고 가르쳤으며, 우리의 정통 문화를 지키는 일이 무엇보다도 중요함을 늘 일깨워주었다. 이러한 정신적 경향은 계급의 위아래를 떠나서 삼천리강산에 살고 있던 대부분의 사람들의 심중에 자리잡은 문화적 가치였다. 그러므로 나라가 위기에 처했을 때, 유생들을 비롯한 일반 농민들까지도 의병을 모두어 침략에 저항해 왔다. 그들은 단 한 번 무기를 잡아본 적이 없었다. 그렇다 하더라도 우리나라에 대한 상대방의 침입이 명분 없는 불의한 행위이고, 사특한 움직임으로 규정될 경우에는 유생들이나 농민지도자들이 의병장으로 일시에 전환하여 침략에 목숨을 걸고 저항했다. 일반 농민들도 군사훈련을 받지 않은 상태임에도 불구하고 자신의 몸을 던져 외적의 침입에 맞서고자 했다.

그러나 엄밀히 말하자면, 글 읽던 선비들이 하루아침에 장수가 될 수는 없었던 일이며, 군사훈련을 받지 않은 사람을 전선으로 내모는 일은 살인에 준하는 무모한 행동으로 비난받을 수도 있었으나 이러한 비난은 우리 역사에서 단 한 번도 일어나지 않았다. 그 까닭은 바로 문치주의에서 강조하던 정의와 명분은 사람의 목숨을 걸 수 있을 만큼 소중한 것으로 보았기 때문이다.

우리는 안중근에게서 바로 이와 같은 의병문화의 정신적 전통이 계승되고 있음을 확인하게 된다. 물론 전통시대 의병은 충군애군(忠君愛君)을 표방하던 근왕주의적(勤王主義的) 전통이 강했다. 안중근은 전통 유학적 교육을 통해 문치주의의 향기에 접하고 있었다. 그는 무인(武人)으로서 훈육되었다기보다는 전통적인 문인(文人)으로 교육받아 왔다. 또한 안중근은 천주교 입교를 통해서 유학 이외의 새로운 사조를 이해하기 시작했다. 안중근은 전통적 근왕주의를 뛰어넘어 근대의 세례를 받았던 인물이다. 그의 혈관에는 불의를 용납하지 않고 자신을 희생하여 정의를 세우고자 했던 의병들의 문화전통과 평등이라는 가톨릭의 정신이 흐르고 있었다. 이 때문에 안중근의 생애는 전통적인 의병이 아닌 근대적 독립운동가로 규정될 수 있었다.

안중근은 우리나라의 모든 독립운동가들에게 존경의 대상이 되었다. 그는 독립운동가들에게 '역할 모델(role model)'을 제공해 주고 있다. 그의 의거는 한국독립운동사에 있어서 그만큼 큰 의미를 가지고 있었다. 그렇다면 해방된 조국에서 그에 관한 학문적 연구도 본격적으로 착수되어야 했다. 그러나 안중근에 관한 연구는 다른 독립운동가에 비교해 볼 때 체계적 연구의 시기가 상대적으로 뒤늦었다. 그 이유 가운데 하나는『안중근 전집』이나 그에 준하는 자료집이 간행되지 못했던 점을 들 수도 있다. 돌이켜 보건대, 박은식·신채호·안창호·김구·이승만 등 주요 독립운동가의 경우에 있어서는 일찍이 그분들의 저작집이나 전집들이 간행된 바 있었다. 이러한 문헌자료의 정리를 기초로 하여 그 독립운동가에 대한 본격적 연구가 가능하게 되었다. 그러나 안중근은 아직까지도『저작전집(著作全集)』이나 본격적인『자료집』이 나오지 못하고 있다. 이로 인하여 안중근에 대한 연구가 제한적으로밖에 이루어지지 못하고 있다. 그리고 안중근에 대한 본격적 이해에도 상당한 어려움이 따르게 되었다.

물론 안중근의『자서전』과 그의『동양평화론』이 발견된 1970년대 이후 이러한 안중근의 저술들을 중심으로 한 안중근의 자료집이 몇 곳에서 간행된 바도 있다. 그리고 국사편찬위원회 등 일부 기관에서는 한국독립운동사 자료집을 간행하는 과정에서 안중근의 재판기록을 정리하여 자료집으로 제시해 주기도 했다.

그러나 안중근에 대한 연구 자료들은 그 범위가 매우 넓다. 거기에는 안중근이 직접 저술하거나 집필했던 문헌자료들이 포함된다. 그리고 그는 공판투쟁과정에서 자신의 견해를 분명히 제시해 주고 있다. 따라서 그에 대해 알기 위해서는 그가 의거 직후 체포당하여 받은 신문 기록부터 재판과정에서 생산된 방대한 양의 기록들이 검토되어야 한다. 또한 일본의 관인들이 안중근 의거 직후 이를 자국 정부에 보고한 각종 문서들이 있다. 여기에서도 안중근에 관한 생생한 기록들이 포함되어 있다. 그리고 안중근 의거에 대한 각종 평가서 및 정보보고 등 그와 그의 의거에 관한 기록은 상당 분량에 이른다.

안중근 의거 직후에 국내외 언론에서는 안중근과 그 의거에 관해 자세한 내용을 경쟁적으로 보도하고 있었다. 특히 국내의 주요 신문들은 이를 보도함으로써 의식 무의식적으로 문치주의적 의병정신에 동참하고 있었다. 안중근은 그의 순국 직후부터 우국적 언론인의 탐구대상이 되었고, 역사학자들도 그의 일대기와 의거를 연구하여 기록에 남겼다. 이처럼 안중근에 관해서는 동시대를 살았던 독립운동가들과는 달리 그의 행적을 알려주는 기록들이 무척 풍부하다.

앞서 말한 바와 같이, 개항기 이래 식민지강점기에 살면서 독립을 위해 투쟁했던 주요 독립운동가들의 전집이나 자료집은 이미 간행되어 나왔다. 그러나 그 독립운동가들이 자신의 모델로 삼기 위해 노력했고 존경했던 안중근 의사의 자료집이 전집의 형태로 간행되지 못하고 있었다. 이는 그 후손으로서 안중근을 비롯한 독립 선열들에게 대단히 면목 없는 일이었다. 따라서 안중근 전집 내지 자료집의 간행은 많은 이들에게 대단히 중요한 과제로 남게 되었다.

이 상황에서 안중근의사기념사업회 산하에 안중근연구소가 발족한 2005년 이후 안중근연구소는 안중근 전집 내지 자료집의 간행을 가장 중요한 과제로 삼았다. 그리하여 2005년 안중근의사기념사업회 안중근연구소는 전집간행을 준비하기 시작했다. 그 과정에서 안중근연구소는 안중근 연구를 필생의 과업으로 알고 있는 신운용 박사에게서 많은 자료를 제공받아 이를 중심으로 하여 전집 간행을 위한 가편집본 40여 권을 제작하였다. 그리고 이렇게 제시된 기본 자료집에 미처 수록되어 있지 못한 별도의 자료들을 알고 있는 경우에는 그것을 제공해 달라고 연구자들에게 요청했다. 한편, 『안중근 자료집』에는 해당 자료의 원문과 탈초문 그리고 번역문의 세 가지를 모두 수록하며, 원문의 교열 교감과 번역과정에서의 역주작업을 철저히 하여 가능한 한 완벽한 자료집을 간행하기로 의견을 모았다.

안중근의사기념사업회에서는 안중근연구소의 보고에 따라 그 자료집이 최소 25책 내외의 분량에 이를 것으로 추정했다. 또한 자료집 간행이 완간되는 목표 연도로는 안중근 의거 100주년에 해당되는 2009년으로 설정했다. 안중근의사기념사업회는 이 목표를 달성하기 위해 백방으로 노력했다. 그러나 안중근 자료집의 간행이라는 이 중차대한 작업에 대한 국가적 기관이나 연구재단 등의 관심에는 큰 한계가 있었다. 안중근의사기념사업회는 정리비와 간행비의 마련에 극심한 어려움을 겪고 있었다. 이 어려움 속에서 안중근 의거와 순국 100주년이 훌쩍 지나갔고, 이 상황에서 안중근의사기념사업회는 출혈을 각오하고 자력으로라도 『안중근 자료집』의 간행을 결의했다. 자료집을 순차적으로 간행하기로 하였다.

이 자료집의 간행은 몇몇 분의 특별한 관심과 노력의 소산이었다. 먼저 안중근의사기념사업회, (사)안중근평화연구원 이사장 함세웅 신부는 『안중근 자료집』 간행의 비용을 마련하기 위해 많은 노력을 기울였다. 무엇보다도 이 자료집의 원사료를 발굴하여 정리하고 이를 번역해서 원고를 제공해준 신운용 박사의 노고로 이 자료집은 학계에 제시될 수 있었다. (사)안중근평화연구원 부원장 윤원일 선생은 이 간행작업의 구체적 진행을 위해 수고를 아끼지 않았다. 안중근의사기념사업회의 일에 깊은 관심을 가져준 여러분들도 『안중근 자료집』의 간행을 학수고대하면서 격려해 주었다. 이 모든 분들의 선의가 모아져서 2010년 5권이 발간되었으나 더 이상 진척되지 못하고 있었다. 여러 어려움으로 자료집 발간이 지체되는 것을 안타깝게 여긴 박원순 서울시장님과 서울시의회 새정치민주연합 전 대표 양준욱 의원님과 임형균 의원님을 비롯한 서울시의원님들의 지원으로 자료집 발간 사업을 다시 추진하게 되었다. 이 자리를 빌려 서울시 역사문화재과 과장님과 관계자들 서울시의원님들에게 심심한 감사의 인사를 드린다. 앞으로 이 자료집은 많은 분들이 도움을 자청하고 있어 빠른 시간 내에 완간될 것이라 생각한다. 이 자료집 발간에 기꺼이 함께한 편찬위원 모두의 마음을 모아 안중근 의사와 순국선열들에게 이 책을 올린다.

광복의 날에
안암의 서실(書室)에서
안중근 자료집 편찬위원회 위원장
조 광

『일본 신문 중 안중근 기사 Ⅰ-도쿄 아사히신문』 해제

신운용*

목차

1. 들어가는 말

이 책은 (사)안중근평화연구원이 『도쿄 아사히신문』 가운데 안중근관계 기사를 번역·탈초하여 원문과 함께 『안중근 자료집』의 일환으로 간행한 『일본 신문 중 안중근 기사 Ⅰ-도쿄 아사히신문』이다.

이 자료집의 내용을 이해하기 위해서는 우선 안중근의거의 국제정치적 배경과 러일 양국이 추진한 '까깝쵸프·이토 회담'의 목적과 의미를 이해할 필요가 있다. 이 점에 대해서 안중근의거의 국제정치적 배경을 살펴볼 것이다. 그리고 '까깝쵸프·이토 회담'의 목적과 의미를 기술하려고 한다.

1909년 4월 10일 레이난사카(靈南坂)에서 열린 회담에서 이토 히로부미(伊藤博文) 추밀원의장·까츠라 타로오(桂太郎) 수상·고무라 주타로(小村壽太郎) 외상은 한국을 병탄하기로 합의하였다. 이후 일제는 1909년 7월 6일 각의에서 「한국병합에 관한 건」을 결정하고 일왕의 재가로 한국침략정책을 확정하였다.[1] 이는 일제가 한국을 완

---

* (사)안중근평화연구원 책임연구원.
1 日本外務省 編纂, 『日本外交年表竝主要文書』上, 315~316쪽.

전히 장악하였음을 의미하는 것이었다.

그러나 1909년 '간도 불법협약'은 만주를 놓고 벌인 제국주의 세력간의 각축을 더욱 부추기는 결과를 가져왔다. 동청철도를 둘러싼 러시아와 미국의 접근, 그리고 청국의 미온적인 태도는 일제의 불안을 가중시켰다. 이에 만주의 지배권을 다투는 데 가장 강력한 세력인 러시아와 일정한 타협을 찾지 않으면 한국에 대한 장악력의 지속성도 보장할 수 없는 상황이 펼쳐졌다.

이러한 상황에서 일제는 러시아와 타협을 모색하던 중 친일 성향의 러시아 재무장관(대장대신) 까깝쵸프의 극동 방문 소식을 입수하였고 까깝쵸프·이토 회담을 적극 추진하여 급히 이토의 만주 방문이 결정되었던 것이다.

『도쿄 아사히신문』은 이러한 사실을 보도하지 않았지만 까깝쵸프의 극동방문 목적을 정확하게 파악하고 있었다. 그럼에도 이토의 방만 목적을 추적하지 않았다. 물론 일제의 침략정책의 선전도구로 자임해온 이러한 『도쿄 아사히신문』의 보도 경향은 일제의 언론통제의 결과로 보인다.

특히 『일본 신문 중 안중근 기사 Ⅰ-도쿄 아사히신문』을 통해 이토 영웅만들기에 앞장을 선 모습에서 일본 국내에 이토라는 일본 근대인물의 위상을 확인할 수 있을 것이다. 하여튼 이 자료집이 안중근의 전체상을 구축하는 하나의 퍼즐 역할을 할 수 있기를 바라 마지않는다.

2. 안중근의거의 국제정치적 배경

대한제국을 장악하기 위한 러일간의 경쟁이 절정에 이른 사건은 러일전쟁이었다. 이 전쟁으로 일제는 대한제국을 식민지화하기 위한 발판을 마련하였고, 만주를 강점할 수 있는 단초를 열었다. 특히 1905년 9월 5일 체결된 「러일강화조약」으로 일제는 한국과 남만주에 대한 지배력을 더욱 강화하였다. 이 조약으로 일제는 ① 한국에 대한 일본의 지도·보호·감리권, ② 여순·대련의 조차권과 장춘 이남의 철도부설권, ③ 북위 50°이남 사할린, ④ 오호츠크해·베링해 등 러시아령 연안의 어업권을 각각 러시아로부터 승인 내지 할양받았다. 이후 일제는 대한제국을 서서히 무력화시키면서 만주침략을 본격화하여 국제적 외교 분쟁을 초래하였다.

그런데 이 조약이 있기 전인 1905년 7월 29일 일제는 「태프트-가쓰라밀약」을 맺어 미국으로부터 대한제국에 대한 독점적 지배권을 인정받았고, 8월 12일에는 「제2 회 영일협약」을 통하여 영국으로부터도 그 지배권을 승인받았다. 이러한 국제적 협 작을 배경으로 일제는 러시아와 강화조약을 체결하였다.

러일전쟁 이후 대한제국에 대한 독점적인 지배권을 열강으로부터 인정받은 사정 을 배경으로 일제는 조선의 외교권을 강탈하였다. 그것은 바로 1905년 11월 17일 을사늑약이라는 형태로 나타났다. 또한 남만주에 대한 일제의 침략은 1905년 12 월 22일 「만주에 관한 청일협약」[2]으로 가시화되었다.

1906년에 들어와서도 일제는 1906년 4월 14일 사이온지 긴모치(西園寺公望) 수 상의 만주시찰여행, 5월 22일 이토의 요구로 「만주에 관한 협의회」 개최, 6월 동청 철도 남부지선을 남만주철도로 개칭, 8월 1일 관동도독부관제령공포, 11월 26일 남만주철도회사 설립 등으로 만주에 대한 지배구조를 심화시켰다.[3] 이처럼, 일제는 대한제국에 대한 지배를 어느 정도 고착화시키면서 만주에 대한 지배권을 강화시켜 나갔던 것이다.

그러나 만주에 대한 러시아의 영향력은 여전히 강하였으며, 청국의 경계심도 더욱 고조되었다. 이러한 상황에서 미영은 문호개방과 기회균등을 주장하면서 만주문제 에 적극 개입하기 시작하였다. 즉, 주일 영국공사 맥도널드(MacDonald)는 1906년 2 월 13일 가토 다카아키(加藤高明) 외상에게 일본의 만주 문호폐쇄정책을 항의하였으 며, 2월 19일 사이온지 수상에게 만주 문호개방을 촉구하였다.[4] 하지만 얼마 후 영 국은 유럽에서의 상황변화와 일본과의 관계악화를 우려하여[5] 일제의 만주지배정책 을 더 이상 문제 삼지 않았다.

반면, 2월 23일에는 주일 미국공사 윌슨(Huntington Wilson)도 가토 외상에게 담 배업 등의 폐쇄적인 일제의 만주정책에 대해 우려를 표하였다. 1906년 3월 15일에 도 윌슨은 1906년 2월 23일에 미국이 제기한 문제에 대한 일제의 회답을 요청하였 다. 1906년 3월 26일에는 한 차원 목소리를 높여, 루트(Elihu Root)국무장관이 사 이온지 수상에게 만주의 문호개방을 촉구하였다. 그리고 1906년 3월 31일에는 맥

---

2 日本外務外省交 編, 『日本外交文書』 38-1, 183쪽.
3 堀眞琴, 『日露戰爭前後』(近代日本歷史講座), 1940, 252쪽.
4 최문형, 「전후의 정황과 일본의 한국병합」, 『(국제관계로 본) 러일전쟁과 일본의 한국병합』, 지식산업사, 2004, 347쪽.
5 黑羽武, 「南滿洲鐵道中立化問題」, 『日本歷史』 125號, 日本歷史學會, 1958, 17쪽.

도널드가 이토에게 일본의 현 만주정책은 러일전쟁에서 일본을 도운 미·영을 위협하는 자살적 정략이라는 내용의 서신을 보내기도 하였다.

이러한 미국의 강공정책을 우려하는 보고서를 주미대리공사 히오키 마스(日置益)가 외무성에 보고하는 등 일본은 미국의 압력에 대한 대책마련에 분주했다.[6] 그리하여 4월 11일 사이온지는 '일본군 철수에 따른 혼란을 방지하기 위해 외국인의 출입을 제안했지만 점진적으로 만주를 개방할 것'이라고 맥도널드와 윌슨에게 언명하였다. 또한 1906년 5월 22일 일제는 수상관저에서「만주에 관한 협의회」를 열어 미국의 공세에 대한 대응책을 강구하는데 혈안이 되었다.[7]

이 협의회에서 이토를 중심으로 한 세력과 고다마 겐다로(兒玉源太郎)참모총장을 축으로 한 세력 간의 대립이 있었다. 그러나 대외강경파인 고다마 세력의 입지가 강화되어 만주 폐쇄정책은 지속되었다.[8] 그리하여 1907년 1월 야마카타 아리토모(山縣有朋)가「대청정책소견」을 발표하고, 1907년 2월 8일 각의에서 일본 관리를 간도에 파견하기로 결정하는 등[9] 만주지배정책을 더욱 강화하였다.

이와 같은 일제의 만주지배력 강화는 러시아의 대외정책 변화와 깊은 관계 속에 이루어졌다. 즉, 1905년 러시아황제의 만국평화회의에의 대한제국 대표단 초청, 러일전쟁 이후 러시아 리네비치 장군의 제2차 러일전쟁추진, 1906년 주한러시아 총영사 플란슨(George de Planson)의 신임장 문제 등으로 러일간의 긴장이 더욱 고조되었다.[10]

그러나 이즈볼스키(A. P. Izvolskii)가 1906년 5월 12일 러시아의 외상이 되면서 러시아의 대일정책에 변화를 보이기 시작하였다. 이즈볼스키는 정통적인 우방인 독일과 일정한 거리를 유지하면서 영국과 접근을 강화하는 등 외교정책의 중심축을 극동에서 서방으로 전환하는 외교방침을 취하였던 것이다.[11] 이러한 상황으로 말미암아 러시아는 극동에서 일제와의 충돌을 가능한 한 회피하는 정책을 취하게 되었

6 日本外務省 編,『日本外交文書』39-1, 221~222쪽.
7 日本外務省 編纂,「第三會日露協約」,『日本外交年表並 主要文書』, 原書房 , 1965, 260~269쪽.
8 林敏,「日露戰爭直後滿洲問題-韓國統監伊藤博文に對する一分析-」,『史學硏究』第197號, 廣島史學硏究會, 1992, 24~25쪽.
9 최장근,「일제의 간도 '統監府 臨時派出所'설치 경위」,『韓日關係史硏究』7, 한일관계사학회, 1997, 87쪽.
10 森山茂德,『近代日韓關係史硏究』, 東京大學出版會, 1987, 207~208쪽.
11 최문형,「전후의 정황과 일본의 한국병합」, 355~358쪽.

다.

  그리하여 1907년 2월 4일 이즈볼스키 러시아 외상은 일본에 협상을 제의하였다.[12] 이 협상에서 이즈볼스키는 일본의 한국 지배권을 인정하는 듯한 발언을 하여 러시아의 대한정책의 변화를 시사하였다.[13] 이처럼 일제의 대한강경책을 러시아가 반대하지 않으리라고 확신한 일제는 한국의 내정권마저 장악하는 「제3차 한일협약」을 1907년 7월 24일 체결하였다. 이후 일제는 1907년 7월 30일 러시아 상트뻬쩨르부르그에서 본조약·비밀협약·추가약관으로 구성된 「제1차 러일협약」을 러시아와 체결하고 「외몽고에 있어서의 청국의 현상유지 및 영토보전에 관한 문서」[14]를 교환하였다.

  러일은 비밀조약 제1조에서 「그리니치」 동경 122도의 교차점을 중심으로 만주를 남북으로 분리하여 각각의 지배권을 인정하였다. 비밀조약 제2조에서 "露西亞國은 日本國과 韓國과의 사이의 현행 諸條約 및 協約에 기초하여 존재하는 政事上 利害共通의 關係를 承認하고"[15] 라고 한데서 알 수 있듯이, 러시아는 일제의 대한제국 지배에 대한 독점적 지배력을 인정하였다. 또한 비밀조약 제3조에서 일제는 러시아의 외몽고 독점적 지배권을 역시 인정하였다. 결국 러시아와 일제는 제1차 러일협약을 통하여 러시아가 북만주와 외몽고를, 일본이 대한제국을 각각 분할 통치하려는 야욕을 드러냈던 것이다.

  한편, 제1차 러일협약 체결을 위한 사전정지 작업으로 일제는 1907년 6월 10일 프랑스와 「불일협정」을 체결하였다. 이 협정에서 프랑스는 한국과 만주에 대한 일본의 특수지위를 인정하고 일본은 프랑스에 인도차이나에 대한 영토권을 승인하였다. 이처럼 「불일협정」도 일제의 만주정책에 대한 미국의 압력과 더불어 러일협정이 체결된 중요한 배경 중의 하나였다.

  그런데, 유럽에서의 영·불·러 삼국동맹으로 인한 독일의 고립과 러일협정으로 인한 청국의 만주 지배력 약화, 러일의 만주에 대한 문호폐쇄정책으로 야기된 미국의 불만은 영·불·러에 대항하여 독·청·미 삼국연합전선의 구축을 촉진시켰다.[16] 그

12 日本外務外省交 編, 『日本外交文書』 40-1, 98~99쪽.
13 日本外務外省交 編纂, 『日本外交年表竝輧文書』, 280~281쪽.
14 위의 책, 281~282쪽.
15 위의 책, 282쪽.
16 최문형, 「전후의 정황과 일본의 한국병합」, 363~365쪽.

리하여 주청 독일대사 렉스(Graf von Rex)는 1907년 7월경부터 원세개(袁世凱)와 의 협력관계를 구축하였던 것이다. 그리고 봉천성 순무인 당소의(唐紹儀)와 봉천주 재 미총영사 스트레이트(Willard Staight)[17]는 영화공사(英華公司, British and Chinese Corporations)의 블랜드(J.O.P.Bland)와 폴링사(Pauling & Co.)의 플렌치(Lord Ffrench) 경으로부터 각각 자금과 기술을 들여와 신법철도(新法鐵道) 부설구상을 하였다.

결국, 1907년 11월 8일 영국의 건설회사인 폴링사가 신법철도 공사를 수주하였다. 이 신법철도의 건설 계획에 스트레이트는 해리먼(Edward Henry Harriman)을 끌어들여 신법철도를 치치하얼까지 연장하고 종국에는 시베리아철도와 연결시켜 세계 철도망 구축이라는 미국의 원대한 계획을 추진하려고 하였다. 그리고 당소의의 계획은 영미의 자본을 유인하여 러일세력을 만주로부터 축출하려는 의도에서 이루어졌던 것이다.

하지만 이러한 당소의와 스트레이트의 계획은 ① 만철에 영향을 주는 어떠한 철도도 건설할 수 없다는 북경협약의 비밀부속협약 제3조를 위반하였다는 일제의 항의, ② 영일동맹이라는 상황, ③ 미국의 공항으로 해리먼의 자금사정이 어려웠다는 점 등에서 그 가능성은 희박하였다.[18]

그런데 1908년 봄이 되자, 미국의 경제사정이 풀리기 시작하면서 해리먼은 스트레이트와 다시 만주에 대한 이권개입을 시도하게 된다. 즉, 해리먼은 러시아가 동청철도를 매각한다는 정보를 입수하고 쿤로에브 회사의 시프와 협력하여 동청철도를 국제 신디케이트로 매입하려고 하였다. 한편 이와 보조를 맞추어 스트레이트도 당소의와 동청철도의 매수와 금애(錦璦)철도의 건설을 위한 자금조달 방법으로 만주은행 설립을 계획하여 1908년 8월·9월말 각각 미국에 입국하였다.

그러나 1907년 9월 28일 태프트(Wiliam Howard Taft)의 일본방문으로 미국은 일본과 전쟁을 할 의사가 없음을 표명하였으며, 1907년 12월 31일 신사협정 체결로 미일간의 현안인 이민문제도 해결되었다. 게다가 1908년 10월 18일 미함대의 요코하마(橫浜)항 입항 및 일본인들의 열렬한 환영 등으로 미일관계는 호전된 상태였다. 무엇보다 1908년 7월 미국과의 관계계선을 추구한 제2차 가쓰라(桂)내각의 성립과 고무라 쥬타로(小村寿太郎)외상의 취임은 미·일의 관계강화로 이어졌다. 또한

17 스트레이트에 대해서는 Herbert Croly, 『*Willard Straight*』, New York, 1925, 참조.
18 최문형, 「전후의 정황과 일본의 한국병합」, 381~382쪽.

1908년 10월 6일 오스트리아가 보스니아와 헤르체고비나의 합병을 선언하여 독일은 유럽에서 외교적으로 고립상태에 빠지게 되었다. 이러한 배경 하에 미·영·불·러 4강 동맹체제가 구축된 상황에서 미국은 만주문제로 일본을 자극할 필요성이 없었다. 이와 같이 미일관계의 개선으로 당소의와 스트레이트의 구상은 타격을 입게 되었다.

그리하여 일본은 만주의 문호개방과 영토보존을 미국에 약속하였고 미국은 일본에 이민문제를 보장해 주면서, 만주에 대한 일본의 지배권을 묵인한 1908년 11월 30일 「루트-다카하라 협약」을 미·일 양국이 체결하였다.[19] 미국이 이 협약을 맺은 배경은 루즈벨트(Franklin Delano Roosevelt)가 '만주에는 일본과 전쟁을 무릅쓸 만한 우리의 이권이 없다'라고[20] 한 말에 잘 드러나 있다. 이는 만주에서보다 필리핀에 대한 일본의 간섭을 배제하면서[21] 대서양에서 이권을 확보하려는 미국의 대외정책에 기인한 결과였다.[22] 이 협약은 무엇보다도 미국의 만주에 대한 간섭을 어느 정도 차단하였다는데서 일본으로서는 의미가 있었다.

그러나 이러한 미일의 밀월관계도 1909년 3월 4일 일제를 배제하는 스트레이트의 만주정책에 일정한 지지를 표명하는 등 반일성향을 갖고 있던 태프트가 미대통령에 취임하면서 급변하였다.[23] 태프트는 만주정책을 만주문제에 문외한인 녹스(Philander C. Knox) 국무장관에게 일임하였다. 그리고 만주문제 전문가인 윌슨과 스트레이트를 각각 동아시아담당 차관보와 동아시아부 부장에 임명하여 녹스의 약점을 보강토록 하였다. 이는 만주에서 미국의 이권이 해리먼 등의 '개인적인 차원'에서 '미정부의 차원'으로, '문화개방 주장'에서 '자본의 투자'로 확대되었음을 의미하는 것이었다.[24] 그리하여 미국의 주된 만주정책은 두 방향에서 전개되었다. 하나

---

19 日本外務省交 編纂, 『日本外交年表竝 主要文書』 上, 312~313쪽.
20 日本外務省交 編, 『日本外交文書』 41-1, 78~81쪽.
21 이러한 미국의 입장은 태프트의 보고서에도 잘 나타나 있다. 즉, "하여시는 필리핀에 대해 어떤 야욕도 없다고 거듭 강조했다. 이민 문제는 유럽 이민과 동등한 수준에서 해결되기 바란다고 했다. 일본은 전쟁회피를 열망하고 있다. 그들은 전쟁을 감당할 재정적 여유도 없다. 그들은 한국을 수중에 넣는데 예상했던 것보다 어려움이 많다는 사실도 알고 있다. 이에 나는 미·일 사이에 전쟁이 발발하면 일본의 한국지배에도 영향을 미칠 수 있다는 점을 지적해 두었다."(Henry F. Pringle, 『The Life and Times of Wiliam Howard Taft : a biography』, New York, 1939, pp303~304).
22 최문형, 「전후의 정황과 일본의 한국병합」, 388쪽.
23 재미 한인들에 태프트가 미대통령에 취임한 것은 실로 그 의미가 매우 큰 것이었다. 때문에 『신한국보』 1909년 10월 26일자, 「미국대통령의 戀情新話」에서 태프트를 을지문덕에 비유할 정도였다.
24 최문형, 「전후의 정황과 일본의 한국병합」, 396~397쪽.

는 동삼성 총독 석량(錫良)의 금애철도건설 계획을 청과 최종적으로 마무리 짓는 것이었다. 다른 하나는 동청철도를 러시아로부터 매수하는 것이었다. 그러나 금애철도 건설문제는 러시아의 반대로 성공할 수 없었다.[25]

스트레이트와 협력관계에 있던 쿤 로에브 회사(Kuhn, Loeb and Company)의 시프(Jacob H. Schiff)는 1908년 11월 러시아 대장성의 주미 재무관 빌라킨(Gregory Wilenkin)으로부터 일본이 남만주철도를 매각하면 러시아도 동청철도를 매각할 의사가 있다는 정보를 입수하였다. 그러나 일본이 남만철도를 매각할 의사가 없다는 사실이 밝혀지자, 까깝쵸프(V. N. Kokovtsov)도 1909년 2월 미국과의 철도매각 교섭을 중단하였다.[26]

이와 같은 미국의 만주정책 선회는 1909년 3월 30일 내각회의에서 「한국병합에 관한 건」을 고무라 외상이 가쓰라 수상에게 제출하여 대한제국을 적당한 시기에 병탄하기로 결정하도록 한 하나의 배경으로 작용한 것으로 보인다. 말하자면, 1909년 4월 29일의 야마가타의 의견서[27]에서 드러나듯이, 미국의 대일 강경정책으로 인하여 일제의 한국 지배력이 상실될지도 모른다는 인식을 일본정부는 갖게 되었을 가능성도 배제할 수 없다. 이러한 국제정세 속에서 일제는 「한국병합에 관한 건」을 1909년 7월 6일 일본 각의에서 결정하고 동일 일본 국왕의 재가를 얻어 대한제국에 대한 병탄을 공식적으로 확정하였다.[28]

이처럼, 일제는 국제정세의 변화에 따라 한국병탄을 결정하고 나서 남만주에 대한 독점적 지배력 강화를 위해 1909년 9월 4일에는 「간도에 관한 일청협약」과 「만주5안건에 관한 협약」을 청국과 체결하였다.[29] 이로써 일본은 만주에 대한 침략의도를 더욱 노골적으로 드러냈던 것이다.

한편, 일본인이 태평양 지역에서 러시아인들을 완전히 구축하기 위해 청을 부추기면서 한국과 남만주를 전쟁 배후지로 이용하여 새로운 전쟁을 준비해 1909년 봄까지 연해주 전체가 일본에 점령당할 것이라는 정보가 국내외로부터 러시아정부에 보

25 植田捷雄,「韓國倂をまぐる國際關係-朝鮮獨立運動序説」,『朝鮮中國の民族運動と國際環境』, アジア・アフリカ國際關係學 會, 1967, 344쪽.
26 최문형,「전후의 정황과 일본의 한국병합」, 400쪽.
27 森山茂德,『近代日韓關係史研究』, 88~86쪽.
28 日本外務省 編纂,『日本外交年表竝主要文書』上, 315~316쪽.
29 위의 책, 324~326쪽.

고되고 있었다.[30] 특히 연해주 총독 운떼르베르게르(Pavel Unterberger)는 일제의 연해주 침략을 기정사실화하여 국방상 수호믈리노프(Vladmir Sukhomlinov)를 통하여 니콜라이 2세를 움직였다. 그 결과, 나중에 자세히 살펴보겠지만 까깝쵸프의 극동 방문으로 이어졌던 것이다.

이러한 상황 속에서 미국은 청일의 접근을 차단하면서 금애철도를 지렛대로 이용하여 동청철도와 남만주철도를 미국에 매각하도록 하는 전략을 세웠다. 그 일환으로 1909년 10월 2일 스트레이트가 만주에 이해관계를 가진 미국 은행그룹과 폴링 회사를 대표하여 청과 약 750마일의 금애철도 건설예비계약을 체결하였다.

반면, 1909년 9월 20일 이즈볼스키 외상은 일본이 한국에서 행한 군사행동과 청일간의 간도협약에 대해 주러 대사 모토노 이치로(本野一郎)대사에게 강력한 항의를 하였다.[31] 미국도 간도협약 체결 소식을 듣고, 이는 포츠머스 조약과 문호개방주의를 유린하는 것이라고 일제를 비난하였다.[32] 이처럼, 공격적인 일본의 만주정책에 직면하여, 러미는 일본의 만주정책에 대항하면서 만주에서의 이권보호를 위하여 서로 접근할 필요성이 제기되었다. 그러한 결과가 바로 주러 미대사 녹힐(W. W. Rockhill)이 1909년 11월 21일 러시아에 동맹을 제휴하는 형태로 나타나게 되었다.[33]

이러한 위기사태를 감지한 일본이 선택할 수 있는 길은 오직 러시아와의 관계정상화를 통한 러미 동맹을 차단하는데 전력을 기울일 수밖에 없었다.[34] 왜냐하면 러미의 관계강화는 일본의 만주에 대한 지배력을 약화시킬 것이고, 그 결과 대한제국 병탄계획에도 영향을 미칠 수밖에 없는 상황이 연출되리라는 것을 일제는 간파하고 있었기 때문이다. 간도협정으로 야기된 러미의 접근이라는 위기에서 벗어나기 위한 일제의 히든카드가 바로 까깝쵸프·이토 회담이었던 것이다. 이러한 맥락에서 이토는 '현재 중국에서 강국들의 상호이익이 충돌하는 상황에서 벗어나기 위해, 극동문제와 관련 양국 간의 긴밀한 연대가 필요하다'는 견해를 제시했던 것이다[35]

---

30 최문형, 「전후의 정황과 일본의 한국병합」, 401쪽.

31 日本外務省交編, 『日本外交文書』 42-1, 358~360쪽.

32 신운용 편역, 「미국의 반대」, 『재만 일본 신문 중 안중근 기사 Ⅰ-만주일일신문』(안중근 자료집 15), (사)안중근평화연구원, 2014, 12쪽.

33 최문형, 「전후의 정황과 일본의 한국병합」, 408쪽.

34 外務省政務局第三課, 『日露交涉史』(明治百年史叢書), 原書房, 1965, 158쪽.

35 Б.Д.Пак, 『*Возмездие на харБинском Вокзале*』, Москва-Иркутск, 1999, стр 26.

그러나 안중근의 거사로 까깝쵸프·이토 회담는 성공하지 못하였다. 이러한 상황에서 미 국무부 장관 녹스가 오브라이언(Thomas J. O'brien) 주일대사를 통하여, 「만주중립화 방안」이라는 카드를 1909년 12월 16일 일본에 제의하였고, 거의 같은 시기에 러·영·불·독에도 제시하였다.[36] 러시아로서는 미일 중 어느 한 나라와 제휴할 것인가 하는 외교적 기로에 놓이게 되었다. 이러한 외교문제를 둘러싸고 러시아 국내에서 논쟁이 있었지만, 일본과의 제휴를 추진한 이즈볼스키 세력이 우세한 상황이었다.

급한 쪽은 일제였다. 러시아와의 관계가 악화되면 일제는 한국에 대한 우월권이 위협받는 상황에 직면하게 될 가능성이 있었기 때문이다. 그리하여 1909년 11월 21일 모토노가 이즈볼스키에게 공식적으로 동맹을 제의하였고,[37] 12월 18일 러시아황제가 일본과 협정을 체결하기로 내정하였다. 이러한 정황을 배경으로 1910년 1월 21일 러일 양국은 녹스의 만주중립화방안을 거절하였던 것이다.[38] 결국, 일본의 집요한 러시아 접근과 만주분할정책을 통한 이권추구라는 러시아의 만주정책은 1910년 7월 4일 「제2차 러일협약」의 체결로 이어져 만주문제는 러일간의 이권보장이라는 형태로 일단락되었다.[39] 그리고 까깝쵸프가 이토와의 회담에서 제기하려고 했을지도 모를 몽골문제[40]는 1913년 7월 8일 「제3차 러일협약」으로 일단락되었다.[41] 이처럼, 안중근의 거사는 1909년 9월 「간도협약」이후 불리해진 상황을 반전시키려는 일제의 모략과정에서 이루어진 국제적 의미를 갖는 의거였다.

3. 까깝쵸프 · 이토 회담의 목적

이처럼, 러일전쟁 이후 만주는 자국의 세력권 하에 두려는 열강의 각축장이 되었으며, 유럽의 정세와 연동되어 있던 만주의 정세는 러일간의 대립과 협력 구조 속에

---

36 外務省政務局第三課, 『日露交渉史』(明治百年史叢書), 164~165쪽.
37 위의 책, 184쪽.
38 최문형, 「전후의 정황과 일본의 한국병합」, 408쪽.
39 日本外務省 編纂, 『日本外交年表竝 主要文書』上, 336~337쪽.
40 박종효, 「安重根 義擧에 관련된 러시아 文書」, 『21세기와 동양평화론』, 국가보훈처·광복회, 1996, 179쪽.
41 日本外務省 編纂, 『日本外交年表竝 主要文書』上, 369쪽.

서 서방 열국의 이권에 영향을 받았다. 이러한 상황 속에서 1909년 3월 반일 성향의 태프트의 미국 대통령 취임과 1909년 9월 청일간의 '간도불법 협약'에 따른 러시아와 미국 등 서방세력의 대일감정 악화라는 구조 속에서 1907년 봄 고토 신페이(後藤新平)가 제기한 이토의 방만 필요성이 일제의 정계에 급부상하게 되었던 것이다.

당시 러일간의 현안은 ① 철도에 관한 일청교섭(간도협약), ② 여순(旅順) 연대(烟臺) 탄광 문제, ③ 하얼빈(哈爾賓) 시제문제(市制問題)이었다.[42] 이토는 이러한 러일간의 현안을 해결하고 만주의 이권을 노린 미국의 만주정책 강화에 따른 러·미·청·독의 접근을 차단하면서 만주의 지배권의 공고를 위한 방안으로 까깝쵸프와 회담을 구상하였던 것이다.

이러한 시대적 분위기 속에서 러시아의 일본에 대한 의구심은 점차 그 강도를 높아졌다. 특히 1909년 상반기 블라디보스토크 방어 문제를 둘러싼 문제는 "블라디보스토크의 방어시설 구축을 위한 예산확보가 대장성의 반대로 불가능했기 때문이다"[43]이라는 연해주 총독 운떼르베르게르의 주장에 대해 대장대신 까깝프쵸프가 반박하는[44] 등 대일외교를 둘러싼 러시아 내부의 대립은 첨예화되었다.

결국 러시아 황제 니콜라이 2세가 조정에 나서 1909년 8월 까깝쵸프에게 블라디보스토크의 방위실태와 극동정세를 현지에 가서 자세히 조사 보고하라는 칙령을 내렸다.[45] 이에 따라 까깝초프는 11월 국회가 개회되기 전까지 뻬쩨르부르그로 귀환한다는 극동여행 계획을 세웠던 것이다.

까깝쵸프의 극동 방문 목적은 블라디보스토크 방위 현황 조사였지만 이외에도 북만주와 몽고 처리방책을 수립하기 위한 것이었다.[46] 까깝쵸프의 극동방문 목적은 종합적으로 판단하건대, 일본의 위협과 그에 따른 연해주 방위책을 마련하기 위한 것이었고, 다른 하나는 북만주와 몽고에 대한 대책을 협의하기 위한 것이었다.

이와 같은 까깝초프의 극동순방 계획이 알려지자 「간도협약」 이후 악화된 러일관

---

42 日本外交史料館, 「露國外務大臣ト會談ノ要領報告ノ件」, 『韓國ニ於ケル統監政治及同國併合後帝國ノ統治策ニ對スル論評關係雜纂』(문서번호: 1. 5. 3, 14).

43 박종효, 「안중근(安重根)」의사의 하얼빈(哈爾賓)의거 진상(眞相)과 러시아의 대응」, 『安重根義士의 偉業과 사상 再照明』, 안중근의사숭모회·안근의사기념관, 2004, 113쪽.

44 Коковцов В.Н. 『Из Моего прошлого воспоминания 1903-1919гг』 Книга 1, МОСКВА, 1992, стр 315(이하 까깝쵸프 회고록).

45 위의 책, 323쪽.

46 АВПРИ, Японскийстол, Фонд No. 150, Опись No. 493, Дело No. 1279, Лист No. 3.

계를 정상화시킬 기회를 엿보고 있던 일제는 주러 대사 모토노로 하여금 까깝쵸프를 예방하여 극동 순방길에 일본을 방문해줄 것을 요청하도록 하였다.[47] 모토노의 요청을 받은 까깝쵸프는 11월 초에 상하 양원이 개회되므로 일본까지 갈 시간적 여력이 없다고 회답하였고[48], 러시아 황제의 의심을 두려워 했던 까깝쵸프는 방일 제의를 거부하였다.[49]

이처럼, 일제가 까깝쵸프의 극동방문에 촉각을 세우고 있을 때, 1909년 10월 14일 동경주재 러시아공사 말레프스끼 말레비치는 일제가 까깝쵸프·이토 회담을 통하여 만주철도문제를 논의하려고 한다는 정보[50] 를 러시아정부에 보고하였던 것이다.[51] 까깝쵸프·이토 회담은 1909년 9월 4일 「간도협약」이 청일 사이에 체결되어 러일간의 긴장이 고조되었고, 1909년 10월 2일 청국이 영·미와 금애철도 부설계약을 체결하는 등 미국을 중심으로 만주의 이권에 대한 열국의 개입이 증대되는 시점에서 까깝쵸프와 이토의 회담이 준비되고 있었던 것이다.

1909년 10월 24일 동경주재 러시아 공사 말레비치의 이토의 극동방문 일정을 보고하는 전문을 러시아 외무성에 급보하는[52] 동시에 모토노도 이즈볼스키를 만나 이토가 극동순방길에 까깝쵸프와 회동하여 남만주철도와 동청철도의 상호 화물협정을 체결하고 교역확대를 도모하기 위해 관계개선을 협의하고자고 제의하였다.[53]

결국, 1909년 10월 24일경 까깝쵸프·이토 회담 일정이 1909년 10월 26일로 결정되었다. 회담의제로는 '남만주철도와 동청철도의 상호 화물협정과 교역확대 그리고 포괄적 양국의 관계개선'이 암묵적으로 설정되었던 것 같다.

그러나 이토와의 회담이 예정되어 있었다는 사실을 전혀 모른 채 10월 14일 극동으로 출발한 까깝쵸프는 '이토가 까깝쵸프와의 회담을 희망한다'는 하얼빈주재 일

---

47 『까깝쵸프 회고록』, 323쪽.

48 『까깝쵸프 회고록』(Коковцов В.Н. 『Из Моего прошлого воспоминания 1903-1919гг』 Книга 1, МОСКВА, 1992), 315쪽.

49 위의 책, 325쪽.

50 АВПРИ, Японскийстол, фонд No. 150, опись No. 493, дело No. 1279.

51 이에 대해 『滿洲日日新聞』는 다음과 같이 전하고 있다. 즉, "러시아 대사는 이토공을 위해 송별연을 열고 또한 하얼빈에서 이토공 환영의 건에 대해 본국정부에 타전한 바 있다고 한다"(신운용 편역, 「러시아와 이토공」, 『재만 일본 신문 중 안중근 기사 I -만주일일신문』(안중근 자료집 15), (사)안중근평화연구원, 2014, 17쪽).

52 박종효, 「안중근(安重根)의사의 하얼빈(哈爾賓)의거 진상(眞相)과 러시아의 대응」, 114쪽.

53 위의 논문, 114~115쪽.

본 총영사 카와카미 도시히코(川上俊彦)의 통보를 받은 동청철도 장관 호르바트 알려 주어 1909년 10월 22일 만주역에 도착하고 나서 회담이 예정되어 있다는 사실을 알게 되었다.[54]

한편, 일본에 대한 러시아의 여론이 악화되어 있는 상황에서[55] 까깝쵸프와 이토간의 회담이 있을 것이라는 사실이 알려지자, 이 회담에서 무엇을 논의할 것인가? 그리고 그 결과가 미칠 파장은 어느 정도인가하는 문제에 러시아언론의 관심이 집중되었다. 러시아 사회당의 기관지 1909년 10월 21일자 『Новая жизнь』(신생활)은 "일본이 러일간의 상업적 이익의 충돌로 청국만 이익을 보고 있는 상황에서 러일 간의 문제를 해결하기 위해서는 일정한 방법이 있어야 하는데, 바로 그 방법이 까깝쵸프·이토 회담이며, 이는 만주에 대한 러시아의 이해관계와 동청철도문제에 중대한 영향을 미칠 것"이라고 까깝쵸프·이토 회담배경을 설명하였다.[56]

또한 러시아 동청철도 기관지 『Харбинская вестник』(하얼빈일보)는 1909년 10월 24일자 기사에서[57] "일본정부차원에서 추진된 까깝쵸프·이토 회견을 통해 일본은 간도협약으로 청국으로부터 얻은 철도부설권문제, 즉 길장철도를 회령까지 연장하여 한국철도와 연결시키는 계획을 러시아에 이해시키고 동청철도에 관한 제문제도 처리할 목적으로 만주순방을 결정하였다."라고 전하면서 "이토의 만주행은 남만주 태수(통감)가 되기 위한 사전공작"이라고 주장하는 등 여전히 일본에 대한 경계심을 고양시켰다. 또한 같은 신문의 10월 20일자 기사에서는 "까깝쵸프·이토 회담의 결과는 전연 예측할 수 없다. 하지만 러시아인은 상당한 성과가 있을 것으로 생각하고 있으며, 만주문제에 깊은 관심을 갖고 있던 영프가 이번 회담을 만주문제에 중대한 의미가 있는 것으로 보기 때문에 이 회담을 예의주시하고 있다"라고 하여 이 회담의 국제적 의미를 분석하였다.[58]

여기에서 구체적으로 일제가 까깝쵸프와 회견 성사에 공들인 연원을 살펴볼 필요가 있다. 1907년 봄 이토와 고토가 일본이 취해야 할 대외정책에 대해 3일간 논의

54 『까깝쵸프 회고록』, 323쪽.
55 日本外交史料館,「露國官憲の在留邦人に對する態度に關する件」, 『帝國諸外國外交關係雜纂 日露間』第一卷 (문서번호: 1. 1. 4, 1-2).
56 『Новая жизнь』 1909년 10월 21일자.
57 『Харбинская вестник』 1909년 10월 24일자.
58 『Харбинская вестник』 10월 20일자.

하였을 때 고토는 "일본의 대한제국 식민지화 이후를 대비하기 위한 수단으로 '청의 보존'과 '동양평화'라는 명분으로 러·독·영·불의 협력을 이끌어내고, 청국에 대해서는 동양인 스스로 동양문제를 해결해야 한다"는 '대아시아주의'를 내세우면 청·미의 접근을 차단해야 한다고 이토를 설득하였다.[59] 이후 고토는 주일 러시아대사 말레비치와의 회담에서 이토와 까깝쵸프가 만나면 동청철도와 남만주철도 문제를 논의할 것이라고 피력하였다.[60]

이러한 고토의 권유에 따른 이토의 방만 필요성이 1909년 9월 4일 간도협약 이후, 러시아와의 긴장이 극에 달하는 시점에서 일본정계에 급부상하게 되었다. 이토의 방만목적에 대해 고무라 외상은 1909년 10월 9일 이토의 만주여행이 아무런 사명이 없는 것처럼 재외 각국 일본대사들에게 전전(轉電)하였다는 데서도 보듯이 이토의 방만 목적은 일제 외무성 내부에서도 비밀에 부쳤을 정도로 중대사건이었다.[61]

그러나 급작스럽게 열린 까깝쵸프·이토 회담은 특정 의제에 한정된 회담이 아니라, 러일 간에 놓여 있는 현안문제에 대한 상호 탐색전의 성격을 갖고 있으므로 마치 특별한 사명이 없는 것처럼 보이는 것도 이상하지 않은 일이다. 이는 밀레프스끼 말레비치가 일본정부가 광범한 정치 및 경제문제에 대한 협상권을 이토에게 위임했다는 1909년 10월 14일 러시아 외무성에 보낸 전문에서도 그렇듯이[62] 까깝쵸프·이토 회담은 특정한 의제가 없는 포괄적 협상을 목표로 하였던 것으로 보아도 무리는 아니다. 특히 만주를 둘러싼 미러의 접근은 만주의 미래뿐만 아니라 일제의 대한 정책에도 큰영향을 미칠 가능성이 컸다. 그러므로 러미의 접근 차단과 만주와 대한제국에서 일제의 기득권 공고화를 위해 러시아를 설득해야만 했을 것이다. 이러한 배경하에 일제는 서로의 의중을 확인하기 위해 까깝쵸프·이토 회담에 매달렸던 것이다.

그런데 여기에서 일제는 이토의 회담상대로 왜 까깝쵸프를 택했는지 하는 문제에 대해서 살펴볼 필요가 있다. 모토노는 친일인사로 알려진 이즈볼스키에게 방일요청

---

59 『중앙일보』1983년 4월 18일자, 「잃어버린 36년-安重根, 伊藤저격전에 義兵으로 일군과 항행」; 小松綠, 『外交秘密』, 株式會社中外商業新報社, 1927, 411~413쪽. 이는 안중근의거 당시의 외무성 정무국장 구라치 테츠키치(倉知鐵吉)가 "이토의 방만 목적은 고토의 헌책에 의한 까깝쵸프와의 회담"이라고 한데서도 확인된다(倉知鐵吉氏述, 『韓國倂合の經緯』).

60 АВПРИ, Японскийстол, фонд No. 150, опись No. 493, дело No. 1279.

61 국사편찬위원회, 『한국독립운동사』자료 7, 1978, 1쪽.

62 Б. Д. Пак, 『*Возмездие на харБинском Вокзале*』, Москва-Иркутск, 1999, стр 26; 박종효, 「안중근(安重根)의사의 하얼빈(哈爾賓)의거 진상(眞相)과 러시아의 대응」, 115쪽.

을 하였다[63] 그러나 이즈볼스키는 간도협약에 대해 모토노와 첨예한 대립을 보이는 등 이토의 회담상대로 부담스러운 존재였을 것이다. 이에 비해 까깝쵸프는 모토노가 이즈볼스키를 통하여 러시아황제에게 상주하여 까깝쵸프를 일본에 초청하고 싶다고[64] 할 정도로 친일적인 인사라는 사실이 널리 알려져 있었다. 뿐만 아니라, 그는 운떼르베르게르가 주장한 일제의 재침략설을 부정하면서 오히려 일본과 관계를 강화해야 한다고 주장할 만큼 일본과의 관계개선을 추구했던 인물이다. 그리고 극동으로 출발하기 하루 전, 모토노가 까깝쵸프를 만날 정도로 두 사람의 관계가 깊었다는 사정도 고려되었을 것이다.[65]

일제가 러시아와의 현안문제를 해결하기 위해 친일성향을 까깝쵸프를 회담의 상대자로 선택한 것은 동청철도의 총책임자가 까깝쵸프이기 때문이다. 이러한 배경 아래 영국의 일제 지지를 위한 노력을 경주하면서[66] 일제는 까깝쵸프·이토 회담이 성사시켰던 것이다.

그런데, 대부분의 이토관계 전기에서는 이토의 방만목적을 일제의 대한제국 병탄에 대해 양해를 구하기 위해 간 것으로 잘못 설명하고 있다.[67] 하지만 당시 외무성 정무국장 구라치는 이토의 방만 목적의 한국 병탄과 전혀 상관 없는 일로 러일간의 현안해결을 위한 고토의 헌책이외 다른 목적도 있음을『조선병합의 경위』에서 밝히면 이토의 방만을 자신과의 내밀한 이야기 속에서 단행된 것이라고 주장하였다.[68]

구라치와 내밀히 협의했다는 것은 무엇일까? 이는 청국 서태후(西太后)와의 회담일 가능성이 높다.[69] 물론 이는 1907년 고토가 청미의 접근을 차단하는 방법으로 '대아시아주의'에 입각하여 서태후를 설득하기 위해 방만해야 한다고 제기한 문제

---

63 日本外交史料館,「露國外務大臣ト會談ノ要領報告ノ件」,『韓國ニ於ケル統監政治及同國併合後帝國의統治策ニ對スル論評關係雜纂』(문서번호: 1. 5. 3. 14).

64 『까깝쵸프 회고록』, 324쪽.

65 위의 책, 325쪽.

66 春畝公追頌會,『伊藤博文傳』下卷, 1940年, 春畝公追頌會, 855~857쪽.

67 위의 책, 855~857쪽.

68 倉知鐵吉,『韓國併合의 經緯』.

69 『중앙일보』 1983년 4월 18일자,「잃어버린 36년-安重根, 伊藤저격전에 義兵으로 일군과 항쟁」.

로, 이토의 청국 고문설에 집중된다.[70] 이것이 타당하다면 이는 이토의 주장에서[71] 보듯이 까깝쵸프와의 회담에서 별 성과가 없을 시, 일제의 만주장악이라는 또 하나의 돌파구로 작동되었을 것이다. 즉,「간도협약」을 체결하였으나 러시아의 반발로 간도협약을 구체화시키지 못하는 상황에 직면해 있던[72] 일제가 까깝쵸프·이토 회담이 실패할 경우 그 책임을 러시아에 전가하면서 간도협약의 실행을 포함한 대청정책의 전반적인 재검토를 하려고 하였을 것으로 판단된다.

이와 관련하여 이토의 방만에 앞서 작성된 카와카미의 북만주경영방안이 주목된다. 즉 카와 카미는 ①'북만주 경영방안'으로 하얼빈·장춘간의 철도를 일본이 영유할 것, ②북만주에서의 일본 상공업자를 직간접적으로 보호하고 금융기관을 하얼빈에 설치할 것, ③청국으로 하여금 북만주에서 통상상 중요한 시읍을 개방하도록 할 것, ④일제의 영사관과 분관을 증설하도록 할 것, ⑤러시아령 치타에 일제의 영사관을 설치하고 극동 러시아령에 일본인 직공의 이식을 장려할 것이라는 내용의 보고서를 일본 외무성에 제출하였다.[73] 이는 일제가 이토의 방만을 전후하여 만주를 식민지화하기 위한 기초 작업을 진행시켰음을 의미하는 것이다.

4. 아사히신문 기사 내용과 의미

1) 이토의 방만 목적·과정과 의거소식

아사히 신문은 10월 3일·4일·6일·12일·13일·16일·17일·18일·19일·22일·25일 26일 자에 걸쳐 연일 까깝쵸프의 방만소식을 전하였다. 특히 아래와 같은 19일자 기사는 까깝쵸프의 극동방문에 대한 일제의 시각을 엿볼 수 있다는 점에서 의미가

70 『滿洲新報』1909年 10月 27日字,「伊藤公の淸廷顧問說」.
71 국사편찬위원회,『한국독립운동사』자료 7, 5쪽. "公爵은 本官의 意見과 本官이 今日까지 取하여온 方針을 가지고 至極히 適當한 것으로 認定한다고 陳述한 後 鐵道附屬地行政權問題에 對하여는 가장 깊이 露國의 態度를 硏究할 必要가 있다. 日本에서 如何히 强硬한 主張을 維持하여도 露國에서 淸國에 對하여 料外로 交讓의 態度로 나온다고 한다면 日本의 所爲는 다만 世間의 嗤笑를 招來하는데 不過할 것이다. 故로 此次 自己는 哈爾賓에서 露國藏相과 會見하고 敦篤히 露國의 態度도 探知한 後 我意見을 定하고 싶다."
72 국사편찬위원회,『한국독립운동사』자료 7, 5쪽.
73 日本外交史料館,『露國ノ北萬州經營關係雜纂』(문서번호: 1. 2. 4. 23).

있다.

> 러시아 장상(藏相)의 용무
> 러시아 신문에 의해 장상이 이번에 극동순시를 계획한 동기를 알아보니, 첫째로 동청철도의 현상 가치를 조사하고 그 수지가 맞지 않아 국고에 누를 끼치는 원인을 연구하고 나아서 개선방법을 강구할 것, 둘째로 극동에서 러시아의 정치적 지위 및 일청 양국의 대러시아관계를 시찰하는 것에 있다고 한다. 처음부터 일청러의 정치문제와 같은 것은 장상이 직접 관계할 성질의 것이 아니지만 근래 연해주, 만주 지역의 러시아 관헌은 일종의 시기심으로 일본인의 행동을 관찰하고 침소봉대의 허보(虛報)를 멋대로 만들어 정부에 보고하고 있다. 이것이 이 번 시찰의 동기가 된 것 같다.

이처럼 아사히신문은 까갑쵸프의 극동반문의 목적을 정확하게 파악하고 있었다.
한편, 아사히신문은 이토의 방만 목적을 구체적으로 보도하지 않으면서 10월 9일부터 19일 출발일까지 11일·12일·13일·14일·16일·17일에 걸쳐 집중적으로 보도를 하였다. 특히 10월 9일자에서

> 이토공 만주행의 의미
> 이토공의 만주행에 대해 모 측근은 말하기를, "이것은 공이 통감 재임 중에는 일본의 외교기초가 한국본위이었으나 이후에는 만주본위가 될 만한 증거로 일 이 이에 이른 것은 고토(後藤) 남작이 카츠라(桂) 후작을 통하여 이토공으로 하여금 만주정책을 확립하도록 하였기 때문이다. 따라서 이후의 여행은 가중 주의해야 할 것이다."라고 하였다.

라고 하여 이토의 방만계획을 보도하였다. 여기에서 이토의 방만이 고토의 헌책에 의한 것으로 일제의 외교 중심이 한국에서 만주로 옮겨가고 있음을 숨기지 않고 있다. 이는 한국 병탄계획이 1909년 4월에 이미 완성된 위에 이루어진 것임을 의미하는 것이다.
또한 11일자로 이토의 방만이 미국의 이익을 침해할 것이라는 미국 내의 분위기

를 전하면서 '간도협 불법 협정'에 따른 대응책 마련을 위한 것이라고 보도하였다.[74] 12일자에서는 이토가 방만준비로 이와쿠라와 야마가타를 만난 사실을 실었다.[75]

13일자 기사에서는 까깝쵸프의 극동 방문을 보도하면서 "이토와 까깝쵸프가 하얼빈시에 거의 같은 날에 도착하는 것과 가와카미 총영사의 급거 하얼빈을 돌아온 것"을 예로 들며 까깝쵸프·이토 회견이 있을 것으로 예견하고서 수행원 명단을 소개하였다.[76]

동경을 출발하던 날 일본 황실이 청주 매실 등을 보내어 이토를 치하하였다[77]는 기사에 이어 16일·17일자 기사로 도쿄출발 이후 일본내의 행적을 소개하였다. 19일 자에는 대련 도착 상황을 소개하였고, 21일자에는 청국 외부부가 조여림을 접대원으로 봉천으로 파견하였다고 보도하였다. 22일자에서는 이토의 대련 도착 이후의 행적과 19일 밤 합동환영회에서의 이토의 연설 내용을 소개하였다.

특히 이 연설에서 이토는

> 나의 소견으로는 이곳의 러시아 이익은 결코 일본의 이익과 충돌하지 않을 뿐만 아니
> 라 각각 그 이익의 증진에 의해 이곳의 발달을 이끌고 청국인에게 물질문명의 혜택을 베
> 풀 수 있다. 이를 요약하면 지나인, 일본인, 러시아인과 기타 이곳에 이익이 있는 여러 국
> 민의 협력에 의해 만주의 평화적 발달을 기대하고, 이 평화적 발달은 연장되어 그럼으로
> 써 극동전체의 평화에 공헌하는 바가 적지 않을 것이다.[78]

주장하여 자신의 방만 목적을 침략이 아니라 극동전체의 평화를 위한 것이라고 호도하였다.

그리고 여순의 이토 행적으로 23일자로 보도하고 나서 24일자에서는 이토의 행

74 신운용 편역, 「1909년 10월 11일(이토공 만주행과 미국)」, 『일본 신문 중 안중근 기사 Ⅰ-도쿄 아사히신문』(안중근 자료집 17), (사)안중근평화연구원, 2016, 7쪽.

75 신운용 편역, 「1909년 10월 12일(이와쿠라(岩倉) 궁상의 방문·이토 야마가타(山縣) 양공 회견)」, 『일본 신문 중 안중근 기사 Ⅰ-도쿄 아사히신문』(안중근 자료집 17), (사)안중근평화연구원, 2016, 8쪽.

76 신운용 편역, 「1909년 10월 13일(러시아 장상(藏相)과 이토공·이토공 수행원)」, 『일본 신문 중 안중근 기사 Ⅰ-도쿄 아사히신문』(안중근 자료집 17), (사)안중근평화연구원, 2016, 9쪽.

77 신운용 편역, 「1909년 10월 14일(이토공에게 하사)」, 『일본 신문 중 안중근 기사 Ⅰ-도쿄 아사히신문』(안중근 자료집 17), (사)안중근평화연구원, 2016, 10쪽.

78 신운용 편역, 「1909년 10월 22일(이토공의 연설)」, 『일본 신문 중 안중근 기사 Ⅰ-도쿄 아사히신문』(안중근 자료집 17), (사)안중근평화연구원, 2016, 17~18쪽.

적으로 소개하면서 뭔가 중대한 사건(이토·까깝쵸프 회담)이 있을 가능성이 다시 예견하였다.

이토와 까깝쵸프의 회담이 기정사실로 보도된 것은 청국의 봉천(심양)의 이토 환영 준비상황과 까깝쵸프의 동정을 보도하면서 게재한 10월 25일자의 다음과 같은 기사에서였다.

> 우치다(內田) 대사 귀조(歸朝)
>
> 24일 블라디보스토크 특파원 발
>
> 우치다 대사는 23일 밤 도착 24일 오전 9시 돈하(敦賀)로 향하였다. 그는 다음과 같이 말하였다. 나는 러시아 장상(藏相)과 만주리역까지 같이 기차를 타고 왔는데 장상은 지극히 건강하여 역마다 여러 보고를 받고 또한 기차 속에서 열심히 집무하고 있었다. 장상은 나에게 일본행을 희망하나 의회 개회 때문에 다음달 20일까지 수도로 돌아가야 하므로 이번에는 방문할 수 없어 유감이다. 이토공과는 회견할 것이라고 하였다. 각국 신문기자들이 현재 하얼빈에 집중하고 있다.[79]

이처럼 아사히신문은 이토와 까깝쵸프의 회담을 우치다의 말을 통해 비공식으로 확인하였다. 여기에서 일제는 이 회담을 마지막 순간까지 숨기려 했던 일제의 의도를 읽을 수 있다.

이토·까깝쵸프 회담일인 26일 아사히신문은 23일 청국 석총독 이토회담 사실, 까깝쵸프의 이력, 까깝쵸프의 하얼빈 도착, 이토의 행적 등을 보도하면서 회담의 의미에 대해 다음과 같이 보도하였다.

> 현재의 일러 양국 간 쌍방의 대정치가는 번거롭게 담판할 만한 현안도 전혀 없을 터이다. 단지 이들 대정치가가 서로 만나 나눌 화제가 정치적이지 않을 이유도 없을 것이다. 이 회견을 이용하여 적어도 서로 종래 오해를 푸는 것은 반드시 양자 모두가 기꺼이 하려고 하는 것일까. 지난날의 일청협약에 관해서는 북미합중국이 다소의 오해를 한 것은 기정의 사실로 알려졌다. 러시아 측에서도 이 무렵 러시아 신문의 논조에 의해 또는 서구

---

79 신운용 편역, 「1909년 10월 25일(우치다(內田) 대사 귀조(歸朝))」, 『일본 신문 중 안중근 기사 I-도쿄 아사히신문』(안중근 자료집 17), (사)안중근평화연구원, 2016, 21쪽.

제전(諸電)이 전하는 바에 의해 우리는 어떤 오해가 상하에 있었던 흔적을 인정하지 않을 수 없다. 그리고 그 당시 우리는 미국으로부터도 오히려 대단히 러시아에 오해가 생김을 느낀 적이 있다. 결국 오늘날에도 혹은 뭔가(오해가) 전혀 없음을 보장할 수 없다. 이를 풀기 위한 담화는 이토공이 반드시 즐겨 행하는 바가 아닐 것으로 생각한다. 이 기회를 이용하여 우리의 소회를 드러낼 것인가. 우리는 실로 이후의 러시아와의 전쟁을 심히 두려워하여 아무리 희생을 치르더라도 재전(再戰)의 재앙을 막아달라고 기도하고 있는 것이다. 그리고 적극적인 희망은 우리가 실로 일러 양국의 상업적 관계가 점차 긴밀해지고 번창해지기를 바라는 것인데 그것은 러시아가 이후 점차 시베리아 개발 성공을 조건으로 하는 것 밖에 없다. 러시아로서는 시베리아 개발이 오히려 지나 개발보다 급하지 않을까. 우리의 소회는 바로 이와 같다.[80]

여기에서 아사히신문이 이토의 정치적 목적을 적극적으로 호도하면서 "만주문제보다 시베리아나 신경 쓰라"는 훈수를 두는 것에서 일제의 러시아에 대한 경계의식을 읽을 수 있다.

안중근의거가 아사히신문에 처음으로 보도된 것은 27일자 「이토공 살해되다」이다. 이날의 기사에서 아사히신문은 이토의 절명, 이토 수행원의 부상상황 등의 안중근의거상황과 일본내의 움직임을 보도하였다. 특히 다음의 기사에서 일제가 얼마나 안중근의거를 당혹스럽게 받아들이고 있는지 여실히 엿볼 수 있다.

이토공 조난 휘보

(니시(西) 비서관 특파)

별항 이토공 조난에 대해서는 본판이 마감될 때까지 아직 상세한 보도는 하지 않았으나 공은 예정대로 그제 밤 수행원 일행과 함께 장춘을 출발하여 26일 오전 9시 하얼빈 정거장에 도착하여 플레이트폼에 내리자 그대로 마중 나온 사람들 사이에 섞여 있던 한인에 저격당한 것 같다. 저격자가 미리 계획한 것으로 보인다. 그리고 공의 상처는 별항과 같이 드디어 절명하였다. 하지만 그 저격자는 곧바로 포박되었다 또는 안 되었다고 하는데 이곳에는 우리 영사관에 부속된 수명의 경찰관도 주재하고 있고 당일에는 모두 마

---

80 신운용 편역, 「1909년 10월 26일(이토공과 러시아 장상(藏相))」, 『일본 신문 중 안중근 기사 Ⅰ-도쿄 아사히신문』(안중근 자료집 17), (사)안중근평화연구원, 2016, 23~24쪽.

중을 위해 정거장에 나가 있을 것이다. 그리고 현행범인 이상 그 자리에서 우리 경찰권을 집행할 수 있지만 범인은 그 곳에서 포박되었다고 동삼성 총독이 알려 왔다. 이 소식이 이름과 동시에 외무성은 곧바로 장춘 주재 마츠무라(松村) 총영사에게 타전되어 하얼빈으로 급히 보내졌다. 또한 공의 사위 니시(西) 대사관 서기관을 만주로 파견하였다.[81]

더욱이 아사히 신문이 안중근의거로 일본 주식시장이 흔들렸다는 사실을 보도한 데서 의거의 의미를 엿볼 수 있다.[82]

2) 안중근의 내력·의거 이후 각국의 반응·재판관할권문제 등과 이토 영웅 만들기

안중근의거에 대한 아시하신문의 보도는 28일부터 본격화된다. 이토에게 받은 원한을 갚기 위해 20세 정도의 한국인이 7연발의 권총을 이토에게 쏘았다[83]고 의거 상황을 보도하였다. 이외에 이토 유해의 송환 과정, 만주와 한국내 일본인·통감부·각국의 반응, 한국황실의 움직임 등을 보도하였다. 특히 이토와 수행원들의 피탄상황에 대해 구체적인 내용을 구체적으로 보도하면서[84] 의거세력을 하얼빈의 30여명 한인으로 보고, 의거를 31세의 안치안이라는 사람이 원산과 블라디보스토크를 경유하여 하얼빈에 25일 도착하여 26일 의거를 하였다[85]고 보도하였다.

아사히신문은 28일자로 의거를 공식적으로 발표하면서 이후 이토 국장을 보도하면서 이토를 영웅으로 만들기에 적극 가담하였다. 영웅만들기는 두 가지 측면에서 시도되었다. 하나는 이토의 생애를 영웅으로 그리는 것이고, 다른 하나는 이토 주변

81 신운용 편역, 「1909년 10월 27일(이토공 조난 휘보)」, 『일본 신문 중 안중근 기사 Ⅰ-도쿄 아사히신문』(안중근 자료집 17), (사)안중근평화연구원, 2016, 27~28쪽.

82 위와 같음.

83 신운용 편역, 「1909년 10월 28일(이토공 조난 상보)」, 『일본 신문 중 안중근 기사 Ⅰ-도쿄 아사히신문』(안중근 자료집 17), (사)안중근평화연구원, 2016, 30쪽.

84 신운용 편역, 「1909년 10월 28일(흉변 상보(詳報))」, 『일본 신문 중 안중근 기사 Ⅰ-도쿄 아사히신문』(안중근 자료집 17), (사)안중근평화연구원, 2016, 34~35쪽.

85 신운용 편역, 「1909년 10월 28일(흉변 별보(別報)·이토공 살해 원흉)」, 『일본 신문 중 안중근 기사 Ⅰ-도쿄 아사히신문』(안중근 자료집 17), (사)안중근평화연구원, 2016, 35~36쪽.

인의 영웅담이다.

전자는 「유신 이후의 이토공」·「이토공과 한인」·「이토공의 전반생(前半生)(1)」·「이토공의 전반생(前半生)(2)」·「이토공의 낙엽(落葉)(1)」 등으로 시도되었다. 후자는 「이노우에(井上) 후작의 통탄」·「사이온지(西園寺)의 담화」·「초연한 오오쿠마(大隈) 백작」·「오오사이 쿄(大西 鄕) 이래의 청렴(淸廉)」·「오오이시 마사미(大石正己)씨의 이야기」·「하라타카시(原敬) 씨의 이야기」·「하라타카시(原敬) 씨의 이야기」·「입헌정치의 화신」·「하야시(林) 백작의 감개」 이토의 당대의 정치인들의 이토 경험담, 「외국인의 이토 관(觀)」 등의 외국인의 감상, 심지어는 「학자로서의 이토공」 등의 학자의 이토 이야기, 「신키라쿠(新喜樂)의 마담 대성통곡하다」·「미인, 침묵하다」·「화류계의 적막」 등의 창기, 「철저히 단속 이카즈치 곤다유(雷權太夫)의 이야기」의 씨름꾼의 이토 이야기, 「흥보와 소로쿠각(滄浪閣)」등의 이웃사람의 증언, 「송병준 씨의 이야기」·「동양평화의 쐐기(楔)」 등 부일세력의 회고담으로 확대하였다.

더구나 아사히신문은 「한국 태자 전하의 비탄」 등 영친왕이 이토에 대한 영친왕의 태도와 일왕의 영친왕에 대한 배려를 집중적으로 보도함으로써 안중근의거를 폄하하려는 의도를 분명히 드러냈다.

아사히 신문은 29일자 기사에서 이토의 최후상황··유해송환과정·국장 준비 상황, 통감부과 한국황실의 반응, 각국의 반응 등을 소개하였다. 특히 당시 한국인들의 반응은

> 한인 측의 의향을 관측하건데 분별력이 있는 자는 오로지 애도의 뜻을 표하고 있으나 그 태반은 뭔가 일어나지 않을까 떨고 있다. 잡배들은 모두 장거라고 기뻐하고 있다.[86]

> 대한매일신문사(대한매일신보)의 주필 양기택(梁起鐸) 이하는 26일 밤 한국 국기를 계양하고 주연을 열어 만세를 외쳤다.[87]

---

86 신운용 편역, 「1909년 10월 29일(조선인의 기쁨과 우려)」, 『일본 신문 중 안중근 기사 Ⅰ-도쿄 아사히신문』(안중근 자료집 17), (사)안중근평화연구원, 2016, 79쪽.

87 신운용 편역, 「1909년 10월 29일(대한매일사의 축연(祝宴)」, 『일본 신문 중 안중근 기사 Ⅰ-도쿄 아사히신문』(안중근 자료집 17), (사)안중근평화연구원, 2016, 79쪽.

라고 전하였다. 이처럼 부일세력을 제외한 국내의 반응은 뜨거웠던 사실을 여기에서 확인할 수 있다.

안중근과 그 배후에 대해서는 「범인의 내력」·「소위 배일파」에 언급되어 있다. 아사히신문은 독립운동세력에 대한 강한 반감을 드러내고 있는 사실을 여기에서 확인될 수 있다.

특이 29일자 기사에서 주목할 것은 재판 관계 보도이다. 이는 일제 재판관할권이 있다는 「범인의 심판」·「범인의 처벌」과 한국 상층부의 책임을 물을 것을 주장하는 「음모의 재판」에서 살펴 볼 수 있다.

28일에 이어 아사히신문의 이토의 영웅만들기는 「이토공을 애도하다」·「이노우에(井上) 후작과 말하다」·「미우라(三浦) 자작의 이토공관」·「테츠레이호(鐵嶺號) 위의 이토공」·「원사(元師) 야마가타(山縣) 공작의 직화(直話)」·「도만(渡滿) 전날 밤의 공」·「이토공의 자객관 쿄토의 다섯 명의 마담」, 「이토공의 전반생(前半生)(3)」·「이토의 낙엽(落葉)(2)」 등으로 계속되었다. 특히 아사히신문은 「게시판(黑板新聞)과 이토공」에서는 "이토공의 충군애국의 적성은 영원히 소학교 아동의 뇌리에 새겨진 것이다."하고 하여 어린 학생들을 내세워 이토 우상화에 매진하였다.

아사히신문의 30일자에서는 이토의 유해 송환과정, 한국황실과 정부의 상황·사죄사 파견, 연루자 수상상황, 각국의 보도 내용, 까깝쵸프의 목격담, 이토의 최후 태도, 이토 장례 준비 상황 등을 보도하였다.

특히 안중근의 종교적 배경인 기독교의 상황에 대해서 「평양의 개신교」에서 집중적으로 다루었다. 여기에서 아사히 신문은 평양의 기독교가 반일세력임과 평양이 반일세력의 배후임을 강조하였다.

재판에 대한 보도는 계속 이어져 「외상, 명령을 내리다」에서 "만주에 주재하는 영사관의 관할에 속하는 형사에 관해 국교 상 필요가 있을 때는 외무대신은 관동 도독부 지방법원으로 하여금 그 재판을 하도록 할 수 있다."라는 명치41년 법률 제52호 제3조를 들먹이며 재판관할권이 관동 도독부 법원에 있다고 보도하였다.

무엇보다 아사히신문의 이토 영웅만들기는 「이토공의 기원」·「토안(陶庵) 후작의 침울」·「이토공과 정우회」·「스기하라 테이이치(杉田定一)씨의 이야기」·「동상 설립의 의견」·「이토공의 머리」·「요리사가 본 이토공 이등공 낙엽(落葉)(3)」·「이토공의 전반생(前半生)(4)」에서 지속되었다.

31일자의 아사히신문의 보도는 앞서와 같이 이토의 최후상황·유해 송환과정·국장 준비 상황, 통감부과 한국황실의 반응, 황실과 정부 사죄사 파견상황, 각국의 반응, 영친왕의 상황 등은 중심으로 이루어졌다. 특히 부일인사들의 행동이 부가되어 보도되었다. 사죄사로 파견된 대한제국관리들의 몰상식적인 태도는 「한정(韓廷)의 무책임한 변명」에서 확연히 들어난다. 조중응은 "이번 흉변은 미친 한 인간의 폭행으로 이에 대해 일본이 뭔가 강압이 있을 터가 없고 또한 한정(韓廷)도 어디까지나 책임을 진다고 할 수 없다. 또한 각국의 역사를 보건대, 자국의 황제에 조차 칼을 향한 미친 자가 있다. 어찌할 도리가 없다."라고 하였고, 유길준은 이토공은 한국인과 가장 사랑한 사람으로 동양 아니 세계에 이런 분은 한 사람도 없다. "이런 분을 우리나라 사람이 암살하였다는 것은 완전히 꿈과 같다."라고 하여 부일속성을 적나라하게 드러냈다.[88] 아울러 어린 영친왕이 일본인화 되는 상황도 「도리이자카(鳥居坂)의 울한 기운」에서 확인할 수 있다.

「흉도와 그 당여(동상)」에서는 안중근의 배후로 안창호 이갑 유동설 등 서북학회 인사들을 주목하였다. 또한 「폭도 내습 상보(詳報)」・「폭도가 습격한 이원역(伊院驛)」 등에서 안중근의거의 영향으로 일어나 의병의 이원역 습격도 보도하였다. 이러한 아사히신문 보도에서 일제의 침략의 정당화와 대한제국의 의병들의 저항을 폄하하려는 의도를 엿볼 수 있다.

아울러 「범인 8명 도작」・「범인 취조 협의」에서 안중근 이외 의거관련 혐의로 체포된 한인 조사 내용을르 보도되었다. 그리고 「안응칠의 출생」에 이토를 처단한 인물의 정확한 이름이 안응칠임을 보도하는 동시에 통감부의 수사상황을 보도하였다. 특히 아사히신문은 「재외 한인 단속」에서 안중근의거의 지역적 배경인 블라디보스토에 대한 경찰활동의 강화와 치외법권 지위에 대해 강한 불만을 표출하였다.

안중근의거의 종교적 배경에 대한 아시히신문의 관심은 계속해서 이토가 일본인이 중심이 된 감리교파 중앙교회 건립에 5000엔을 희사하였다는 내용을 담은 「이토공과 한국 기독교」에서 집중적으로 표출되었다. 여기에서 아사히신문은 종교를 이용하여 한국 지배을 꾀한 이토를 높이 평가하고 있다.

이토 영웅화는 「이토공 최후의 연설」・「이토공 국장과 교육」・「묘지는 오오이촌(大井村)」, 「이토공과 관폐사(官弊社) 제신(祭神)」・「이토의 낙엽(落葉)(4)」・「이토공의 전반

---

88 안중근의거 이후의 부일세력의 활동에 대해서는 신운용, 「안중근의거에 대한 국내의 인식과 반응」, 『안중근과 한국근대사』, 안중근의사기념사업회 안중근연구소, 2009, 참고.

생(前半生)(5)」 등의 기사에서 보듯이 31일자 아사히신문에서도 예외 없이 계속되었다.

특히 「이토공 국장과 교육」에서 이토 영웅화에 학생들이 동원된 사실이 확인된다. 또한 「이토공과 관폐사(官弊社) 제신(祭神)」에서 보듯이 주로 일왕이 죽어서 가는 관폐사에 이토를 '모시자'는 운동에서 이토 우상화작업은 절정을 이룬다. 아우러 31일까지 5회에 걸쳐 「이토공의 전반생(前半生)」이 아사히신문을 장식하였는데, 특히 제5회는 이토를 조선침략의 주범 토요토미 히데요시(豊臣秀吉)에 버금가는 인물로 역사적 지위를 부여함으로서 이토 영웅만들기 기초 작업을 완성하였다고 평가된다는 점에서 주목된다.

5. 맺음말

러일전쟁 이후 만주에서의 기회균등과 문호개방을 주장하며 미국이 만주문제에 적극적으로 개입하기 시작하였다. 적어도 반일성향의 태프트가 미대통령이 되기 이전, 미국의 만주정책은 일본과 대립·협력의 반복적 연속이었다. 그러나 태프트가 1909년 3월 미대통령으로 당선된 후, 미국의 만주정책은 급변하게 되었다. 특히 스트레이트와 해리먼은 금애철도를 이용하여 러일을 압박하는 동시에 만주철도를 수중에 넣으려는 공작을 펼쳤다. 이러한 가운데 1908년 8월 러시아 대사가 러일전쟁 중 또는 그 이후에 발생한 일본관헌이 러시아 및 그 국민에 입힌 손해보상 문제를 일본정부에 제기하였다. 미국의 만주간섭과 러시아의 간도협약에 대한 불만은 일본으로 하여금 일정한 위기의식을 느끼게 하였다. 이러한 위기를 해결하기 위한 방책으로 일제는 까깝쵸프·이토 회담을 추진하였으나 안중근의 거사로 실패하고 말았던 것이다.

까깝쵸프·이토 회담은 러일간의 현안을 해결하여 만주에 대한 지배력을 강화시키기 위한 필요성에서 일제의 요청으로 급박하게 이루어졌다. 까깝쵸프·이토 회담이 급히 이루어진 것은 당시 일제가 얼마나 위기의식을 느끼고 있는지를 반영하는 것이다. 이 회담에서 러시아의 목적은 '남만주철도와 동청철도의 상호 화물협정 체결과 포괄적 양국의 관계개선'이었던 것으로 추정된다. 반면 일제는 고토의 헌책에 따라, 간도협약과 러일전쟁 이후 일본관헌이 저지른 러시아와 러시아인에 대한 피해보상이라는 유인책을 제시하면서 미국의 만주간섭을 배제하여 러일간의 만주분할점령 등 포괄적인 목적으로 까깝쵸프·이토 회견을 추진하였던 것으로 보인다.

대련에서 발간된 『만주일일신문』에는 안중근 재판에 대한 많은 기사가 수록되어 있는 반면, 『도쿄 아사히신문』에서 읽을 수 있는 일본국내의 반응은 주로 ① 이토의 방만 목적과 과정 ②까깝쵸프의 행적 ③ 안중근 관계 ④ 국내외의 반응 ⑤ 친일세력의 활동 ⑥ 이토 주변 인물의 경험담과 일토 일생 소개 등을 중심으로 한 이토 영웅만들기 등을 중심으로 살펴 볼 수 있다.

특히 부일세력의 일본내의 부일행각과 이토 영웅만들기는 『도쿄 아사히신문』에 적나라하게 드러나 있어 안중근의거를 계기로 부상한 부일세력의 행태와 일제의 이토 영웅만들기의 양태를 연구하는데 귀중한 사료임에 분명하다.

日本 新聞 中 安重根 記事 I-東京 朝日新聞 日本語本

일본 신문 중 안중근 기사 Ⅰ-도쿄 아사히신문 원본(原本)

일본 신문 중 안중근 기사 Ⅰ

-도쿄 아사히신문

번역본

범례

- 이 책은 『東京朝日新聞』에 실려 있는 안중근관계 기사(1909년 10월 3일~10월 31일)를 발췌하여 번역·탈초한 것으로 제목을 『일본 신문 중 안중근 기사 Ⅰ-도쿄 아사히신문』이라고 하였다.
- 이 책은 크게 번역문, 탈초문, 원문으로 구성되어 있다.
- 일본어 인명, 지명은 일본어 발음으로 표기하였다.
- 중국 지명은 하얼빈 이외에는 한문 발음대로 표시하였다.
- 러시아어 지명은 원지명에 가깝게 표기하였다. 단, 확인이 안 될 경우 일본어 발음을 따랐다.
- 한자로 된 러시아 지명은 가급적 러시아어로 표기하였다.
- 독자의 이해를 돕고자 편역자가 주에서 본문의 내용을 설명하였다.

1 1909년 10월 3일

본사 블라디보스토크 특전

● 러시아 장상(藏相)

　1일 블라디보스토크 특파원 발

　오는 9일 러시아 수도를 출발하여 당지로 향하였다.

런던 타임스특전
● 러시아 장상 극동 행(동상)[1]

러시아 대장대신(大藏大臣) 까깝쵸프(Vladimir Nikolayevich Kokovtsov) 씨는 가까운 시일 내에 근일 극동을 순회할 것이라고 한다.

---

1 2일 타임스사 발.

런던타임스 특전

● 러시아 장상(장상) 극동시찰(동상)[1]

러시아수도 내전(來電)=대장대신 까깝쵸프 씨는 10월 12일 러시아 수도 출발 블라디보스토크로 가서 상업부진 사정, 북만 러시아철도의 활동 상태와 하얼빈 러청 거류지의 실정 등을 조사할 것이며, 또한 정부는 러시아인으로 하여금 일본인의 상업 활동과 병행할 수 있도록 할 것을 바라고 이를 위해 우선 충분히 이 방면의 경제적 사정에 정통하기를 바라고 있고 또한 그 품고 있는 고안(考案) 중에는 러청은행과 시베리아은행 합병, 러시아 수도에 일러협회 설치 등의 계획이 포함되어 있다.

● 이토공 졸도설에 대하여

3일 이토공이 카츠라(桂) 후작 저택에서 졸도하여 인사불성인 채로 오모리(大森)의 공작 저택으로 돌아왔다고 전하는 자가 있다. 하지만 공작이 카츠라 후작을 방문한 것은 지난 30일 달구경을 한 저녁으로 스에마츠(末松) 자작을 방문하는 도중, 오후 3시경 후작 저택으로 가서 잡담을 나누는 중 복통이 나서 고야마(小山) 의사를 불러 일단 진찰을 하도록 하였으나 별다른 일이 없어 브랜디 소량을 복용하고 그대로 집으로 돌아오셨는데 그 후 전혀 이상이 없었다고 한다. 아마 이를 잘못 듣고서 이렇게 과장되어 전해진 것이다.

---

1 4일 런던 타임스사 발.

본사 조선 특전

● 이토공 만주행의 의미(동상)[1]

이토공의 만주행에 대해 모 측근은 "이것은 공이 통감 재임 중에는 일본의 외교 기초가 한국본위이었으나 이후에는 만주본위가 될 만한 증거로 일이 이에 이른 것은 고토(後藤) 남작이 카츠라(桂) 후작을 통하여 이토공으로 하여금 만주정책을 확립하도록 하였기 때문이다. 따라서 이후의 여행은 가중 주의해야 할 것이다."라고 하였다.

● 이토공의 출발

이토 추밀원의장은 드디어 오는 14일 오이소(大磯) 출발 고베(神戸) 또는 바칸(馬關)에서 승선하여 곧바로 대련으로 가 왕복 약 1개월 예정으로 만주를 일순할 터인데 이번에는 완전히 개인적인 여행으로 정치상의 의미가 없다. 따라서 그 승선도 상선회사의 기선으로 군함 등의 경위도 없고 시주풍류(詩酒風流)를 다하고 이르는 곳마다 시랑(詩囊)을 두터이 할 것이라고 한다.

● 이토공의 걸가 참내(乞暇 參內)

이토공은 오는 14일 오이소(大磯)를 출발하여 만주여행 길에 오르므로 9일 참내한다고 한다.

----

1   7일 경성 특파원 발.

본사 미국 특전

● **이토공 만주행과 미국**

8일 샌프란시스코 특파원 발

워싱톤 내전(來電)에 우리 이토공이 차제에 만주시찰의 길에 오를 것이라는 보고는 정치상 중대한 의미가 있는 것으로 자못 관변의 주의를 끌어 미국 외교가는 일본이 만주에 있어서 미국의 정책을 위험에 빠뜨릴 여러 가지 특권을 획득하고 있다고 여겨 대단히 우려하였다. 일본이 최근 광산 채굴권과 안봉(安奉) 철도 개축권을 얻고 또한 만주 철도 경쟁선 부설에는 일본의 승낙을 얻어야 한다는 취지로 협정하도록 한 것은 만주에 있어서 타국을 배척하는 것으로 끝나지 않을 것이라고 의심하고 있다. 이러한 가운데 이토공의 만주여행은 그 상태를 연구하고 또는 이후에 일어날 수 있는 타국의 항의에 대한 답변 재료를 얻으려는 준비라고 관측되고 있다.

베를린전보(일독유보사(日独郵報社) 유체사(郵遞社) 중개)

● 러시아 장상(藏相) 극동행

9일 베를린 특약 통신사 발

러시아 대장대신 까깝쵸프 씨는 극동으로 향해 출발하였다. 씨는 특히 블라디보스토크 항에 대해 조사할 예정이다.

● 이와쿠라(岩倉) 궁상의 방문

이와쿠라 궁내대신은 어제 오전 10시 이토공을 레이난자카(靈南坂) 저택으로 방문하여 뭔가를 전달하였다. 궁상은 10시 30분 물러난 후 곧바로 궁중으로 가서 복명하였다.

● 이토·야마가타(山縣) 양공 회견

이토공은 14일 출발하여 만주시찰에 올라 어제 오전 야마가타공과 회견하고 만수문제 기타 중요사건에 대해 협의하였다.

본사 블라디보스토크 특전

● 러시아 장상(藏相)과 이토공

12일 블라디보스토크 특파원 발

러시아 장상(藏相)은 29일 하얼빈에 도착하여 5일 간 체재할 예정인데, 이토공의 하얼빈 시 도착도 거의 같은 시일이므로 두 사람 사이에 뭔가 문제가 있는 것으로 보인다. 특히 여행 중의 카와카미(川上) 총영사가 급전(急電)을 접하고서 여행지에서 되돌아온 사실은 더욱더 이 의문을 깊게 들게 한다.

● 이토공 수행원

이토공 도만(渡滿) 수행원은 아래의 사람들로 결정되었다.

귀족원의원 무로다 요시아야(室田義文)

궁내대신 비서관 모리 타이지로(森泰次郎)

외무 서기관 테이 에이호(鄭永邦)

궁내속(궁내屬) 쿠로자와 시게지로(黑澤滋次郎)

공작가 가종(家從) 고바야시 가츠사부로(小林勝三郎)

위의 사람들은 외무성이 러시아정부 청국정부에 통첩하였다고 들었다.

● 이토공에게 하사

이토공은 드디어 오는 14일 오후 3시 40분 신바시(新橋) 발 시모노세키(下ノ關) 급행열차를 오이소(大磯)에서 승차하여 만주시찰의 길에 오르므로 황실이 어제 어사(御使)를 소로쿠각(滄浪閣)으로 보내어 아래와 같이 하사하시었다.

청주(清酒), 매실(梅), 교어(交魚),[1] 보리(麥)

- -

1   축하식에서 주고받는 신선한 생선.

로이타 전보
● 러시아 장상 극동행(동상)[1]

러시아 대장대신 까깝쵸프 씨는 극동행에 대해 러시아 황제의 청허(聽許)를 얻었다.

베를린 전보(일독 우보사(郵報社) 중개)
● 러시아 장상 연설(동상)[2]

러시아 대장대신 까깝쵸프 씨는 극동 행에 올라 모스크바에 도착하여 모스크바 시장 쿠레스토니코 씨 등의 환영을 받았다. 쿠레스토니코 씨는 러시아 대장대신에게 러시아 재정회복과 외국신용의 증대는 러시아 장상의 공이라고 하였다. 이에 대장대신은 나의 극동 행 목적은 동방 철도를 시찰함에 있고, 먼저 정치적으로 중요한 이 철도는 이제 순수하게 상업상의 가치를 갖기에 이르렀다고 분명히 대답하였다.

본사 블라디보스토크 특전
● 러시아 장상에게 위임

14일 블라디보스토크 특파원 발

러시아 장상(藏相)은 12일 러시아 수도 출발 동청철도 선후책의 전권을 위임 받았다.

내국전보(15일 발)
● 이토공 출발(오이소(大磯))

이토공은 후루야(古谷) 비서관 외 수행원을 따라 14일 오후 5시 23분 오이소(大磯)역을 통과하는 급행열차를 특별히 멈추어 도쿄(東京)로부터 오는 청국공사·테

---

1 14일 상해 경유 로이터사 발.
2 14일 베를린 특약 통신사 발.

이(鄭) 외무 서기관과 동승하여 만주행의 길에 올랐다. 이에 앞서 정류장 또는 야마기타(山北)까지 동승하여 배웅한 사람은 코토(後藤) 체상(遞相)·카바야마(樺山) 백작·스에마츠(末松) 자작부처·사이온지 하치로(西園寺八朗), 사메시마 타네노스케(鮫島武之助)·영식(令息) 히로쿠니(博邦)·이노우에 카츠노스게(井上勝之助) 여러 분 외에 둘 셋의 귀족원과 중의원 양원 의원·오이소(大磯) 정장(町長) 외 정회(町會) 의원(議員) 등 100여명이다. 공은 프록코트에 검은 산고모(山高帽)의 가벼운 차림으로 하나 하나 배웅하는 사람들에게 인사를 하고 희색이 만면에 넘쳤다. 더욱이 공은 도중에 전혀 하차하지 않고 시모노세키(下關)로 직행할 터이다.

런던 타임스 특전

● 러시아 장상(藏相) 연설

15일 타임스사 발(發)

러시아 대장대신 까깝쵸프 씨는 모스크바 거래소에서 연설하여 러시아 재정의 개선과 열국(列國)예산의 곤란이 러시아에 비해 한층 큼을 말하고, 그 극동 행은 주로 동청철도에 관한 것이지만 이에 대한 정부의 정책은 명료하여 즉 정치적 상업적이며 동청철도는 오직 상업적 문제만 남아 있기에 이르렀다. 그 예증을 들면 러시아 화물을 북청(北淸)으로 수입하고 동시에 청국 원료품을 러시아에, 또는 그 나라 화물을 블라디보스토크로 수송하는 것이라고 명언하였다. 그리고 장상(藏相)은 그 후 시베리아로 출발하였다.

국내전보(16일 발)

● 이토공 발선(發船)(바칸(下關))

이토공은 16일 아침 내방객을 맞아 이야기를 나누고 연해요(硯海窯) 소유자 이시이(石井) 모(某)로부터 15일 초 가마를 열어 구운 화병을 받았다. 그리고 그 도기의 이름 짓는 것을 허락하여 모리카이난(森槐南) 씨와 애벌구이 도기에 이태백의 한 구절을 그려 넣었다. 오찬 후 12시 30분 수행원과 함께 테츠레이호(鐵嶺丸)를 타고서 기념을 위해 일동 촬영을 하였다. 배는 오후 1시 출발하여 대련으로 직행하였다. 대련 착항은 18일 오후 4시 예정으로 귀조(歸朝)은 11월 15일 경일 것이라고 한다.

본사 블라디보스토크 특전

● 러시아 장상의 용무

17일 블라디보스토크 특파원 발

러시아 장상(藏相)의 극동 시찰 사항은

1. 자유항 폐쇄 후의 극동 경제 상태를 실지(實地)에서 조사하는 것
2. 러시아 국고(國庫)에 가장 많은 손해를 끼치고 있는 동청철도의 선후책을 근본적으로 해결하는 것
3. 극동 국경 러시아 주민이 일청 양 국민에게 받는 압박을 막는 것

등이 주된 것으로 기타 대외현안을 모두 해소하는 데 있다고 전해지고 있다.

본사 만주 특전

● 이토공 착발 예정(동상)[1]

이토공 18일 대련으로 와서 원동(遼東) 호텔에 들어가고 19일 시내를 순람하고 오후 6시 관민의 환영회를 복견대(伏見臺) 공회당에서 연다. 20일 고노다(小野田) 시멘트 공장을 일견하고 같은 날 밤 나카무라(中村) 총재가 개최한 만찬회에 참석하고서 21일 여순으로 향할 예정이다.

● 러시아 장상(藏相)과 이토공

러시아 대장대신 까깝쵸프 씨는 24일 하얼빈에 도착할 예정이다. 이토공은 25일 야간열차로 관성자를 출발할 예정이므로 까깝쵸프 씨와의 회견은 26일일 것이라고 할 수 있다.

● 러시아 장상(藏相)의 용무

러시아 신문에 의해 장상이 이번에 극동순시를 계획한 동기를 알아보니, 첫째로 동청철도의 현상 가치를 조사하고 그 수지가 맞지 않아 국고에 누를 끼치는 원인을 연구하고 나아가서 개선방법을 강구하는 것, 둘째로 극동에서 러시아의 정치적 지위 및 일청 양국의 대러시아관계를 시찰하는 것에 있다고 한다. 처음부터 일청러의 정치문제와 같은 것은 장상이 직접 관계할 성질이 아니지만 근래 연해주, 만주 지역의 러시아 관헌은 일종의 시기심으로 일본인의 행동을 관찰하고 침소봉대의 허보(虛報)를 멋대로 만들어 정부에 보고하고 있다. 이것이 이번 시찰의 동기가 된 것 같다.

----

1   17일 대련 특파원 발.

본사 지나(支那) 접대 위원

● 이토공 접대 위원

19일 북경 특파원 발

이토공의 만주 순유에 대해 청국 외무부는 특히 조여림(曹汝霖) 씨를 접대원으로 봉천(奉天)에 피견하여 결의를 표하도록 할 것이라고 한다.

본사 만주 특전

●이토공 일행

22일 여순 특파원 발

22일 오전 11시 여순 도착, 대련(大連)까지 맞이한 오우치(大內) 사무관, 아이가(相賀) 민정소장(民政所長)이 수종하여, 문무고등관, 시민유지, 소학교생도 등 다수의 마중을 받고, 오우치(大內) 사무관이 같이 차에 올라 여관 야마토(大和) 호텔로 갔다. 고등문무관은 곧바로 호텔에서 인사를 올렸다. 오찬 후 민정부·해군 항무부·공작장 및 기념품 진열관 등을 관람하고 오후 6시부터 계행사(偕行社)에서 열린 관민합동 환영회에 참석한 공은 21일 머물고 나서 22일 오전 7시 40분발 봉천으로 향할 예정이다.

●이토공의 연설

이토공은 19일 밤 대련에서 일본인·지나인·구미인의 합동 환영회에 참석하여 아래와 같은 대요(大要)의 연설을 하였다. 출석자 내외인이 300여명으로 일찍이 없었던 성회(盛會)를 이루었다.

나는 종래 만주를 시찰하려고 하였으나 결국 그 겨를이 없었다. 이제야 얼마간의 짬이 나서 칙허(勅許)를 얻어 만유의 길에 올랐다. 어제 이곳에 막 도착하였을 뿐이다. 그러므로 내가 유익한 이야기를 할 수는 없다. 오히려 여러분의 고견을 들으려고 한다. 여기에서 평생의 소회를 한 마디 한다면 극동의 평화는 일본으로서 중대한 관계가 있다. 따라서 이를 유지함에 일본에 중대한 책임이 있다. 만주 재류 일본 관헌은 늘 문호개방, 기회균등주의로 돌이킬 수 없는 시설(施設)을 하고 있다. 재류 일본인은 이 주의를 존중하고 늘 청국인·러시아인과 친밀한 관계를 유지해야 한다. 청국정부가 지금 취하고 있는 진보적 정책의 성공은 일본이 가장 열심히 희망하는 바이다. 일본정부는 직접 원조를 할 수 없으므로 간접적으로라도 원조해야 한다고 생각한다. 그리고 지방의 청국인은 일본인과 늘 친목하여 서로 이익을 증진하고 문명의 은택을 입기를 기대해 마지않는다. 나의 소견으로는 이곳의 러시아 이익은 결코 일본의 이익과 충돌하지 않을 뿐만 아니라, 각각 그 이익의 증진에 의해 이곳의 발달을 이끌고 청국인에게 물질문명의 혜택을 베풀 수 있다. 이를 요약하면 지나인·일본인·러시아인과 기타 이곳에 이익이 있는 여러 국민의 협력에 의해 만주의 평화적 발달을 기대하고, 이 평화적 발달은 연장되어 그럼으로써 극동전체의 평화에 공헌하는 바가 적지 않을 것이다.

본사 만주 특전

●이토공 일행

22일 여순 특파원 발

22일 오전 6시 40분발 북행하였다. 여순의 문무관 시민 학교생도 등 다수가 정거장에서 배웅하였다. 오우치(大內) 사무관이 수종하였다.

본사 지나 특전

● 이토공 만유와 외인(동상)[1]

이토공의 만주 만유에 관해 이곳 외인은 한 사람도 단순한 만유라고 믿는 자 없다. 특히 미국 신디케이트 대표자인 스트레이트 씨가 지난번 만주 총독과 철도 부설 기타에 관해 밀약을 했다고 전해지고 있다. 또한 한편으로는 러시아 대장대신의 내만(來滿), 주청 러시아 공사의 하얼빈 행 등으로 더욱이 뭔가가 있음이 예상되고 있다.

본사 만주 특전

● 이토공 여정

22일 봉천 특파원 발

이토공은 22일 오후 6시 도착하여 곧바로 만철 공소(公所)로 가 23일 머물렀다. 24일 무순(撫順)을 시찰하고서 25일 발 장춘으로 향할 예정이다. 서총독(錫総督)은 (이토공을) 국빈으로 대우를 하고 23일 밤 성대한 만찬회를 개최할 예정이다.

---

1   22일 북경 특파원 발.

로이타 전보

● 우치다(內田) 대사 귀조(歸朝)

24일 블라디보스토크 특파원 발

우치다 대사는 23일 밤 도착 24일 오전 9시 돈하(敦賀)로 향하였다. 그는 다음과
같이 말하였다. 나는 러시아 장상(藏相)과 만주리역까지 같이 기차를 타고 왔는데
장상은 지극히 건강하여 역마다 여러 보고를 받고 또한 기차 속에서 열심히 집무
하고 있었다. 장상은 나에게 일본행을 희망하나 의회 개회 때문에 다음달 20일까
지 수도로 돌아가야 하므로 이번에는 방문할 수 없어 유감이다. 이토공과는 회견
할 것이라고 하였다. 각국 신문기자들이 현재 하얼빈에 모여들고 있다.

● 청국 영사 하얼빈 행(동상)

이곳 청국 영사는 24일 하얼빈으로 향하였다.

본사 만주 특전

● 이토공 봉천 도착

23일 봉천 특파원 발

이토공은 22일 6시 봉천에 도착하여 곧바로 만철 공소로 들어갔다. 우리 관민이
마중하였다. 그 외에 청국은 특히 환영문을 정거장에 만들고 각 문무관과 군대를
정거장에 파견하였다. 석총독과 정순무(程巡撫)는 스스로 만철 공소로 마중 나갔
다. 그 통로에는 군대 순경을 파견하여 경계를 엄하게 하고 일반 시민에게는 국기
를 게양하도록 하여 경의를 표하는 등 자못 성황을 이루어 대우의 정중함은 종래
그 예를 볼 수 없을 정도이다. 이들 일행은 23일 석총독을 방문하고 나서 궁전북
릉(宮殿北陵)을 둘러보고 6시 총독의 만찬회에 참석하였다.

● 이토공과 러시아 장상(藏相)

23일 장춘(長春) 특파원 발

이토공은 25일 이곳 통과하여 26일 아침 하얼빈에 도찰할 예정이다.

러시아 장상(藏相)은 24일 하얼빈에 도착하여 2·3일 머물고 나서 블라디보스토크
로 향할 것이다.

본사 만주 특전

● 이토공 석총독(錫總督) 회견

24일 봉천 특파원 발

이토공은 24일 아침 무순으로 가서 같은 날 밤 봉천으로 돌아올 예정이다. 그러므로 23일 석총독과의 회견은 내외인의 주목을 끌었지만 석총독은 만주문제에 관한 청국 측의 희망을 말하였다. 이 이외에 전혀 의미가 없는 것 같다.

● 러시아 장상 도착

24일 하얼빈 특파원 발

러시아 장상(藏相) 일행은 24일 오전 8시 이곳에 도착하여 다수의 명사가 마중하였다. 장상(藏相)은 호르바트씨와 함께 철도청에 가서 이토공과 회견이 있을 것으로 기대하고 있다.

● 러시아 장상 회견

15일 하얼빈 특파원 발

러시아 장상(藏相) 까깝쵸프 씨 25일 도착하여 시내를 순시하고서 오후 3시 우리 영사를 방문하여 20분 간 회견하였다.

● 이토공 마중(동상)

까와카미(川上) 영사는 이토공 마중을 위해 24일 밤 동청철도 특별 열차로 관성자(寬城子)로 향하였다.

● 이토공 북행

25일 봉천 특파원 발

이토공은 25일 오전 11시 발 장춘을 지나 하얼빈으로 향할 것이다. 29일 다시 봉천으로 와서 30일 아침 발 경봉선(京奉線)으로 영구(營口)로 갈 예정이다.

● 이토공과 러시아 장상(藏相)

러시아가 일찍이 그 국력을 극동에 쏟아 부었을 무렵, 그 조정의 대관이 친히 순시하러 온 것은 위테가 1회, 크로포트킨이 1회뿐이라고 기억한다. 이후에는 도상(圖上)의 판단, 서면의 연구로 한 것으로 보인다. 결국 일본과 의외로 충돌하여 큰 손실을 초래하였으나 또한 그 까닭이 있다고 할 것이다.

그러나 우리는 타국의 일만 운운해서는 안 되는 지위에 있다. 우리 일본으로도 전후의 만주에 다대한 이해관계가 있음에도 불구하고 정부 당국자가 친히 순시한 일은 거의 없었다. 사이온지(西園寺) 경이 1회 있을 뿐이었다. 그리고 지금의 내각 총리대신 가츠라(桂) 경은 일청전쟁 때 사단장으로서 그곳에 전전(轉戰)한 적이 있다. 정치가로서 정치적 관찰의 흔적을 그곳에 남기지 않았다. 한 때 만주 현안의 그 귀착점을 찾지 못한 것도 말해 뭐하랴. 질리었던 것인가.

이후 러시아 조정으로서는 유력한 집권자인 대장대신 까깝쵸프군이 상트페테르부르크로부터 동쪽으로 가고, 우리 이토공도 또한 바다를 건너 서쪽으로 하얼빈에 가려고 한다고 한다. 여정에 틀림이 없으면 오늘쯤 이 두 관광객이 북만주의 큰 도시에서 우연히 만날 터이다. 회견이 약속되어 있으면 다행히 만나 담화를 나누고 쌍방 모두 잘못을 바로잡고 쌍방 모두 이익을 얻게 될 것이다. 다만 요즘 가츠라 저택의 국제신문협회에서 추밀원 의장이 친히 변명한 대로 이번의 여행은 전혀 정치적 사명이라는 부담이 없다. 그리고 까깝쵸프 대장대신도 여행을 시작하였을 무렵 일본 정치가의 만주행을 알고 있는 정도일 것이다.

따라서 일러의 국제상의 정치적 교섭을 할 어떠한 위임도 없으리라고 생각한다. 또한 실제로 우리가 아는 한에 있어서는 현재의 일러 양국 간 쌍방의 대정치가는 번거롭게 담판할 만한 현안도 전혀 없을 터이다. 단지 이들 대정치가가 서로 만나 나눌 화제가 정치적이지 않을 이유도 없을 것이다. 이 회견을 이용하여 적어도 서로 종래의 오해를 푸는 것은 반드시 양자 모두가 기꺼이 하려고 하는 것 때문일까. 지난날의 일청협약에 관해서는 북미합중국이 다소의 오해를 한 것은 기정의 사실로 알려졌다. 러시아 측에서도 이 무렵 러시아 신문의 논조에 의해 또는 서구 제전(諸電)이 전하는 바에 의해 우리는 어떤 오해가 상하에 있었던 흔적을 인정하지 않을 수 없다.

그리고 그 당시 우리는 미국으로부터도 오히려 대단히 러시아에 오해가 생김을 느낀 적이 있다. 결국 오늘날에도 혹은 뭔가(오해가) 전혀 없음을 보장할 수 없다. 이를 풀기 위한 담화는 이토공이 반드시 즐겨 행하는 바가 아닐 것으로 생각한다. 이 기회를 이용하여 우리의 소회를 드러내려는 것인가. 우리는 실로 이후의 러시아와의 전쟁을 심히 두려워하여 어떤 희생을 치르더라도 재전(再戰)의 재앙을 막아달라고 기도하고 있는 것이다. 그리고 적극적인 희망은 우리가 실로 일러 양국의 상업적 관계가 점차 긴밀해지고 번창해지기를 바라는 것인데 그것은 이후 점차 러시아의 시베리아 개발 성공을 조건으로 할 수밖에 없다. 러시아로서는 시베리아 개발이 오히려 지나 개발보다 급하지 않을까. 우리의 소회는 바로 이와 같다.

●러시아 장상(藏相)

(오늘 이토공과 회견할 까깝쵸프 씨)

러시아 대장대신으로 내사(內史)(친임관(親任官)) 원로원 의원과 황족원 의원을 겸하는 블라디미르 니콜라이비치 까깝쵸프 씨는 구 귀족 가문에서 태어났다. 조부는 야로스라우리 현 재판소 고문이자 지방 신문의 기자였다. 제2 상트페테르부르크 학교를 졸업한 후, 알렉산드르황제학교에 입학하였으나 그만두고 나서 사법성에 봉직하여 주로 감옥 문제를 연구하였다.

1878년 감옥 사무 연구를 위해 외국에 파견되었다. 귀국 후 내무성에 전임(傳任)하여 중앙감옥 감독이 되고, 1878년 중앙감옥 차장이 되었다. 감옥에 봉직 중 추방인과 피감시자에 관한 법규 등의 저서를 냈고, 또한 크게 감옥의 위생사무 기타 수인(囚人)들에 대한 취급법 등을 개량하였다. 1890년 국가 사무국으로 옮겨 추밀원비서 차장, 경제회의장 국가경제국 비서 등으로 진임(傳任)하여 1895년에는 내각서기관 차장으로 영전하였다. 그는 국가사무국에 있으면서 각종의 직무에 열심히 임하였다. 그런 이유로 정치 특히 재정에 정통하였고, 국가의 중요문제에 관한 문서의 초안자가 되었다. 재정 및 상공업에 관한 준비 행위를 지적하기에 이르렀다.

1896년부터 1902년까지 대장 차관이라는 요직에 있었고, 특히 당시 장상(藏相) 위떼의 오른팔이 되어 재정 방면의 중요한 사무를 취급하였고 국고와 조세에 관해 진력하였으며 또한 항해업의 개량 계산, 예산편성 등에 대해서도 공훈이 적지 않았다. 1901년 유럽파러시아(歐露)[1] 중부의 경제사정을 연구할 필요가 있다는 설이 대장성(大藏省) 내에서 일어나 이에 관해 특별위원회가 설립되자 씨는 위원장에 취임하였다. 다음해 내각 서기관장에 취임하였으나 의연하게 그 위원장 직에 있으면서 다음해 가을 중앙 18현(縣)의 위원을 소집하여, 여러 가지 중요한 개혁

- -

1 러시아 영토 가운데 유럽에 포함되어 있는 우랄산맥부터 러시아 서부에 이르는 지역.

을 하였다. 해방된 농민이 국가에 대해 지불하지 않으면 안 될 토지 대금을 크게 경감시킨 것이 그 하나이다.

이밖에 차관 시절에는 시골의 공업개량에 관한 특별위원으로 천거되어 러시아 국민의 생계에 관한 제반의 경제문제와 이에 따른 상당한 개량방법을 연구하는데 진력한 바가 적지 않고, 내각 서기관장 직에 있으면서도 재정, 예산문제의 대가로서 국가 경제에 밀접하게 관계하였다. 1903년 토지신용조사특별위원회가 설치되자, 그 위원에 임명되어 장상(藏相) 에데프레스케가 병으로 누워있었을 때에는 1904년의 예산편성에 특히 진력하였을 뿐만 아니라 전쟁에 관한 어려운 예산을 편성하였다. 1904년 2월 장상(藏相)에 임명되어 러시아 재정의 중임을 양 어깨에 지게 되었다. 다음해 위테 내각이 성립되자 일시 장상(藏相)을 그만두고 귀족원 의원에 취임하였다.

하지만 곧 바로 고렘무킨(완고파) 내각이 성립되자 다시 장상(藏相)에 취임하였다. 고렘무킨 내각이 무너져 스톨리핀이 들어서 수상에 취임하였는데도 의연히 장상(藏相) 직을 유지하고 현 내각의 중진이 되었다. 씨는 대단한 웅변가로 물 흐르듯 도도하였다. 스스로 시문을 짓는데도 핵심을 찌르고, 상하 양원의 꽃이라고 불렸다. 그 두뇌는 치밀하여 물 흐르듯 과감하게 결단하였다. 또한 대단히 근면하여 크고 작은 사무를 전화로 결정하는 일조차 적지 않았다. 그래도 국회를 미워하는 것이 뱀과 전갈과 같고, 제국의회의 연단에 서서 『다행히 아직 우리나라에는 의회가 없다』라고 큰 소리로 질타한 것은 인구에 회자된 바와 같다. 완고파의 막후 수장이 되었고 누차 재상(宰相)(후보)에 올랐었다.

본사 만주 특전
● 이토공 살해되다

26일 블라디보스토크 특파원 발

이토공 26일 아침 하얼빈 정거장에서 한인에게 저격당하여 절명하였다는 보고가
있다.

본사 지나 특전
● 이토공 암살

26일 상해 특파원 발

하얼빈에서 온 소식에 의하면 오늘 아침 9시 30분 한인 자객이 폭렬탄으로 이토
공을 살해하였고, 그 때 카와카미(川上)·다나카(田中) 두 사람도 부상을 입었다.

● 이토공 석총독 회견 논평

25일 북경 특파원 발

북경일보는 24일 이토공과 석총독이 3시간에 걸쳐 회견하였다는 전보를 게재하
여 말하기를, 지나와 각국이 만주협약에 불만이 있음을 알고 지나인과 외국인의
악감을 무마하기 위한 것이라고 하였다.

● 이토공 저격당하다

26일 하얼빈 영사 발 오후 2시 반 착전(着電)

이토공 오늘 26일 오전 9시 하얼빈에 도착하여 플레이트폼에 내리자 한인으로
보이는 자에게 저격당하였다.

● 이토공 위독

이토공의 상처는 여러 발이 명중하여 생명이 위험하다는 전보가 계속 들어왔다.

● 다나카(田中) 만철 이사도

별보에 의하면 수행한 다나카(田中) 만철 이사도 경상을 입었다고 한다.

이토공

●6연발로 절명

26일 오후 2시 미츠이(三井)에 온 전보에 의하면 오늘 아침 이토공 한인에게 암살 당하였다고 한다. 카와카미(川上) 총영사·다나카(田中) 만철 이사는 부상을 입었고, 범인은 곧바로 체포되었다.

그리고 다른 곳의 내전에 의하면 토공은 오전 10시 하얼빈 정거장 플레이트폼에 하차할 찰나 환영 나온 군집에 섞여 있던 한 한인에게 6연발의 단총을 맞았다고 보는 순간 공작을 향해 저격하였다. 공은 흉부를 관통 당하고 쓰러졌으나 범인은 6발을 연발하여 드디어 공작은 절명하였다. 카와카미(川上)·다나카 두 사람의 부상은 심하지 않다고 한다.

●이토공 조난 휘보

(니시(西) 비서관 특파)

별항 이토공 조난에 대해서는 본판이 마감될 때까지 아직 상세한 보도는 하지 않았으나 공은 예정대로 그제 밤 수행원 일행과 함께 장춘을 출발하여 26일 오전 9시 하얼빈 정거장에 도착하여 플레이트폼에 내리자 그대로 마중 나온 사람들 사이에 섞여 있던 한인에 저격당한 것 같다. 저격자가 미리 계획한 것으로 보인다. 그리고 공의 상처는 별항과 같이 드디어 절명하였다. 하지만 그 저격자는 곧바로 포박되었다 또는 안 되었다고 하는데 이곳에는 우리 영사관에 부속된 수명의 경찰관도 주재하고 있고 당일에는 모두 마중을 위해 정거장에 나가 있을 것이다. 그리고 현행범인 이상 그 자리에서 우리 경찰권을 집행할 수 있었지만 범인은 그 곳에서 포박되었다고 동삼성 총독이 알려 왔다. 이 소식이 이름과 동시에 외무성은 곧바로 장춘 주재 마츠무라(松村) 총영사에게 타전하여 그를 하얼빈으로 급히 보냈다. 또한 공의 사위 니시(西) 대사관 서기관을 만주로 파견하였다.

● 공 드디어 죽다

(카와카미(川上) 총영사 부상)

26일 모처의 착전(着電)에 이르기를, 이토공은 조선인에게 오늘 오전 하얼빈에서 암살당하였다. 수행한 카와카미(川上) 하얼빈 총영사는 중상, 다나카(田中) 만철 이사는 경상을 입고 가해자는 현장에서 곧바로 체포되었다.

● 유해 출발하다

이토공에 박힌 총알은 복부에 명중되어 처치도 그 효과를 거두지 못하고 공은 곧 훙거하였다. 그리하여 공의 유해는 26일 오전 11시 하얼빈 발 열차로 대련으로 보내졌다. 하지만 관변(官邊)에서는 아직 공의 훙거를 발표하지 않고 있다.

● 이토공 별보

모처에 온 하얼빈 26일 오전 11시 50분 지급(至急) 전보는 아래와 같다.

오늘 아침 정거장에서 이토 공작 암살당하였다. 카와카미(川上) 영사·다나카(田中) 만철 이사는 부상을 입었지만 경상이고, 범인은 조선인인데 그 자리에서 체포되었다.

● 봉천에서 온 소식

봉천에서 고토(後藤) 체신상 앞으로 온 소식에 의하면 이토공은 오늘 아침 하얼빈 정거장에 하차할 때 플레이트폼에서 한인에게 저격당하여 생명이 위독하다. 사실 취조 중이라고 한다.

● 이토공 즉사설

미츠이(三井) 광산부로 온 전보에 의하면 이토 공작은 다나카(田中) 만철 이사와 마차에 동승하여 동청철도 당국자의 초대 모임에 가려는 도중 한인이 폭열탄을 쏘아 이토 공작은 즉사하였다고 한다.

● 내각 임시 참집(參集)
26일 이토공이 조난을 당했다는 소식을 접한 내각은 각 대신이 곧바로 모여 숙의하였다.

● 원로대신 회의
이토공 조난의 소식이 이름과 동시에 어제 오후 4시경부터 외무성에서 야마가타(山縣) 공작·이노우에(井上) 후작·가츠라(桂) 수상·테라우치(寺內) 육상·사이토(斎藤) 해상이 급작스럽게 모여 회의를 열어 밤이 되어 산회하였다.

● 이와쿠라(岩倉) 궁상(宮相) 참내(參內)
26일 오후 4시 이와쿠라(岩倉) 궁상은 사카시타문(坂下門)에서 들어와 곧바로 참내하여 어좌소(御座所)[1]에서 이토공 조난에 대해 주상하였다.

● 이토공 조난과 주식
이토공 조난의 비보(飛報)는 주식시장을 뒤흔들어 이루 다 말할 수 없을 정도로 혼란 상태에 빠졌기 때문에 거래소의 입회가 끝난 시세는 심하게 붕괴되어 신동(新東)의 직거래가는 106엔 50센(錢)로 떨어져 실로 종가보다 5원이나 폭락하였다고 한다. 동철(東鐵)의 직거래가는 또한 1원으로 떨어져 공채는 호가가 95원 50전에 이르렀다. 하지만 크지 않은 낭패에 지나지 않는다는 자각으로 오후 4시경의 인기는 조금 떨어져 신동(新東)의 직거래가는 호가가 8원 570전이었다.

---

1 고자쇼(御座所): 천황의 거실.

본사 만주 특전

● 이토공 조난 상보

26일 대련 특파원 발

이토공 일행 26일 오전 9시 하얼빈에 도착하자 러시아 대장대신 기차 안으로 공을 방문하여 20분간 담화를 나눈 후, 카와카미(川上) 영사의 선도로 일동이 하차하여 러청 양국 군대 각국 외교단, 청러 양국 문무대관 기타 각 환영단체가 정렬한 앞을 지나 러청 대관 각국 대표자와 차례로 악수하고 일본인 단체가 정렬한 곳으로부터 다시 되돌아가려고 할 때 러시아 군대가 정렬한 쪽으로부터 돌연 팡팡 폭죽 또는 불꽃과 같은 소리가 나는 찰나 탄환 3발이 공작의 오른쪽 복부의 폐부(肺部)에 명중하였다. 이후 나카무라(中村) 총재가 곧바로 공작을 안았다. 중러 관헌 일동이 부축하여 기차 안으로 데리고 들어가 고야마(小山) 의사가 미리 준비한 붕대를 감고서 환영하러 온 일본 의사 2명·러시아 병원에서 온 의사와 함께 응급조치를 취하였으나 30분 후 절명하였다. 흉한은 20세정도의 조선인으로, 흉기는 7연발 권총이다. 먼저 이토공을 쏘고서 이어서 카와카미(川上)의 오른쪽 팔 흉부를 쏘았고 모리카이난(森槐南)도 카와카미와 같이 저격당했다. 다나카(田中) 이사는 오른발을 맞았다. 흉한은 이토공에게 압박을 받은 원한을 갚으려고 한 것이라고 하였다.

● 유해 봉천 통과

26일 봉천 특파원 발

피스톨로 여러 사람에게 발사하였는데 이토공은 복부에 2발이 명중하여 즉사하였다. 공의 유해는 26일 오후 12시 봉천 통과하므로 석총독·정순무는 정거장에 나가 맞을 예정이다.

● 석총독(錫總督)의 조사

26일 봉천 특파원 발

이토공은 26일 오전 하얼빈에 도착하였을 때 한국인이 폭렬탄으로 저격하였기 때문에 공작은 즉사하였고, 카와카미(川上) 총영사·다나카(田中) 만철 이사·모리카이난(森槐南) 씨는 부상을 입었다고 한다. 석총독은 공전(公電)을 접하고 오후 5시 우리 총영사를 방문하여 조사를 읊었다.

● 이토공 죽고 눈이 내리고

26일 봉천 특파원 발

26일 첫눈이 내렸다. 작년보다 13일 빠르고 예년보다 5일 빠르다.

● 하얼빈에 모이다

26일 장춘 특파원 발

하얼빈의 러시아 각 신문은 만주가 러시아의 새로운 경지가 될 것이라고 논평하고, 유럽의 기자들은 하얼빈에 모였다.

● 러시아인과 수행원의 부상

26일 장춘 특파원 발

모리카이난(森槐南) 씨는 위독하다. 카와카미(川上) 총영사·다나카(田中) 만철 이사는 경상을 입었다. 그 외 러시아인 12명이 부상을 입었다.

● 유해 송환 함정(艦艇)

27일 여순 특파원 발

여순 진수부(鎭守府) 제7정대(艇隊)는 27일 미명(微明)에 대련방면으로 급행하고 군함 아카기(赤城)와 대련에 정박 중인 아키츠시마(秋津洲)는 각 소재지에서 명을 기다리라는 명령이 27일 아침 사령장관으로부터 내려졌다. 이는 이토공 유해 송환을 위해서이다.

본사 조선 특전

● 한국정부의 특파

26일 경성 특파원 발

이토 조난에 대해 대신회의 결과 정부를 대표하여 이 총리(李總理), 황제의 대리 윤덕영, 태황제의 대리 조민희(趙民熙), 통감부로부터 나베시마(鍋島) 외무부 부장, 내일 아침 인천으로부터 광제호로 대련에 간다.

● 경성의 동요

26일 경성 특파원 발

이토공 조난 소식은 이곳 상하를 놀라게 하고 있다. △ 통감은 새로 만든 경라선(警邏船) 참관을 위해 인천에 갔는데 7시 반 급거 구라토미(倉富) 법부 차관을 불러 잠시 비밀 회의를 하였다. 나카카와(中川) 지방 재판소 검사정(檢事正)은 27일 인천

발 안동호(安東丸)로 하료(下僚)를 따라 이토공 조난지 하얼빈으로 향하였다. △ 시내에는 26일 밤 대경계를 하였다. △ 시종원(侍從院) 덕정(德政) 민 궁내대신은 특사로서 통감 저택을 문안하였다. 이 총리 이하 각 대신 통감 저택에 모여 이후의 대책을 협의하였다. 각 대신은 짐짓 걱정스러운 얼굴을 하고 있었다. △ 이곳에서 필경 일어날 문제는 범인이 이곳의 정치적 계통에 관련되느냐 아니냐이다. 이에 따라 이후 통감의 의지가 결정될 터이다. 구라토미(倉富) 차관과 회견한 것도 이 때문이다. 그렇다고 해도 일반적으로는 (범인은) 블라디보스토크에 상주하거나 아니면 하얼빈에 상주하는 자로 인정되고 있다. △ 군사령관은 지금 통감저택에 도착하여 비밀회견하고 있다.

● 한제(韓帝)의 전보

27일 경성 특파원 발

이토공 훙거의 공보(公報)가 없기 때문에 26일 밤 황제는 우리 폐하를 비롯하여 하얼빈에 있는 공작 앞과 오이소(大磯) 공작 부인 앞으로 정중한 위로 전보를 발송하였다.

● 흉변에 대한 결의(동상)

이곳 신문 기자단은 26일 밤 경성호텔에 회합하여 아래의 결의를 하였다

1. 이토공이 한인의 흉수에 쓰러진 것은 배일사상의 표현이라고 인정되고 장래의 화근을 끊기 위해 차제에 당국자는 대한정책 상 최후의 해결을 할 것을 기대한다.
2. 우리는 한국 황제가 이토공의 조난에 대해 직접 일본에 도항하여 우리 상하에 사죄할 것을 희망한다.

● 거류민의 분개

27일 일본 블라디보스토크 특파원 발

이토공 이번 흉변에 대해 거류민은 애도의 정에 못 이기는 것 같다. 또한 국가가 입은 큰 손해는 우리 대한정책의 우유부단함이 초래한 것이라 분개하고 이후의 발전을 기대하고 있다.

● 거류민의 조전(弔電)

27일본 블라디보스토크 특파원 발

이토공의 흉변에 대해 이곳 거류민은 다카네(高根) 민장의 이름으로 궁내성·추밀

원·가츠라(桂) 수상·통감부·이토공 저택으로 조전을 보냈다.

본사 블라디보스토크 특전
● 흉변과 러시아
27일 블라디보스토크 특파원 발

이곳 러시아 신문은 이토공의 조난을 개탄하고 한인의 흉폭은 자국을 망치는 것이라고 논평하였다. 러시아의 주요 관헌은 27일 아침에 위문을 위해 모두 우리 영사관을 방문하였다. 그리고 이곳에서는 흉도는 스티븐스 씨를 살해한 일파의 자로 추측하고 있다.

본사 홍콩 특전
● 흉변과 홍콩
27일 홍콩 특파원 발

이곳 각 신문은 이토공의 훙거를 애도하고 일본 현대의 대정치가를 잃었음을 대단히 애석해 하고 조의를 표하였다.

본사 미국 특전
● 흉변과 미국
26일 뉴욕 특파원 발

이토공의 암살사건은 모든 신문지에 특필대서되었다. 동시에 공작의 인물됨을 상찬하고 공을 일본의 비스마르크라고 부르는 사람들이 많다. 그리고 혹자는 일본에 대한 한인의 사상이 일변 할 것이라고 하였다.

베를린전보(일독 유체서(郵遞社) 중개)
26일 베를린특약통신사발
● 이토공 암살과 독일
독일 국민은 선망하는 일본의 최대 정치가 이토공 암살의 보도를 (듣고) 독일 도처에서 애도해 마지않았다. 반관보 북독(北獨) 알게마이네 짜이퉁(Allgemeine Zeitung)은 이토공 기념 사설을 게재하였다. 이 탁월한 인물의 절대적인 정치적 사업에 대해 독일 국민이 품은 상찬의 뜻을 기술하고 동시에 일본정부와 국민에 대해서 그 최대 애국자, 정치가의 상실에 대해 간절하고 독실하게 동정을 표하였다.

런던 타임스 특전

● 러시아인 하얼빈 회견 관(觀)

26일 타임스사발

러시아 수도 내전(來電)=가장 사정에 정통한 소식통에 따르면 하얼빈의 이토공과 러시아 장상(藏相) 까깝쵸프 씨의 회견이 반드시 양호한 결말을 가져올 것이라고 예상하였다.

● 흉변 상보(詳報)

(27일 장춘 발)

△ 치명상

공작 26일 오전 9시 하얼빈에 안착하여 기차 내에서 러시아 장상과 약 20분 담화한 후 하차하여 플레이트폼에서 마중 나온 문무관에게 인사를 하고 대장 대신의 희망에 따라 수비병 앞에 있던 열의 앞을 다 돌았을 때 양복을 입은 한 국인이 피스톨로 저격하였으므로 곧바로 기차 안으로 옮겨 모든 응급조치를 하였으나 10시 경 돌연 흥거하시었다. 범인은 즉시 러시아 병에게 체포되었다. 탄환은 (1) 우상폐외면(右上肺外面)으로부터 내면피하(內面皮下)를 지나 5센치 되는 곳을 통과하였고, 제7 늑골 사이로 향하여 수평횡행(水平橫行)하여 박혔다. (2) 우주관절외측(右肘關節外側)의 새가 쫓아 멋은 듯이 부은 곳(鳥啄凸起)으로부터 동측 상방외면(同側 上膊外面)을 지나 좀 내측으로 향하여 제9 늑골로 박혀 폐와 횡격막을 통과하여 좌 늑골 아래 박혔다 (3) 상복격상(上腹隔上)의 중앙으로부터 사입(射入)되어 근육 사이에 박혔다. 이 3곳 중 2곳은 이미 치명상으로 손을 쓸 수 없다고 한다.

△ 당류(黨類) 30명

범인은 나이가 24·5세로 이름은 미상이고 부산에 거주하지 않으나 부산을 출발하여 블라디보스토크를 지나 25일 하얼빈에 도착하여 그 날 밤은 정거장 부근에서 머물고 26일 아침 마중 나온 일본인 사이에 섞여 있었다. 그 흉행의 뜻은 한국은 이토공 때문에 명예가 더럽혀졌으므로 이를 회복한 것일 뿐으로 단지 자기 한 사람의 발의로 한 것이며 다른 동류는 없다고 진술하였다. 하지만 그 계통에서는 이 자백을 믿지 않고 있다. 현재 25일 밤 송화강 사이큐우역[1] 부근에 수상한 한인 두 사람을 체포하여 조사하여 보았더니 피스톨을 소지하고 있으므로 취조를 위해 하얼빈으로 호송하였는데 26일 아침 뜻밖에 사건이 일어난 뒤 또한 두 사람의 자백에 의하면 이들의 동료는 약 30명이 있고 이 중 한 사람이 뜻을 이룬 것이라고 하였다. 또한 25일 하얼빈에 거주하는 한인 앞으로 「친류(親類)가 이곳을 통과하였다」라는 발신인 불명의 전신이 온 일이 있다. 그 때문에 러시아 측에서도 충분히 경계하고 있다. 잇따라 이 흉사를 당한 것은 거듭 유감이라고 한다.

△ 수행원의 상태

카와카미(川上) 총영사는 어깨 상부, 모리(森) 비서관은 겨드랑이 아래에 경미한 부상을 입었다. 다나카(田中) 이사는 왼발 어깨뼈 관통상을 입었으나 다행히 경상이다. 모리·다나카 두 사람은 기차 안에서 치료를 받고 공의 유해를 모신 일행과 함께 10시 40분 하얼빈을 출발하여 4시 반 장춘에 도착하였다. 기타 일동은 무사하다.

△ 러시아 측의 배웅

러시아 측에서는 호르바트 장군과 대장대신을 면회하기 위해 하얼빈에 온 북경 주재 공사는 장춘까지 갔다.

△ 각역의 표조(表弔)

공의 열차가 하얼빈을 출발할 때 슬픈 음악을 연주하고 중간 역에서도 같은 조의를 표하였다. 또한 공의 유해에는 멋진 화환을 보내고 특히 그 열차의 러시아인은 모두 상장(喪章)을 두르고 조례(弔禮)를 심히 후하게 하였다. 공의 유해는 장춘으로부터 만철 열차로 옮겨 대련으로 직행할 것이다.

● 흉변 별보(別報)

미츠이(三井) 물산회사 착전(着電)

△ 저격하고 만세를 부르다

△ 러시아 장교도 부상

---

1   채가구역(蔡家溝驛).

35

이토공은 26일 오전 9시 20분 하얼빈에 도착하여 러청 양국 관민의 환영을 받았다. 정거장 승강구로부터 마차에 오르려고 할 때 한 한인이 돌연 나타나 단총으로 6발이나 발포하고 공이 온 것을 보자 다른 흉도와 함께 만세를 부르고 잡혔다. 이 때 마중 나온 러시아 장교도 부상을 입었다. 흉도 관계자는 30여 명으로 하얼빈에 잠복하고 있고 현재 검거 포박에 힘쓰고 있다.

● 이토공 살해 원흉

이토공을 살해한 흉도 원흉은 안치안(31)이다. 이 자는 평양 사람으로 원산·블라디보스토크를 경유하여 흉행 전야에 도착한 형적이 있다.

● 범인 인도되다

저격 범인은 몇 사람으로 연루자 여부 등은 사실 아직 분명하지 않다. 현재 수색에 진력하고 있는데 어제 현장에서 러시아 경관에게 체포된 한 사람을 취조한 결과 흉행 혐의가 있다. 또한 한국인임이 명백하므로 러시아 관헌은 우리 영사에 인도하고 현재 하얼빈 총영사 경관이 감금하고 있다. 그리고 이후 범인으로 체포되어 한인임에 틀림없는 자는 그 때마다 우리 관헌에 인도될 예정이다.

● 이토공의 호위자

이토공의 만주 여행에 대해서는 관동도독부로부터 매번 헌병 수명을 부쳐 호위를 하도록 하였으나 장춘 이북은 헌병의 보호를 거두고 모두 청국 관헌이 보호를 한 상황이었다.

● 친전(親電)

26일 오후5시 30분 궁내대신은 양 폐하의 뜻을 전하고 이토공에게 위문 친전을 보냈다.

● 이토공에게 사자(를 보내다)

이토공 조난이 천청(天聽)에 들어가 애통해하고 계시다. 27일 어제 아래 여러 사람을 만주 이토공에게 보내라는 성지(聖旨)를 26일 내리시었다.

궁내성 어용계 자작스에마츠 켄쵸(스에마츠 켄쵸(末松謙澄))

시종무관 남작 니시 신로쿠로(西紳六郎)

시의 가츠라 히데마(桂秀馬)

궁내성 서기관 오하라 센키치(小原詮吉)

동궁무관 자작 다무라 히로아키(田村丕顕)

그리고 한국 황태자 전하에게는 동시에 가네(金) 무관을 보내도록 하였다. 일행은 오늘 오전 8시 30분의 급행열차로 만주로 향하였다.

● 훙거 발표
이토공 훙거에 대한 발표는 내지로 귀환한 후에 할 것이라는 내의(内意)도 있다. 이미 내외에 전파되었다. 오늘 오히려 사실 그대로 발표하는 것이 적당하다고 하여 26일 하얼빈에서 훙거는 곧 발표될 것이다.

● 국장
이토공 훙거 발표와 동시에 공작의 위훈에 대해 국장으로 결정한 취지로 27일 오후 임시 각의를 열고 예산을 결정한다는 칙재(勅裁)를 내리었다.

● 위계 승서(位階 陞叙)
26일부로 아래의 소식이 있었다.

추밀원의장 정이위대훈위(正二位 大勲位) 공작 이토 히로부미(伊藤博文)

서종일위(叙従一位)

● 호송 군함 변경
그젯밤 원로대신 회의의 결과 군함 이와테(盤手)를 사세보(佐世保)에서 급히 보내기로 결정하고 해군대신이 사세보(佐世保) 진수부(鎮守府) 장관에 전명(電命)하였는데 어제 27일 오전에 이르러 별안간 앞서의 결정을 변경하여 26일 여순으로부터 대련에 기항하여 같은 날 오후 사세보로 향할 예정이었으나 대신의 전령(電命)으로 출항을 정지시키고, 그대로 대련에 정박하고 있던 군함 아키시마(秋津洲)에 공의 유해를 탑재 하도록 결정하여 27일 유해의 도착과 함께 준비를 하여 매우 급히 호송할 것이라고 하므로 준비가 되는대로 탑재하여 출발할 예정이다. 사자로 파견된 시종 무관 일행은 도중에 되돌아왔다.

● 공의 절필

아래에 든 것은 이토공의 절필 중의 하나라고 할 것이다. 때는 이번 달 11일 밤 가츠라(桂) 내각 총리대신이 국제 신문 협회원을 관저로 초대하여 연회를 열었는데 공은 빈객의 제일 위를 점하고 주인이 만주행 송별의 뜻을 담은 축배를 들었다. 이에 답하여 옆에서도 다시 쾌활하고 또한 극히 원활하게 연설을 하였다. 뿐만 아니라 연회가 끝나자 협회 회원 모두가 기념으로 휘호를 그 날 밤의 메뉴의 위에 부탁한 것을 또한 쾌히 받아들여 여러 자를 썼다. 그 중에 『충(忠)』한 자를 쓴 것이 한 장 있다. 그날 밤 그 자리에 있었던 기자 한 사람의 손에 들어온 것이 이것이다. 충(忠)이라는 한 자의 휘호가 절필이 된 것도 뭔가 인연이라고 생각하여 여기에 실었다.

이러한 연유를 기록한다. 그 때 회인 중 한 사람은 명주 수건을 내밀며 휘호를 부탁하였는데 공은 극히 근신한 필법으로 7절 한 수를 썼다 이를 얻은 모씨는 대단히 기뻐하며 이것이 처음이자 마지막으로 얻은 것이라고 즐거워하였다. 옆에 있던 고무라(小村) 외무대신이 가볍게 『처음은 좋지만 나중은 힘들다』라며 거리낌 없이 하하 웃었다. 공은 이를 듣고 흘려버리고 조금도 개의치 않은 듯 한마디 하시었다.

● 이토공 부인 졸도

오이소(大磯)의 이토 공작 부인은 얼마 전부터 병석에 있었는데 이번의 흉보를 듣자 경악한 나머지 졸도하였다. 하인이 부축을 하여 곧바로 깨어났으나 병세 더욱 나빠질 우려가 있다. 궁내성 시의료(侍醫寮) 어용계 이와이 테이죠(岩井禎三) 씨는 진찰하기 위해 어제 오후 오이소(大磯)로 급히 갔다.

● 이노우에(井上) 후작의 통탄

이노우에(井上) 후작은 이토공에 대한 흉보를 접하자 곧바로 외무성으로 가서 원로대신 회의에 참석하고 오후 6시 지나 회의가 끝남과 동시에 집으로 돌아와 스에마츠(末松) 자작·가스노스케(勝之助) 씨와 공작 가(家)의 금후 처치에 관해 협의한 바 있다. 마침 오이소(大磯)의 공작 부인이 졸도하였다는 소식도 있어 후작의 마음은 너무나 아팠지만 병후의 몸을 잊고서 선후 처치를 철저하게 하여 만사 섭정을 맡을 것이다. 하여튼 오는 27일 오전 8시 30분 신바시(新橋) 발 기차로 오이소(大磯)로 공작 부인을 방문하기로 하였다.

● 사이온지(西園寺)의 담화

(정우회에 대하여)

정우회는 27일 오후 각 단체 연합회의를 열어 스기타(杉田) 간사장은 사이온지(西園寺) 총재에게서 아래와 같은 의미의 담화가 있었다는 취지를 피로하였다.

이토공의 흉변은 진정으로 애도해 마지않는다. 당원 제군은 의기를 잃지 않고 어려움을 겪을 때마다 더욱 용기를 내어 우리 당의 본령을 발휘하고 국가를 위해 헌정을 위해 온 힘을 다 하기를 절망하고 또한 그 본령을 고수함과 동시에 자중자임하여 힘쓰고, 경거하지 말고 신중한 태도로 나오기를 바란다.

● 정우회 지방대회 연기

다음달 11일 열릴 정우회 도카이(東海) 십일주(十一州) 대회와 같은 달 15일 열릴 호쿠신(北信) 팔주회(八州會)은 모두 이토공 훙거로 연기될 것이라고 한다.

이토공의 조난

놀라운 흉변이 하얼빈에서 이토공의 신상에 덮칠 것이라는 것은 공 스스로도 꿈에도 생각하지 못했을 것이다. 이처럼 큰 일에 사람들은 망연해 있다. 당장 우리는 할 말이 없다. 그리고 다만 공의 부상이 그다지 심하지 않기를 바랄 뿐이다. 조난 후의 그 여정을 보니, 이미 공은 모든 일이 끝났음에 틀림없다고 생각할 뿐이다. 최근 공의 심사는 실로 한국 부식에 전념하여 한국의 황실에 일본인 중 누구도 공과 같이 친절한 자는 없을 것이라고 생각할 정도인데 이는 무슨 불행인가? 오히려 한국인 중에 공을 저주하는 자가 나온 것은 공의 불행이라기보다도 일본의 불행이라기보다도 우선 첫 번째로 한국의 불행 그 이상인 것이다. 또 무슨 말을 하겠는가. 광흉(狂兇)은 어떤 나라에서도 그 뿌리를 뽑을 수 없는 것이다.

밝은 세상에서 이처럼 아쉬운 일은 없다. 단지 우리가 입장을 바꾸어 생각하건대, 최근 몇 십 년간, 한국과 만주에서 일본인이 피를 흘린 것이 얼마인지 모르는데, 성망(聲望)과 위록(位祿) 모두 극히 고귀하였다. 피로 저 땅의 초목을 물들인 것은 이제까지 없었다. 즉 무인의 경우에서도 없었음을. 이번에 만주 북부 중앙에서 문관 출신인 우리 조정 제일 공신의 피를 모두 부은 것도 처음이다. 이 피는 반드시 동양의 이런 국면의 평화를 영원히 배양할 나무가 될 것이다. 이렇게 생각한다면 공 자신도 오히려 웃음을 머금지 않으시겠지. 그리고 공 일생의 일은 이에 이르러 더욱 큰 빛을 발하고 있다. 공은 일찍이 마음에 품은 바를 시로 『만 번 죽어도 이루어야 할 평생 품은 뜻, 천년에 하찮은 공[2]』라고 읊었다. 일촌(一寸)인가 일척(一尺)인가 우리는 그 공(功)의 길이가 오늘은 더욱 더하는 바가 있음을 느낀다. 그리고 그 평생의 뜻이 여기에 이르러 보답을 받았음에 대해 우리는 여기에서 경의를 표한다.

● 이토공 조난 영향

뜻 밖에 이토공이 일찍 세상을 떠난 것이 일본에 끼친 손해 여하는 아직 쉽게 알 수 없다. 하지만 공이 만든 절세의 대업 즉 입헌정체의 실상은 정신적으로 더욱 더 개선을 필요한 바임에도 불구하고, 형식적으로는 즉 이미 크게 그 초석을 든든히

---

2 萬死平生志, 千秋一寸功.

놓은 바이다. 국민은 외적으로 또한 내적으로도 심지어 국사의 무게를 중하게 여기지 않게 되어서, 한 사람의 생사가 나라의 진운(進運)의 대세와 관계가 많지 않음을 우리는 결코 의심하지 않는 바이다. 돌아보건대, 이토공은 실로 일청전쟁 승리 후에 무인 정치 세력을 어찌 하지 못하고 공 스스로 본의 아니게 전후 경영의 창시자가 되었다. 그 뒤를 이은 마츠카타(松方)·오쿠마(大隈) 두 분도 또한 공과 같이 어찌 하지 못하였다. 때문에 1897년(명치 30) 이후 1904·5(명치 37·8)에 이르기까지 재정 곤란을 겪었고, 또한 1901년(명치 35) 일영 동맹 체결 때에도, 공(功)을 다른 사람에게 양보한 끝에, 일본 정국의 중심은 얼마간 공과 멀어진 기미도 있었고, 이러한 사정 속에서 태어난 공의 정당 수립 사업도, 공의 수장 시대에는 많은 장애를 만나 충분한 성적을 거두지 못 하였다.

저 비스마르크도 프랑스와 전쟁에서 승리한 후에도 늙은 황제 옆에 있는 몰트케[3]과 군인세력을 어떻게 할 수 없었다. 이상하게도 외국의 신문을 이용하여 자기가 바라는 대정방침을 유지한 적이 있으나, 공의 정당 수립은 비스마르크가 한 바와 같이 은미하지 않고, 당당하여 대단히 경세적이며, 기세의 불가한 것이 있으므로 드디어 그 일을 사이온지(西園寺) 경에게 양보하고, 자기는 일러 전쟁 승리 후에서 한국통감이 되었고, 그 후 물러나 노후의 심혈을 대륙의 일단에 쏟은 후 결국 이번 일이 일어났다. 평생 잘 이끌어야 하는 국정의 앞길을 스스로 맡아 죽어도 오히려 멈추지 않으려고 품은 의지가 역력하고 분명하다고 할지라도 일본의 정정(政情)은 공이 예상하지 못하는 바이다. 일본의 국세도 또한 오히려 공의 타산 이상으로 진보하여 왔고, 지금은 1885년(명치 18) 이래 제일 공신의 생사에 따라 많은 영향을 받지 않을 것이라는 것은 누구나 긍정할 것이다. (이는) 공이 오히려 극히 바라는 바일 것이라고 생각한다. 요사이 만약 뭔가 영향이 있다고 하면 그것은 거의 공에 의해 이루어진 일본 원로제도의 행방일 것이다. 우리는 신문의 논장(論場)에서 이 원로제도에 대해서 시종 반대해 온 영예(榮譽)가 있지만, 나라에 큰일이 있을 때는 곧 원로제도의 이익이 있는 바도 또한 다투지 말아야 하는 것이다. 그리고 우리 일본이 실로 다고다변(多苦多變)하므로 우리의 원로제도 반대도 드디어 절대적이지 않다. 공은 세상을 떠났다. 이제 공이 이미 돌아가신 이후의 원로제도

---

3 헤뮬트 존 누드윅 본 몰트케(Helmuth Johann Ludwig von Moltke, 1848년 5월 25일~1916년 6월 18일)은 독일제국 군인, 참모총장, 백작. 제1차 세계대전 주모자 중 한 사람이다.

의 성행(成行) 여하는 또한 우리의 염두에 떠오르지 않을 수 없다. 아마 이후 원로의 진력을 필요로 하는 것은 나라에 큰 일이 있는 경우로 한정할 것이다. 하여튼 남아 있는 원로 중에 공과 같이 평생 국사에 뛰어난 사람이 많지 않다. 영향이라면 여기에 있을 것이라고 생각한다. 단지 이는 예상에 지나지 않는 것이다. 당장은 일본의 외정과 내정에 직접적으로 어떤 움직임도 일어나지 않을 것이다.

●조난 공보

(구리치(倉知) 국장의 이야기)

이토공 조난에 관해 27일 정오까지 접수한 여러 소식과 공보(公報)를 종합하건대, 대요는 아래와 같다.

당시의 광경

지난 24일 동청철도 회사는 공작을 위해 특별 귀빈차를 내주어 민정 부장 아파나시예프 소장·경영부장 긴체 씨, 제8구 군무장(軍務長) 페오드로프 대좌 외 5·6명이 이를 타고서 장춘까지 마중 나가 26일 오전 9시 하얼빈에 도착하였다. 그 때 현재 정거장 구내 차량 안에 머물고 있던 러시아 대장대신은 공작을 차내로 방문하여 대담을 나누었다. 대담이 끝나자 공작은 대장대신의 선도로 내려 플레이트폼에 정렬하고 있던 러시아 군대의 앞을 지나 마중하려고 모여 있던 각국 대표자와 러청 관헌 단체 대표자의 인사를 두루 받고 다시 되돌아서 러시아 군대의 전면을 통과하였을 때 그 열 사이로부터 양복을 입은 한 한인이 단총을 뽑아 공작에게 수발 발사하였다.

공작은 두세 곳 중상을 입었고, 수행원 카와카미(川上) 총영사는 오른쪽 팔에, 스기(杉) 비서관은 팔에서 어깨로 관통한 총상을, 다나카(田中) 만철 이사도 또한 경상을 입었다. 공작은 수행원에 안겨 객실 안으로 옮겨져 이때 있던 우리나라 의사와 러시아 관료가 응급 조치를 취하였다. 그 후 러시아 의관장교(醫官將校) 수명이 26일 오전 11시 발 특별열차로 장춘으로 향하였다가 되돌아갔다. 이 특별열차에는 재청 러시아 공사 재장춘 러시아 영사와 동청철도 장관 등이 타고서 러시아 군대 호위 아래 오후 4시 장춘에 도착하여 일청 군대 호위 위에 만철 특별열차로 옮겨 실어 6시 남행하였다. 그리고 본건 가해자와 연루자는 이미 포박되었다.

러청한의 동정

한국황제 폐하는 공작의 조난을 들으시고 칙사 시종원경을 대황제[4]은 서민희(緒民熙)[5]을 모두 조난지에 파견하였고, 정부는 이 총리대신을, 통감부는 나베시마(鍋島) 참여관을 파견하였다. 일행은 오늘 인천에서 홍제호(弘濟號)를 타고서 대련으로 향할 예정이다. 그리고 공작 조난에 관해 러청 양국 정부는 심후한 동정을 표하였다.

● 황후궁 행계(行啓)를 멈추다

이토공의 흉변에 대해서는 성상(聖上) 국모 폐하 모두 깊이 슬퍼하시었다. 특히 모국 폐하께서는 마침 어제 오전 10시 30분 출문하여 빈리궁(濱離宮)에 계행할 예정이었으나 특별히 행계를 멈추시었다.

● 한황제의 친전(親電)

27일 오전 1시 한국 황제 폐하로부터 이토공 조난에 대한 심후한 위문 친전(親電)이 도착하여 9시 도쿠다이사(德大寺) 시종장이 주상(奏上)하였다.

● 이토공 서위(敍位)

이토공은 현재 정이위훈위(正二位大勳位) 공작으로 이번의 흉거에 대해서 훈작을 올릴 여지가 없으므로 발상과 전후하여 특별히 생각하시어 정일위(正一位)로 서위할 것이라고 한다.

● 하얼빈과 한인

러시아 신문기자 트로이츠키 씨의 이야기

올해 봄 우리나라에 내유(來遊)한 러시아 학생 일본 관광단 인솔자인 블라디보스토크 달료카야 우쿠라이나(Далекая окраина) 신문의 주필 트로이츠키 씨 지금 도쿄에 와서 있다. 씨는 방문하는 기자를 이끌고서 이야기를 이토공이 조난당한 일부터 시작하여 하얼빈에 이르기까지 아래와 같이 하였다.

△ 하얼빈의 지위

---

4 고종.
5 조민희(趙民熙).

원래 하얼빈은 그 발달의 지위와 순서에 의해 세 개로 나뉜다. 정거장에서 북으로 이르는 사이에는 신시가라 하여 가장 번화한 지구이다. 이로부터 좀 서남쪽에 구시(舊市)가 있다. 이것은 주로 지나인의 거주지이고 군대 주둔지이다. 이 두 곳 이외 파지장(波止場) 하얼빈이라고 하여 송화강(松花江) 연안을 따라서 소구역(小區域)이 있다. 이 지역은 오로지 송화강의 통상으로 생겼다. 이 세 곳은 확연히 구별되지만 하얼빈의 발달과 함께 점차 서로 접근하고 있다. 지금은 거의 그 경계를 나눌 수 없을 정도이다. 정거장은 거의 이 신구 두 시가 사이에 있다.

△ 정거장

은 넓고 큰 건물로 플레이트폼은 그 남측에 유일하게 한 곳이 있을 뿐이다. 장춘에서 오는 기차도 블라디보스토크 또는 이르크츠크로부터 오는 기차도 모두 이곳에 머문다. 때문에 이토공이 저격당한 곳도 여기이다. 플레이트폼은 폭이 6~7간이고 지붕이 없고 다만 정거장의 건물근처에 차양 지붕이 만들어져 있다. 정거장 건축은 2층으로 방의 수는 자못 많고 또한 모든 방에는 대형 창이 설치되 있으므로 흉도 따위가 들어와 잠복해 있기에도 안성맞춤이므로 또한 잠복한 곳에서 플레이트폼 쪽도 안내 쪽도 자유롭게 살펴볼 수 있는 실로 흉행자에게 대단한 좋은 곳이다.

△ 경찰

하얼빈은 러시아의 수비대와 헌병 그리고 경찰관이 경계를 하고 있지만, 지나 경찰관이 지나인(支那人)에 대한 경찰권의 집행을 모두 맡고 있다. 흉도가 사용한 단총은 극히 정밀한 신식이라고 하는데 이것은 외국에서 밀수입한 것임에 틀림없다. 블라디보스토크에서도 하얼빈에서도 러시아인 이외에는 총기 매매를 결코 허락하지 않는다. 러시아인이 총기를 구하려고 하더라도 세 사람이상의 증인을 세워 하나하나 그 계통의 허가를 받아야 할 정도 있다.

△ 무뢰한 한인

은 일시 블라디보스토크에도 다수가 들어와 있지만 이는 현재 점차 감소하고 있다. 하얼빈은 처음부터 다수의 한인이 있다고는 듣지 못하였다. 블라디보스토크에는 일시 한국의 불평당이 모여들어 한자(韓字)신문[6]을 발행하고 대단히 인심을 선동하는 것 같다. 그런데, 러시아 경찰관은 엄중 취조한 결과, 앞서 말한 신문이 모두 외국에서 인쇄하여 여기에 블라디보스토크 발행 사실을 추가 발견하여 관계자를 모두 국외으로 추방하였다. 또한 블라디보스토크의 모 총포점에서 막대한 도난이 일어났다. 이것도 한인의 소행이 아닐까 하여 엄중히 탐색하였는데 그 후 그렇지 않음이 밝혀졌다. 이러한 일이 있은 후 무뢰한 한인에 대해 대단히 엄중한 단속을 하고 있다. 그 때문에 설마 이번 일과 같은 사건이 일어나리라고는 생각하지 못하였다고 운운

● 한복 입은 이토공

공의 왼쪽은 공작 부인 오른쪽은 스에마츠(末松) 자작 부인이다.

● 우치다(內田) 대사 귀조(歸朝)

▽ 그 이야기

가장 최근 하얼빈을 통과하고 가장 최근 블라디보스토크의 땅을 밟고 또한 가장 가까이 러시아 장상(藏相)과 서로 이야기를 나눈 우치다(內田) 대사가 어제

---

6 대동공보(大東共報).

오전 9시 도쿄로 돌아올 예정이므로 기자는 이토공 흉변에 대해 뭔가 새로운 사실을 들을 수 있을까 하여 코후츠(國府津)로 마중을 나갔다. 때마침 하코네 (箱根)에서 호화스럽게 놀고서 돌아와 그곳에서 대사를 맞이하였다. 대사의 옛 친구 하야시타 칸쵸(林田翰長)와 만나 기차 안에서 나눈 이야기는 이루 다 말할 수 없다. 이날 대사는 스코치(Scotch) 양복의 가벼운 차림으로 장도의 여행에도 그다지 피로한 기색도 없이 대단히 건강하게 보였다.

△ 이토공 조난

에 대해 말하기를, 실로 의외의 일로 다만 놀라울 뿐이다. 나는 모스크바에서 러시아 장상(藏相) 까깝쵸프 씨와 우연히도 같은 기차를 타고서 만주리까지 동행하였다. 그런데, 씨도 하얼빈에서 이토공과 회견할 기회를 얻음을 더없이 기뻐하므로 이번 사변에 대해서는 아마 많은 유감을 느끼고 있을 것이다. 나는 하얼빈에서 겨우 한 시간정도 정차하였을 뿐이므로 그대로 통과하였다. 나는 4~5일 후에 통과하였으므로 또한 혹은 현장에서 만날지도 몰랐고, 흉행자는 곧바로 잡혔다고 한다. 이것은 지극히 바란 바였다. 원래

△ 하얼빈

은 러시아 범죄자의 집합지임과 동시에 각국의 무뢰한도 다수 섞여 있다. 인정은 자못 흉험하고 이곳의 행정권은 러시아에 있는지 청국에 있는지 이조차 여전히 결정되지 않은 것 같다. 그러므로 경찰권의 활동도 평소 혹 생각한 대로 이루어지지 않았을 것이다. 이것이 이번 흉도가 마음대로 하도록 내버려둔 한 원인이었을 것이리라. 한국인은 암살에 극히 뛰어나다. 상해(上海)에서 김옥균(金玉均)을 죽였는데, 오직 한 발로 이를 처리하였다. 작년 샌프란시스코에서 스트븐스 씨를 습격한 자도 그 목적을 이루었다. 그리고 이번에도 그 사람과 같이 근래의 경향에 의해 살펴보건대, 혹은 한국인 사이에도 허무당(虛無黨)과 같은 일종의 결사가 있어 실행자를 지정하여 흉행을 꾀하도록 하는 자가 없겠는가. 만약 그와 같다면 그 해는 두려울 것이라고 운운. 대사는 다시 화제를 돌려 말하기를,

△ 러시아 장상(藏相)

까깝쵸프 씨에 대해서 씨는 쾌활한 사람으로 근방 친해지고 또한 자못 사무에 열심이어서 기차 속에서도 도처의 정거장에서 그 역장 또는 다른 관리로부터 보고 혹은 설명을 구하여 조금도 쉬지 않는 자세로 대단히 바쁜 것을 보았다.

그리고 그 극동 순시 용건은 여러 가지인 것 같다. 우선 만주리에서 러청 국경 문제부터 조사를 하고 하얼빈을 경유하여 블라디보스토크로 가서 다음달 20일 까지 귀도(歸都)할 예정이라고도 한다. 대사의 이야기를 들을 만큼 들은 기자는 다시

△ 대사 부인

에게 뭔가 구주의 최근 유행담이라도 들을 수 있느냐고 방향 전환을 하였는데 「이야기라면 우치다(內田)에게」라고 상냥하게 회피하는 것은 외교가 부인답게 빈틈이 없었다. 신바시(新橋)에서는 외무성 인사들 기타 다수가 마중 나아 대사는 곧바로 오쿠보(大久保)의 집으로 갔다.

●오호(嗚呼) 이토 공작

▽ 매마른 가을바람 흉보를 가져오다

▽ 애도하는 소리 상하에 가득하다

●유신 이후의 이토공

왕정으로 유신한 해 27명이 징사 참여직 외국 사무국 판사심(徵士 參與職 外國 事務局 判事尋)으로 효고현(兵庫縣) 지사(知事) 오사카부(大阪府) 판사(判事) 등이 되고 1869년(명치 2) 대장성 소보(少輔)[7]로 옮겨 오쿠마 시게노부(大隈重信) 경과 도모하여 중의(衆議)를 물리치고 도쿄와 요코하마(橫濱) 사이에 철도를 부설하고, 1870년(명치 3) 재정과 은행 조사로 미국에 가서 돌아온 후 조폐국을 오사카(大阪)에 창립하였다. 1871년(명치 4) 이와쿠라(岩倉) 대사 일행과 함께 유럽에 파견되어 1873(명치 6) 9월 귀조(歸朝)하였다. 이때 정한론이 일어났다. 서남역(西南役) 때 참의 겸 공부경이 되었다. 1878년(명치 11) 5월 오쿠보(大久保)내무경이 해를 입자 공은 그 자리를 이어 받고 의정관(議定官) 법정국 장관을 겸하였다. 1880년(명치 13) 전임 참의심(專任 參議尋)으로 참사원 의장(參事院 議長)을 겸임하였다. 1881년(명치 14) 국회 개설의 조칙(詔勅)이 내려짐에 따라 1882년(명치 15) 각국제도 조사를 위해 구주에 파견되어 1883년(명치 16) 귀조(歸朝)하였다. 1884년(명치 17) 궁내경이 되어 궁중에 제도 취조국(取調局)을 설치하고 이를 주재(主裁)하였다. 이해

---

7 1869년(명치2년)이후 각성(各省)과 신기관(神祇官)에 둔 직원. 대보(大輔)와 함께 경(卿)을 보좌한 직임관. 내각제도가 창설된 뒤 폐지됨.

화족(華族)에 올라 백작을 받았다. 1879년(명치 12) 조선 경성의 변이 일어난 다음 해 1880년(명치 13) 특파정권대사로서 청국에 가서 천진조약을 체결하였다. 1885년(명치 18) 궁제(宮制) 개혁과 내각총리대신으로 궁내대신을 겸하였고 1888년(명치 21) 추밀원의장이 되었다. 1894·95년(명치 27·28)년 일청전쟁 당시 내각총리대신으로서 청국이 강화(講和)를 청하자 전권 변리대신으로서 바칸(馬關)조약[8]을 체결하여 그 공(功)으로 후작에 올라 대훈위(大勳位)에 서임되고 국화대수장(菊花大綬章)을 받았다. 일러전쟁 후에는 한국과 조약을 체결하고 1905년(명치 38) 12월 28일 통감에 임명되어 1909년(명치 42) 공작이 되며, 1909년 6월 통감을 그만두고 추밀원의장에 임명되었다. 뜻하지 않게 이번 재난을 만나기에 이르렀다. 향년 69세로 공은 시종 국가의 대국(大局)을 맡아 참찬규획(參贊規畫)하여 혁혁한 공이 있는 동시에 세상의 비방을 받은 일 없으며 그 시종 일관하여 헌정옹호를 위해 노력한 것은 국민 모두 우러러 보는 바이다.

● 이토공과 한인

1905년(명치 38) 3월 이토공이 통감으로 경성에 도착하였다. 당시, 한인들은 역적 이토·하세카와(長谷川)를 병칭하여 그 고기를 씹어 먹어버리겠다고 비난하였으나 결국 한 사람도 몸을 바쳐 공을 노리는 자가 없었다. 공이 3년 반의 한국 재근 중, 통감암살 음모가 있다는 풍설이 여러 번 전해졌음에도 불구하고 그 때마다 미연에 발견되고 혹은 한인이 무지하여 불가능한 계획을 세운 경우 따위에 지나지 않았다. 진실로 생명의 위험을 생각하도록 한 것은 지난 1907년(명치 40) 정변의 당시 경성동란이 한창 때에 공공연하게 부하를 이끌고서 신제(新帝)[9] 즉위식에 참가하였다. 그 당시 오직 한번이라고 할 것이다.

물론 당시의 경계는 대단히 엄중하였으나 인심의 격양됨이 극에 달하였을 때라 한다. 여느 때와 같이 거리에 늘어선 한인 가옥 창호(窓戶)로부터 한 발의 탄환을 쏘는 것은 극히 쉬우므로 오히려 공의 참내를 멈추게 하려고 생각하는 자가 많았다. 그럼에도 공은 아무렇지 않은 듯이 일본 거류지를 나아 즉위 식장에서 황제를 따라다니며 열국 대표자의 축하를 받고 무사하게 남산의 관저로 돌아온 일이 있

---

8 시노모노세키 조약.
9 순종.

었다. 당시의 상황을 회상하면 공도 혹 죽을 각오를 하였을지도 모르겠다.

원래 한인은 예부터 암살을 자못 좋아하는 국민으로 정권쟁탈의 여파로 서로 죽이는 일이 거의 일상의 다반사이므로 공이 한국에서 무사한 것은 오히려 이상하다고 할 것이다. 필경 종주국의 권위, 경찰의 보급 때문일 것이다. 점차 한인의 사상도 변하고 특히 이토공에 대한 한인의 신앙은 해가 감에 따라 점차 증가하여 역적 이토가 어느새 한인의 신뢰를 얻고 있는 오늘에 이런 일이 있음은 극히 유감이라고 하지 않을 수 없다. 이토공이 대한정책을 성공시켰다고 하는 것은 아직 너무나 이를지라도 공이 노련하고 원만한 수완으로 한인의 신뢰를 얻고 적어도 얻을 단서를 연 것은 의심할 수 없는 사실이다. 재외 한인이 본국에 있는 자와 비교하여 한층 배일사상을 갖는 것은 필경 최근 수년간 한인 사조의 변화에 뒤지는 것이라고 보지 않을 수 없다. 그 희생으로서 일찍이 스티븐스 씨가 있고 오늘 드디어 초대 통감 이토공이 흉수에 쓰러졌다. 실로 유감이라고 한국에 있던 모씨는 분개하여 말하였다.

●초연한 오쿠마(大隈) 백작

엊그제 오쿠마 백작은 올해 일찍이 본 적이 없이 초연하였다. 응접실로 가면 언제나 팔걸이의자에 앉아있는데 일본 옷을 입고서 의족(義足)도 빼서 시트 위에 놓고, 옆으로 불편한 듯이 앉아 있어 좀 쓸쓸하게 보였다. 뒤로 비스듬하게 천정을 흘겨보면서 아무 말이 없이 있을 때 주객(主客) 4명의 이야기는 자칫하면 두절될 뻔하였다. 벽에는 카노풍(狩野風)[10]의 선인(仙人) (그림)의 두루마기가 2폭, 그리고 해안송림(海岸松林) (그림)이 한 폭(이 걸려 있는) 정막한 방에 무상한 소나무 바람도 들리는 듯하다. 벽난로 위에는 꽃병 하나에 (꽂혀 있는)노랗고 하얀 국화는 이윽고 이토공에게 바쳐질 모양이었다.

백작의 얼굴에는 늘 그랬듯이 쾌활한 빛은 조금도 없고 천천히 입을 열어 다음과 같이 말하였다. 『오늘은 안 되겠다. 말 많은 나도 아까부터 20명 가까이 방문객이 몰려왔지만 전혀 말을 할 수가 없었다. 다만 망연자실하였을 뿐이다. 우리 동료 중에는 이토가 제일 활발하였다. 지난 번에도 출발 전 은행 집회소에 초청되어 유쾌

---

10 무로마츠(室町) 시대 후기 카노 마사노부(狩野正信)에서 시작된 일본화의 한 유파.

하게 이야기를 나누었는데 급작스러운 비보였다. 그 때가 최후의 이별이었다.』
잠시 말이 막힌 기자들도 오늘은 자세히 물어볼 용기도 나지 않았다. 백작은 또한
다음과 같이 말하였다.

『작년에 스티븐스도 이런 수법으로 당하였다. 이토도 조선에서 한 차례 기차에 돌이 날
아왔고, 작년에 한제(韓帝)가 순유하였을 때도 뭔가 무례를 범하였지만 오늘날까지 무난
하게 지냈다. 대체로 조선인은 돌을 잘 던진다. 이 자들은 돌 정도를 던지는 것이 고작이
다. 하지만 미국이나 하얼빈 등에 있는 자들은 하이칼라로 총을 갖고 있다. 마침내 생각
지도 못한 곳에서 쓰러지고 말았다. 장백산(長白山) 정상에 뼈를 묻겠다고 하였는데 참으
로 예언과 같이 되었다. 이처럼 내가 처음으로 이토를 만난 것은 나가사키(長崎)에서 그
사람이 27·8세 때일 것이다. 서생의 원기가 조금 넘쳐 곧잘 토론을 하였다. 그 후 도쿄
에서는 지금의 쓰키지(築地) 본원사(本願寺) 옆에 있는 집에서 우리는 양산박(梁山泊)을 만
들었는데, 이토가 마침 효고 현령(兵庫縣令)이었다. 대부분 반대당이 떠들썩하였으므로
이를 불렀는데 북적거렸다. 하여튼 식객이 또한 수십 명이었다. 이 식객을 데리고 왔으므
로 대단하였다. 그때가 가장 재미있었다.
이토도 세상이 매몰차게 적시하여 표적이 되었다. 그 때 죽지 않았으나 모든 분규를 다
긁어내어 산의 정상에 올랐다. 오늘 돌연 이런 운명이 되니 묘한 일이다. 이토는 행운이
었지만 오늘날의 젊은이와 같은 편안한 생애는 결코 아니었다. 동분서주 고생한 것은 이
루다 말 할 수 없다. 요즘 아이라도 (이토에게) 스에마츠(末松)의 (딸) 오토쿠(お德さん)일뿐이
었다. 그 시대를 알고 있는데, 이 오토쿠가 어떠한 아인가 하면, 태어나 4세 정도까지 몸
을 일으키지 못하였다. 이토가 처음부터 끝가지 품고서 어쩔 줄 몰라 했지만 결국 저와
같이 훌륭한 부인이 되었다』……

이야기는 너무나 보통 때와는 달랐다. 하지만 어디까지나 조용히 듣고 있었다. 그
렇다면 누군가가 『옛 키츠지(築地)의 장옥(長屋)[11]에 백작과 공이 이웃하고 살았을
때 집안에 작은 이나리(稻荷)[12]를 모신 사당이 언젠가 파괴되자 이토공이 데리고
있던 마부가 별안간 정신병자처럼 그 불법적인 행위를 크게 분노하기 시작하여 단

---

11 가늘고 긴 형태의 집으로 여러 가정이 같은 한 채의 건물 안에 서로 이웃하며 사는 것.
12 오곡(五穀)의 신.

단히 미처 결국 죽어버렸다』라고 하였다. 당치도 않은 말을 꺼내자 역시 울해 있던 백작도 자기도 모르게 웃음이 나와 『아니 그 때 이토도 힘들었지. 집안의 보도(寶刀)를 단숨에 꺼내어 마부를 베어버리려고 쫓아다닌 소동이란……죽기 직전에 있던 이노우에(井上)가 살아남아 안았던 이토가 죽었다. 이노우에가 복권되었을 때 축하며 두 사람이 서로 껴안고서 운 그 광경은 지금도 눈앞에 선하다. 국가에는 큰 손해이다. 나도 둘도 없는 옛 친구를 잃고 말았도다. 아!』

● 오사이 쿄(大西 鄕) 이래의 청렴(淸廉)
▽ 이누카이 츠요시(犬養毅) 씨의 이토공 관(觀)

의외로다. 의외로다. 다만 안됐다고 할 수밖에 없다. 나는 오늘날까지 개인적으로 이토공과 교제한 적이 없다. 현재 정계에 다소 이름 난 사람으로 한 번도 공의 문하에 들어가지 않은 사람은 필시 나 한 사람일 것이다. 하지만 나는 과거에 그 정견에 끝임 없이 반대했음에도 불구하고 공에게 배울 바가 많음을 단언한다.

첫 번째 오사이 쿄(大西 鄕)가 죽고 나서 금전에 냉담한 정치가 중 죽을 때까지 청렴의 덕에 상처입지 않는 사람은 필시 오직 한 사람 이토공뿐일 것이다. 또한 공은 쵸슈벌(長州閥)의 대장(隊長)이면서도 비교적 공평한 사상을 갖고 세력 쟁탈보다도 도리를 중요하게 여겼다. 그러므로 공의 내각 시절에는 임금의 비호 아래 마음대로 한다는 비난도 있었으나 일찍이 야마카타(山縣)공 등과 같이 금전으로 의원(議員) 정당을 부패시키거나 폭력으로 여론을 억누른 적이 없다. 그리고 공은 세계적인 정치가로서 내외인의 신용을 얻었고 확실히 일본의 신용을 더욱 중대시킨 요소가 되었다. 이제 요소의 하나를 잃어 국가의 손해가 크다고 할 것이다. 물론 통감을 사직하고 현재 한직에 있으므로 그 죽음이 곧바로 정치계에 영향을 끼치지 않겠지만 종래 문치파가 동량으로 우러러본 공이므로 이후 혹은 다소 무단파(武斷派)의 횡행할 것으로 의심하는 진보당에는 전혀 관계가 없겠지만 정우회에는 큰 타격이 될 것이다.

또한 이번 만주 행은 결코 어떠한 용무를 띠었는지 또는 단순한 만유(漫游)인지 모른다. 좋다. 단순한 만유라고 하더라도 그 결과는 결코 만유로 끝나지 않을 것이다. 앞으로 일러 간의 평화를 위해 또한 일본의 만주 정책이 실제로 완전히 비개방적이지 않을 터이므로 열국이 다소의 의혹을 품고 있는 때에 이토공의 여행을 들으면 저 외국인은 반드시 공이 공평하게 시찰하고 선후처치를 할 것이라고 믿고 적잖이 안심할 것이다. 또한 더욱이 공이 하얼빈에서 돌아오는 길에 북경에 들러 청국이 지금 열심히 종사하고 있는 헌법 시행에 대해 살아 있는 일본의 입헌정치의 역사라고 할 공이 조언을 한다면 양국의 친교에 얼마나 큰 이익이 되겠느냐 만은 이제 헛된 일이 되었다. 가츠라(桂) 등도 괴롭게 여기지는 않겠지만 그 대신 또한 곤란한 경우에는 공이 지휘 조언하여 곤란을 극복한 적이 몇 번이었던가. 하지만 공의 과거 역사는 순조롭게 뜻을 올려 광휘영화로 가득 찼다. 이번 흉변에 의해 더욱 세상의 깊은 동정을 얻을 것이다. 공은 또한 이로써 영면할 것이라고 운운.

● 오이시 마사미(大石正己)[13] 씨의 이야기

이토공이 생각지도 못한 재난을 만나 끝내 흉거한 것은 실로 너무나 마음 아픈 일이다. 원래 이토공은 나서서 일을 하는 사람이 아니라 물러나 지켜보며 완벽을 기한다는 주의를 갖고 있는 사람이다. 그러므로 수성(守成)의 시대에 필요한 사람이다. 우리의 유신개혁 이후에는 서서히 사물(事物) 정리를 하고 진보 발달을 도모해야 할 시대이므로 공의 온화 정책은 가장 시대에 알맞은 것이다. 따라서 국가에 공헌한 공적은 실로 위대하다. 이 온화 정책은 외교상 평화주의이므로 때로 혹 결단력이 없는 사람이라고 비난을 받는 일이 있지만 전체적으로 공이 행한 일을 살펴본다면 그(가 행한) 일은 대단히 적절하였다. 이토공 흉거 이후의 형세 여하에 대해 일고하건데, 비스마르크 사후 독일의 정책이 전혀 변화가 없음과 같이 공이 흉거했다고 하여 일본의 정책에 변동을 초래하여 동양의 평화가 동요되는 등의 일은 결코 없을 것이다. 뿐만 아니라 오히려 공이 수행한 정책을 지속하여 변함이 없음을 믿는 바이다.

그러나 우리 헌정 발달에서 관찰하면 이토공의 흉거는 우리 헌정 상 일대 손실이다. 왜냐하면 공은 정치에서는 특히 감정을 배제하고 도리에 의거하여 일을 판단하는 사람이다. 그가 조정과 재야 시절을 불문하고 늘 눈을 대국(大局)에 두고 공평한 눈을 갖고 가령 정적이라고 하더라도 그 말하는 의견이 도리에 맞으면 채용

---

13 고치현 출신(1855년 5월 26일~1935년 7월 1일)으로 정치가. 중의원 의원·농상무상 등을 역임함.

하고 우군이라도 그 말하는 바가 불합리하면 배척하는 사람이다. 늘 헌법을 원활하게 적용하는 일에 부심하고 있었다. 혹 때로 세력에 의해 헌법을 무시할 것이라는 의론이 일어날 때에도 결국 이러한 불상사가 발견되지 않은 것은 하나 같이 공의 힘이라고 하지 않을 수 없다. 또한 공은 개인적으로 극히 문명인이다. 늘 짬이라도 나면 내외의 신서(新書)를 열심히 읽고, 신지식 양성을 게을리 하지 않았다. 때문에 조정에서나 재야에서도 정책을 올바로 하였다. 특히 이후 지나도 만사개혁의 시대가 되어 우리 일본에 배울 바가 많을 것이다. 또한 여러 가지 교섭사건이 발생할 때에 공과 같은 신지식을 구비한 가장 신용이 두터운 대표적인 인물을 잃은 것은 실로 애석하기 그지없다.

●하라타카시(原敬) 씨의 이야기
(시모노세키(下の關)의 정우회)

이토공의 훙거를 들은 시코쿠(四國) 츄코쿠(中國) 정우회 대의사(代議士)[14]는 다음과 같이 말하였다. 27일의 연합 간친회를 열기에 앞서 조사를 결의할 것이다. 그리고 저녁부터 열릴 유지(有志) 간친회는 조의를 표하고 앞일을 생각한다는 의미로 열기로 하였다. 그런데 28일 시모노세키시(下の關市)가 주최하는 초대 모임은 하지 않기로 어젯밤에 도착한 하라타카시(原敬) 씨 기타 간부들이 결정하였다. 물론 연설회도 연기하기로 하였다. 또한 이토공 훙거 소식을 미타지리(三田尻) 부근에서 하라(原) 씨에게 들었다. 진정으로 애도해 마지않는 바이다. 한인 이외에 관계자가 있다고는 생각지 않는다. 특히 한인은 그러한 행위를 감행하는 버릇이 있어 앞서서는 미국에서 스티븐스 씨를 암살한 일도 있으므로 몽매한 그들의 소업(所業) 혹은 미리 계획한 것인지 알 수 없다. 그리고 공의 유해는 어젯밤 이미 장춘에 도착한 모양이므로 늦어도 30일경에는 돌아올 것으로 보인다(시모노세키 전화).

---

14 국회의원.

하얼빈 정거장의 일부

● 입헌정치의 화신

▽ 오자카 유키오(尾崎行雄) 씨 의 이야기

이토공의 이번 조난은 거의 꿈과 같아 다만 경악할 따름이다. 공의 훙거는 실로 국민의 대불행이자 대손실이다. 공이 입헌정체를 위하여 얼마나 많은 심혈을 쏟았는지는 내가 말할 필요도 없이, 세상 사람들이 아는 바이다. 공은 틀림없이 입헌정치의 화신이다. 공의 훙거에 대해서 국가는 충분히 애도하는 뜻을 표하지 않으면 안 된다. 내가 여러 해 동안 정우회와 결별하였음에도 공과 악수를 한 이유는 곧 공이 입헌정치의 발달 진보를 위해 열심히 하였다고 깊이 느낀 결과로 나는 한 몸의 영광을 잊고 공을 본받아 국가에 진력하려고 결심하였다. 당시 나의 심사는 그 후 내가 정우회를 탈퇴한 전말에 의해서도 명확하지만 나는 오늘 나의 입장을 변명하기 위해 이런 말을 하는 것은 아니다. 공이 입헌정체에 어떤 공헌을 한 위인인가를 국민과 함께 추억하고 국가를 위해 이 위인을 잃음을 애도하기 위해 이런 말을 한 것이라고 운운

● 학자로서의 이토공

법학박사 아리가 나가오(有賀長雄) 씨 의 이야기

헌법 발포 이전에는 헌법이 만들어지면 주권의 소재지가 변할 것이라고 일반적으로 생각되고 있어 자유당은 주권은 인민에 있다고 하였고, 제정당(帝政黨)은 주권은 군주에 있다고 주장하였으며, 또한 개진당(改進黨)은 군주와 인민 중간에 있는 의회에 있다고 주장하고 있었다.

하지만 이토공은 절충설을 고안하여 국체를 기초로 한 입헌정체를 제정하여 주권은 군주에 있고 그 일부분이라도 인민에게 넘기는 것이 아니다고 주장하고 그 조직에 대단히 고심하였다. 이토는 정치에 조화를 잘 도모하였듯이 학문(學文)에도 조화를 잘 꾀하였던 것으로 보인다. 공에게는 학자티라고는 전혀 없다. 하지만 학설을 잘 이해하고 이를 동화하여 때의 형세를 살펴 국정에 비쳐 정교하게 이를 응용한 그 학문 태도는 역시 정치가다웠다. 학문이라고 해도 전문학자와 같이 깊고 치밀한 것은 아니라, 넓고 대체적인 정신을 담아 이를 일본의 국정에 맞추어 행하였다고 해도 지장은 없다. 놀라운 것은 하나를 듣고서 열을 활용하는 것으로 완전히 천재라고 할 수밖에 달리 평할 방법이 없다. 기꺼이 다른 사람의 말을 듣고 또한 이를 잘 수용하였다. 하지만 처음에 토론하는 것이 오히려 대단하게 보이면 곧바로 접고서 듣는 공에게는 선입관이 없듯이 후입관(後入觀)이라는 것도 없다. 다만 학문을 토대로 자신의 새로운 생각을 만들어내는데 고심하고 있다. 대단한 독서가로 끝없이 계속 연구를 하고 있다. 학문의 질은 정치가로서의 질과 같아 대단히 널리 조화를 잘 꾀하고 있다. 나쁘게 말하면 필방미인 주의라고 할 수 있다. 공이 새로운 학문에 강한 것은 영문서적을 읽는데 정말로 능하기 때문이며 프랑스어 서적도 읽고 있다. 또한 한적(漢籍)을 대단히 좋아하는 바로 지나 정치가의 정책론 등은 늘 정독하고 있는데 이러한 서적에서 새로운 이토공 유(流)의 학문이 나온 것이 틀림없다.

고베 현령(兵庫 縣令) 시대의 이토공

공부경(工部卿) 시대의 이토공

● 하야시(林) 백작의 감개

하야시 도오(林董)[15] 백작은 이토공 조난 소식을 듣고 감개해 마지않는 듯이 아아! 이것은 실로 놀라운 일이다. 그 관계 상 대손해인 것은 말할 필요도 없다. 나는 40년 동안의 후의(厚誼)를 고맙게 여기고 공의 훙거를 듣고서 비통함이 진정 이 이상 없다. 공의 인물에 대해 세상에 공론이 있다. 특히 이 대비보기 있음에 내 의견을 말할 필요노 없다.

다만 내가 한 마디 하려는 것은 정치 상 공의 후계자는 어떻게 되는 것인가이다. 공은 일찍부터 온건한 진보주의를 품고서 종시 일관하여 이 주의로 국가에 진력하고 또한 국민을 지도하였는데 공이 말 그대로 훙거하였다고 하면 이후 누가 공의 후계자가 될 것인가? 이는 내가 가장 우려해 마지않는 바이다. 모르는 식자가 보는 바, 정말로 어떻게 될 지라고 큰 한숨을 쉬며 말하였다.

● 외국인의 이토 관(觀)

이토 공작이 암살당한 날 저녁 미국 대사 오프라이엔 씨를 레이난자카(靈南坂)로 방문하였다. 대사는 여전히 등을 켜고서 사무실에 있었다. 우선 귀임 축하의 말을 한 후에 단도직입으로 이토공 암살 이야기에 들어가더니 대사는 아연 질색하여

---

15 하야시 도오(1850년 4월 11일~1913 7월 20일는 에도 막부 말기의 막신(幕臣), 명치 시대 일본 외교관, 정치가이자 백작.

다음과 같이 말하였다.

내가 마지막으로 공을 만난 것은 올 여름 초 귀국하기 전이다. 내가 귀임하였을 때 공은 이미 여행 중이었다. 그 만주시찰 길에 올랐음을 듣고서 나는 깊이 그 거동을 장하다고 여기고 또한 그 뜻을 기뻐하였다. 생각건대 이것에 의해 일본의 진의와 실상을 외국인에게 보여 일본이 받을 만한 여러 가지 오해를 막을 수 있다고 믿는다면 그것으로 좋다. 공의 인격에 대해서는 그 종래의 경력에서 추측하고 그 종래의 언동에서 보아 나는 그가 대인물임을 의심하지 않는다.

하지만 내가 (일보에) 와서야 공과 서로 만나 알게 되었고, 그가 진정으로 우러러볼 만한 대인물임을 알았다. 공은 해서는 안 되는 것이 없다. (공이) 한국에 있을 때 한국의 부식을 꾀하고 성심성의 한국의 평화와 진보를 위해 진력한 것은 대단히 많다고 할 것이다. 공이 서거한 것은 진정 일본과 한국에 큰 손실이라고 할 것이라고 하고 여러 번 대흉사 대참사라고 중얼거렸다.

돌아오는 길에 연합통신사의 케네디 씨를 방문하였다. 그 자리에 미국 대사관 서기관 포스트호이라 씨가 있어 서로 만났는데, 힘없고 걱정스러운 얼굴을 하고 있었다. 한 사람이 테러블(terrible)이라고 하니 다른 한 사람은 호러블(horrible)이라고 하였다. 제삼자는 더욱 한마디를 하여 심플리 테러블(simply terrible) 이라고 외쳤다. 호이라 씨가 조금 전에 고무라(小村) 외상과 만났는데 한국 내라면 모르겠지만 하얼빈에 설마 그런 일이 있지 않을 것이라며 좀 경계를 방심한 것이 잘못이었다라고 하였다. 외상은 이것은 실로 작년 스티븐스암살과 동인한 방심에서 나온 것이라고 하였다.

케네디 씨는 다음과 같이 말하였다. 나는 모든 외국인 중에 특히 이등공을 안 것을 고맙게 여기므로 애도하는 마음이 또한 더 하다. 공은 진지하고 도량이 넓고 사람을 잘 받아들이고 담을 두르지 않았다. 공을 아는 외국인 일동은 깊이 감사하게 여기는 바이다. 현재 한국에서 공의 정책에 반대를 하는 외국인조차 또한 여전히 공에 대해서는 늘 호의를 갖고 전혀 공에 대해 불평을 토로하는 자가 없다. 여기에서 공이 얼마나 외국인 사이에 추중(推重)되고 있는지를 알 수 있을 것이다. 씨는 또한 근심이 가득하여 말하기를 생각하면 지난 밤에 경(卿)들과 함께 가즈라(桂) 수상관저의 만찬회에서 만나 서명을 요청하였을 때 우리들은 마지막으로 만났다. 그 때 대단히 활발하게 신문기자를 상대로 담론을 하였는데 지금 별안간에 암살 소식을 접한 것은 완전히 의외이자 참사로다. 생각건대, 하얼빈 발 전보는 한

57

시간에 런던에 이르고 또한 한 시간에 뉴욕에 도착하므로 지금쯤은 이 소식이 이미 런던 뉴욕의 여러 신문 호외에 실려 구미 제국에 큰 문제가 되고 있을 것이라고 하였다.

카와카미(카와미(川上)) 하얼빈 총영사

다나카(田中) 만철 이사

● **국제법상의 의견**

이토공 조난 장소는 청국의 영토인데 정거장에 그 경찰권이 미치지 못하는 것은 물론이고 러시아 사법권 아래 있는 것은 당연한 일이라고 한다. 그렇다면 그 책임이 돌아갈 곳도 또한 저절로 분명해질지라도 이러한 예지할 수 없는 큰 사건에 대해서는 국제법상 이를 뭐라고 할 수 없다. 하지만 도덕 상 그 책임을 면할 수 없는 것은 당연하고 실로 제남사건(湖南事件) 때와 같이 일본으로써는 묘당(廟堂)의 크

나쁜 소동이 되어 당시의 내무대신과 외무대신은 그 책임을 지고 물러났다. 한편 러시아 군함의 시위 행동을 기억하는데 당시 모국(某國)이 알선을 하였고, 또한 우리 궁정(宮廷)의 걱정이 컸으나 겨우 아무 일없이 끝난 것을 기억한다.

또한 프랑스에서도 이탈리아 무정부 당원이 대통령 카르노를 암살한 일이 있었다. 이는 프랑스 내에서 일어난 일로 특별히 국제법상의 문제는 아니다. 다만 장래 무정부 당원의 단속을 엄하게 해야 한다는 의미로 이탈리아에 주의를 주는데 그쳤다. 결국 국제문제가 되지 않았던 것이다. 이번 일은 영토는 청국, 사법권은 러시아, 하수인은 한국인이라고 하므로 러시아는 오직 이 예지할 수 없는 불의 사건에 대해 대단히 부주의하였다고 한다. 국제 도덕상으로 볼 때 이는 단순히 끝나지 않을 일이라고 생각할 만하다.

그리고 한편 이토공은 일찍이 통감으로서 부임하였을 때 이미 시직(社稷)의 신하로서 이 중임을 맡은 이상 만일의 경우 한 번 죽어 국가에 진력할 각오가 있었음은 물론이다. 일본 국가를 위해 공을 잃은 것은 진정 대단히 유감스럽기 그지없는 바이나 공은 오리려 이를 바랬을 것이다. 이런 이유로 일본의 한국에 대해 조치는 더욱 한 발을 내딛게 될 것이라고 운운

●한국 태자 전하의 비탄

들으셨겠지만, 흉보가 처음 도리이자카(鳥居阪)의 한국 황태자 전하에 전해지자, 어용계는 처음에는 모두 너무나 의외의 일이라 어쩔 줄을 몰라 한 때 그 진위를 의심하였지만 소식이 계속 들어오자 지금은 의심할 여지가 없게 되었다. 곧바로 이를 전하에게 아뢰지 않은 것이 어떻겠는가 모두 주저하는 기색이 있었으나 어쩔 수 없었으므로 고(高) 대부(大夫)가 대단히 천천히 공의 조난을 아뢰었다.

전하는 너무 놀란 나머지 의자에서 벌떡 일어나 당황하여 한국어로 누가 말이냐 누가 말이냐 라고 연달아 외쳤다. 흉한이 누구인가를 알려드렸는데 한인이라고 들으시고 「뭐라 우리나라 사람이라고」라고 당황한 것처럼 보였는데 외람되게도 안색도 좋지 않고 눈물조차 보이셨다. 그런데 어디서냐고 물으시기에 오늘 아침 하얼빈에 도착하고서 생긴 일이라고 아뢰었더니 하얼빈인가 하얼빈인가라고 계속

혼잣말을 하시었다. 지난날 생각에 잠기시었는데 고 대부·엄(嚴) 지후(祗侯)[16] 등은 위로 드릴 말도 나오지 않았다고 하였다. 대단히 황공하옵게도 전하와 공은 일반인의 할아버지와 손자와 같은 사이로 공이 전하에게 하신 두텁고 깊은 대우는 이루다 말할 수 없다. 전하도 또한 대사(大師) 대사라고 그리워하시었다. 이제 하루아침에 이런 흉변이 일어났으니 전하의 마음도 알만한 데 눈물이 마르지 않았다.

● 흉보와 소로쿠각(滄浪閣)
▽ 오이소(大磯)의 대혼잡

26일 오후 7시 30분 흉보를 갖고서 오이소(大磯)로 달려간 니시(西) 서기관은 한국 태자 전하의 대리로 온 김무관(金武官)과 함께 곧바로 소로쿠각(滄浪閣)에 이르러 공작 부인과 스에마츠(末松) 부인을 만나 이때까지 밝혀진 상세한 소식을 전한 니시(西) 서기관은 당시의 상황을 다음과 같이 말하였다.

「부인은 이전부터 병으로 누워 있었지만 2·3일 전부터 나아져 별 일은 없는 것 같습니다만 도쿄에서 조난 전보가 와서 조금 몸 상태가 나빠진 것 같습니다. 스에마츠(末松) 부인은 이미 각오하고 있는 것처럼 보였고 내가 갖고 간 자세한 소식을 듣고서 대단히 감동된 것은 확실하였습니다. 그러나 스에마츠(末松) 자작도 보이지 않았고 무엇을 어떻게 할 지 전혀 모르는 모양입니다. 그러는 가운데 친척들이 모여 드디어 그쪽으로 사람을 보내든가 뭔가 결정할 것 같습니다. 이토 히로쿠니(伊藤博邦) 씨는 현재 항해 중으로 오는 29일에 마르세유(馬耳塞)에 도착할 예정이므로 도중에 전보를 쳤습니다. 이토 분키치(伊藤文吉) 씨는 도쿄에 있습니다만 아직 보이지 않습니다. 곧 이토 미요지(伊東巳代治) 남작도 올 것이다.

▲ 부인의 눈물

니시(西) 서기관이 도착하기 까지 오후 3시 반 전보뿐으로 다시 그 자세한 소식을 알 수 없었다. 그래서 공작 부인은 전보로 가츠라(桂) 수상에게 상황을 물었으나 현재 조회 중으로 확보하기 어렵다는 답전(答電)이 왔다. 공작 혼자만 아니라 다나카(田中) 만철 이사도 부상을 입었다는 소식에 부인은 흉한은 반드시 피

---

16 귀인을 모시는 사람.

스톨로 저격하였을 것이라고 상상하고서는 남 몰래 흘린 눈물을 병상에서 소매로 감추었다.

▲ 정민(町民)의 놀람

오이소(大磯) 거리에 오후 4시경부터 이토공이 암살당하였다는 소문이 펴져 정민(町民)은 반신반의하였는데 도쿄에서 전보도 끊이지 않고 왔다. 문안객은 일렬로 기차마다 오이소(大磯) 정거장에 내리는 것을 보고서 진실로 여기고 크게 놀랐다. 공작의 저택에 밀물처럼 밀려들어 오는 것 같았다. 정장(町長)·경찰서장·우편국장을 비롯해 출입 상인 직인(職人) 등은 모두 공작의 저택으로 몰려들었다. 평생 공의 은고를 입은 사람은 모두 현관을 메워 근심이 가득하여 소곤거리고 있었다.

▲ 정민(町民)의 우려

또한 소로쿠각(滄浪閣) 앞으로 전보와 전화는 빈번하게 왔으므로 전신국이 너무나 바빴다. 전신은 한 번에 모아서 때때로 자전거로 나르고 있었다. 이와 같으므로 운전사가 태부족하여 정거장에는 한 대의 빈 기차도 없었다. 소로쿠각(滄浪閣)에 가는 사람 중에는 밤인데도 걸어서 오는 사람들이 많았다. 정민(町民)은 기차가 달릴 때나 사람이 지나날 때마다 일을 멈추고 오고 가는 것을 보고서 「저것은 소로쿠각(滄浪閣)으로 가는 것이다」 따위의 말을 서로 하고 있었는데, 오이소(大磯)라는 이름은 소로쿠각(滄浪閣)이라는 이름과 함께 천하에 울려 퍼졌다. 공작이 이제 저상 사람이라고 듣고서 슬퍼하는 사람도 있고 밤이 깊어감에 따라 바다의 바람도 강해지고 마츠미네(松嶺)의 파도소리에 맞추어 비곡(悲曲)이 울리고 어두운 하늘에 깜빡거리는 별빛은 정말 우울하고 오이소(大磯)의 거리는 왠지 모르게 자꾸 슬퍼진다.

▲ 문안

그 후 다케타 노미야(竹田宮)·키타시라 카와노미야(北白川宮) 가문으로부터 위문 전보가 왔다. 가츠라(桂) 후작·가토(加藤) 남작·카가와(香川) 황후궁(皇后宮) 대부(大夫)·도쿠다이사(德大寺) 시종장(侍從長)·와타나베(渡邊) 궁내차관(宮內次官)·이와쿠라(岩倉) 궁상(宮相)·타카하시 코레키요(高橋是淸)·하나부사(花房) 자작·고토(後藤) 남작·다나카(田中) 백작·아키모토(秋元) 자작·모리코시츠(毛利侯室) 등 모두 전보로 문안을 하였다. 또한 히라이(平井) 군의총감(軍醫總監)은 부인의 몸 상태를 걱정하여 니시(西) 서기관과 함께 왔다. 사이온지 하치로(西園寺八郎)·이노우에 카쿠고로(井上 角五郎) 씨도 이어서 왔다. 그리고 이노우에(井上) 후작은 27일 오전 9시40분 특별 급행열차로 올 예정이다(26일 오후 11시 오이소 전화).

오모리(大森) 이토공 은사관(恩賜館)

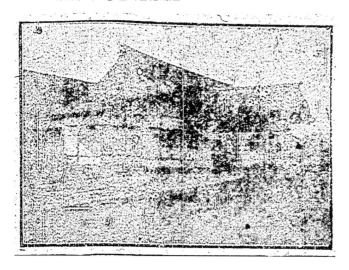

● 그제의 은사관(恩賜館)

오모리 은사관에는(공작부인은 늘 오이소(大磯) 별저(別邸)에 있음)현재 서양에 가 있는 장자 히로쿠니(博邦) 씨 부인만 있다. 그 부인도 그제 오후 3시 7분 기차로 스에마츠(末松) 부인과 함께 오이소(大磯)에 갔기 때문에 집사(執事) 한 사람만 남아 있었다.

▲ 마지막 소식

공작으로부터 온 소식은 날마다 외무성이 은사관에 통지하고 비밀 사건만은 직접 오이소에 통지하고 있다. 하지만 은사관에 전달된 공작의 소식은 그제 오후 「오늘 봉천(奉天)으로 향한다.」라고 하는 극히 간단한 것이다. 드디어 마지막 소식은 어제 오후 3시에 와서 외무성 등이 비로소 이번 흉변을 알린 것이다. 그렇다고 해도 은사관에 한 사람만 있으므로 문안객은 모두 오이소(大磯)로 갔다. 은사관은 큰 혼잡을 초래하지 않은 것 같다. 히비야 오스케(日比翁助) 등 몇 사람만이 먼저 은사관으로 가서 문안을 하고서 집으로 돌아갔다.

●오이소(大磯)로 간 스에마츠(末松) 자작

▽ 비통한 기차 속의 담화

스에마츠 켄쵸(末松謙澄) 자작은 그제 밤 7시 50분 신바시(新橋) 발 기차로 오이소(大磯)의 이토 공작 저택으로 급히 갔다. 등승한 기자는 이토공 조난에 대해 조의를 표하였는데 「에, 진정으로…」라고 하였을 뿐 잠시 아무 말이 없이 이 놀라운 급격(急激)한 세계적 사건을 마음으로 떠올리니 감개무량한 것 같았다. 기차 안에 있던 사람은 좀 희미한 기차의 램프가 근심 가득한 이의 얼굴을 비추니 더욱더 아픔이 깊었다. 그쪽 구석에 웅크리고 앉아 있는 마른 부인 한 사람과 아이 그리고 기자는 모두 아무 말 없이 마음에 남아 있는 이 대사건을 슬퍼할 뿐이었다.

드디어 기자가 「한국태자는 대단히 놀라셨겠지요.」라고 물으니 자작은 「놀라지 않은 사람은 아무도 없습니다만 한국태자는 특히 대단히 경악하여 이 소식을 듣고 제대로 저녁밥도 드시지 못하였습니다. 하지만 나는 말씀드렸습니다. 이와쿠라(岩倉) 씨도 계셨고 이외에도 도움이 될 분이 많이 계셨으므로 그다지 걱정은 하지 않아도 좋다고 말입니다. 나는 조금 전 겨우 용무를 끝내고 빠져나올 수 없는 곳을 무리하게 (나와서) 지금부터 오이소(大磯)로 갑니다만 처는 어제부터 그쪽으로 가 있습니다. 물론 이 사건과는 관계가 없지만 우연히 만난 것입니다. 공작 부인이 졸도하였다? 그런 일은 없겠지만 놀란 것은 틀림없습니다.」라고 답하였다.

다만 이를 생각하건대, 가슴이 메이는 슬픔을 자작은 더 이상 말로 표현할 수 없는 것 같았다. 기자는 「공작부인은 전날부터 병이 난 것 같은데 대단히 좋지 않았느냐」고 물었다 이에 자작은 침울한 얼굴을 들며 「뭐 그렇지 않습니다만 뭔가 좀 식중독의 기미가 있어 누워 있습니다. 그곳에 이 흉보(가 전해지)므로 도쿄 사람도 놀라 의사를 데리고 간다고 하는 뭔가 대단히 소란스러웠습니다. 하지만 나는 아! 그다지 소란스러운 것을 좋아하지 않는다고 하였습니다.」라고 답하였다.

평생 쾌활하고 호방하게 사는 자작이 오늘밤만은 역시 그 옛모습조차 잃은 것도 딱한 일이다. 램프의 빛이 점차 어두워지고 자작의 얼굴은 더욱더 침울해졌다. 기자는 거듭 이 사건에 대해 말할 용기가 없었다.

63

이토공 부인

● 동양평화의 쐐기(楔)

기차 속에서 한국 김 동궁(東宮) 무관(武官)의 이야기

정말이지 말도 안 되는 일이 벌어졌습니다. 나는 한국태자의 측근입니다만, 돌연 이번 흉변을 듣게 되어 대단히

▲ 한국 태자는 놀라셨다.

　　전혀 사태가 파악이 안 되므로 촌각이라도 빨리 문안 가라는 하명이 있어, 너무나 황급히 5시 반 기차로 오이소(大磯)로 갔다가 지금 돌아오는 길입니다.

▲ 흉한의 신분

　　암살 상황은 후작 저택 쪽에서도 아직 잘 모르는 모양인데 흉행 하수인은 한국인인 것 같고 실로 유감스러운 일입니다. 과연 이것이 한인의 짓이라고 한다면 나는 작년 미국에서 스티븐스 씨를 암살한 자들과 같은 무리가 아닌가 생각합니다. 이런 일을 일으킨 자가 어떤 자인가 하면

▲ 천박한 근성

　　이 원인으로 필경 몽매한 무뢰한의 짓일 것이라고 생각합니다, 진정 말도 안 되는 일입니다. 이후 반드시 우리 황인종은 일치단결하지 않는 안 될 일은 조금이라도 세상 사정을 안다면 이해할 수 있는 일입니다. 이 점에서 본다면 이토공은 철두철미

▲ 동양평화를 중요하게 생각하여 무슨 일을 할 때에도 실로 이 주의에서 나왔습니다. 이것은 진정으로 감사해 마지않습니다. 공은 실로

▲ 원만한 평화의 인물로

공의 주장에 반대하는 자라도 이를 위압하는 일이 없고 차근차근 이를 설득시
킵니다. 일례를 들어 보면 저 한국 황제가 순유하였을 때 도처의 완고한 무리들
을 모이게 하여 간절히 설득하여 진실로 마음으로부터 양국민의 조화를 꾀하
기였다고 하는 일은 진정으로 세계의 대정치가로서의 정책이라고 모두 감복하
고 있었습니다.

● 저격당한 공작

▽ 츠루하라 사다키치(鶴原定吉) 씨 이야기

▲ 암살 소문

통감부가 시작될 무렵부터 이토공을 비롯해 하세가와(長谷川) 대장 등의 암살
소문이 때때로 났다. 처음 1년 간이 가장 심하였다. 점차 며칠에 어디의 한인
이 이토 공작 암살을 위해 경성에 온다는 등의 보고는 한 달에 몇 번이나 왔는
지 모른다. 그러는 가운데 현 황제 즉위식 당일은 가장 격렬하여 혹은 사실이
아닐까할 정도로 위험하였다. 기차에 돌을 던진 사람도 있었을 뿐으로 한 번도
실행한 자는 없었다. 근래 그 수가 대단히 줄어든 모양이었으나 이번 일로 실로
놀랐다.

▲ 배일당의 소굴

여전히 배일당은 꽤 많다. 저 스티븐스 씨의 암살사건 등도 그 일례이다. 배일당
이 가장 격렬한 것은 미국, 블라디보스토크, 하와이 세 곳을 본거지로 하여 교
묘하게 연락을 하고 있으므로 이번의 일도 혹은 그 동료들이 아닐까 생각된다.
아무리 완고한 조선인이라도 국내에 있는 자들은 이토공의 성질을 알고 있을
터이므로 정말로 무식한 무뢰한임에 틀림이 없다고 생각한다.

● 송병준 씨의 이야기

▲ 위험한 비밀결사는 최(崔)[17]와 홍(洪)[18] 두 명이다. 최는 경상도 출생으로 20년
전 러시아 수도로 가서 통역을 업으로 삼아 뜻밖에 이익을 보았다. 홍은 일찍
이 군수일 때 인민을 학대하고 축재하여 전쟁 전부터 러시아에 들어가 있었는

----

17 최재형(崔才亨).
18 홍범도(洪範圖)나 내용으로 볼 때 이범윤(李範允)으로 보인다.

65

데 그들 사이에는 대단히 견고한 비밀결사와 같은 것이 있다. 본부를 블라디보스토크에 두고 어떤 자는 바보처럼 운동비를 약탈하고 그들과 같은 무리는 미국 하와이·상해·천진 각지에 산재하고 일본 유학생 중에도 연락이 되는 자가 있는 것 같다. 지난 번 이토공을 살해할 것이라고 히비야(日比谷) 공원에 방을 붙인 것은 분명 이것이다.

▲ 장백산(長白山) 아래에서 죽을 것이다.

또한 여름에 이토공이 한국에 왔을 때도 측근이 위험을 느껴 절실히 이를 만류하였다. 또한 이번 출발 전날 밤 송별회 석상에서 나는 절실하게 아뢰었으나 공은 생사지간의 출입을 50여년 하였지만 다행히 살아왔는데 장백산(長白山) 아래에 뼈를 묻는 것이 오랜 바램이었다. 설사 흉도에 죽는다 해도 양국의 앞길을 지킬 것이므로 아무런 원한이 없다고 일소에 붙이었으나 불행히도 이 말대로 되었다.

▲ 한경(韓京)의 동란은 어떠한가.

흉변이 한국정치에 미친 영향이 어떠한지를 널리 살펴 보건데, 위에서 말한 바와 같이 그들 폭도는 사방으로 연결되어 있고, 특히 표면 상 평온한 것 같으니 경성의 그 이면에서는 끝임 없이 여러 밀책을 구미는 자가 있다. 그러므로 수비 경계가 엄밀하더라도 또한 다소의 동요는 피할 수 없을 것이다. 다만 중앙 정국(政局)의 동요는 거의 일어나지 않을 것이라고 믿고 있다.

▲ 한인이 감사하게 여기는 바.

공이 처음 통감으로 부임한 이래 일반 한인들이 가장 그 덕에 머리를 숙이는 부임하자마자 일본인 가운데 무뢰한을 엄중히 단속한 것이다. 일본의 개국 초기에 그 예가 있듯이 영사재판은 왕왕 불령(不逞)한 무리에게 이로운 바가 있었다. 점차 내지에 넘쳐나 양민을 괴롭히고 있었는데 일찍이 이에 유의하여 한민의 생명재산이 비로서 안정되었다. 공의 많은 사적(事績) 가운데 이 일만큼 현실적으로 일반 인민을 기쁘게 한 일이 없다. 올 봄 공이 지방순회 때와 같이 10리 20리나 되는 멀리에서 와서 공에게 예물을 드리는 자가 많았음에 비추어보아도 이를 미루어 알 수 있다. 요컨대 공이 늘 말하듯이 공명정대 성심성의로 한국 계발유도(啓發誘導)에 진력하였는데 오히려 원수로 갚기에 이른 것은 아무리 생각해도 통탄스럽기 그지없다.

● 철저한 단속 이카즈치 곤다유(雷權太夫)의 이야기

▲ 최후의 한 마디

상설관(常設館)의 건설에 대해서 아카사카 레이난자카(赤坂靈南坂)의 관저로 방문하였을 때 가츠라(桂) 수상 그 외의 분들도 참석하였습니다만 옛친구라고 하시며 술과 안주가 나오고 서로 잡담을 나누었다. 관저를 나왔을 때 공은 "자네는 나이 먹고서 무사태평한데 나는 이제부터 씨름을 할 것이다."라고 하시었을 때 실로 훌륭하다고 생각하였는데 이제 이는 기념할 이야기가 되었습니다.

▲ 술을 같이 마시다

내가 오사카(大阪)를 나와서 효고(兵庫)에서 지내고 있었으므로 공은 그 무렵 효고현령(兵庫縣令)으로 나에게 놀러 오라며 사자를 보내어 왔다. 서둘러 현청(縣廳)으로 출두하자, 사무실에 술과 안주를 가져오게 하여 큰 찻잔으로 사양 말고 마시라고 하여 여러 이야기를 나누었다. 이 때 "씨름꾼은 바보처럼 그저 술을 잘 마신다."라고 하므로 나는 부아가 나서 일부러 큰 찻잔에 술을 넘치도록 부어서 내물며 '좋아'라며 두 세모금 마시어 잔을 단숨에 비우고서는 찻잔을 내려놓았다. 화가 난 나머지 너무 많이 마셨는데 "꽤나 베짱이 좋군. 매일 놀러와."라고 하시었다. 그때부터 매일 술 마시러 현청으로 갔습니다.

▲ 공을 납작하게 만들다

오사카(大阪)에서 도쿄로 와서 잠시 막부에 들어갔을 때 이토공이 맞이해주어 찾아가자 오래간 만이군 효고에서는 재미있었는데 네가 오사카에서 도쿄로 오니 출세하였으므로 이름 바꾸라고 권하였다. 나는 평생 우메가타니(梅ヶ谷)에서 지낼 생각이었으므로 개명은 안 한다고 하자, 공은 "아니야 개명해 내가 이름을 골라 주겠다."라고 하시었다. 나는 효고에서 바보라고 들은 부아가 머리에 남아 있어 개명한다면 모리(毛利)로 부탁한다고 하였다. 이것은 묘하다. 경위가 어찌되었건 간에 나는 어전(御前)인 주인님의 성을 받아 영리해질 것이라 답하자, 하하 크게 웃고서 이것은 안 되겠다. 내가 졌다(고하시었다).

▲ 갹금(醵金)의 요코즈나(橫綱)

1884년(명치 17) 하마리궁(濱離宮)에서 텐란즈모(天覽相撲)[19]가 열리었을 때 이토

---

19 천황이 관전하는 스모.

67

공은 나를 초대하여 이번 텐란(天覽)에는 요코즈나가 되라고 분부하시었다. 나는 요코즈나는 평생 못 될 것입니다. 요코즈나가 되면 약해져 사퇴할 것이라고 하였다. 하지만 아니 그렇다면 우리 스스로 만들어서 줄 것이라고 하여 같이 있던 야마가타(山縣)·우에노(井上)·야마우치(山內) 이런 분들과 서로 이야기 하여 큰 칼과 케쇼마와시(化粧廻し)[20]를 만들어 주셨습니다. 나의 도효훈도시(土俵褌)[21]에는 쵸슈(長州) 번주의 문양이 붙어 있고, 큰 칼은 지금 제가 갖고 있는데 저 긴 것입니다.

● 신키라쿠(新喜樂)의 마담 대성통곡하다

▽ 마음이 착한 분

이토공이 화를 당했다는 소식을 듣자마자 우선 앞서 말한 신키라쿠(新喜樂)의 마담이 너무나 경악하여 곧바로 쓰키지 3정목(築地三丁目)의 집으로 갔다. 그때 마담 오킨은 밖에서 돌아왔다. 그것도 울면서 돌아왔다. 「아! 무슨 일로 계속 울고 그치지 않는군요. 오늘 이런 일이 있었는지도 모른 채 기분이 우울하여 오모리(大森)의 달을 구경하고 나서 가부키(歌舞伎)를 보기 위해 지금 막 산슈옥(三州屋)에 가려고 집에서 전화하였는데, 들어 보니 어르신이 저격당했다는 급변(急變)이었다. 첩은 이 비참한 일에 너무 놀라 파랗게 지리고 질려 있으니 뭔가 해야 한다며 모두 걱정해 주었다. 어쨌든 극장에서는 어떻게 할 수 없으므로 곧바로 집으로 돌아왔다.

부인도 아마 마음 아파하실 테니 오늘 밤 11시 기차로 곧바로 오이소(大磯)로 문병할 생각이었다. 흉사(凶事)를 알리는 따위의 일도 있는 것 같은데 아침부터 기분이 좋지 않은 것도 혹 이 일 때문일지라도 슬퍼해서는 안 되었다. 첩이 어르신을 모신 것은 1884년(명치 17년) 가키가라정(蠣殻町)에 있었을 때부터이다. 첩과는 따로 부인(婦人) 따위의 관계도 아니고 단지 "재미있는 녀석이구나.", "의협심 있는 녀석이구나."라고 말씀하시며 특별히 보아주시었기 때문에 부인(婦人)도 첩도 안심하여 함께 모시었습니다. 어르신은 정말로 단백하게 노셨으므로 첩에게 오셔도 계산대와 요리사를 맡은 노인에게 야유하시고 부엌에 나오시므

---

20 스모 경기장에 오를 때 허리에 두르는 천.
21 스모할 때 입는 남자의 음부를 가는 천.

로 황공하다고 하니 뭐 그런 말을 하느냐고 웃으시었다. 여종업원 등에게도 끝내 음식불평을 하지 않으시고 마음에 들지 않으시면 드시지 않은 채 매번 활발하게 떠들며 깨끗하게 물리셨다. 진정으로 순수한 마음이 대단히 아름다운 분이었다. 그러므로 똑같이 주시는 돈이라도 까다로운 손님이 주는 돈보다 얼마나 고마운지 모른다. 놀러 와 말도 안 되는 핑계거리를 대는 손님에게는 어르신의 손톱의 때라도 빨게 하고 싶을 정도입니다. 이번의 사변이 나라를 위해 이런저런 말을 여러분들이 하실 테니 첩들로서는 이처럼 슬픈 일은 없습니다. 특히 늘 한국태자 전하를 소중히 기르시고 실로 귀여워하시었는데 저 한국인에게 죽었다니 이처럼 어이가 없는 일은 없다. 나는 14일의 배웅이 이번 세상에서 마지막이 되었다」라며 손수건을 얼굴에 대며 또한 흐느껴 울었다.

쥰스케(俊介)시절의 이토공

(오른쪽 이노우에(井上) 후작) (왼쪽 이토공)

●미인, 침묵하다

▽ 총기(寵妓) 분코(文光)의 비탄

지난 38년 오사카의 돈타옥(富田屋)에서 꽃봉오리의 색도 흔적 없이 사라진 그 무렵부터 공작의 총애를 받았다. 그 후 공이 여행길에 오르내리실 때에도 반드시 어르신을 모시어 동료들의 선망(羨望)을 한 몸에 받고 있던 총기(寵妓) 분코(文光), 작년 쿄바시(京橋) 하치노미야정(八宮町) 오사카옥(大阪屋)에서 히로메(披

露目)[22]를 하고 나서부터 여러 번 오이소(大磯) 별장으로 문안 안사 차 들렀는데 시종 변함없이 노공의 사랑을 받았다. 의외로 비보를 접하자 지금은 몸 둘 바를 모르는 것 같다.

외출 화장에 바쁜 저녁 때 거울 앞에서 엎드려 울어 얼굴도 들지 못한 분코를 대신하여 기자의 방문을 현간에서 맞은 모(母) 오후미(おふみ)도 비전(悲電)이 드디어 사실임을 알자 새삼스럽게 눈물로 젖은 소매를 짜고 있고, 분코는 오늘밤의 연회도 단념하고 울고 있습니다. 아무래도 거짓말은 아닙니다. 나는 이후 오이소에 가려고 생각한 참인데 이제 어떻게 해야 좋을지 모르겠습니다. 예! 분코도 함께 간다고 합니다. 흐르는 눈물에 메여 끝내 눈물을 흘리며 『오늘밤은 이제 이것으로 물러나겠습니다. 자세한 것은 모두 말씀 드렸습니다.』라고 하며 얼굴을 돌리어 침묵하였다. 슬프도다.

● 화류계의 적막

그제 온 이토공 흉변 소식은 거의 전시(全市)를 전율케 하여 (이토공과) 친한 것과 관계없이 국가를 위한 (분의) 부음을 슬퍼하지 않는 사람 없다. 너나 할 것 없이 공에게 애도의 뜻을 표하여 그젯밤 화류계는 어디나 할 것 없이 완전히 적막하였다.

● 이토공의 전반생(前半生)(1)
▽ 누추한 초가집에서 탄생

산요도스 하우노구니 쓰카리촌(山陽道周防國束荷村)의 구석에서 쥬조(十藏)라는 백성이 있다. 성은 하야시로 천성이 나쁘지 않은 사람으로 초라한 초가집 지붕 아래 몇 해동안 살았다. 1841년(텐뽀(天保) 12) 9월 2일 경사스럽게도 탯줄을 끊고 옥과 같은 남자 아이를 낳아 리스케(利輔)라고 하였다. 이 남자아이야말로 후일 유신의 원훈, 국가의 주석(柱石), 내각 총리대신, 통감 정이위대훈위공작(正二位大勳位公爵) 이토 히로부미(伊藤博文) 그 사람이라고 누가 알았으랴. 그 60년 후의 대훈위공작이 처음으로 땅에 쓰러졌을 때, 유신 전후의 풍운아는 어떠했을까?

----

22 게이샤(藝者)가 처음 나올 때 공적인 자리에서 인사하는 것.

쵸슈(長州)의 나가이 우타(長井雅樂), 스후 마사노스케(周布政之助), 사츠슈(薩州)의 고마츠 키카도(小松帶刀) 등은 제법 장정(壯丁)이 되었으나, 요시다 쇼인(吉田松陰)은 12세로 마침 임금 앞에서 병서를 강독한 다음 해로, 오무라 마스지로(大村益次郎)는 18세, 처음으로 나가사키(長崎)에 가서 난학(蘭學)을 익힌 해였다. 사이코 다카모리(西鄕隆盛)는 13세, 오쿠보 토시미치(大久保利通)는 8세, 키도 타카요시(木戶孝允)는 7세, 야마가타 아리토모(山縣有朋)는 4세, 이노우에 카오리(井上馨)는 7세, 쿠로다 키요타카(黑田淸隆)는 2세, 오쿠마 시게노부(大隈重信)는 4세, 타카스기 토코(高杉東行), 쿠사카 겐즈이(久坂玄瑞)은 모두 이 해에 태어났다. 그 이외 하시모토 사나이(橋本左內), 히라노 지로(平野次郎), 사카모토 유마(阪本龍馬) 또한 죽마(竹馬)를 타고서 야산을 돌아다니거나 밤에 돌로 들세를 잡거나 엄마의 품에서 자거나 아버지의 무릎에서 장난을 치는 한창 귀여울 때였다.

위인의 전기(傳記)에 반드시 보이는 태어날 때부터 총명하여 보통 아이와는 달리 꼭 위인에 뜻을 두고 있다는 등 형용사는 여기에서는 필요 없다. 리스케(利輔)는 정년 보통아이와 다르지 않았다. 다만 10세이지만 농민과는 어울리지않게 대단히 명성을 좋아하여 입신에 뜻을 두기보다 이 아이를 반드시 뛰어난 무사로 만들기 위해 서생 미스칸사부로(三隅勘三郞)의 밑으로 들어가게 했다. 이 아이가 특별히 뛰어났다고 할 만한 것은 없었다. 하지만 건강하게 자라고 품성이 나쁘지 않아 부모님의 말을 거역하는 일 없었으므로 쥬조(十藏)는 점점 깊이 사랑을 받았지만 궁벽한 곳에 있어 입신출세할 가망성은 없었다.

뭔가 하려는 순간, 가계(家計) 사정이 점점 좋지 않아져 어느 날 밤 몰래 촌을 나와 하기(萩)의 성아래 마을로 가서 스와쿠니(周防國)의 궁시(宮市)라는 텐만궁(天萬宮)에 유명한 곳에 있는 다이센보(大專坊)라는 절에 이르렀다. 이 절의 주지는 신곤종(眞言宗)으로 쥬죠와 속세의 인연이 조금 있었다. 하기의 성아래 마을로 나아 의지할 곳을 구하기 까지 다소 짐이 될 이 리스케를 잠시 맡아달라고 주지 승려에게 부탁하고서, 하기(萩)의 성 아래 마을로 나와 실로 봉황도 알 속에 있어서는 개미와 땅강아지에게 업신여김을 당한다고 하던가! 리스케가 츠카리(束荷)에 있었을 때, 주죠(十藏) 부부는 농사에 바빠 짧은 가을을 논밭에서 보내고서 새도 둥지로 서둘러 돌아가는 황혼질 녘에 돌아왔다. 등잔에 불을 붙이려고 해도 기름이 없었다. 두 사람은 농구(農具) 정리, 저녁 준비에 바빴다. 또한

6~7세의 리스케에게 시장에서 기름을 사오라고 시켰다. 정말로 유순하여 부모의 말을 어기지 않았지만 날이 저문 시골길은 시장까지는 몇 정(丁)이나 떨어져 어둡고 적막한 곳이 많았고 기름병의 기름이 조금씩 흘러나오는 것을 보았을 때는 가슴 가득한 슬픔이 차왔다. 이를 지금도 못 잊는다고 나중에 공작이 출세하여 대신이 된 주죠(十藏)가 어떤 사람에게 말하였다.

어떤 사람은 다음과 같이 말한다. 기름을 산 것에 대한 이야기는 주죠가 하기(萩)를 떠나 마츠모토(松本)의 스이하라 다이(推原臺)로 집을 옮겼을 때의 일이라고 하지만 저자가 측근으로부터 주죠가 직접 한 이야기라고 전해들은 바에 따랐으므로 츠가리(束荷)에서 일어난 일임은 의심의 여지가 없는 것 같다. 잠정적으로 츠까리(束荷說)에 따른다.

● 이토공의 전반생(前半生)(2)
　▽ 영웅 탄생의 이설(異說)

미천한 데서 일어나 최고의 부귀공명에 이른 영웅의 전기는 언제나 그 첫 페이지은 여러 이설로 장식되어 있다. 토요토미 태합(豊臣太閤)은 특히 나카무라 백성(中村百姓) 나카무라(中村) 농민 야스케(彌助)의 아들이 아니다. 어머니는 어느 날 밤 태양이 품속으로 들어온다는 것을 보고서 임신한 것은 그 귀종(貴種)함을 증명하는 것이라고 한다. 국사략(國史略)에서 마츠나헤(松苗) 박사는 의심스럽다고 기술하고 있다. 헤이소고쿠(平相國)는 애꾸눈 타다모리(忠盛)의 아들이 아니며, 황실의 서출로 호에노 쓰보네(兵衛局)의 배(腹)은 가탁생(假托生)이라고 하고 성쇠기(盛衰記)에도 평가물어(平家物語)에도 기온정사(祇園精舍)의 창두(昌頭)가 있다.

그것과 이것은 다르지만 이토공 탄생에 대해서는 이설(異說)이 있다. 말하자면 리스케(利輔)는 쥬죠(十藏)의 아들이 아니다. 쥬죠(十藏) 부부가 함께 산 지 이미 몇 해가 되었지만 아들 하나 없음을 한탄하였다. 어느 날 행각승(行脚僧) 한 사람이 츠카리(束荷) 마을을 지나다 해가 저물어 하룻밤 머물기를 쥬죠(十藏)의 집에 청하였다. 이상하게도 승려는 어울리지 않게 어린 아이를 데리고 있었다. 부부는 의심이 가시지 않아 그 이유를 물어보아도 승려는 답하지 않았다. 이 어린 아이는 보통 아이가 아니다. 신분 있는 사람의 사생아이다. 소승에게 부탁하여 소중히 기를 사람을 찾아서 넘겨주라며 약간의 돈을 주었지만 받지 않겠다고 하였다. 많은 사람이 있지만, 돈에 밝은 사람에게 주는 것은 이 아이를 위해서는 좋지 않을 것이라면서 오랫동안 안 가본 곳이 없지만 아직 이 아이의 부모 되려는 자가 없었다고 하였다.

쥬조(十藏) 부부는 어린 아이를 보니 용모가 단아하고 풍채가 뛰어나 실로 보통사람의 자식으로 보이지 않았다. 아 진정으로 이런 아이를 내 아들로 삼으면 좋겠다고 여겨 승려에게 "우리가 함께 산 지 몇 년이나 되었는데도 여전히 아들 하나 없다. 가난하나 이렇게 말하면 돈을 바라기 때문이라고 생각하지 않지만 우리 부부는 지금 영락하여 이름도 없는 농민이지만 선조는 유서가 있는 무사가문이다. 결단코 이 아이를 소중히 여길 테니 우리에게 달라"라고 하니 승려는 그 진심을 알고서 그 아이를 넘겨주었다. 이 아이가 즉 리스케(利輔)라고 한다. 이것이 제1설이다.

이제 하나 (더 말하면) 쥬조(十藏) 부부가 츠카리촌(束荷村)을 떠나 하기(萩)로 가는 길에 미야이치(宮市)의 다이센호(大專坊)에 머물었을 때, 이 다이센호의 승려가 숨겨둔 처에서 아들 하나를 낳았으나 데리고 있을 수 없는 처지이므로 부부에게 아들이 없음을 보고 강하게 요청하여 그 아이를 부탁하였는데 그 아이가 즉 리스케(利輔)라고 한다. 이것이 제2설이다. 양설 모두 공의 과거를 잘 안다는 사람의 입에서 마치 진실인양 전해지고 있다.

제2설의 경우, 공이 리스케(利輔)에서 준스케(俊輔)가 되어 국사에 분주하고 점차 사람에게 알려졌을 때 동료들 사이에 이런저런 소문이 났다고 한다. 말할 필요도 없이 이 두 설은 모두 사실이 아니다. 공이 리스케(利輔) 시절에 쓰카리(束荷)에 살았던 것은 숨길 수 없는 사실로 미스미(三隅)라는 집에 글공부하러 다닌 것도 틀림 없고 현재 그 글공부 선생인 미스미 칸사부로(三隅勘三郎)에게 친아들이 있고, 명치 초년에 공이 효고현령(兵庫縣令)이었을 때 그 집의 식객이었다. 나중에 서양에도 갔지만 불행히도 병사하였다. 그렇다면 미스미가(三隅家)는 와타나베(渡邊)라는 가문에서 양자를 얻어 가문을 잇도록 한 것이다. 겨우 남은 마을의 노인도 공이 어렸을 때 이 촌에 살았고, 아무개의 아들과 잘 놀았다는 따위의 이야기를 하였다고 한다. 틀림없이 그렇다고 하더라도 두 설 모두 승려와 관련이 있는 것이 이상하도다.

다이센호(大專坊)에 한 사람을 남겨 둔 공은 하기로 나온 부모를 섬기지 않을 수 없었다. 천성이 온화하고 현명하며 애교가 있고 다른 사람에게도 친절하였으므로 절에 있는 아이들에게 사랑을 받았다. 승려는 보는 바가 있어 효경·대학·중용을 순서대로 가르쳤는데 과연 독서는 세 번의 식사보도 좋아하였고, 뜻풀이도 빠르고 기억력도 좋았다. 더구나 나태하지도 않아 과업도 학업도 의외로 빨리 나왔다. 후일 인신(人臣)의 최고 자리에 올랐을 때도 자나 깨나 책을 놓지 않았고, 외국의 신간서를 누구보다도 빨리 구입하여 늘 읽었다. 다른 원로들이 『이토는 학문이 있으니까』라고 한 수 위로 보는 것은 모두 여기에서 생긴 것이다. 뱀은 순식간에 소를 삼킨다.

● 이토공의 낙엽(落葉)(1)

▲ 공의 청렴

이토공이 금전에 담백한 것은 이제 다시 말할 필요도 없지만, 작년의 일로, 부인이 가계 경비 500엔을 청구하자 공은 작은 작은 주머니 속에 있는 3000엔(10엔 권 30다발) 가운데서 500엔(5다발)을 꺼내 주었다. 부인이 하나하나 세어보려고 하자 공은 이미 100엔씩 묶어두었으니 셀 필요 없다고 하였다. 부인은 듣지 않고 세어보았는데 어찌 알았겠는가. 100엔 묶음 모두 어느 사이인가 1매씩 빠져 50엔이 부족한 이유를 공에게 말하니 설마라며 나머지 2500엔을 부인에 건네주고 다시 전부 1매씩 빼어내었는데 공은 한번 웃을 뿐 별다른 말 없었다. 공이 금전에 단백한 것은 이 일로 알 것이다(어느 기자).

▲ 소로쿠각(滄浪閣)을 팔아라

또한 그 후의 일이다. 부인이 또한 1개월의 경비를 청구하자 공은 가진 돈이 없다. 돈이 필요하면 소로쿠각(滄浪閣)을 팔아 버리고 오무리(大森)의 은사관(恩賜館)으로 들어가자고 하였다. 부인도 그 말이 너무 가소로워 지금 당장 가계에 필요한데 이 집을 팔라고 당부해도 때를 놓치면 웃음거리가 된다(고 하였다.) (공이)그렇다면 당신의 손으로 어떻게든 처리해야 할 것이라며 다시 개의치 않겠다고 하였다.

▲ 한국 유학생의 침묵

고지마구(麴町區) 나카로쿠번정(中六番町)에 사는 감독 사무소를 방문하였다. 신감독(申監督)은 지난달 귀국하는 도중에 모지선(門司船) 안에서 콜레라에 걸려 죽었는데 현재 이창환(李昌煥) 외 몇 사람만이 사무를 보고 있다. 가자를 보고서 말하기를 귀하의 말로 드디어 이토공의 조난을 확인하였다. 공은 우리 황태자 전하의 태사로 물론 존숭해야 할 사람이다. 그렇지만 이토공에 대해 이야기를 하는 것은 정치에 간섭할 우려가 있다. 우리들은 학생으로 정치 이야기는 엄금되어 있으므로 우리들은 이토공에 대해 말할 자격이 없지만 그의 부고를 듣고 추도의 정을 금할 수 없다. 지금 감히 말할 수 없는 심사는 깊이 알아주었으면 한다며 입을 닫았다(어느 기자).

▲ 공의 절주

공도 한 때는 꽤 강렬한 술을 마시어 건강을 심히 해쳤으므로 나는 이노우에(井上) 후작을 시켜 이후 다시 포도주를 마실 것을 청하였다. 그 후 강렬한 술을 폐하시고 일본 술을 소량씩 마셨지만 대체로 포도주만 마시게 되었다(타카시마 타메지(高島多米次) 씨 의 이야기).

▲ 공의 치아

내가 미국에서 공과 함께 돌아온 것은 1902(명치 35)이었다. 그 후 공의 치아는 내가 담당하고 있었다. 원로 중에서 가장 좋은 치아를 갖고 있다. 겨우 앞니 두 대반을 모 궁가(宮家)의 마차와 충돌하여 땅에 떨어졌을 때 빠진 이외 어금니가 조금 좋지 않은 정도이다. 다른 것은 모두 괜찮다. 실로 고희에 가까운 노인이라고는 생각되지 않는다. 요금 돼지고기를 드시고 몸져누워 좀 아파하셨다. 이번에 출발 전에도 공이 「저 곳은 기후가 좋지 않으니 잘 좀 봐 주게나.」라고 하시었다. 그 목소리가 지금도 귓가에 남아 있다(위와 같은 분의 이야기).

▲ 천자께서는 고맙다

이번 여행에 대해 연회에는 모두 우리 집의 요리로 첩이 처음부터 끝까지 드시고 일어나실 때 까지 옆에 있었다. 아! 라고 할 근성이므로 첩과 함께 그다지 숨기지 않고 이야기를 하시었다. 이번에 나라에 대한 봉공으로 만주에 갈 것이다. 천자께 감사하므로 죽을 때까지 봉공해야지. 이번에도 천자께서 여비를 주시었는데 이것은 모두 여비로 충당하였다. 이렇게 하여 유흥비를 그 중에서 사용해서는 안 되므로 자신의 돈을 쓰신다고 하시였다(하마쵸(濱町) 다이죠한(大常磐) 노마담 칸자키 키요(神崎きよ)의 이야기).

▲ 공의 기호

드시는 음식은 결코 가리지 않으시지만 술을 드시므로 담백한 것에 젓가락이 갑니다. 소면과 같은 면류는 모두 좋아하십니다. 밥 대신에 죽을 드시는 것을 좋아하므로 이것도 두 번 정도 끓여서 탕(湯)[23]을 덜어내고 다시 새로 탕을 넣은 것을 드십니다. 오이소(大磯)에 계시는 중에는 부인 스스로 이것을 만들어 드렸습니다(위와 같음).

▲ 입버릇의 하우타(端唄)[24]

공작은 술자리도 떠들썩한 것을 좋아해 도도이츠(都々逸)[25]와 하우타(端唄) 키요모토(淸元)[26] 등을 들으시고 한잔 드시면 스스로 입버릇처럼 부르는 하우타는 『부기동지(浮氣同志)가 모여 이렇게 되어 아! 아!도 아니면 작은 요리집, 탕(湯)이 끓는 소리도 안 나고 저거 그만두라는 소나무 소리』라는 것입니다. 이번에도 마이코(舞子) 역에서 배웅하였습니다. 그 때 꼭 돌아오신다고 하였는데 이번 조난은 다만 꿈과 같습니다(마이코만카루(舞子萬龜樓) 마담 마츠시타 미츠(松下みつ)의 이야기).

▲ 단지 더욱 훌륭한 분

원로로 가장 인기 있는 분은 이토씨와 이노우에(井上)씨 입니다 저울로 달아보면 이토 어르신 쪽이 훨씬 훌륭한 분입니다. 단지 더욱더 훌륭한 분입니다. 이토 어르신은 그다지 남자다운 곳이 있습니다. 이노우에 씨에게는 상인 등을 가까이하므로 꽤 출입하는 사람이 많습니다만 이토 씨는 그러지 않습니다. 뭔가 옛날의 훌륭한 관료가 그런 모습이었을 것이라고 생각합니다(부기루(富貴樓) 오쿠라(おくら) 마담의 이야기).

▲ 오이소(大磯)의 흰 토끼

큰 소리로 말하지 않겠습니다. 어르신이 좋아하는 것은 대단히 좋은 것이었습니다. 퍽 오래된 일입니다만 어느 날 밤 오이소(大磯)의 마츠하야시(松林)에서 뜻밖에 어르신을 뵈었는데 새하얗게 분칠한 흰 토끼와 같은 여자를 데리고 들어오셨습니다만 싫지 않았습니다. 뒤에서 들으니 온나기다유(女義太夫)[27]라는 것으로 나는 어떻게든 이것만은 제발 그만두시라고 의견을 말씀 드려 결국 나의 말을 들어준 적이 있습니다(위와 같음).

-----

23 뜨거운 물.
24 에도(江戶) 시대 말기에 유행한 새미센(三味線)에 맞추어 부르는 속요.
25 에도말기 초대 도도이츠보 센카(都々逸坊扇歌, 1804년~1852년)가 완성한 속요.
26 분코(豊後) 죠루리(浄瑠璃)의 한 파에 속하는 샤미센(三味線) 가곡.
27 에도 말기부터 명치 대정 시대에 걸쳐 유행한 노래의 한 종류. 또는 그 노래를 부르는 사람.

본사 만주 특전

●이토공의 임종

27일 대련 특파원 발

명중된 탄환은 3발이다. 3발 째 맞았을 때 공은 흉행자 쪽을 노려보았는데 동시에 3발을 맞아 그 자리에서 쓰러지며 「끝났다」라고 한마디 하며 숨을 거두었다. 곧바로 열차내로 옮겨 고야마(小山) 의사가 피하주사를 놓았을 때 숨을 다시 쉬며 다른 사람을 물리고 후루야(古谷)·무로타(室田)에게 두세마디 유언을 다하였다. 러시아 장상(藏相) 까깝쵸프 씨가 면회하였는데 만철 사원 쇼지 가네고로(莊司兼五郎)의 통역으로 병문안의 말을 하였고 범인을 체포하였다고 하여 그 자백 내용을 말하였으나 공은 곧바로 숨을 거두었다.

카와미(川上) 총영사는 가슴에, 다나카(田中)는 왼쪽 발 뒤꿈치에 부상을 입었는데 카와미(川上)는 가장 심하여 중상이고, 나카무라(中村)·무로타(室田)도 바지에 관통 흔적이 있다.

●이토공 유해 통과

27일 봉천(奉天)[1] 특파원 발

이토공의 유해와 부상입은 카와미(川上)·다나카(田中)·모리(森) 세 사람은 오전 1시 봉천(奉天)역을 통과하여 대련(大連)으로 향하였다. 13일 밤 달이 교교(皎皎)하고 백설(白雪)이 검광(劍光)과 서로 비추어 자못 처절하고 애달픈 광경을 드러냈다. 키츠너 원수는 막료를, 석 총독(錫總督)은 정 순무(程巡撫) 이하를 따라서 정거장으로 마중 나갔다. 기차는 서서히 정차하고 나팔 취주의 『슬픈 곡』은 특히 극히 처창하였다. 원사와 총독은 기차 안에서 공의 유해에 인사를 올렸다.

●유해 도착

27일 대련 특파원 발

이토공을 태운 열차는 오전 10시에 도착하여 문무관 시민이 마중하였다. 보병 제

---

1   지금의 심양(瀋陽).

12연대에서 의장병 일개중대가 나왔다. 유해는 흰 모포로 싸여 담가(擔架)에 실려 서서히 플레이트폼으로부터 나와 일행 모두 도보로 야마토(大和) 호텔별관으로 들어가는 연도에 소리 없이 너무나 비통하였다.

● 아키츠시마(秋津洲) 출발(동상)

군함 아키츠시마(秋津洲) 28일 오전 10시 닻을 올리기로 결정하였다. 나카무라(中村) 만철 총재 수행할 예정

● 흉한의 동류(同類)인가(동상)

흉한은 원산을 지나 25일 오후 7시 하얼빈 역에 도착한 자라고 한다. 25일 밤 이토공을 태운 열차가 세하구(細河口)[2]를 통과할 때에도 총검을 소지한 한인을 체포하였다고 한다.

● 러시아 대사(大使)의 배웅(동상)

유해를 태운 열차가 27일 오전 11시 40분 하얼빈을 출발하였을 때 북경 주차 러시아 대사 호르바트 씨 등 러시아 관헌이 상복을 입고 장춘(長春)까지 배웅하였다.

● 도독부 법관 북행

27일 여순 특파원 발

이토공 조난사건 쥐조를 위해 당지 고등법원 미조부치(溝淵) 검찰관은 27일 오후 5시 발 하얼빈으로 향하였다. 북방 시찰에서 돌아오는 길에 이토공의 유해와 함께 대련까지 돌아올 것이다. 히라이시(平石) 동 법원장도 대련으로부터 곧바로 되돌아와 동행할 예정이다.

● 하얼빈의 기도회

27일 하얼빈 특파원 발

이토공의 훙거에 대해서는 여러 신문들이 필(筆)을 갖추어 애도를 표하고 장상(藏相) 까깝쵸프 씨를 선도로 기도회를 열었다. 덧붙여 씨는 28일 밤 10시 블라디보스토크로 향할 것이다.

● 범인연루체포(동상)

범인 연루자 10명 포박되어 계속 탐색 중인데, 가해자는 평연자약(平然自若)하여 이토

---

2   채가구(蔡家溝).

를 죽인 것은 한국을 위해 동양평화를 위해 또한 선제(先帝)를 위한 것이라고 하였다.

본사 조선 특전

● 흉변과 소네(曾禰) 통감(동상)

27일 경성 특파원 발

나(특파원)는 지금 다른 위원과 함께 기자단을 대표하여 통감을 만나 우선 이토공 조난에 대해 인사를 하자, 통감으로부터 정중한 답사가 있었다. 이리하여 26일 밤의 결의(사항)를 주어 참고하라는 뜻을 전하였다. 이에 잠시 숙독하고 나서 공의 조난전말은 아직 공표되지 않았으므로 의견을 발표하기 대단히 어려운 통감은 늘 한국을 교도(教導)할 책임이 있으나 이번 일는 특별한 경우로 보통의 정무와 취지를 달리하므로 한국정부 그 자신의 진의를 듣는데 있지 않으므로 직접 손을 쓸 이유는 없다. 26일 밤도 모 대신은 재빨리 선후책을 협의하러 왔는데 동일한 의미로 전혀 결답(決答)을 하지 않았다고 운운. 이와 같이 많은 말을 하지 않았으나 그 의미는 충분히 알 수 있는 것이므로 감사의 뜻을 표하고 물러났다.

그리고 통감은 영식 칸지(寬治)씨를 대련에 파견하여 조의를 표하도록 하였다.

● 통감저택 경계(동상)

통감저택과 각지의 경계가 엄중하였다.

● 조선인의 기쁨과 우려

27일 경성 특파원 발

한인 측의 의향을 관측하건대 분별력이 있는 자는 오로지 애도의 뜻을 표하고 있으나 그 태반은 뭔가 일어나지 않을까 떨고 있다. 잡배들은 모두 장거라고 기뻐하고 있다.

● 대한매일사[3]의 축연(祝宴)(동상)

대한매일신문사[4]의 주필 양기택(梁起鐸) 이하는 26일 밤 한국 국기를 게양하고 주연을 열어 만세를 외쳤다.

● 한황칙사 이하 출발

27일 인천 특파원 발

---

3 대한매일신보사.
4 위와 같음.

이토공의 조난에 대해 조의를 표하기 위해 한황 폐하의 칙사 시종원장(侍從院長) 윤덕용(尹德榮) 씨·태황제 폐하의 칙사와 한국정부의 조사(弔使) 총리대신 이완용 및 나베시마(鍋島) 외사총장·기쿠치(菊地) 대한의장(大韓醫長)은 27일 오후 홍제호(弘濟號)로 대련으로 향하였다.

● 한정(韓廷)의 연회 정지

27일 경성 특파원 발

궁중에서는 30일의 곤원절(坤元節)을 정지한다는 뜻을 발표하고 또한 같은 날 민궁상(閔宮相)이 비원(秘苑) 일부의 개방 축하회를 열 예정이었으나 이도 정지하였다.

● 한국단체의 태도(동상)

일진회는 진정 성의 있게 슬퍼하고 있고 대한협회는 특히 침묵을 지키고 있다.

● 흉변과 평양

27일 평양 특파원 발

이번 흉변에 대해 다수의 한인은 한국의 전도를 비관하고 있다.

● 발상(發喪) 후의 통감저택

28일 경성 특파원 발

28일 아침 이토공 훙거의 공보(公報)를 접한 통감저택에서는 각관(各官)이 모여 당면한 선후책을 협의하였다. 그리고 이후의 문제에 대해 뭔가 협의할 것으로 보인다.

● 한내각의 밀의(동상)

한내각도 또한 28일 조래(朝來) 밀의에 여념 없었다.

● 한제 조문(동상)

황제는 우선 조문을 위해 28일 오후 3시 통감저택에 행행하시었다.

● 기자단과 시민 대회

28일 부산 특파원 발

이토공의 부고에 대해 부산 신문 기자단은 27일 아래의 의결을 하였다.

이토공에 대한 한국민의 흉행은 용서할 수 없는 우리는 당국의 최후 단행을 기대한다.

이에 대해 31일 시민대회를 부산에서 열 예정으로 29일 밤 발기인회를 개최할 것이다.

본사 지나 특전

● 이토공에 대한 애도

26일 북경 특파원 발

이토공의 불의의 조난에 대해 이곳 신문은 모두 경악하였다. 그 중에서도 특히 북경 데일리뉴스는 사설로 세계적 정치가를 잃었다고 애도하고 공은 일본 정치가 중 가장 조선에 동정을 표하고 동국인에게 관대한 정책을 취한 사람인데 완명(頑冥)한 조선인이 공을 오해한 것은 극히 유감이라고 하고 다만 암살자가 조선인으로 그 장소는 러시아 관리 정거장이므로 폐가 지나에 미칠 것이라고 평론하였다. 공의 조난에 대해 지나 황족 대신은 공을 안다 모른다고 평하지 않고 모두 애도의 뜻을 표하지 않는 사람 없다. 우리 공사관을 조문한 자가 대단히 많고 또한 공의 조난은 27일 상주할 예정이다. 이곳 재류외인도 흉보를 듣고 일본의 세계적 위인을 잃었음을 애도하지 않는 자가 없었다.

● 상해 재류 내외인의 통도(痛悼)

26일 상해 특파원 발

어제 이토공 암살의 보도가 상해에 알려지자, 모두 비참한 사건이 일어남에 대단히 경악하였다. 청국인과 외국인 모두가 이 대인물의 이력을 회고하고 일본의 큰 손실에 동정과 통도(痛悼)의 뜻을 표하였다. 또한 여러 신문도 같은 태도를 취해 이토공의 이력에 여러 단(段)의 지면을 할애하였다.

마츠오카(松岡) 총영사 대리의 이야기에 의하면, 각 도대(道臺), 열국(列國) 영사, 외국 선교사 대표자 등은 이토공의 흉거에 대해 동정하고, 통도의 염(念)을 금할 수 없다는 뜻을 표하여 왔다고 한다. 그리고 이곳의 이토공 통조(痛弔)의 상황은 거의 일찍이 없었을 정도이다.

런던 타임스 특전

● 이토공 암살과 러시아

27일타임스사 발

러시아 수도 내전=러시아인은 하얼빈의 이토공 암살에 대해 대단히 경악하였다. 그 경악함이 극도에 달하였고 또한 이 때문에 양국의 우애(友愛)한 협상을 진행하는데 어떠한 영향도 없기를 희망하고 있다. 여러 신문은 다투어 이토공의 탁완미질(卓腕美質)을 상찬하였다.

● 독지(독일 신문)의 애도

베를린 내전=북독일 가젯트는 크게 이토공의 절대적인 인격과 정치적 공업(功業)을 상찬하였다.

● 외상의 이토공관(동상)

파리 내전=프랑스 외무대신 삐시욘씨는 이토공의 기력(氣力)과 그 굉식달관(宏識達觀)을 격찬하였다.

● 타임스의 이토공 대도(동상)

런던 타임스는 이토공 훙거에 대해 심후한 조사를 게재하여 필설을 다하여 그 놀라운 효업(効業)을 상찬하였다. 공은 필시 인류의 진보에 공헌한 최고 인물 중에 속할 운명을 띠었다. 공은 사물을 훌륭히 통찰하는 최상의 기능을 갖고 있다. 게다가 그가 만들어낸 일본 국민은 실로 달리 비교할 바가 없다. 생각하건대 어쩌면 일본은 전에 알려지지 않은 전설·습관·사상과 이상을 문명국민의 사회에 가져왔을 것이라고 하였다. 더욱이 일본은 이번 참혹한 암살사건으로 준걸 중의 준걸이 정한 대한정책을 변동하는 것 같은 일은 없음을 믿는다고 언명하였다.

● 커즌의 조사(弔辭)

전 인도 총독 커즌경은 옥스포드에서 연설하였는데 신후한 동징으로 공과 자신의 친교에 대해 언급하고 광영 있는 일본 혁신의 사업을 이룬 것은 실로 공의 힘이라고 단언하였다.

본사 미국 특전

● 영국인의 동정

26일 샌프란시스코 특파원 발

런던 전보에 의하면 영국인 모두는 다른 구미인과 같이 신일본 건설자인 이토공이 훙수에 스러졌다고 보도를 듣고 마치 자국 대정치가를 잃은 것 같이 슬퍼하였다고 한다. 일본 대사관은 흉보를 접한 이후 관리 외교관 기타 내방자로 가득 메워져 전보로 상황을 문의하는 자가 헤아릴 수 없었다.

● 워싱톤의 경악(동상)

워싱톤 내전에 따르면 이토공 조난 소식을 접한 워싱톤 관민은 경악하였다. 일본 대사관은 조문자와 조문전보로 대단히 분주하였다. 국무성 관리는 현대 세계에서 가장 유명한 대정치가를 잃은 것에 대해 대단히 슬프다는 뜻을 언명하였다.

● 영제(英帝)의 슬픔(동상)

파리 내전에 의하면, 러시아 외상 이즈볼스키 씨는 이토공 조난에 대해 러시아황제 폐하와 같이 슬픔은 비할 바 없고, 황제는 공을 일러의 관계를 개선할 가장 적임자로 여기고 계셨다고 한다.

베를린전보(일독 우보사(郵報社) 중개)

● 이토공 암살과 구미

27일 베를린 특약 통신사 발

하얼빈의 이토공 암살 보도는 러시아 수도의 인심에 깊은 감동을 주었다. 또한 독일의 여러 신문은 모두 이토공 조사를 게재하여 공을 일본 최고의 정치가라고 하였다.

● 독제(獨帝)의 조전(동상)

독제는 일본 황제 폐하에게 이토공 훙거의 조전을 보내시었다. 그 전문은 다음과 같다.

짐은 단지 이번에 이토공 암살 소식을 접하였다. 이에 폐하가 실로 빛나는 인물의 상실에 대한 짐의 성의 있는 조사를 받으실 것을 대단히 바란다.

● 국장

어젯밤 관보 호외를 아래와 같이 발표하였다.

추밀원 의장 종일위대훈위 공작 이토 히로부미(伊藤博文) 훙거에 대해 국장을 행한다.

어명 어새(御命御璽)

1909년(명치 42) 10월 27일

내각 총리대신 가츠라 타로(桂太郞)

● 장의계(葬儀係)

추밀고문관 자작 스기 마고시치로(杉孫七郞)

고추밀원 의장 이토 히로부미(伊藤博文) 장의계장(葬儀係長)을 아래와 같이 내림.

내각서기관장 시바타 카몬(柴田 家門)

내각서기관 에기 타스쿠 스구루(江木　翼)

동　　　우시즈카 도라타로(朱塚虎太郞)

동　　　아마오카 나오요시(天岡 直嘉)

궁내서기관 오하라 센키치(小原 駼吉)

궁내대신비서관 곤도 히사타카(近藤 久敬)

추밀원서기관장 가와무라 긴고로(河村金五郞)

추밀원의장비서관 후루야 히사츠나(古谷 久綱)

추밀원서기관겸비서관 이리에 칸이치(入江 貫一)

장전(掌典) 사에키 유우이(佐伯 有意)

내장두(內匠頭) 가타야마 토쿠마(片山 東熊)

고추밀원의장 이토히로부미(伊藤博文) 장의계(葬儀係) 내림.

● 아키츠시마(秋津洲) 대련발

(28일 오후 0시 30분 대련 야마토호텔 체재 중인 토미오카(富岡) 여순 사령장관 발전)

오늘 아침 10시 반 홍제호(弘濟號) 대련에 입항, 이토공의 영구(靈柩)는 11시 무사히 아키츠시마(秋津洲)에 탑승 11시 반 동함은 요코스카(橫須賀)로 향해 출발하였다. 항구에서 한국 칙사 일행은 아키츠시마(秋津洲)를 방문하였다.

● 유해 도착시기

1일 오전 내지 오후

27일 오후 10시 대련 발 아키츠시마(秋津洲)함장에게 다음과 같이 전보를 보냈다.

「28일 오전 11시 대련 발 30일 오후 1시의 조수(潮水)로 바쿠칸(馬關)을 통과하여 날씨가 좋으면 분고스이도(豊後水道)를 지나 1일 오전 9시 요코스카(橫須賀)에 도착. 그렇지 않으면 세토나이(瀨戶內)를 지나 1일 오후 4시 도착 예정이다. 일행 후루야(古谷)·무로타(室田)·나카무라(中村)·테이(鄭)·모리(森)·고야마(小山)·마츠키(松

木) 외 세명이다. 그렇다면 요코스카(横須賀) 도착시각은 동함이 바칸(馬關)을 통과한 후가 아니면 확정할 수 없다.」

● 유해와 영구

27일 오전 10시 대련 야마토 호텔 별관에 도착한 이토공 유해는 미우라(三浦) 군의감(軍醫監)·사이토(齋藤) 군의대감·카와니시(河西) 의원장(醫院長)·야나세(柳瀨) 의원(醫員) 등이 협동하여 유해에 적당한 방부제를 투입하였다. 그 후 유해는 아연과 1촌(寸)의 회재(檜材)로 이루어진 침관에 넣었다. 이 아연으로 관을 밀봉한 후 작은 구멍을 뚫어 포르말린가스를 충분히 채운 후 그 작은 구멍을 꼭 메워서 방부가 충분하다고 한다. 그리고 이 유해는 나카무라(中村) 총재 등 수행원이 호송하고 군함 아키츠시마(秋津洲)로 별항과 같이 오는 1일 요코스카에 도착할 예정인데, 요코스카에서 곧바로 레이난자카(靈南坂) 관저로 들어가 국장계(國葬係)에 인도할 것이다.

● 장의는 4일로 결정

이토공의 국장은 11월 4일 레이난자카(靈南坂) 관저에서 거행하기로 결정하고 장의위원은 28일부터 준비에 들어갔다. 분묘는 시바시로 가네스이쇼지(芝白金瑞聖寺) 즉 선대 쥬죠(十藏) 옹의 묘지이다.

● 범인의 심판

현장에서 잡힌 흉행자 한 사람은 현재 하얼빈에서 우리 영사의 수중에 있다. 하지만 이에 대해서는 카와미(川上) 총영사가 입원 중이므로 아직 정식으로 예심을 열지 않았다. 보통의 순서라면 동 영사관에서 예심을 결정하고 만주에 있는 우리나라의 관할 재판소는 도독부 법원이므로 이에 인도하여 공판을 열지만 이번에는 사태가 대단히 중대하므로 예심도 도독부 지방법원에서 공판을 열지도 모르겠다고 한다.

● 범인의 내력

흉행자 운치안은 평양출신으로 가톨릭 신자임과 이번 흉행의 목적으로 평양을 출합하여 블라디보스토크를 지나 25일 하얼빈에 도착한 것은 이미 의심할 수 없

85

는 사실이다. 하지만 그 이상에 있어 그 사람이 평소 어떤 활동을 하며 또한 그 친우의 범위가 어떠한지에 대해서는 아직 정확한 실증을 얻을 수 없다. 그러므로 그 음모의 근원을 밝히지 못하였지만 원래 평양은 한국기독교의 근거지로 그 사원(寺院) 등도 건립된 지 오래되어 교도의 수도 적지 않다. 따라서 우리나라의 시설(施設)에 대해서는 이곳에서는 늘 불평을 분출하고 경의선 철도부지 매수당시도 가장 어려운 곳이 이곳이었다. 그러한 사정이므로 이번 흉행의 밑바탕에는 의외의 사실이 숨겨져 있을지 모르겠다. 하지만 이는 조사가 진척됨에 따라 밝혀질 것이다. 다만 범인이 어디까지나 자기 일신의 결심으로 흉행을 감행하였다고 진술하였다고 한다.

● 선후 조치는 어떻게

이번흉행에 대해 현재 우리 정부가 취할 바는 하나로 범인을 조사하여 흉행의 원인을 규명하는 데 있고 그 이상은 아닌 것 같다. 그리고 우리 정부의 태도가 더욱 넓어져 한국의 상층에 이를지 어떨지는 모두 조사 결과에 달려 있다. 만약 이번 사건에 우발적 특위(特位) 사실이 아니라고 해도 이 사건의 근저에 맥락이 있고 계통이 있어 이를 방치한다면 그 화(禍)를 헤아릴 수 없게 된다고 확실한 이상, 우리 정부는 물론 단순히 범인을 처형하는 것만으로 그쳐서는 안 될 것이다. 통감부 법원의 나카카와(中川) 검사정(檢事正)이 하얼빈으로 급히 간 것도 흉행의 근원을 밝히어 통감의 결심에 도움이 되려는 것임을 알 수 있다. 요컨대 최후의 결정은 범인 조서 결과를 기다려야 한다고 한다.

● 범인의 처벌

▽ 우메(梅) 법학 박사의 이야기

우메 박사는 어제 오전 문안하러 소로쿠각(滄浪閣)에 갔는데 그 때 기자에게 아래와 같이 말하였다.

▲ 재판은 일본

범인의 처벌문제입니다만, 아직 십분 조사가 되지 않았지만 마침 27일에도 사법대신의 관사에서 법률취조회가 열려 나도 출석하였다. 이번 흉행지 하얼빈은 아시다시피 지나령인데 일본도 청국과의 조약으로 치외법권을 갖고 있으므로 재판은 물론 일본에서 할 것이라고 생각한다. 올해 독러 분쟁 때도 러시아가 독일의 치외법권을 승인한 전례도 있다.[5] 이것은 조약에 의해 얻은 일본의 정당한 권리로 범인은 당연히 일본으로 인도될 것이다.

▲ 재판소는 어디

앞서 일어난 문제는 어디에서 재판하는가 하는 것인데 하얼빈의 일본영사 내지는 관동도독부 법원에서 할지도 모르겠다. 그러나 이는 아직 결정되지 않은 것 같다. 대련까지 온다면 그에 알맞은 감옥도 있으므로 혹 여기에서 할지도 모르겠다.

▲ 처벌의 정도

어찌되었든 일본 형법으로는 3년 이상 또는 무기징역 혹은 사형인데 모살(謀殺) 증거가 충분하므로 결국 사형은 틀림없을 것이다. 일설에는 이번 흉한이 러시아 귀화 한인이라는 설도 있지만 이것이 사실이라면 대단히 곤란하다. 지극히 러시아에서 (일어난) 일이므로 혹은 일본 이상의 형을 채택할지도 모르겠지만 어쨌든 취조를 충분히 하지 않을지도 모르겠다. 내 생각으로는 흉한에 대해서는 굳이 그렇게 서두를 일이 없다. 많은 공모자가 있다는 소문도 있으므로 십분 신중한 태도로 조사하여 근본적으로 이런 취류(醜類)를 일소하는 것이 가장 필요한 일이고, 이번 범인은 특히 비밀의 열쇠를 쥐고 있는 중요 범인이므로 도망 자살 등을 꾀하지 못하도록 충분히 경계를 하지 않으면 안 된다.

● 이토공 훙거와 영국 신문

(28일 착 가토(加藤) 대사 전보)

이토공 훙거에 관해 어제 저녁과 오늘 아침의 영국 신문은 모두 장문의 전기를 게재하여 공일생의 경력을 서술하는 이외 그 사설에서 공작의 훙거를 애도하는 것은 일본을 이외에 영국에 필적할 나라는 없다. 가장 정중한 조의를 표하고 그 중에도 두 세 신문은 한국인이 일본에 대해 호감을 가질 수 없는 것은 저 인도인이 영국에 대한 것과 같다고 볼 수 있다. 하지만 원래 공작은 온화정책을 유지하고

---

5 이는 다음과 같이 『조선신문(朝鮮新聞)』 1909年 10月 29日字, 「兇漢の裁判管轄」에서 살펴볼 수 있다.
"최근의 실례를 보건대 하얼빈에 거류하는 독일인이 러시아 관헌으로부터 강제징세를 당하자 이를 거부하였다. 그 결과 형사사건으로 발전하여 결국 러시아는 행정권을 가지므로 외국인은 납부의무가 있을 지라도 재판권을 집행할 수 없다. 그러므로 범죄인은 독일영사의 관할에 속하는 것으로 결정되었다."

열심히 한국의 계발에 진력하시고 오히려 한인을 위해 희생되었다. 한국민도 앞으로 그 잘못을 뉘우칠 때가 있을 것이라고 모두 공에 대해 더욱 동정해 마지않았다. 하지만 공은 평생 오르지 한 마음으로 봉공할 성의로 드문 큰 공을 임금과 나라에 이루어 생전에 이미 친히 그 성과를 볼 수 있었던 것은 저 이탈리아 건국의 아버지 카부르에 비해 더욱 다행스런 일이다. 생각하건대 옛 무사의 용맹함과 애국적 개혁자의 신념으로 충만한 공은 이 최후에 대해 웃으며 지하에 잠들지 않겠는가라는 취지를 기술하였다. 그리고 일본은 대한정책에 공이 남긴 투혼을 이어받아 전과 같이 온화한 방침으로 나오기를 갈망하였다. 그리고 커즌 경은 26일 어제 옥스포드 연설에서 고 공작에 대해 심후한 조의를 표하였다. 또한 외무대신을 비롯해 성원(省員)도 정중한 조사를 보냈다. 본 대사의 동료도 또한 조의를 많이 표하였다.

●이토공 훙거와 미국 신문

(28일 착 미즈노(水野) 총영사 발신)

어제 저녁부터 오늘 아침에 걸쳐 뉴욕의 신문은 이토공 훙거에 관한 사설을 게재하였는데 모두 일본이 대정치가를 잃었음에 대해 동정을 표하였다. 뉴욕타임스는 공작이 죽었으나 일본의 극동정책은 변화를 보이지 않을 것이라고 논하였다. 텔레그라프(telegraph)는 이토공의 훙거로 혹은 무단파 세력이 세력을 확장시킬 것이라고 두려워하고, 선(SUN)은 공작이 한인 일부의 한을 산 이유를 기술하였다. 월드(WORLD)는 한국문제는 이미 정해져 있으므로 □자객의 흉행이 있다고 해도 한국의 운명을 바꿀 수 없다. 이번 변사(變事)는 혹 오직 통치국이 피치국에 대한 강압적 정치를 연장시키는데 지나지 않을까 라고 보았다. 트리뷴(Tribune)은 한인한 사람의 흉행이 한국의 책임은 아니고 아울러 한국은 이토공 때문에 개명으로 향하고 있다고 찬양하였다. 헤럴드(Herald)는 이번 흉행에 관해 철도연선의 경찰권이 청국의 손에 있지 않다는 취지를 실었고 이 변사가 만주문제에 끼치는 영향을 살피는 사설을 게재하였다.

●이토공을 애도하다

「영웅간관시상인(英雄看慣是常人)」이라는 말이 있다. 생전에는 다만 보통사람처럼 보이지만, 그런데 이렇게 되면 「영웅은 머리만 돌리면 신선이 된다.」[6]가 된다. 혹은 인간 이상인 것처럼 생각되는 이토공 그 사람은 스스로 「고치기 어려운 것은 영웅을 사모하는 것이다.」[7]라고 노래한 적이 있다. 젊었을 때부터의 언동은 오로지 국가를 위해서라는 것을 목적으로 하지 않은 적이 없다. 그 일생을 국가를 위해 살았다. 그 죽음도 국가를 위해 죽은 것이다. 영웅을 배워 영웅이 되었다. 본인이 품은 바는 이 이상은 아닐 것이다. 그러므로 우리는 일본을 위해 이 충복을 잃은 것을 슬퍼해 마지 않다고 하더라도, 본인을 위해서는 조금도 슬프지 않다. 그리고 다만 이 사람의 일생일사(一生一死)를 보고서 감분흥기(感奮興起)한 후계자가 천구(千古)에 걸쳐 태어나기를 바랄뿐이다. 이를 바라는 것도 또한 결코 연유가 없는 것이 아니다. 본래 일본의 역사가 요시다 쇼인(吉松田蔭)을 잉태하였고, 쇼인이 또한 많은 아이들을 배출하였다. 쇼인이 또한 배출한 아이들 중에는 이토공도 있다. 도의 교풍(道義敎風)의 땅에서 일본이 타락하지 않는 한 영웅(英雄)은 그 가운데 배출되지 않을 수 없다. 그리고 영웅아의 배출을 끊지 않는 한 풍운아는 또한 그 가운데서 나와 용이 되고 뱀이 되어 천지를 경영하지 않겠는가. 다만 그 이토공은 용이지 단연코 호랑이는 아니다. 이것을 알지 않으면 안 된다.

공이 젊었을 때부터 뜻을 세어 일본을 위해 살았다. 그가 일생 한 일을 설명하려면 우선 분큐(文久)[8]년에 범선을 타고 서양에 간 일에서 시작하지 않으면 안 된다. 세간에 고생해서 서양에 간 자는 많다. 하지만 그 뜻은 대개 자기를 위하는데 있을 뿐이다. 요시다 쇼인(吉田松陰)이 발의(發意)한 바와 같이 또한 그 예를 따른 이토공 일행의 뜻과 같이 자기를 버리고 순수하게 국가를 위해 한 것은 얼마나 될까. 단지 그가 간 것은 국가를 위한 것이고 그가 돌아온 것도 또한 국가를 위한 것이었다. 쵸한(長藩)의 양이(攘夷)에 대한 광적 행위를 저지시켜 일본 개국의 기초를 온전히 하기위해 단호히 돌아와 유신 전의 노풍난운(怒風亂雲)의 중에 뛰어든 이래 이토 쥰스케(伊藤俊助博)가 히로부미(博文)가 되었다. 히로부미는 영(令)이 되고, 보(輔)가 되고 경(卿)이 되었다. 매일 밤 기도(木戶)·오쿠보(大久保)와 함께 명치정부의 건설 사업에 따라 그 선배가 전후로 조락(凋落)한 후에 산죠(三條)·이와쿠라(岩

---

6 英雄回首卽神仙.
7 痼疾慕英雄.
8 에도(江戶), 코메이(孝明天)천황 통치기의 연호.

倉)를 보조하며 일본의 신제도 신문물을 창조하게 되고 드디어 헌법을 제정하기에 이르고, 아울러 국회개설 후 내각 총리대신에 임명되고, 일청전쟁을 단행하고, 백작이 대훈위(大勳位)가 되고 또한 후작이 되었다. 더욱이 일러전쟁을 겪고 나서 공작이 되어 그 지위가 가장 높아 조정 제일의 공신이 되었다. 공 일생의 행실은, 신문지상에서 하루아침에 다 말하려면 나무나 장황하다. 또한 관계도 넓고, 곡절도 많다. 또한 변화도 풍부하다.

생각건대 공의 전기(傳記)는 특별하게 나와야 할 것과 그 친근한 사람들이 그 일가를 위해 편찬하는 것을 별도로 하고, 내각이 이 제일등 공신을 위해 관사(官史)을 만들 사람을 두어 후세 100년 또는 몇 백 몇 천 년에 이르기까지 그때 그때 사가가 좋아서 필을 잡는 것은 필연적으로 정해진 바이다. 그날 그날 문필에 쫓기는 신문기자가 별안간 이를 맡을 수는 없다. 예컨대 이를 맡을 만해도 우리는 곧 그럴만한 사람이 아니다. 모두 다른 사람에게 양보한다고 해도 이 시국에 그 영혼의 백(英魂毅魄)을 맞이하기 위해서 국가를 위해 한마디 할 필요가 있다고 한다면 우리는 잠시 설명의 편이를 위하여 이를 후지와라노 카마타리(藤原鎌足)에 비유하겠다. 덴치(天智)천황의 중흥 대업은 지금의 천황치세를 다시 시작한 홍업(鴻業)에 필적하는 것이다. 그리고 지나 문화와 뒤섞인 제도가 있던 그 시대의 창건이, 그리스 로마 이후 서양문화와 뒤섞인 제도가 지금 병립하는 것과 같은 것이다. 이와 같이 필적하면서 비슷한 점에서 황가(皇家)를 위해 진력한 사람과 사람을 합하여 보면 후지와라노 카마타리와 이토 히로부미는 일본의 역사에서 반드시 같이 전해야 하다.

다만 서로 다른 부분을 들면 우리 명치의 천황치제가 다시 시작된 것은 대화(大化)개혁과 다른 점이 있을 뿐, 그만큼 차이가 있음은 피할 수 없다. 첫 번째로 옛 삼한(三韓)을 잃은 까닭은 덴치조(天智朝)가 내정개혁에 전념한 데 있다. 명치의 천황치세는 제도문물을 일신함과 동시에 국가의 세력과 권위를 대륙에 뻗치는 큰 단서를 열어 청러 양국과의 전쟁에서 승리하여 히로부미 스스로 제1대 통감이 되었다. 안으로 이 국시(國是)를 세움에 대해 또한 태반을 그 스스로 맡아 직접 이를 경영하였다. 다른 반은 국외(局外)에 있어도 또한 원로의 제일 높은 자리에서 간접적으로 하기 보다도 오히려 직접적으로 참획개도한 바가 대단히 많다. 이러한 관계에 있어서는 덴치조(天智朝)도 지금의 천황치세에 미치지 못하는 바가 있다. 동시에 카마타리(鎌足)는 즉 히로부미에 미치지 못한다. 그렇다. 크게 못 미친다고 할 수 있을 것이다. 명치의 천황치세가 천황치세인 까닭은 실로 여기에 있다. 그리고 히로부미가 히로부미인 까닭도 또한 실로 여기에 있다.

두 번째로 덴치의 중흥개혁은 지나의 문명과 혼화(混化)한 근본에 있어서는 또한 얼마간 지나의 문약을 일본에 수입하여, 나라(奈良)·헤이안(平安)의 미약함을 초래하였다. 카마타리는 일면 일본의 여러 대에 걸친 문약의 개조인데, 히로부미는 그렇지 않았다. 명치 문명의 서구 혼화(混化)가 이루어졌을 때 강건한 봉건시대의 무사적 도의풍교(道義風教)를 히로부미 스스로 계승한 바 있다. 다른 묘당(廟堂)의 무단적 침략적 경향과 서로 부합하거나 서로 제어하여 위가 되고 아래가 되어 결국 이 도의풍교에 있어 가장 숭상할 한번 죽어 국가에 충성하는 대의를 실행하고 다른 무인에 앞서 피를 만주의 중앙에 쏟아 넣고서 감면(甘眠)하였다. 그 생전에 히로부미를 우유부단한 경향이 있다고 욕하는 자에게는 변명거리가 없을 것이다. 도우노미네(多武峰)[9]는 장백산(長白山)의 높이에 미치지 못하는 바, 몇 백 인(仞)[10]이다. 크게 보면 이 첫 번째 두 번째의 요점은 히로부미가 카마타리와 달리 뛰어난 바가 있는 사람이라는 것이다. 후세의 사가(史家)일지라도 반드시 이 점은 움직일 수 없을 것이다. 영혼의백(英魂毅魄)이요 수긍할까요? 아니할까요?

카마타리는 면면이 만세의 황통과 함께 그 카스가묘진(春日明神)[11]의 자손으로 하여금 대대로 조정을 집권하도록 하고 문약의 풍기가 일시 세직(世職) 집권의 사치와 함께 더욱 자라나 드디어 무문(武門)의 무사로 하여금 발호케 하여 천하의 소지토(總地頭)·소츠이부시(總追捕使)인 것처럼 행동하게 하여 막정(幕政)과 봉건의 시대를 만든 단초를 열었던 것이다. 이에 반하여, 히로부미는 군주적 헌법 정치를 여는 대업을 이루었고, 국민에 참정권을 부여하였으며 제국의회로 하여금 정부에 대립하도록 하였다. 아울러 전승 후의 무권(武權)과도 대립할 수 있도록 하였고, 또한 정당을 만들어 심었으며 정기(政機)[12] 운전의 도구로 삼았다. 권력이 한 곳에 집중되는 것을 방지 한 것은 본래의 그 이상의 밑바탕이 다른 것과 다른 바에 있음을 따른 것이다. 그렇다고 할지라도 또한 그 인격이 공평하고 정대(正大)한 데에 따

---

9 나라현(奈良縣)에 있는 산.
10 1인(仞)=7척(尺).
11 나라시(奈良市)에 있는 카스신사(春日神社)에서 모시는 (神).
12 정치기구.

른 것이다. 세상 또는 번벌(藩閥)의 집착자로 하여금 이를 보도록 하는 자 있을지라도 우리는 취하지 않겠다. 집착자가 있다고 하더라도 따로 없을 것이다. 공은 담담무사(淡澹無私)하여 정권을 그 정적인 오쿠마 경에게 넘긴 일에 비추어 보면 사실이 저절로 명백하지 않겠는가.

그리고 공의 대립자는 내적으로는 일시적으로 오쿠마 경이었고, 또한 일시적으로 야마가타(山縣) 공이었다. 외적으로는 고(故) 이중당(李中堂)[13]이다. 세상 사람들이 대개 아는 바와 같이, 이중당은 실의(失意) 중에 죽었으나, 공은 그 마지막을 잘 마무리 하였다. 그렇다. 우리는 그가 마지막을 잘 마무리하였음을 보았다. 대단히 비슷하지만 결코 대단하지 않다. 한 시대의 영물(英物)인 공과 같은 사람은 결코 대단하지 않다. 그러므로 우리는 공을 위해서는 슬퍼하지는 않는다. 단지 국가를 위해 슬퍼하는 것이다. 그리고 나는 속으로 오쿠마 경을 위해 슬퍼하는 바이다. 또한 크게 야마가타공을 위해 슬퍼하지 않을 수 없다. 그러므로 여기에서 삼가 조사를 이 한 분의 공, 한 분의 경에게 바친다.

● 한국 황태자의 위무
성상 폐하에게 이토공의 흉변에 대해서는 황공하옵게도 걱정을 끼쳐드렸는데 다시 황공하옵게도 한국 황태자 폐하에게도 걱정을 끼쳤다. 27일 특히 이와쿠라(岩倉) 궁내대신을 황태자의 저택에 보내어 아래와 같은 의미의 명령을 전하도록 하라고 삼가 전해 들었다.

교육 총재 이토 히로부미는 이번에 흉수에 쓰러져 슬퍼하는 정도를 알고도 남음이 있다. 그렇지만 지금은 가장 학업에 힘써야하는 때이다. 때문에 하루라도 학업을 폐하는 일이 없도록 해라. 근간 짐은 적당한 인재를 얻어 총재로 삼도록 할 것이다.

● 소위 배일파
▽ 각 방면 기맥을 통하다

13 이홍장(李鴻章).

이토공을 쏜 흉한은 한인 『운치안』이라고 하고 그 내력이 어떠한 자인지는 아직 알려져 있지 않을 지라도 일찍이 스티븐스 씨를 죽인 자와 동일한 수법으로 나와 특히 일행 6~7명과 함께 블라디보스토크 방면으로부터 하얼빈으로 들어왔다고 하는 이상 배일파 중 가장 과격한 분자임이 명백하다. 애당초 이 배일파는 거의 비밀결사와 비슷한 도당을 조직하고 때마다 접촉하여 때에 맞추어 출몰 자유로운 행동을 하는 것은 이미 사실이 증명하는 바인데 그 소재지라고 하면 주로 샌프란시스코·하와이·블라디보스토크 3곳으로 기타는 경성·평양을 비롯해 북한 각지에 산재해 있는 것 같다. 그 중에서도 샌프란시스코·하와이·블라디보스토크 등의 각 지방을 통해서는 무형의 본부를 두고 서로 연락을 하여 알맞은 시기를 놓치지 않는데 힘쓰고 있는 것은 숨길 수 없는 사실이다. 그리고 현재 샌프란시스코에서는 신한민보, 하와이에서는 신한국보, 블라디보스토크에서는 대동공보, 경성에서는 대한매일신보가 발행되고 있다. 한번 그 내용에 접해보니 놀라운 폭언으로 일본과 일본의 위정자를 공격해 마지않고 있다. 시험 삼아 그 논조를 크게 나누어 보면,

첫째, 국권회복에 이름을 걸고 이름을 걸고 일본의 보호에 반대하고 음으로 양으로 반기를 들 것을 고취하는 것.

둘째, 일본의 보호를 보고서 한국을 병탄하려는 것이라고 모함하고 일반 한민의 반감을 일으키려고 하는 것.

셋째, 폭도를 보고서 국가에 충성하는 자라고 하고 이를 성원(聲援)하는 것.

넷째, 무한의 유설(流說)을 생각하여 인심을 혹란(惑亂)시키고 또는 일을 과대하게 떠벌려 국민을 분개시켜 관의 시설을 막고 사회의 질서를 어지럽히는 것.

다섯째, 국권회복에는 국민의 공동일치를 요한다고 하여 단체의 조직을 장려하는 것.

여섯째, 국권회복에는 국민의 문명개화를 요한다고 하여 신교육의 보급을 창도하는것.

등으로 극히 매리찬방(罵詈讚謗)[14]하는 가운데 『이토가 지나가는 길에 일본 국기를 건다고 하니 일황이 지나가는 길에 무엇을 걸 것인가』라고 하였다. 『하야시 곤스

----

14 욕하고 비방함.

케(林權助)는 어떠한 보상도 하지 않고 통신권 전부를 획득하였고 거만하고 거들먹거리며 한국 내각원의 임명을 좌우하고, 5조약이 성립된 후에는 이토가 한국의 사장(司長)이 되고, 일황(日皇)의 신임을 믿고 과거 3년간 전제를 하였다.』라고 논하였다.

더욱이 심하게도 『이토 강도가 남의 나라를 망하게 하려고 한 대역무도(大逆無道)한 송병준·이완용을 시켜 연방문제를 앞장서서 주창하도록 하였다』라고 하였다. 또한 『작년 10월 21일 밤 히로부미·곤스케·고토(好道) 등이 병을 이끌고 궐에 들어가 정부를 위협하여 조약을 억지로 맺고 우리 외교를 옭기고 통감부를 두어 우리의 독립자유권을 하루아침 잃게 하였다』고 운운하며 비난하는 문자는 모두 헤아릴 수 없다.

이 배일파의 수장으로 보이는 자는 최익현이라는 자임을 아는 사람은 다 안다. 이 사람은 1905년(명치 38)년 1월의 일한협약을 분개하여 1906년(명치 39) 봄 민종식(閔宗植) 등과 도모하여 국권의 회복을 주창하고 전라도에서 폭도를 불러 모았으나 실패하고 포박되어 쓰시마(對馬島) 경비대에 수금(囚禁) 중 74세로 죽은 자로 그 경력을 살펴보면 일한 간에 일이 있을 때마다 반드시 솔선 반드시 반대하여 완미(頑迷)함을 드러내는 것을 기본으로 삼았으며, 그의 저작은 「창의토벌소(倡義討賊疏)」 외 21종이 있다고 한다. 그가 죽은 후에 배일파의 우이를 잡은 자는 과연 누구일까? 아마 이범진[15] 그 사람으로 세력 위망이 적지 않다. 지금은 블라디보스토크 방면에 망명하여 음으로 양으로 도당 일파의 지휘를 맡고 있다는 것은 거의 맞는 말이다. 그리고 배일파 활동의 자원은 하나 같이 억측에 지나지 않는다. 요컨대 모든 방면에 걸쳐 끊임없이 자원의 공급을 맡고 있는 자가 있음은 의심의 여지가 없다. 이번 이토공 총격도 또한 처음부터 충분한 준비와 계획이 있음은 물론이지만 경성의 어느 깊은 곳에서 나온 교사에 따른 것이라는 설은 아직 확신할 수 없다고 한다.

----

15 이범윤.

이토공 자필 영문

(명치 원년)

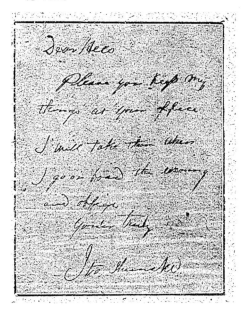

●음모의 재판

이번 흉행이 한국정부와는 전혀 관계가 없음이 이미 밝혀진 이상 이에 대한 책임이 한국정부에 있지 않음은 말할 필요도 없지만 이미 한국인 한 사람이 한 일인 이상은 전체적으로 한국은 어째든 그 책임을 면할 수 없다. 하물며 흉행자에 약간의 연루자가 있다. 그리고 그 음모는 더욱이 다수의 한국 국민 사이에 계획되었다는 혐의도 아직 완전히 부정할 수 없음에 있어서야. 또한 이번 음모는 그 본국의 약간의 동료들과 통모한 사실이 없다고 해도 이들이 평소 우리의 보호정치에 대해 불만을 품고 있다 그런데도 늘 방해의 기회를 노리고 있고 이번과 같은 비행을 저지르려는 생각을 감추고 있는 것은 숨길 수 없는 사실이므로 이리저리 견주어 생각하여 이번 흉행에 대한 선후(善後) 처분은 깊이 주의를 기울여야 한다.

이에 대해서는 흉행의 책임을 실체적으로 한국의 상층부에 지도록 하는 것이 대단히 필요하다. 그 방법은 당국자의 고안(考案)을 기다는 것이다. 하여튼 그들이 이러한 음모는 매번 그들의 국가로써 대단한 불행으로 이러한 사도(邪道)에 빠져들어 발버둥 치면 칠수록 그 나라의 명맥을 단축시키는 원인임을 통절하게 감득(感

得)하는 것은 그들의 불온한 음모를 타파하는 극히 좋은 교훈일 것이다. 결코 이번 사건으로 인해 우리의 대한정책의 근본적인 뜻은 변화하지 않음이 물론이나 이상과 같은 수단은 결코 이와 배치되는 것이 아니다. 오히려 그 시행을 원만하게 하는 것이므로 결코 주저할 필요가 없다. 요컨대 일부 한국인 사이에 숨어 있는 위험한 사상(事狀)에 대해는 충분히 주의를 기울이지 않으면 중대한 사건이 일어날 것이라는 설이 일부 정객 사이에 퍼지고 있다.

● 러시아 관헌의 조전

이토공의 조난에 관해 러시아 대장대신 까깝쵸프와 동청철도 총재 웬첸 씨가 고토(後藤) 체신상에 아래와 같은 조전을 보냈다.

> 이토공 조난에 대해 나는 얼마나 경악했는지 필설로 다 할 수 없다. 흉변이 일어났을 때 나는 공의 옆에 있었다. 상세한 내용은 우리 대사에게 들으시길 바란다. 삼가 깊은 조사를 올린다. 아! 운명의 길은 때로 예지하기 어렵다.
>
> 대장대신 까깝쵸프

> 불행한 흉행으로 이토공과 귀국인 두세 사람이 되어 진정으로 경악해 마지않는다. 우선 각하에게 이번의 이변(異變)에 대해 충심으로 조사를 올린다.
>
> 동청철도 총재 웬첸

추신으로 동청철도총재 웬첸씨로부터 고토(後藤) 체신상과 나카무라(中村) 총재에 대해 아래와 같은 전보가 왔다.

> 총재 고토(後藤) 나카무라(中村) 각하 이에 다시 이번 불행에 대해 대단히 심후한 통석(痛惜)의 뜻을 표한다. 다나카군(田中君)(이사)의 상태 그 후 어떠한지 신경 쓰지 못하였다. 이 불행한 사건으로 각하와 상호협상의 사건에 관해 의사교환과 소통할 기회를 잃었음을 애석하게 생각한다.

이에 대해 나카무라(中村) 총재가 아래와 같이 답전을 보냈다.

다나카(田中) 이사는 열이 나지만 걱정할 필요는 없습니다. 소관은 다행히도 재해를 피하였으므로 거듭 면회를 하여 교통상의 문제에 관해 큰 기르침을 받을 기회를 주시길 바란다.

● 영구 네덜란드 함대 사령장관 조사

△ 재 요코하마(橫濱) 네덜란드사령관 데드만 해군 대좌(大佐)는 28일 가츠라(桂) 수상, 도코(東鄕) 군령부장, 사이토(齋藤) 해상(海相) 등을 요코하마 오리엔탈호텔에 초대하여 만찬회를 열 예정이었던 바, 이를 미루고 특히 애도의 뜻을 해군대신에 표하였다.

△ 영국 지나 함대 사령장관 람톤 중장으로부터 해군대신에게 아래와 같은 조전이 왔다.

이토공의 흥거에 대해 심후한 애도의 뜻을 표한다. 이에 이 때 이쥬인(伊集院) 장관이 아리아케만(有明灣)의 수렵을 그만두었다. 위 동 장관에게 전보하였다.

● 부상자의 현황

나카무라(中村) 만철 총재가 고토(後藤) 체신상 앞으로 보낸 27일부 전보에 의하면 각 부상자 현황은 아래와 같다.

△ 다나카(田中) 이사의 부상은 왼발 안쪽 복사뼈 아래로부터 바깥쪽 복사뼈 아래로 관통한 것으로 탄환은 구두 안쪽에 박혀 있는데 탄환의 끝을 십자로 잘랐기 때문에 그 잘린 부분에 일본 양말의 털이 끼어 있었다. 그리고 오늘(27일) 대련에 도착한 후 상처를 조사해보니 상처에도 양말 털을 발견하였다. 열은 현재 28도로 다소의 통증을 느끼었는데 어제 밤 기차 안에서 통증이 심하여 잠을 잘 수 없었다.

△ 모리 카이난(森槐南) 씨는 오른팔 상박부를 관통하였고 아울러 흉후(胸後)의 피부를 관통하였으나 열은 나지 않았다. 본인은 굳이 귀결을 희망하여 의사의 허가를 얻어 28일 동 선박으로 귀국할 것이다.

△ 카와미(川上) 총영사는 모리(森) 씨와 같은 부상을 입었으나 뼈가 부서진 모양으로 어제 밤 의사와 간호부 2명을 보냈다.

또한 별보에 따르면 나카무라(中村) 부총재는 그 옷을 갈아입었는데, 외투와 오른쪽 바지의 무릎 아래 약 1촌정도의 곳에 오른쪽에서 왼쪽으로 관통한 탄흔을 발견하였으나 다행히 찰과상도 입지 않은 것은 행운이라고 할 것이다. 무로타 요시아야(室田義文)도 외투에 세네 곳의 탄흔과 오른쪽 바지 무릎 아래와 바지 아래도 오른쪽에서 왼쪽으로 관통한 탄흔이 있는데, 이 또한 찰과상도 입지 않은 것은 이상하다고 한다.

● **독일신문의 조사**

27일 동경에 도착한 친다(珍田) 독일 대사 발전에 따르면 이토공의 훙거에 관해 북부 독일보는 아래와 같은 기사를 게재하고 조의를 표하였다.

이토공이 자객의 손에 죽었다는 비보는 독일 전국의 통한이 그지없다. 일본 현재의 정치가 중 제일위를 차지한다. 그 위대한 인격과 그 정치상의 공업은 우리나라에서도 깊이 상찬하는 바이다. 일본의 헌정과 장래의 진운(進運)을 위해 공헌한 이 위업은 일본역사에 대서특필 될 것이다. 우리는 깊이 이 위대한 애국 정치가의 죽음을 슬퍼하여 이에 일본정부와 일본 국민에 진정으로 조사를 올린다.

● **아! 이토 공작**
● **이노우에(井上) 후작과 말하다**

그제 27일 오전 8시 30분 신바시(新橋) 발 급행열차는 오이소(大磯)역에 1분간 정차의 편의를 얻었는데 그 열차 안에서 오이소(大磯)의 소로쿠각(滄浪閣)에 이토 공작 미망인을 위로하는 다수의 고귀한 신사를 발견하다. 그 중에서도 이노우에(井上) 후작은 가장 친한 친구의 기난(奇難)에 노구를 잊고서 전날 밤부터 계속된 피로를 아랑곳 하지 않고 일등실의 중앙에 자리를 차지하고 있는 것을 보았으므로 등승한 기자는 후작에게 이토공의 조난에 대해 그 감상을 한두 마디 해달라고 청하였다. 이에 후작은 망연 자실하여 다음과 같이 말하기 시작하였다.

「국사에 신명을 다하여 70에 죽은 친한 이토의 병사는 원래 자연스럽지 않지만 멀리 하얼빈까지 가서 그 생명을 흉수에 잃은 것은 실로 의외이다. 사람의 운명이란 전혀 알 수 없다. 또한 오히려 생각해보면 사람은 태어나지 않으면 또한 죽는 일도 없을 것이며, 태어났을 때야말로 죽는다는 약속이 시작되는 것이로다. 이토와 나와 같이 늘 죽음과 삶의 사이를 오간 사람은 그다지 죽음의 두려움을 모르지만 작년 내가 큰 병을 앓았을 때 침식을 잊고서 나를 돌바준 이토의 후사(後事)를 지금 내가 이어받기에 이른 것은 좀 의외의 감이 없지 않다.

나는 오늘부터 잠시 오이소(大磯)에 머물며 만사 신세를 질 생각이었는데, 아들 히로쿠니(博邦)군은 해외에 있고 또한 니시(西)도 현재 병으로 입원 중이므로 이토 집안은 만사 형편이 좋지 못하다. 궁내성으로부터는 오늘 전보로 히로쿠니(博邦) 씨를 부를 예정이다. 해외에서 흉보를 듣는 사람의 마음이 어떠하랴! 친구 이토의 죽음을 보건대, 어쨌든 스티븐스 씨의 죽음과 너무 닮아 있다. 흉한도 퍽이나 능력이 있는 자라고 생각한다. 이 흉한에 의해 일본국은 충성심이 깊은 인물을 잃었고 나 자신도 둘도 없는 친구를 빼앗겼으므로 내 마음 속은 실로 견디기 어려우나 또한 방법이 없다. 그리고 친한 이토의 횡사로 어쩐지 나는 지난날의 조난을 생각하였고, 운명의 불가사의함을 느끼었다. 내가 조난을 당했을 당시에는 11명의 흉한이 나를 쫓아왔다. 한 사람이 나의 이름을 물으니 나는 분명하게 이노우에(井上)라고 답하였다. 그러자 뒤에서 나의 발을 잡는 자가 있었다. 그래서 나는 곧바로 앞으로 쓰러질 찰나 나는 (칼을) 빼어 베려다가 등을 찔렸다. 불가사의하게도 여기에 함께 타고 있는 스기(杉君)가 나를 배려해주어 한 칼을 우연히도 적의 칼을 막아 나의 몸은 두 동강 나지 않았다. 그리고 나서 흉한은 난타 중에 베어 도망쳤는데 잠시 후 나는 제정신이 들어 머리를 들었지만 눈알이 빙글빙글 돌아 보이지 않았다. 누군가 앞쪽에 오두막과 같은 것이 있다고 알려주었다. 또한 목이 말라 물을 여러 번 마시려고 해도 일어나지 못하였다. 그대로 인사불성(人事不省)이 되었는데 그러던 중에 나를 부르는 자가 있어 「그대의 등을 감싸고 있는 분은 그대의 어머니이다. 그대는 국가에 충성하는 자이나 집에서는 실로 큰 불효자이다」라고 하였다. 이때부터 나는 집안사람들의 친절한 보호에 의해 오늘이 있을 수 있었는데 당시의 일을 상기해보면 서로 친한 이토와 그 가족에 대한 감정을 이기지 못하였다. 그 때 죽었어야 했는데 나는 죽지 않았다. 이번에 친한 이토가 죽었다니 실로 감개무량하다」라고 늙은 눈에 눈물을 글썽거렸다.

● 야마가타(山縣) 공의 비애

야마가타(山縣)공은 여러 날 감기로 친잔장(椿山莊)에 틀어박혀 요양 중이었는데 26일 오후 이토공 조난 소식을 접하고 너무나 놀라 곧바로 외무성의 원로대신 회의에 나갔다가 그대로 오이소(大磯) 소로쿠각(滄浪閣)으로 달려가려고 하였지만 다른 사람이 말리었다. 이노우에(井上) 후작 대리를 겸하여 보내고 공은 친잔장(椿山莊)으로 돌라왔으나 마음이 너무나 아팠다. 그제는 조난 당시의 상보(詳報) 흉한의 인물, 체포 후의 처치 등의 소식을 기다리고 있었다.

●미우라(三浦) 자작의 이토공관

이토공이 쓰러지신 것에 대해 나는 『아! 슬프도다. 이토공의 훙거』라는 한마디를 절규하려고 하였다. 이 슬퍼해야 할, 애도해야 할 공의 훙거에 대해 지난 일을 생각하고 앞으로의 일을 미루어보면 두 가지 점을 관찰할 수 있다. 현재 우리나라의 원훈은 우선 이토공·야마가타(山縣)공·이노우에(井上) 후작 세 사람이 있다. 야마가타(山縣)공은 군사 방면, 이노우에(井上) 후작은 경제 방면, 이토공은 정치방면의 원훈인데 이 세 사람의 원훈의 중에서도 이토공은 정치가로서 넓은 의미에서 실제로 중심이다. 다른 공작은 각 한 쪽에 서서 두 날개의 형태를 이루고 있다. 즉 공의 지위와 경제는 원훈 중에서 제일이었다.

이 분이 이제 저세상 사람이 되었으므로 우리나라는 결국 핵심적인 중진(重鎭)을 잃은 것과 같다. 이 점에서 장래의 일을 생각하면 대단한 영향이 있을 것으로 믿는다. 즉 첫째는 외교로 해외 각국에서 보아 이토공은 평화주의자일 것이라고 믿고 있다. 이번에 만주지방에 만유 나간 것도 혹은 다소의 문제가 있을지도 모른다. 하여튼 외교에 대해서는 일본 평화의 주뇌(主腦)를 잃어 정말로 유감이라고 하는 것은 각 국인이 한결같이 느끼는 바일 것이다. 이것은 첫째로 우리나라의 불행이다. 다음으로는 내정으로, 현재의 형세를 보면 암암리에 공이 중진이 되어 있는 것이다. 이 때문에 현 내각에 도전하려고 하는 자들이 대단히 많은 모양이나 그 본질이 드러난 것이다. 현재 저 방대한 정우회는 그 정도의 다수를 차지하고 재야이지만 정부에 반항하지 않는 것은 필경 이토공이라는 중진에 대한 배려가 큰 힘이 되고 있기 때문이다. 다만 오늘날 사이온지(西園寺) 후작은 정우회의 총재이고 이토공은 관계를 갖고 있지 않는다.

그러나 정우회 다수는 총재인 사이온지(西園寺) 후작보다도 이토공을 신뢰하고 있는 것이다. 또한 현 내각은 신정당을 조직하려고 하고 있든 말든 간에 많은 풍설이 있고, 그 풍설이 사실인 것 같기도 하고 거짓인 것 같기도 하다. 누차 우리들의 귀에 들어오는 것이지만 이는 현 내각이 정우회 그 자체에 대해 두려워하고 있을 뿐만 아니라, 그 배후에 서 있는 공의 덕망에 대해 원려(遠慮)하고 있는 데서 생긴 풍설이다. 내외의 일을 아울러 관찰해 보면 공의 홍거는 진정으로 슬퍼해야할 일로 국가의 장래에 끼칠 영향은 결코 적지 않다. 공은 악의가 없고 단백하여 대신이 된 분 중에서도 가장 청렴결백한 분이다. 이것으로 우리들은 이토공과 싸우고 있었을 때에도 늘 다른 사람에게 공의 청렴결백함을 상찬한 것이었다. 공은 다른 사람에게 사원(私怨)을 사는 분이 아니다.

그러므로 이번 홍변도 결단코 조선인의 사원(私怨)은 아니라고 생각한다. 원래 공의 대한정책이 모두 한결같이 우유부단하다고 매도하고 송양지인(宋襄之仁)이라고 비웃고, 굳이 용맹과감(勇猛果敢)한 일을 공에게 행하도록 하려고 모두들 자주 권하고 있음에 불구하고 공은 시종일관 회유정책을 원칙으로 하여 추호도 변하지 않았다. 그런데도 또한 이번 홍변을 당하였다. 그러므로 우리는 공의 홍거는 전혀 국가를 위해 대한정책을 위해 희생된 것이라고 기꺼이 단언하는 바이다.

● 같은 나이, 같은 고향의 친우
▽ 후지타 덴사부로(藤田傳三郎) 씨 이야기

이토공의 친한 지우(知友) 후지타 덴사부로 씨를 수마(須磨)에 있는 새로 지은 별장을 방문했다. 푸른 바다가 내려다보이는 새로 만든 다다미방에 몸져누운 채로 지병(持病)을 견디고 있는 비통한 눈을 깜박이며 다음과 같이 말하였다.

뜻밖에 일어난 이토 공작의 홍변은 왠지 믿을 수 없는 기분을 참을 수 없었다. 유신 전후 10여 년간 백번이나 죽을 뻔했던 공은 40년 후에 세계를 놀라게 할 위대한 죽음을 맞이했다. 그러나 세계를 놀라게 한 죽음은 즉 일본 국민의 비애 정도가 심대하여 혹 한 방향에서 보면 이토 공작의 시대는 확실히 일본 국민의 일종의 비통한 각성을 촉구하는 것 같은 느낌이 든다.

▲ 이토공과 나는 모두 올해 69세이다. 이토공 집과 나의 집은 모두 하기(萩)에 있었는데 더욱이 이웃하고 있었다. 나의 아버지와 공의 부친은 수십년간 절친한 친구였다. 다만 공은 10대부터 번(藩)을 떠나 동분서주하였으므로 내가 이토공과 친하게 지내기 시작한 것은 공이 첫 번째 양행(洋行)을 끝내고 돌아온 명치 원년인 5·6년 전이었다. 생각해보면 유신 당시의 일은 참혹한 것으로 꿈과 같았다. 이토 쥰스케(伊藤俊介)·이노우에 몬타(井上聞多)·야마나 요조(山尾庸三)·엔토 킨사쿠(遠藤金作) 등은 당시 쵸한(長藩)에서 가장 강렬한 존왕양이당(尊王攘夷黨)의 급진적인 선봉장이었다. 적을 이기는 것은 우선 적을 아는데 있는 것

101

이라고 한다. 당시 대담한 영국 선장 스티븐스씨의 의협심에 의해 국금(國禁)을 범하고 서양 행을 도모하여 영국 배 한 척의 배밑 석탄의 속에 숨어서 다행히 막부 관리의 엄격한 조사를 피하였다. 일찍이 실패한 요시다 쇼인(吉田松陰)이 실패한 바를 겨우 수많은 고비를 넘기고 성공할 수 있었다. 결국 이 유망한 몇 명의 청년은 런던으로 건너 갈 수 있었다. 이들을 지금 생각해보면 일본 현대의 문명기점이라고도 할 수 있을 것이다. 일본에서 개인적으로 서양에 간 최선봉장이자 당시 신지식인인 공 등이 하기로 돌아왔을 때는 일반의 주의를 온몸에 받았다. 이후 공은 늘 그 기반과 세력을 점차 확고히 하여 이들도 실패 없이 드디어 오늘날에 이른 것은 세상 사람들이 다 아는 바로 여기에서 더 이상 말하지 않겠다.

▲ 나는 나중에 공으로부터 들었는데, 일본 최초로 서양에 간 자들이 별천지와 같은 구미의 문물제도(에 대한 견식)를 처음으로 그때에 넓히고서 상해에서 만났을 때는 자못 즐거웠다. 게다가 그 중에서 가장 열렬한 양이당(攘夷黨)의 한 사람이었던 이노우에(井上) 후작이 이것은 오랑캐의 땅이 아니다. 그들에게 배우지 않으면 안 된다고 하였다. 제일 먼저 구미의 문명에 눈을 떴던 것이다. 지금 이를 생각해보면 진정 격세지감을 너무나 느끼게 된다. 공만큼 일본인으로서 일본은 말할 것 없이 세계에 알려진 사람은 없다. 여기에서 공의 특성을 자세히 말할 필요는 없다. 다만 40년 친한 친구로서 한마디로 공을 평하면 공의 생명은 정치이고 또한 그 도락(道樂)도 정치 이외에는 없다고 단언할 수 있다. 혹은 공을 보고서 정치 이외의 도락자(道樂者)인 듯이 평하지만 이는 공의 심사(心事)를 잘 모르는 말이다. 공이 음주를 부추기고 사치스럽게 노는 것은 공에게 천진난만한 여흥에 지나지 않는 것이다. 그 증거로 공이 노는데 결코 집착하지 않고 유흥 태도는 또한 졸졸 물 흐르는 것과 같은 것을 들 수 있다. 게다가 그의 본도락(本道樂)인 정치에 대한 것이라면 위대한 집착력을 발휘하여 만천하를 놀라게 하는 것이 과연 어느 정도인가 하는 것은 일본 국민의 주지하는 바이다. 공의 마음 속은 청신(淸新)하여 대범하게도 황금과 자손은 안중에 없고 국가에 임하여 늘 모든 책임을 지고 스스로 제국정치가 중에 가장 앞선 학자로 임한 것은 여기에서 말할 필요도 없다.

▲ 나는 40년간 이토공과 이야기를 나눈 것이 몇 백번인지 모르지만 늘 만날 때마다 한마디로 말할 수 없는 쾌활한 공과 의기 상통하여 언제 만나도 공의 나

이를 인정할 수 없음과 동시에 나 자신의 나이도 잊는 것이 상례이었다. 인물이 넘쳐나는 일본 조야에서 과거에도 미래에도 공과 같이 어떤 대사건이 일어나도 쾌활함을 신앙으로 여기고 서둘거나 초조하게 굴지도 않고 교묘하게 처리하는 대정치가가 적다는 것을 믿는다. 이처럼 쾌활한 대정치가이자 언제나 늙지 않는 정치가인 이토공이 이제 돌연 훙거하시었다. 공의 오랜 친구인 나는 어쨌든 애석함을 금할 수 없다.

▲ 올 5월 쿄토에서 기도(木戶)공의 제전(祭典)에 나는 이노우에·이토, 쿠키(九鬼)의 노우(老友) 여러 공들과 만났다. 그 때 귀지(貴地)에도 이제 젊은 후계자들이 하게 되었으므로 몸을 소중히 하고 편안한 지위에 있게 되었으므로 어떠하냐고 하기에 정치를 가장 중요한 생명으로 여기는 공은 다만 빙그레 웃으며 '응'이라고 하였다. 생각하건대 이것이 마지막 만남이자 마지막 말이 되었음을 슬퍼한다고 운운(오사카 전화).

● 테츠레이호(鐵嶺號) 위의 이토공

▽ 오코비라(大河平) 상선(商船) 조역(助役)의 이야기

이번 이토공의 만주 만유에 대해 회사의 배로 도항한다는 것을 만철(滿鐵)이 오옷카(大阪) 상선(商船) 본사로 전화하였다. 이에 따라 그 탈 배로 정해진 테츠레이호(鐵嶺號)는 1등 선객의 (탑승)을 거절하고 공 일행을 위해 전부를 제공하기로 하였다. 만철에서는 타츠이(龍居) 비서역장(秘書役長), 상선에서는 내가 접대역(接待役)으로 선정되었다. 15일 고베(神戶)에서 그 배로 모지(門司)로 향하였다. 춘판루(春帆樓)에 있던 공을 만나 다음날 16일 오후 1시 공 일행을 맞이하여 테츠레이호(鐵嶺號)에 올라 출항에 앞서 뒷갑판(甲板)에서 기념 사진을 찍었는데 이것이야말로 최후의 기념이 되었다.

▲ 그런데 배는 동일 오후 1시 모지(門司)를 출발 무츠레(六連)를 떠나 멀지 않은 앞 바다에서 일러전쟁 때 포획한 기념선 아마쿠사호(天草號)(현재 오사카 상선의 대련 항로 사용선)에서 「공작의 건강과 안전을 기원한다.」는 신호가 들어왔다. 이에 대해 본선에서는 「호의에 감사한다.」라고 답하고서 그대로 작별을 고하였다. 공은 배 입구에서 시종 풀록코트를 입고서 이것이 오히려 마음이 편하다며 지냈으나 다시 내가 권하자 드디어 마지막 하루만 일본 옷으로 갈아입었다. 공은 지난 1901년(명치33) 우편선으로 구주로 가신 것이 마지막으로 통감으로서

한국 왕복에는 늘 군함을 타셨기 때문에 상선은 오래간 만으로 선실도 깨끗하고 시설도 완비되어 있다며 대단히 만족하기고 계셨다. 배안에서는 출항 이후 한번 테이(鄭) 서기관과 장기를 두었다. 그 외에 책을 읽거나 이야기를 하며 날을 보내시었다. 이야기를 시작하면 쉴 새 없이 매일 저녁 밤을 지나 2시 전후에 이르는데도 이른 아침에 일어났다. 이야기 중에도 시가 담배를 피우고 브랜디를 마시었다. 그 정력의 대단함에 다만 놀랄 수밖에 없었다. 그 가운데 재미있는 이야기는 공이 33세 때 범선으로 영국에 간 이야기이었다.

▲ 당시 나가사키(長崎) 상해를 지나 150일이나 걸려 희망봉을 돌아 항해 연습을 하면서 영국에 갔는데 마치 배 안에서는 뱃사람과 같이 대단한 고초를 겪었다. 영국에 도착하여 교사의 집에 함께 살며 영국 학문을 연구하고 점차 진전됨에 따라 드디어 신문도 읽을 수 있게 되었다. 그런데 놀랍게도 세상의 진보는 일본과 비교해서 도저히 말이 안 되었고 무슨 양이(攘夷)가 이만 저만한 것이 아니었다. 이러한 일본의 현상으로는 결국 일본은 멸망할지도 모른다. 하루라도 가만히 있어서는 안 될 시기였다. 학문도 대단히 중요하지만 일본의 현상은 위기 일발에 처해 있다. 하루라도 빨리 귀국하여 세계의 대세를 설득하여 양이설(攘夷說)을 타파하지 않으면 안 된다고 절실히 느끼었다. 그래서 곧바로 귀국의 길에 올랐는데 이 또한 올 때 탄 배와 같은 범선으로 도중에 큰 폭풍을 만나 보트가 파도에 흔들려 영국 뱃사람 세삼이 결국 바다 속 물고기가 되었다.

다행히 나는 무사히 돌아왔지만 나가사키(長崎)에서도 시모노세키(下關)에서도 상륙이 허가되지 않았다. 뿐만 아니라 당시 막부 관리의 추궁이 심하여 위험이 커졌다. 그래서 포르트칼 사람으로 (위장하여) 요코하마(橫濱)에 상륙하였다. 당시 영국함대가 시모노세키를 포격한다고 하므로 영국 사령관을 만나 목숨을 걸고 설파하여 잠시 유예를 청하는데 다행히도 허락을 받아 기일을 한정한 편지 한통을 들고 급거 야마구치(山口)에 도착하려고 하였으나 육지로 가는 것은 도저히 불가능하다고 하여 영국 함(艦)이 도중까지 태워다주어 어선으로 옮겨 야마구치로 돌아왔다. 번(藩)의 요로에 도저히 전쟁이 불가능함으로 양이의 무모함을 설득하였으나 결국 소용이 없었다. 뿐만 아니라 이토 준스케(伊藤俊介)와 같은 평화주의를 주장하는 자는 군신(軍神)의 제물로 바칠 것이라고 하여 대단히 반대하였다. 그러는 가운데 결국 시모노세키 포대가 포격을 당하여 보상금을 물고 일단락되었다. 후모리(毛利)공이 불러 어전(御前)에서 3시간에 걸쳐 세계의 대세를 설명하여 양이가 불가능하다고 하여 크게 상찬을 받았다. 그 때에도 암살을 당할 뻔했고 그 후로도 오늘날까지 다섯 번이나 살해될 뻔하였으나 다행히 무사할 수 있었다.

▲ 이후 이야기는 정한론으로 옮겨가 또한 오사이 쿄(大西 郷), 오쿠보(大久保) 두 분 공의 심사(心事) 등 아직 세상에 알려지지 않은 이야기를 들을 수 있었다. 그리고 17일 즉 대련 도착 전 날은 바로 신상제(神嘗祭)이었으므로 배 안에서 만찬회를 열고 그 자리에서 일행과 샴페인 잔을 기울이고 공의 건강을 기원하자 공이 즉석에서 필을 달라고 하여 아래의 시를 썼다.

바삐 동서남북으로 전전하는 나그네,
옷이나마 일 년에 몇 번을 바꾸었을라나.
멀리 황해를 떠도는데,
몸은 늘 제삿날 그 술잔을 기울이는구나.[16]

▲ 공은 이번 만유에 대해는 전혀 정치상의 의미 없고 만주 만유는 전후 다년간의 희망으로 다시 기회가 없었는데 다행히 잠시 한직에 있음을 이용하여 폐하의 허락을 얻어 북행을 한 것이다. 백문(百聞)이 불여일견(不如一見)이라는 의미에서 나왔다는 것을 고베에서도 시모노세키에서도 들었다.

▲ 공의 여정은 오는 2일 대련 도착, 3일 천장절(天長節)에는 대련에서 축배를 들고 4일 오전 10시 출항하는 테츠레이호로 시모노세키에 귀착하여 이후 벳뿌(別府) 온천으로 안내할 예정인데 돌연 의외의 흉변을 만난 것을 유감천만으로 국가를 위해 대단히 한스러운 일이라고 할 것이다.

● 불안한 하얼빈

▽ 정거장의 광경

하얼빈에 오랜 살고 있는 모(某) 씨는 다음과 같이 말하였다.

「이토 씨도 실로 불쌍하다. 아니! 저 하얼빈 정거장은 원래 늘 위험한 곳입니다.

---

16 匆々南北東西客, 裘葛一年更幾回.
萬里壯游黃海, 上神嘗祭日其傾杯.

그 광경을 잠시 이야기를 하면, 우선 장춘(長春)에서 온 열차가 도착하고서 보면 새삼 플레이트폼 같은 것은 보이지 않는다. 그럴 것이다. 그 정거장 구내는 실로 넓고 커서 히비야(日比谷) 공원만 할 것이다. 선로는 시베리아 행, 블라디보스토크 행, 관성자(寬城子) 행 세 가지입니다만 신정거장(구정거장은 따로 스타루하얼빈 역이라고 하고 1리(哩) 반 정도 동남에 있다.)은 대단히 훌륭하다. 그러나 플레이트폼 은 그 정면에 한 군데밖에 없다. 그 전면에 약 10조(條)정도의 선로가 있어 기차 가 겹칠 때는 뒤로 뒤로 들어오므로 점점 플레이트홈에서 멀어진다. 관성자에 서 오는 열차는 때에 따라 네줄 또는 다섯줄 넘어서 정차한다.

그리고 하차하는 승객은 세 네 개의 열차를 연결하여 플레이트폼으로 나오지 않으면 안 된다. 그런데 러시아의 기차는 5척(呎)[17]의 광궤(廣軌)로 터무니 없이 넓다. 3단 사다리가 달려 있는데 이것을 올리고 내리는 일은 상당히 번거롭다. 그 이상 힘든 것은 하물이다. 모두 스스로 상자에 넣으므로 이것을 꺼낼 때 대 단히 주의하지 않으면 곧바로 도둑맞는다. 흰 앞치마를 한 빨간 모자를 쓴 러시 아 사람에게 부탁하면 좋지만 이것도 사람 수가 적다. 깜빡 플레이트폼에 하물 을 두고서 멍하니 있을 것 같으면 갑자기 새까맣고 더러운 놈들이 구름과 같이 몰려든다. 이들은 지나인 조선인의 쿠리[18]로 하물에 손을 데지만 마지막에 돈이 될 것 같이 보이면 군중에 섞여들어 훔쳐간다. 하기는 정거장 경계를 하는 러시 아 헌병·청국병 등은 긴 칼을 옆에 차고 경계하고 있는데 모두 나무 인형이다. 여행객이 던져 버리고 간 담배 꽁초를 주어 아무러치도 않은 얼굴로 뻬꼼뻬콤 담배를 피고 있다. 1·2등객은 적지만 3등의 지나 여행객이 큰 포단(蒲團)을 메 고서 우왕좌왕하며 눈도 어두운 것 같다. 게다가 러시아 정거장에서는 대합실 과 플레이트폼 사이로 일본의 좋고 뚜렷한 윤곽선을 따라 자르지 않은 표는 승 차 후에 검표하러 온다. 표가 없어도 차장에게 작은 뇌물로도 통하여 철저하 지 못한 것 같으므로 플레이트폼에는 늘 눈매가 무시무시한 무뢰한이 으르렁 거리며 뭔가 좋은 새라도 노리고 있다. 게다가 평상시에 보드카를 잔뜩 마신 술 주정뱅이가 늘 배회한다. 또한 구루신이라고 하여 러시아 남부의 독특한 하나 의 풍속을 갖고 있는 무리가 더욱 무시무시함을 더하고 있다. 도박과 살인강도

17 피트.
18 하층노동자.

를 전문으로 하고 있는 한패가 한밤중에 철사를 갖고서 행인을 길가에서 기다리고 있다가 갑자기 옆에서 다른 사람의 목줄기에 걸어 꽉 자기의 어깨에다로 조여 매어 별안간에 달려들어 숨을 끊고 서서히 주머니를 뒤진다. 또 어떤 때는 한 사람이 갑자기 행인을 뒤에서 안아 발버둥치는 사이에 다른 사람이 주머니에 양손을 넣어 지갑을 강탈하고 저항하면 곧 총을 맞습니다. 마차에 타고 있으면 달려와 협박하는 자도 있다. 하여튼 총과 탄약 냄새는 밤낮없이 그 주변에 늘 나고 있는 바입니다. 앞서 요코카와(橫川)·오키(川沖) 두 지사[19]의 피를 맛본 하얼빈은 이제 또 일본의 보물이라도 할 대공신 이토공의 피를 맛보았습니다. 실로 너무나 불안하다.

● 황공한 예지(叡旨)[20]

흉변 중(奏上) 당시의 광경

원사(元師) 야마가타(山縣) 공작이 직접 한 이야기

야마가타(山縣) 공작은 28일 오전 11시 기차로 오이소(大磯)에 도착하여 곧바로 이토 공작 저택으로 가서 부인에게 조사를 건네고 2시간에 거쳐 이야기를 나누었다. 오후 2시 2분 발 기차로 나다하라(小田原)으로 향하였다. 기안에서 기자에게 다음과 같이 말하였다.

「이번 흉변을 들은 것은 당일 오후 2시경 미츠이물산(三井物産)의 마스다(益田)가 전화를 했다. 그 때는 다만 하얼빈에 안착하였다고 들었으므로 답장을 잘 해달라고 해두었다. 이것은 내가 암살과 안착을 잘 못 들었던 것이다. 마스다가 전화를 끊자 곧바로 외무성이 전화로 이토공은 오늘 아침 하얼빈에서 저격당하였다고 전해왔다. 이때 비로소 정말로 흉변을 알았던 것이다. 그러나 저격이었던 것이다. 큰일은 아닐 것이라고 생각했지만 마음에 걸려 외무성으로 달려갔다. 여전히 자세한 것은 몰랐다. 가츠라(桂)가 있는 곳으로 가서 비로소 상세히 듣고서 대단히 경악하였다. 그로부터 폐하에게 가서 상세한 보고를 올리자 폐하는 하나하나 귀를

---

19 요코카와 쇼조(橫川省三)·오키테이스케(沖禎介). 1904년(명치 37) 러일전쟁에 시작되자 민간인 출신 요코가오와 스파이 오키가 육군 정보기관에 협조하여 러시아군의 수송로 파괴공작에 종사하였다가 러시아군에 체포되어 하얼빈 외각에서 처형되었다.
20 임금의 명령, 여기에서는 천황의 명령.

기울이시며 다 듣고 나서 대단히 낙심하시어 유감이라고 하시었다. 보시다시피 평생 장건(壯健)한 남자이었으므로 그런 일이 있으리라고는 꿈에도 몰랐다. 일본에 계시었으면 그런 상태로는 100살까지 살 남자인데 지금 생각하니 돌이킬 수 없는 일로 실로 아쉬움이 많다. 이토는 나와 15·6세 때부터 함께 분주하였다. 두 사람의 관계는 실로 형제 이상이었다. 일본을 위한다는 점에서 말한다면 국가의 주석이라고 할 만한 인물을 잃은 것이므로 외국에 대해도 일본의 경중(輕重)에 관계되는 문제이다. 나는 이토보다 3살 위이나 (나의) 장례를 (그가) 치러주어야 했는데 이제 죽어버렸으니 반대가 되었다. 나는 노쇠하여 여생 동안 이제 여름은 시원한 곳에 겨울은 따뜻한 곳에 가야 한다. 몸이 안 좋아 의사에게 갈 정도인데 군대에 있는 손자와 같은 이들의 장례를 돌보는 것 같은 역연(逆緣)[21]이 되었을 뿐이다. 이대로 아직 죽지도 못하고, 결국 이토가 먼저 죽어버렸다. 정말로 유감천만으로 생각한다.」라고 하였다.

슬픔이 얼굴에 가득해 보였다.

● 한국태자 일과 폐지

어제 도리이자카(鳥居坂) 어용저(御用邸)[22]의 문 앞에는 시위(司衛)가 보일 뿐, 차 한 대도 보이지 않았다. 적막하여 의외로 수운(愁雲)에 쌓여 있는 이곳에 한국 태자 전하가 유폐되어 계시다. 전하에게 27일 드디어 이토공의 훙거를 알리자 그날부터 완전히 일과를 폐하시고 학우(學友) 가운데 참전(參殿)하는 사람이 있으나 언제나 그랬듯이 거실에 가시지 않으시고 다만 근신하시고 있는 것 같고 정말로 너무나 슬퍼하시고 있는 것 같다고 한다. 전하가 훙보를 들으신 그날 밤 곧바로 근신 송병준을 소로쿠각(滄浪閣)에 보내어 위문 드린다는 뜻을 전하도록 하시었는데 송씨는 27일 귀경하여 아뢰었다. 동시에 공작 부인이 지극히 평온하다는 것을 아뢰니 근심을 내려놓으시며 크게 놀라는 가운데서도 조금 안도하신 것처럼 보이셨다. 한편 근신 일동도 지금 모두 깊이 근신(謹愼)함을 표하였다.

● 장의계(葬儀係)와 이토 가(家)

---

21 불교용어로 자식에 앞서 어버이가 먼저 죽거나 늙은이가 젊은이에 앞서 죽는 인연.
22 일본왕실의 피한(避寒) 피서(避暑)용 별장.

▽ 스에마츠(末松) 자작의 입경(入京)을 기다리다

레이난자카(靈南坂)의 이토공 저택에서는 28일 오전 9시 전후로부터 계장(係長) 스기시(杉子) 자작 이하 각 계원 출석 영선(營膳)·서무·회계의 3부로 나누어 계원은 내각 궁내 추밀원의 속관(屬官)을 감독하고 개회를 준비하지만 아무래도 상주인 공작부인은 오이소(大磯)에 병으로 누워있고 또한 친적 중에 중심이 되는 스에마츠(末松) 자작도 아직 입경하지 않았으므로 묘지 기타에 관해서는 우선 이토 가(家)와 합의를 요하는 일이 많은데도 오후 1시가 되어도 회의가 열리되지 않았다. 일동이 오후 입경할 스에마츠 자적을 기다렸다. 그리고 이토(伊東) 자작은 아침부터 계속 오는 위문객중 중요한 인물을 접대하고 짬을 내어 공작 저택 누상 일실에 9시경에 올 이노우에(井上) 후작과 스에마츠 자작이 마주 앉아 제반사항을 숙의하고 있었다. 이들은 또한 스에마츠 자작이 입경하기를 기다리고 있다.

어제의 소로쿠각(滄浪閣)

● 도만(渡滿) 전날 밤의공

▽ 자녀들을 모아 계칙(戒飭)하다

이번에 오이소(大磯)를 출발하기 전날 밤 여느 때와 같이 도쿄에서 요정 마담·예기 등이 이토공을 모시었다. 연회를 열어 소싯적에 (쌓인) 이별을 아쉬워하며 잔을 들었는데 여느 때와 달리 공은 전혀 취하지 않았다. 술이 몇 순배 돌자 잔을 거두었다. 요정 마담 등을 그날 밤 귀경하도록 한 것을 일동은 이상하게 생각하였다. 그날 밤 공은 우메코(梅子) 부인을 비롯해 스에마츠(末松)·니시(西) 두 부인들의 자녀들을 한방에 모아 놓고 자리를 바로 하여 자신이 결혼하였을 때는 우메코가 겨우 17세였다. 그 후 45년 간 우메코가 겪은 고생은 이루 말로 다할 수 없다. 내 오늘이 있는 것은 실로 내조의 공에 입은 바가 너무나 크다. 그런데 너희들은 어려서부터 빈곤과 고생의 맛을 모르고 게다가 아직 내조를 할 필요가 없다. 너희들은 어머니를 보고서 스스로 깊이 배우지 않으면 안 된다. 내게 만일의 하나 무슨 일이라도 생기면 어머니를 우러러보는 것도 마치 아버지를 보는 것처럼 하라고 엄숙한 어조로 훈계를 하시었다고 한다. 의외로 이 말이 결국 유훈이 되었다. 오늘날 부인 등의 가슴 속은 어떻겠는가?

● 기차 안의 니시(西) 부인

▽ 이번에는 뭐라해도 의외

어제 오후 1시 10분 신바시(新橋) 발 하마마츠(濱松) 행 열차 일등실에 발차 몇 분 전에 탄 사람은 이토 공작의 영애 현 니시 켄시로(西源四郞) 씨의 부인 아사코(朝子)[23]이므로 기자는 아리가(有賀) 박사의 소개로 명함을 주고서 마음에서 울어 나오는 애도의 말을 하였다. 새삼 아픔을 느끼었는데 부인은 잠시 공연히 수건을 적시지 않으려는 듯이 말을 이었다. 「저는 좀 건강상태가 좋지 않아 적십자사 병원에 입원하고 있는데 흉변 소식을 들고서도 소식을 처음 접했을 때까지만 하더라도 급소만 벗어났다면……라는 부질없는 희망에 매여 다소 안심하기도 하였습니다. 하기는 스에마츠(末松)의 형들이 이번에는 각오하라는 말을 하였습니다만……」라며 잠시 아무 말 못하였다. 얼마 후 말을 하는 듯 마는 듯 「지금 마치 꿈과 같습니다. 이 전에 조선에 있었을 때 늘 만약의 경우를 각오하고 있었는데 이번에 어쨌든 생각지도 못하였으므로……하지만 출반 전에는 제 몸도 나쁘지 않으므로 배웅만큼은 나갔습니다.……네! 어머니의 병안도 오늘 주위로부터 들은 소식도 그 정도는 아닌 것 같아 안심하고 있습니다만 이제부터 오이소(大磯)에 가서 얼굴을 볼 테니 더욱 슬퍼질 것이라고 생각합니다.」라며 힘겨워하며 흐느꼈다.

---

23 이토 히로부미의 셋째 딸.

● 이토공의 자객관

▽ 다테 토키(伊達時)[24]씨의 이야기

니노미야(二宮)에 살고 있는 전대의사(代議士)[25] 다테 토키 씨는 오랫동안 공과 만났다. 공사(公私) 양면에 대한 사상과 성격을 알고 있는 씨는 니모미야의 명물 감주(甘酒)를 홀짝이며 다음과 같이 말하였다.

▲ 자객을 두려워하는 것은 바보

나는 무츠(陸奧) 백작의 소개로 공을 만난 이후 십 몇 년간 공과 친하게 지내 그 성격을 잘 알고 있다. 공은 자객에 대해서는 일찍부터 생각하고 있는 바가 있는 것 같다. 호시 토오루(星亨)가 이바(伊庭)에게 죽었을 때 공은 그 장송(葬送) 때에 연설을 하라고 요청받았으므로 나는 위험하여 연설을 하지 말라고 통절히 간언하였다. 이에 공은 크게 웃으면서 「오늘 스에마츠(末松)에게서 편지가 왔다. 그대와 같은 말을 하였다. 나는 이번에 연설을 하지 않고 조사 낭독만을 생각하였다. 원래 자객은 전문가로 당하는 자는 비전문가이므로 어디서 당할지 모르므로 물론 주의할 필요는 있지만 이 다망한 두뇌(頭腦)를 자객에 쓰는 것은 바보이다.」라고 하였다.

▲ 결사의 도한(渡韓)

공이 통감이 되었을 때 우리들은 공 부처와 스에마츠(末松) 부처를 쇼센각(招仙閣)에 초대하여 연 송별회 석상에서 공은 너무나 우울한 얼굴을 들면서 다음과 같이 말하였다.

「임금의 명령은 엄중하고 임금이 있는 곳이라면 물불을 가리지 않고 뛰어들 것이다. 사람들은 모두 나를 우유부단하다고 하고, 팔방미인이라는 평가도 내리지만 내가 젊었을 때에는 가능한한 담력이 있는 일을 할 생각이었다. 어리석게도 통감이라는 큰 책임을 맡는 것은 대단한 광영일지라도 한국에 가면 이 노구를 보전하여 돌아오지 못할 지도 모를 일이었다. 게다가 임금의 명은 지엄하고 일신은 지경(至輕)하다. 나는 결연히 일어나려고 한다.」

----

24 다테 토키(伊達時)(1849년~1916년)는 시나가와현(神奈川県) 출신으로 1881년 시나카와현 최대의 민권 결사 단체를 결성하여 간부로 활약, 1903년 중의원 의원(정우회) 당선. 의사로 나카군(中郡) 의사회와 나카와현 의사회 회장을 지냈다. 나카군(中郡) 맹인학교·여자경업학사(女子敬業学舍) 설립, 쇼난마사(湘南馬車) 철도 사장을 지냈다.

25 국회의원.

언사가 비장하여 모두 울었다. 아무도 일어나 송사(送辭)를 하지 않았다. 이때도 공의 안중에는 자객의 환상을 잡고 있는 것 같았다.

▲ 모든 곳이 청산(靑山)

이번 만주로 시찰을 갔을 때 나는 오이소(大磯) 정거장에서 같은 기차를 타고서 야마키타(山北) 정거장까지 배웅하였다. 기차 안에서 나는 말소리를 죽이여 「만주는 이미 추운데 다만 시찰만 할 것이라면 다음해 봄에 해도 좋을 것인데 왜 지금 가려고 하느냐.」 라고 물었다. 이에 「한풍(寒風) 냉기(冷氣)는 아무런 문제가 안 된다. 만주시찰은 오랫동안 가졌던 숙망으로 예리한 칼날도 피하지 않을 각오이다. 인생은 넓디넓고 명(命)은 하늘만 (알고) 어디든 뼈를 묻을 청산이 있다.」 라고 하면서 크게 웃으시었다. 이번에도 공은 대단히 침착하였다고 하였다. 전보를 보아도 공이 평생 자객을 예상하여 큰 일을 한다는 것은 전혀 당당하지 않은 일임을 충분히 알 수 있다.

▲ 안중에 승패는 없다

야마가타(山縣) 공과 이토공은 정견이 일치하지 않는 점은 있을 것이다. 하지만 개인적인 교류는 자못 깊다. 장기를 둘 때에는 공 두 분의 교의(交誼)가 유감없이 발휘되었다. 나는 여러 번 공과 바둑을 둔 적이 있는데 공은 안 중에 승패는 없고 다만 시간을 보내는 것뿐인 것 같다. 「오늘은 도쿄에 갔다 올 텐데, 아직 30분 시간이 있으니까 바둑 한 판 두지 않겠는가.」 라고 하여 바둑을 두다가 반도 안 되어 시간이 되었으므로 아아! 재미있었다며 돌을 던진 일이 여러 번 있었다. 공은 장년(壯年)이 되어 비로소 바둑을 배워 카리가네 준이치(雁金準一) 씨의 가르침을 받은 일도 있으므로 실은 아마추어로 이래라 저래라 할 정도는 아니지만 바둑 (승패)에 대해 느긋하여 겁을 주어 상대를 위협하는 것 같은 악독한 짓은 하지 않는다. 여기에서 공 성격의 일면을 알 수 있을 것이다.

● 이토공과 호위

늙은 경부(警部) 히다카 켄메이(日高憲明) 씨의 이야기

전후 13년간 이토공의 신변 호위 임무를 맡은 전 경시청 경부 히다카 켄메이(57세)를 토요다군(豊多摩郡) 오쿠보촌자(大久保村字) 니시오쿠보(西大久保)로 방문하여 이번 이토공의 조난에 관한 감상을 청하자. 씨는 다음과 같이 말하였다.

▲ 경위의 비술(秘術)

나는 1892년(명치 24) 3월 경시청의 명을 받은 이후 13년 간 이토공 호위 임무를 맡았습니다. 저의 감상으로 이제 생각 난 것은 경위 임무에 관한 일입니다. 이번 이토공의 조난 현장의 경위에 대해서는 실로 유감으로 생각합니다. 제 생각으로는 경위라는 것은 맡은 주인공보다도 오히려 주위의 상태에 주의를 기울이지 않으면 안 됩니다. 장소와 시간 관계없이 이토공의 경우에는 다수 인민의 시선을 끕니다. 그 때가 가장 위험한 경우이고 그러한 경우에 담당 주인공만 신경 쓰지 말고 오히려 사방 주변에 신경을 쓰고 주위를 기울이는 것이 가장 필요합니다. 이 또한 경위의 비술(祕術)이라고 생각합니다.

▲ 이토공 격노하다

내가 이토공의 신변을 지킨 이후로 위험과 공포에 가장 시달린 것은 지난 27·8년 전쟁[26]으로 요동반도 환부문제가 떠들썩하였을 당시 총리대신으로서 이토공은 고 무츠(陸奧) 외상·사이코(西鄉) 해군상 등과 히로시사(廣島) 바쿠칸(馬關) 사이를 빈번하게 왕래하였으므로 경시청에서는 일부(一部)의 경부 나쿠라 노무치카(小倉信近)가 정선(精選)된 50명의 순사를 이끌고 출장 가게 되었다. 나는 겨우 4명의 순사를 데리고서 늘 이토공의 신변을 지키고 있었다. 드디어 바쿠칸(馬關)조약[27]의 담판이 개시되자 야마구치현(山口縣) 지사와 경무과장 등은 지방의 순사들을 바쿠칸에 중집시켜 엄중한 경계를 하였으나 결국 이홍장(李鴻章)의 변(變)이 일어났다. 이 때 나는 곧바로 이 소식을 이토공에게 알렸다. 이에 공은 생각지 못한 일에 놀라 현관 앞에 선 채로 별안간 얼굴색이 변하여 있을 수 없는 짓을 했다며 심사숙고하고 있다. 그런 상황에서 현 지사 등은 뒤늦게 달려와 이홍장의 사변을 공에게 알렸다. 공은 이홍장 백작이 이미 죽었느냐고 묻기에 아직 모른다고 답하자마자 이토공은 큰 소리로 '이 바보들아'라고 대단히 화가 나 소리치며 질책하였다. 나는 이토공이 격노한 것을 본 것은 전후 13년 동안 이때뿐이었다. 이 후 나에게 말하기를 100명의 호경관이 있어도 또한 이런 상황이라면 아무런 도움도 되지 않는다며 쓴 웃음을 지었다며 지난 일을 추억한 히다카씨는 늙은 눈에 눈물을 흘리며 잠시 침묵하였다.

▲ (주인공을) 등진 경계

---

26 청일전쟁.
27 시모노세키조약.

현(現) 오우라(大浦) 농상(農相)은 바쿠칸(馬關) 흉변 이후 야마쿠치현(山口縣) 지사(知事)가 되었다. 당시의 도상(途上) 경위 방법은 일종의 특이한 현상을 보이고 있었다. 그렇다고는 하나, 이홍장(李鴻章) 흉변 당시의 경위는 단순히 형식에 머무름에 비추어보건대, 하나는 이토공에 대한 경위 상에서 일어났다. 오우라 지사의 고찰이었다는 것이다. 그것은 후방 경계이었다. 일반적인 경우의 경계는 경계해야 할 주인공의 쪽을 향하여 서 있는 것이 상례이지만 오우라식의 경계는 주인공 쪽으로 등을 보이고 주위의 군중 쪽으로 향하는 경계였다고 한다.

● 카이난(槐南) 씨 가족의 안도

이토공과 함께 부상당한 모리 카이난(森槐南) 씨의 주인이 없는 집에는 모당(母堂) 오리나코(織尾子)(78) 부인 키호코(幾保子)을 비롯하여 영식(令息) 영애(令孃) 네 사람이 있다. 도발설(頭髮雪)보다도 흰 모당(母堂)이 안경 너머로 기자를 보고서 「처음으로 타이지로(泰次郞)가 부상을 입었다고 들은 것은 26일 저녁이었는데 부상이 어느 정도인지 몰랐으므로 대단히 걱정하였습니다.」라고 하였다. 또한 영형(令兄) 모리카와 치쿠케이(森川竹溪) 씨와 자리를 같이 한 부인은 「남편에게서는 떠난 이후 한 번도 편지가 오지 않았습니다. 이번 조난에 대해서도 이렇다 할 말이 없었습니다. 그래서 관공서에서 소문을 들어 보았습니다만 28일 오전 11시 이토공의 유해와 함께 아키츠시마(秋津洲)에 올라 대련을 출항하였다는 통지가 있었습니다. 어제까지 상황을 몰랐습니다. 그러므로 어머니를 비롯하여 아이들까지도 걱정하였습니다. 만철에 있는 동생이 그쪽에서 만나 상세하게 상황을 알아봐준다고 하였으므로 남편의 부상은 왼쪽 팔 상박(上膊) 부분과 등의 연부(軟部)에 관통통상을 입었지만 큰 부상이 아니라는 것을 알고서 불행 중 다행이라고 안심했습니다. 언제 군함이 요코스카(橫須賀)에 도착할지 모르므로 장남의 켄로(健郞)를 마중 보낼 생각입니다. 남편보다도 이토 공작이 말도 안 되는 재난을 당한 것은 나라를 위해서도 큰 손해입니다.」라고 운운.

● 쿄토의 다섯 명의 마담

▽ 공작 부인 점쟁이
▽ 듣는 자 모두 흉변을 믿지 않는다

공과 쿄토(京都)는 유신 전부터 가장 깊은 인연이 있다. 공이 도쿄에 올 때마다

반드시 그 여관으로 가는데 기온(祇園)의 노기(老妓) 가운데 니시기미오(西君尾)(65)·기야정(木室町) 요시토미루(吉富樓) 마담 요시다 토미(吉田とみ)(65)·기온신치 카시자타리테이코토(祇園新地貸座敷堀てい事) 호리테이(堀井てい)(52)·기온시모가와하라스기노이(祇園下河原杉の井)마담 스기이(杉井)(52)·기온(祇園) 나카무라루(中村樓) 마담츠지하루(辻はる)(50) 다섯 명이 늘 같이 있었다.

▲ 요시토미(吉富) 마담

은 어제 외출 중 흉변을 듣고 놀라서 곧바로 돌아와 「큰 일이 일어났다.」라면서 눈물을 잔뜩 흘리며 「어르신은 쿄토에 오시면 반드시 나에게 오셨습니다. 최근에 오신 것은 올 5월 26일 기도(木戶)공 33년 기일(忌日)로 그날 저녁 무렵 나카니시오(中西君尾) 등과 함께 나에게 오셨습니다. 그곳에 후지타(藤田) 씨도 와서 키미오(君尾) 씨 이외 기온(祇園)의 예기(藝妓) 코산(小三)·우메(うめ)·코미유(小美勇) 등을 불러 평소와 달리 재미있게 노시었습니다. 후지타(藤田) 씨는 춤을 추지 어른께서도 춤을 추시었습니다. 그 때 어르신께서는 나에게 「나는 도쿄나 쿄토에서는 죽지 않는 서행법사(西行法師)이다.」라고 말하였다.

▲ 꼭 서쪽에서 죽는다

그런데 집사람이 내가 노는 것을 꺼리어 점장이에게 점을 쳤는데 73세가 되기까지는 계속 기생과 놀 것이라고 하므로 집사람은 이를 꺼렸던 것이야. 그 점쟁이는 내 수명을 70까지라고 했던 것 같다고 한다. 「화차락(和且樂)」세 글자에 합장하고 세 번 절했다.

▲ 호리이(堀井) 마담

은 어떨까 보면, 그녀는 흉변이라고 듣고 눈을 크게 뜨며 놀라, 「나는 원래 만테이(万亭)에 있었습니다. 딱 23년 전 어른께서 히가시마루타정(東丸太町)의 영빈관(迎賓館)에 총리대신으로써 묵어 그때부터 마차로 나카무라루(中村樓)의 연회에 간 것이 사랑을 받은 시작으로 이후 더욱 사랑을 받아 제 누추한 집에도 여러 번 오신 일이 있습니다.」라고 말하며 눈물지었다.

▲ 나카니시키미오(中西君尾)가 다음과 같이 말하였다. 「요즘 어른께서 오실 때 나는 이제 5년만 더 살겠다」라고 한쪽 손을 내밀며 나에게 말씀하시었습니다. 그런데 (이것이) 전조(前兆)였습니다. 어른께서 출발하기기 전에 나는 아들 놈을 도쿄 레이난자카(靈南坂)의 저택으로 보내어 제 집안일을 상담한 일도 있습니다. 또한 나카무라루(中村樓)의 여종업원 오□가 갖고 있는 사진은 진귀하게도 카

도 타카요시(木戶孝允)와 오츠 니시시로 우에몬(大津西郎右衛門) 두 사람의 사진이었으므로 나는 그것을 어르신께 보여드리고 싶다고 하여 잠시 복사를 할 수 있었을 뿐이었습니다. 도무지 꿈과 같이 생각되었습니다. 이 니시시로 우에몬 씨는 칼에는 늘 호리병이 달려 있을 정도로 술을 좋아하는 사람으로 이토 어르신과 대단히 죽이 잘 맞았습니다.」라고 하였다. 앞에서 말한 사진과 공의 글씨로 이루어진 「할실증군일편심(割實贈君一片心)」이라는 액자를 침실에 걸어 놓고 등불로 비추어 보며 며느리와 함께 모시고 있다.

▲ 시모가와하라(下河原)의 스기노이(杉の井)

을 보면 마담 오마사(おまさ)는 오사카(大阪)에 가서 없었지만 가족 5·6명은 공의 흉사를 듣고 '뭐라'라며 놀랐다. 모두 마담이 돌아오기를 기다리며 「지금쯤 오사카에서 흉변을 듣고 놀랐을 것이다.」라고 서로 말하고 있었다.

▲ 나카무라루(中村樓)의 마담

하루(はる)를 찾아가 보았더니 나는 늘 어르신이 머무시는 여관에서 일하고 있는데 요즘 키도(木戶) 후작의 법요(法要) 때 나에게는 오시지 않으셨지만 제가 만든 요리를 드시었습니다. 많은 어른들 중에서 술자리에 옛정이 있으신 분은 이 어르신입니다. 어르신이 쿄토에 있는 글씨라고도 하신 것은 요즘 쵸라쿠관(長樂館)에서 시모무라 잇칸(下村一貫) 씨에게 「몽암장락관(蒙庵長樂館)」을, 나에게는 「녹음심처(祿陰深處)」이라는 네 글자를 써주신 것이 그것으로 이외에는 없습니다. 그런데 이곳에는 낙관(落款)이 없었으므로 일부러 도쿄에 갖고서 돌아가시어 곧바로 낙관을 찍어서 보내주시었습니다.」라며 울며 말한다(쿄토 전화).

명기(名妓) 치야라지에게 준 공(公)의 취묵(醉墨)

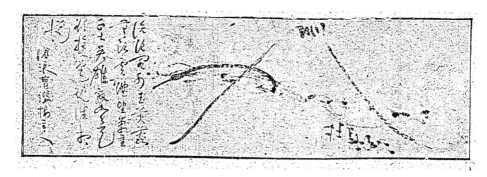

●야마네(山根) 씨의 진단(診斷)

작년 이후 코우즈(國府津)로 급행 1등 객실 안에 큰 몸집에 살이 찐 몸으로 왠지 모르게 의자 깊숙이 앉은 하찌스카(蜂賀侯爵) 후작은 시나카이(品海)의 파도를 뒤로 하고 침묵하고 있는 아루가(有賀) 박사 쪽으로 몸을 구부려 쳐다보며 『결국 어떻게 될까요?』라고 계속될 것 같은 이야기를 마무리하였다. 그리고 검고 흰 머리카락이 섞여 있는 박사는 한쪽 손의 스테이크를 똑바로 쳐다보면서 『요컨대 하얼빈의 행정권이 문제일 텐데, 어쨌든 지금은 러시아가 관할하고 있지만.』 이야기는 잠시 끊기고, 기차 소리가 한동안 시끄러웠다. 박사와 비스듬히 비켜 앉아 있는 야마네 쇼지(山根正次) 씨와 반대편에 모씨가 있다. 기차가 시나카와 역으로 들어올 때 『태황제는 흉변을 들으시고 드시던 젓가락을 떨어뜨렸다고 하는데.』라고 그 자리의 침묵을 깨고서 서로 마주 보고 있던 모씨가 말을 걸자, 야마네 씨는 곧바로 『신경마비에 걸렸다는데요.』라고 대꾸하였다. 서쪽 창의 햇살이 희미하게 비추고 있어 파도 빛이 괴로워 보였다. 사람들이 소로쿠각(滄浪閣)에 도착한 것은 저녁이었을 것이다.(鹿)

●이토공의 전반생(前半生)(3)

▽ 성깔 있는 향리의 기풍

이토공의 탄생지 호슈츠카리(防週束荷)는 오늘의 야마구치현(出口縣) 스호쿠니쿠마케군(周防國熊毛郡) 츠카리촌(束荷村)으로 옛날에는 이 지방 사람을 모두 쿠마케(熊毛) 사람이라고 하였다. 츠카리촌은 쿠마케촌 안에 있어 특히 벽촌으로 쿠마케 사람의 특색은 진취적 기운이 넘쳐나고 공허하게 시골의 백성으로 끝나는 것을 싫어하고, 반드시 타향으로 나가 하나의 깃발을 들려는 뜻이 있는 자가 많다. 그러므로 그 인정도 시골 사람처럼 순박하지만 않다. 알기 쉽게 말하면 성깔 있는 사람들로 잘 되면 세상의 준걸이 되고, 나쁘게 되면 부모의 목에 줄을 걸 수 있다고 전해지기까지 한다. 한편으로는 『쿠마케의 부모살인』이라는 속담이 있다. 호슈 2개국(國) 중에 죄인이 가장 많은 곳은 이 군이라고 하기번(萩藩)의 노옥리(老獄吏)가 말하고 있다. 다른 한편으로는 『쿠마케 사람은 근성이 확실하다.』라고 하고, 속옷 한 벌에 2문 3푼의 여비를 갖고서 하기(萩)로 나와 거만(巨萬)의 부를 이룬 포목점이 있다. 고향을 떠나 처자를 버리고 오사카(大阪)로 나와 일본 굴지의 호상(豪商)이 된 자도 있다. 오늘날에도 하와이, 미국 등으로 돈 벌로 가는 사람들이 많은 것은 타의 추종을 불허한다. 그러므로 당시의 호쵸(防長) 2슈(二州)의 수부(首府)인 하기(萩)의 죠카마치(城下町)[28]로 나온 쿠마케 사람은 실로 많았다.

술집의 두씨(杜氏)(술을 만드는 사람)·상가의 지배인·거간꾼·무가의 가신도 적지 않다. 유신 때 근왕(勤王)을 주창하며 할복 자살한 자, 지방의 학식 있는 무사는 말할 필요도 없고, 배신(陪臣, 모리가중신(毛利家重臣))의 가신(家臣)·농민 중에서도 많이 나왔는데, 이 기풍 속에서 양성되었다. 공의 부군 쥬조(十藏)가 고향을 버리고, 하기로 나온 이유는 물론 전기에 기술된 대로이지만, 이와 같은 토지의 기풍에 영향을 받아 자신도 출세하고 싶고, 아들은 더욱 크게 출세시키고 싶은 희망 이외에는 없을 것이다.

가장 사랑하는 공을 미야이치(宮市)의 절에 맡기고, 하기로 나온 쥬조(十藏) 부부는 수 많은 쿠마케 사람 중에 진작부터 서로 아는 사람도 있었을 터이므로 이를 연줄로 어떻게 해야 할지를 상의하였다. 요즘의 하기는 오늘날의 아부군(阿武郡) 하기정(萩町)과 같이 계속 영락하는 것과는 달리 호쵸(防長) 2슈(二州)가 타이슈(太守)는 36만 9천석이다. 모리다이젠타이후코(毛利大膳大夫侯)의 죠카마치가 2슈(二州)의 수부(首府)이므로 그 번화함은 이루 다 말할 수 없다. 입에 겨우 풀칠할 정도이지만, 쥬조(十藏)의 목적은 보리 서말만 있으면 무사가 되고 싶다는 일편단심이었으므로, 수입이 적더라도 무가봉공(武家奉公)에 뜻을 두고 이곳 저곳에서 무사의 하인으로 살면서도, 처는 다른 사람의 바느질이나 세탁 등을 하며 함께 돈을 버는 고난을 되풀이 할 정도였지만 신세를 질 사람들도 있었다.

하야시(林)라는 성을 이토(伊藤)로 고쳤다. 이토는 하기번(萩藩)에서 봉공인(奉公人)이라는 신분이 낮은 졸족(卒族) 집안이었다. 노파(老婆) 한 분이 있고, 이외에는 가족이 없다. 쥬조(十藏) 부부는 세상에서 말하는 메오토(夫婦) 양자가 되었다. 죠카마치를 떠나 동으로 마츠모토카와(松本川)라는 큰 강을 건너, 마츠모토촌(松本村)이라는 허름한 집을 빌려 리스케(利輔)를 미야시치(宮市)에서 불러서 비로소 하기의 죠카마치에 부모와 자식만으로 이루어진 작은 가정을 이루게 되

---

28 일본 번주의 거성(居城)을 중심으로 발달한 시가지.

었다. 너무 작은 녹봉, 부족한 생계라고 해야 하지만 졸족(卒族)인지라 무가의 나부랭이 쥬조(十藏)가 일찍이 (세운) 목적은 여기에서 그 시작을 보고 있고, 공의 빛나는 한 시대의 이력은 서서히 물들기 시작하였다.

● 이토의 낙엽(落葉)(2)

▽ 고(故) 공작 추억의 가지가지

▲ 이토공 최후의 공적

이번 흉행의 원인이 과연 이토공의 시정(施政)에 반대하여 일어난 것이라면 실로 방향이 틀렸다. 공은 한국 발전을 위해 침식을 잊고 노력하시었다. 그 시정의 방침은 위압이기보다도 오리려 회유(懷柔)로 그 사업의 공적도 하나 하나 들 여력이 없음은 물론이다. 공이 일생의 희망이었던 한국 사법권의 획득은 실로 최후의 일대 사업이었다고 믿는다. 뭐라고 해도 이 세계적 대정치가를 잃은 것은 동양의 여러 나라를 위해서도 애석한 일이다(츠루하라 사다키치(鶴原定吉) 씨 이야기).

▲ 비범한 기억력

공의 기억력은 유명하다. 23년 전의 일이라도 대개는 기억하고 있어 그 사건 관계자가 틀리거나 하면 곧 바로 그 오류를 지적하여 바로 잡으므로 보통 사람은 이 점만으로도 단념해버린다. 또한 어떠한 복잡한 일이라도 자신이 총괄한 사건은 모두 기억하고 있어 돌연 질문하여 과국(課局)의 주임도 크게 낭패하는 일이 있다(어느 기자).

▲ 오래 전부터 늦게 일어나고 자지 않는다

밤에는 대개 2·3시경까지 자지 않고 게다가 아침에는 6·7시에 반드시 일어난다. 이 강성한 정력은 또한 놀랄 만 한 것이었는데 곤란한 점은 가족이나 가정부들로 공이 잠들기 전까지는 그 사람들도 잘 수 없고 게다가 아침에 공보다 빨리 일어나 차라도 타서 않으면 기분이 좋지 않으므로 대단히 힘들다. 보통의 시녀는 잠잘 시간도 적으므로 그냥 도망간다(동상).

▲ 가슴이 메어지다

지난 날 만주에 가실 때 나는 남편과 신후쿠(新福)(늙은 예기) 세 사람이 밤 중에 나고야(名古屋) 정거장으로 배웅 갔습니다만 이 어른께서는 잠들어 계신 것 같아 뵙지 못했습니다. 나중에 시종의 편지에 어르신은 기후(岐阜)의 저(의 집)에서

119

눈을 뜨셨을 때 말도 안되는 미안한 짓을 했다고 하였고, 나고야(名古夜)에서는 카와분(川文) 마담이 와 있었던 것에 대해 안되는 짓을 했다고도 하시었다고 되어 있습니다. 첩들에게까지 하신 상냥한 말씀이 이제 생각나 가슴이 메어집니다(나고야 카와분 마담의 이야기).

▲ 엄격한 가정
작년의 여름 어른께서 공물을 바치고 오이소(大磯)의 저택에 오셨는데 가정은 극히 엄격하여 서양식 거실에는 선조의 불단(佛壇), 초상 액자, 난(楠) 공작의 족자 등이 걸려 있었다. 정원 안에 있는 매화 숲 속에 있는 신사에는 산죠(三條)·오쿠보(大久保)·키도(木戶)·사이코(西鄉) 네 분의 액자가 걸어 놓고 정면에 발을 늘어트려 놓고 비쭈기나무가 바쳐져 있습니다. 부인의 이야기로는 이곳에서 매일 아침 천황 폐하에게 요배(遙拜)를 올린다는 것입니다(동 마담의 이야기).

▲ 마부를 위해 첩을 내쫓다
공이 하루는 마부의 옷이 추운 것을 보고서 그대는 그렇게 입고 추울 테니 마침 내가 구미에서 제작한 안쪽에 털이 있는 외투가 있다. 오래되어 더러운 옷을 아직도 입고 있으니 저것을 주라고 그 때 앞에서 언급한 애첩 미츠기쿠(光菊)에게 명하였다. 그런데 그 안쪽 털은 꽤 진기한 것으로 그다지 훼손되지 않았으므로 미츠기쿠는 안쪽 털을 제거하고 털 없는 외투를 마부 선생에게 주었다. 마부는 좀 이상하다고 생각하였지만 그대로 받았다. 그 후 미츠기쿠가 안털을 입은 것을 듣고서 분해하여 미츠기쿠에게 도둑이라고 욕하였다. 그래도 미츠기쿠는 인정하지 않고 울면서 공에게 호소하였으므로 공은 마부를 불러 확인하니 마부선생은 곧바로 어르신에게서 받은 외투의 안쪽 털을 미츠기쿠가 가져가 버렸으므로 도둑이라고 한 것이라고 답하였다. 공은 이를 듣자 벌컥 화를 내며 미츠기쿠를 불러 「이런 심보가 나쁜 자는 한 순간도 내 집에 둘 수 없으니 즉각 떠나라」라고 명하였다. 울며 매달려도 들어주지 않고 결국 내쫓아 버렸다. 사랑에 빠지지 않고 의리를 잃지 않는 공은 다만 부녀자에 빠진 것 같다고 하는 자는 아직 공을 모른 자이다(어느 기자).

▲ 폐첩(嬖妾) 방축의 실패
다음도 첩 이야기인데 한국에 있는 동안 일찍이 가벼운 병에 걸렸을 때 송병준 씨를 비롯해 일한 고관 등은 공이 병에 걸린 원인이 애첩 나비(파성관(巴城館)의 양녀)라고 여기고 이를 멀리할 필요가 있다고 송군이 이 일을 하세가와(長谷川)

대장에게 고하였던 바, 대단한 삼군(三軍)을 질타하는 대장도 이에는 좀 당혹하여 의기소침하여 어쩔 수 없이 소네(曾禰) 부통감에게 상담하였더니 요즘 뭔가 충성을 다하려는 마음이 있던 부통감은 호기를 놓치지 않겠다며 바로 승낙하였다고 한다. 즉시 이토공에게 하세가와 대장·송병준 등의 의견이라고 하여 나비를 내쫓는 뜻을 말하였다. 공은 그 때 웃으며 아무런 대답도 하지 않았다. 그 후 어느 날 이토공이 하세가와(長谷川) 대장·송병준과 만나 곧바로 나비를 두 사람 앞으로 불러 실은 너를 내쫓으라고 한 사람들이 이분들이라고 솔직히 말하자 두 호걸은 모두 아무 말 못하고 눈만 깜박이고 있다.

● 게시판과 이토공
▽ 소학생의 애도 눈물

쿄하시(京橋) 제2 심상(尋常) 고등소학교(高等小學校)에서는 26일 이토공 암살 신문 호외를 보는 동시에 남자부가 아래와 같은 게시판에 아래와 같은 글을 게시하였다.

아아! 이토공 공은 어려서부터 나라를 위해 최선을 다 한지 50여년 동안 하루라도 국가일을 잊은 적이 없습니다. 우리나라 오늘날의 문명도 공의 힘입은 바 큽니다. 그러나 26일 만주 하얼빈에서 한인에게 저격당해 드디어 훙거하셨다는 것입니다. 너무나 애석한 일입니다.

또한 여자부의 게시판에 게재된 글은 다음과 같다.

대훈위 공작 이토 히로부미라는 분은 26일 러시아 하얼빈에서 저격당하여 결국 훙거하시었습니다. 이 분은 명치유신 때부터 오늘날까지 오랫동안 국가를 위해 일하고 충성을 다 바쳤으므로 천황 폐하의 신임이 대단히 두터운 분이었습니다. 이번의 일을 어떻게 생각하시었겠습니까? 진정 황공한 일입니다. 이처럼 충의롭고 훌륭한 분이 별안간 훙거하신 것은 일본을 위해 실로 애석한 일이 아니겠습니까?

이와 동시에 담임교사는 생도에게 이토공 훙거를 교실에서 알려 생도의 동정심 함양에 도움이 되었지만 각 생도가 극히 정숙하게 듣는 가운데 눈물을 흘린 사람조차 있었다. 이것은 오직 쿄하시 소학뿐만 아니고 전시 각소학교 거의 모두에서 7~8명의 아이들이 집으로 돌아가자마자 부모에게 곧바로 『훌륭한 분이 돌아갔습니다.』라고 알린 것은 이(에 따른) 결과일 것이다. 이리하여 이토공의 충군애국의 적성은 영원히 소학교 아동의 뇌리에 새겨진 것이다.

본사 만주 특전

● 이토공 유해 출발

28일 대련특파원 발발

27일 밤 이토공 훙거가 발표되었으므로 28일 아침 장의령(葬儀令)이 내려져 오전 10시 야마토 호텔 별관을 출발하여 코다마정(兒玉町) 니혼바시카뿌통(日本橋幹部通)을 지나 계속하여 오산바시(大棧橋)에 도착하여 군함 아키츠시마(秋津洲)에 탑승하여 오전 11시 출발 요코스카(橫須賀)로 직행 길에 올랐다. 장의 순서는 선구의 헌병 삼기 의장병(三騎儀仗兵), 이개 대대(二個大隊) 화환 영구(靈柩)(영구의 오른쪽에는 무로타 후루야(室田古谷)·테이(鄭)·고야마(小山) 그 윈쪽에는 나카무라(中村)·타츠이(龍居)·마츠키 고바야시(松木小林)) 문무 관민 총대(總代) 10명 즉 이지치(伊地知) 사단장, 토미오카(富岡) 진수부 사령장관, 호시노(星野) 도독부 참모장, 오타(太田) 여단장, 미우라(三浦) 도독부 군의부장, 에가미(江頭) 진수부 참모장·히라이시(平石) 고등법원장·오우치(大內)도독부 사무관·사토(佐藤) 경시총감·고보타(久保田) 이사가 수종하였다. 의장병 일개 대대가 뒤따랐다. 일반 회송자 1,000명 대련 재주 일본인 노소 구별 없이 모두 연도에 서서 눈물을 삼키며 배웅하였다.

● 한황 칙사 도착(동상)

28일 오전 10시 20분 한국 군함 홍제호(弘濟號)(에 탔던) 나베시마(鍋島) 참여관·나카카와(中川) 검사장만 상륙하고, 조사(弔使) 윤덕용·조민희·이완용 씨 등은 함내에 남아 있었는데, 산바시(棧橋) 돌제(突堤)[1] 앞에서 진항(進航)을 멈추어 아키츠시마(秋津洲)를 따라 붙었다. 동함(同艦)으로 가서 한황과 태황제의 조사를 전하였다.

● 한인 계속 포박

28일 장춘 특파원 발

이번 변사에 관해는 러시아 관헌은 충심으로 동정을 표하고 시내에서 조선인으로

---

1   뭍에서 바다 쪽으로 뛰어 나온 제방 모양의 구조물.

보이면 모두 포박하여 신문(訊問)하고 있다.

본사 조선 특전
● 한황의 친전(동상)
황제는 18일 아침 우리 천황 폐하에게 아래의 친전(親電)을 보내시었다.

일찍이 이토 공작의 조난을 듣고 우려 그치지 않았으나 더욱이 내심으로 한 줄기 희망을 걸고 빨리 평유(平癒)하시기를 기원하였는데 이제 갑작스럽게 홍서하니 애도 통악(痛愕)해 마지않는다. 하물며 공작의 흉변을 당해 우리나라 사람의 독수(毒手)에 쓰러졌다고 전해주어 전 조정 황공하여 몸 둘 바를 모르겠다. 이에 삼가 무한히 애도하는 지정(至情)을 표한다.

또한 두 분의 폐하가 공작부인에게도 조전을 보내시었다.
● 한황의 조서(동상)
28일 오후 관보 호외로 국민 일반에 대한 조서(詔書)를 낼 필요가 있다는 것은 한국 일류의 교사령(巧辭令)[2]로, 이토공의 사람됨을 논하고 일한 관계에서 동궁(東宮)의 보육까지 말씀하시니 이번 흉변을 슬퍼하여 특히 의친왕을 장의에 참석시키고 문충공(文忠公)이라는 시호를 내리는 까닭을 기술하였다.
● 정조(停朝) 3일(동상)
한제(韓帝)는 각 학교와 흥행물(興行物)을 3일간 정지하고 특히 한국의 고례(古例)에 따라 정조(停朝) 3일을 명령하시었다.
● 연루자 수색(동상)
흉도의 계통 연루자와 수모(首謨) 유무는 곧 근본 문제 해결을 위한 것이므로 그 계통에서는 극력 수사에 힘쓰고 있으나 조난지에서의 보고와 공보도 극히 간단하여 그 단서를 발견하기 어렵다. 그러므로 조회 중이나 오늘 내일 중으로 여순에 도착한 우리 관헌의 취조가 있을 터이므로 자세한 것은 이것으로 판명될 것이다. 일설에는 흉도는 전 서북학회에 적을 둔 이후 각지를 떠돌아다니는 백면서생이라고

2　교묘한 겉치레말.

전해진다. 하지만 의심스러운 것은 또한 서북학회의 수장 이갑(李甲)이 요전부터 평안도로 와서 평양 남문 부근에 잠복하고 있는데 그의 성행으로 볼 때 관계는 없을 것이라고 인정되나 이 또한 추측이고 하여튼 당장 전력을 기울여 검거할 결심이다.

● **문충공(文忠公)이라고 시호하다(동상)**

황제는 통감저택에 약 20분간 머무르셨는데 우선 이토공 조난의 흉보에 대해 너무나 경악하였다는 조의를 표하고 가능한 한의 조위를 표하였다고 한다. 28일 어전회의의 결의에 따라 이토공에 대해 문충공이라는 시호를 내렸다. 시호의 의미는 덕(德)을 심어 널리 듣는다는 『문(文)』, 국가를 우려하여 가정을 잊는다는 『충(忠)』의 의미이다. 통감은 오로지 수긍하고 많은 말을 하지 않았다.

● **특사 파견(동상)**

한황을 대신하여 의친왕(義親王) 태황제를 대신하여 승령부 부총관 박제빈(朴齊斌) 씨, 정부대표로서 조 농상(趙 農相)을 일본에 파견하고 (29일 출발) 제문(祭文) 제자료(祭粢料) 3만원을 주기로 결정하였다.

런던 타임스 특전

● 이토공 암살과 러시아(동상)[3]

27일 타임스사 발

러시아 수도 내전=러시아 수상 스톨리핀 백작은 모토노(本野) 대사와 회담하여 이토공이 평화적이고 의례적(儀禮的) 행동을 완수하려고 하다가 암살당한 것이라고 분명히 말하였다. 또한 여러 신문은 의기(義氣) 있는 일본인이 일러 우호를 증진하려는 이토공의 사업을 계승하여 이토공에 보답할 수 있을 것이라고 확신하였다.

로이터 전보

● 영제(英帝)의 애도

28일 상해 경유 로이터사 발

영국황제는 이토공 암살에 대해 황공해 마지않는다고 하고 또한 그 친척에 대해

---

3 28일 타임스사 발.

심후한 동정을 표하였다. 가토(加藤) 대사 앞으로 보낸 친서와 함께 특히 식부관장
(式部官長)을 런던(일공 대사관)에 보내시었다.

● **영국 외상 조사**(동상)

영국외상 사그렌은 영국의 일본대사관과 도쿄 정부에 조사를 보냈다.

● **미국신문의 애도** (동상)

뉴욕헤럴드 기타 여러 신문은 이토공 암살에 대해 황공하다는 뜻을 표하고 이일
로 일러간의 친교에 영향이 없기를 희망하였다. 또한 구주대륙의 여러 신문도 공
에 대한 찬사를 거듭하고 있다.

● **커즌 경 연설**(동상)

전 인도 총독 현 옥스퍼드 대학 총장 커즌 자작은 옥스퍼드 대학에서 연설을 하
였는데 청중 가운데 일본인 몇 명이 있고 말하며 가장 깊이 동정하고 이토공을 애
도하면서 자신과 이토공의 친교가 오래되었음을 말하고 나서 다시 인도와 조선의
통치사업을 비교하여 원래 동양 인민의 문제는 영국 자국에 자못 곤란하다고 하
였다. 하지만 일본도 영국에 못지 않은 곤란에 처해 있다는 생각이 있다고 분명히
말하였다(어제 신문 타임스 특전 참조).

본사 지나 특전

● **독일신문의 이토공 조도**(弔悼)

29일 상해 특파원 발

동아 로이드는 이토공의 성격과 사업에 대해 장문의 조사를 실고 공은 전장(戰場)
의 용사로 죽었다고 언명하였다.

● **이토공과 장중당**(張中堂)

28일 한국(漢口) 특파원 발

호북관민은 이토공이 암살당하였다는 보도를 접하고 모두 애도를 표하였는데 장
중당(張中堂)의 서거와 서로 비교하여 동양의 두 충신을 잃었다고 하고 있었다.

국내 전보(28일발)

● **이토공 유해 회협 통과 기일**(下關)

이토공의 유해는 30일 0시 반 군함 아키츠시마(秋津洲)이 이곳 해협을 통과할 터

이므로 당지 각 소학교 생도는 단노우라(檀の浦)[4]에 정렬하여 멀리서 조의를 표할 예정이다.

● 국장과 학교 생도

문부성에서는 국장 당일 전국 각종 학교를 휴교한다는 내의가 있었다. 이와 동시에 시내 각종학교 생도를 연도에 정렬시켜 영구를 환송하려고 한다는 내의가 있으나 이는 황실 황족의 대장(大葬) 이외는 일찍이 선례가 없어 조사 중이다.

● 러시아 장상(藏相)의 보고

(흉변 목격 상황)

러시아 대장 대신 까깝쵸프 씨가 이토공 흉변 당시 몸소 현상(現狀)을 목격한 사실을 일본에 있는 러시아 대신 앞으로 아래와 같이 전보(26일 하얼빈 28일 도쿄 도착)를 보냈다.

26일 오전 9시 15분 이토 공작의 하얼빈 도착에 이어서 하차하시고 본대신과 지방 주재 러시아 여러 관리와 함께 의장병이 서 있는 열의 전면을 통과하여 장차 여러 문관과 여러 외국영사가 모여 있는 곳으로 나가려고 하였는데, 이들이 모여 있는 후방에서 한 사람이 돌연 브라우닝식 단총으로 몇 발을 발사하였다. 때문에 공작은 치명상을 입었다. 이와 동시에 다나카(田中) 씨는 각부(脚部)에 경상을 입었다. 카와미 총영사는 생명에 위험이 없으나 증상이 가볍지 않은 창상(創傷)을 입었고, 모리(森) 씨 도 경상을 입었다.

범인은 한국인인 것 같은데 현장에서 체포되었다. 그가 심문 중에 한 공술에 의하면 (하나는) 고국에 대해 이토공이 가한 해악의 원수를 갚기 위해서이고, 다른 하나는 본인의 친척으로 공작의 명에 의해 사형에 처해진 자의 적지 않은 원한을 갚기 위해서 특히 공작을 살해할 목적으로 하얼빈에 온 것이라고 하였다. 또한 그 살해 실행이 잘 된 것은 스스로 기쁘게 여기는 바라고 하였다. 본건 흉행은 예모(豫謀)에서 나온 것으로 보이고 25일 지아자아콥츠(?)[5]정거장에서 어느 경찰관은 브라우닝식 단총을 휴대한 거동이 수상한 한국인 세 사람을 체포하였다. 카와미

---

4 야마쿠치현 시모노세키시 주변의 해역명 또는 지명.
5 채가구(蔡家溝).

(川上)총영사는 일찍이 러시아의 철도 경찰관에 모든 일본 신민을 자유롭게 하얼빈 정거장 안으로 입장시키라고 요청하였다. 그러나 이 흉행자 한국인은 일본인과 흡사하여 도저히 그를 식별해 낼 수는 없었다.

당시 러시아의 여러 관리는 또한 모두 위험한 위치에 있었고 본 대신 스스로도 이 흉행 때 가까이 공작의 옆에서 있었는데, 현장에서 부상당한 일본인 여러 명이 한층 공작에 다가왔다.

러시아 철도연선 도처에서 공작의 유해에 상당한 예식(禮式)을 표하고 북경 주차 러시아공사는 관성자(寬城子)까지 수종하였다. 봉천(奉天)의 러시아 외교대표자는 그 열차로 방문할 것이다.

본대신은 당시공작 각하와 함께 하차하였는데 먼저 서로 교환한 관담(歡談)의 우호와 우의를 극히 공고히 함을 되돌아보니 특히 애도의 정이 절절하다. 이에 귀 대신에게 부탁하건데 본대신의 가장 심후한 조의를 일본정부에 표하기를 바란다.

● **이토공 최후의 태도**(극히 태연하고 침착함)

이번 이토공이 자객을 만났지만 조금도 흐트러지지 않은 삼엄한 태도를 유지하시었다. 우선 첫 번째 탄의 총격을 듣고서도 태연하고 침착하게 앞으로 나아갔는데 그 거동은 평상시와 같고 조금도 당황하는 모습을 보이지 않은 것은 과연 담력을 무사도로 단련한 대장부가 아니면 불가능한 일이다. 이는 실제로 본 사람들이 자자하게 칭찬하는 바이다. 게다가 정면의 급소에 3탄을 맞은 것은 실로 당시 공의 태도가 숭고 침착하였음을 상상하고도 남는다. 수행원 중에 중상자는 없었으나 모두 이와 같이 공의 태도가 극히 태연하고 침착하였기 때문에 실제로 본 사람들로부터 이야기가 있었다.

● **호위경관을 물리다**

(장춘 출발 당시의 이토공)

이토공이 평소 호위 경관을 꺼리는 경향이 있는 것은 숨길 수 없는 사실인데 이번 만주 순유(巡遊) 때도 장춘 정거장까지는 도독부가 거의 강청하다시피 하여 호위 헌병을 붙였다. 공도 그 호의를 받아들였으나 마침내 25일 장춘 정거장을 벗어나 러시아 지역으로 들어가려고 하자 공은 급히 도독부 책임자를 불러 "이미 다른 나라의 영토에 들어서려고 하는데 뭐하러 자국경찰을 붙일 필요가 있겠는가.

이는 오히려 러시아 경찰권을 멸시하는 것과 같다. 오늘 이후에는 결코 일본 경관 또는 헌병을 나의 신변에 두지 말"라고 의연하고 엄하게 말씀하시었다. 사토(佐藤) 도독부 경시총장은 다시 항변하여 반드시 러시아경찰권을 못 믿는 것이 아니라 자국의 원훈에 대한 예를 다하려는 것이라고 말하고서 평복 헌병이 수행하는 것을 허가해달라고 요청하였다. 하지만 공은 단호하게 그것을 거절하고 드디어 자신의 수행원만을 데리고 하얼빈 정거장으로 향해 불행하게도 흉한의 폭위를 만났던 것이다. 이것은 결코 우리 헌병이 없었기 때문이 아니라 호위 경관을 붙이지 않았기 때문에 일어난 일일지라도 이는 공이 평생을 추구해온 한 부분으로 애도해 마지 않는 것이다.

● 담담탄 사용

확신한 소식통 앞으로 온 전보에 의하면 이번에 흉도가 저격에 사용한 탄환은 담담탄이고, 현 만철 다나카(田中) 이사의 갑부(胛部)[6]를 관통한 탄환은 탄두를 십자형가 새겨져 있다고 한다.

● 혐의자 이갑(李甲)

이토공 암살 연루자로 보이는 서북학회 수장 이갑은 올해 32세로 평안북도 숙천군(肅川郡)[7](평양에서 10리)에서 태어난 지방 명문으로 부호인데 15세 때 관찰사 민영휘(閔泳徽)(일청전쟁 당시 민영준이라는 이름으로 알려졌다)에게 재산 전부를 몰수당한 것을 유감으로 여기고 약관의 몸으로 일본에 도항하여 수년간 고학하면서 세이죠(成城)학교에서 사관학교에 들어갔다. 일러전쟁 때는 통역과 한국 군인으로 종군(從軍)하였다. 성질은 말이 없지만 한인에게는 드문 강인한 인물로 늘 생사 사이를 드나든다. 작년 정변 후 군적을 버리고 정치계에 들어가 곧바로 서북학회의 수장이 되었다. 평안도 숙천(肅川)[8] 사람 유동독(柳東讀)[9]은 이갑과 친구로 함께 줄곧 서

---

6 각부(脚部).
7 박천군(博川郡).
8 박천(博川).
9 유동설은 1879년 3월 평안북도 박천군 박천읍 매화리에서 유종식의 아들로 태어났다. 그는 유년기에 한학은 공부하였으며, 19세인 1897년 미국 샌프란시스코로 건너가 중학교를 졸업한 후에 일본으로 가서 일본 육사 예비 학교로 유명한 세이죠(成城) 학교를 거쳐 1903년 11월 일본 육군사관학교 기병과를 졸업했다. 이갑과 유동설의 관계는 이처럼 같은 고향과 같은 학교라는 인연에서 확인된다.

북학회의 주도권을 잡고 있다고 한다.

● 귀족원과 이토공

귀족원 각파 교섭위원은 29일 오후 의장 관저에서 만나 이토공 흥거에 대해 조사 송정(弔詞送呈) 건, 급히 영구(영구)가 착경하는 당일에 도쿠가와(德川) 의장 상원을 대표하여 이를 신바시(新橋)로 마중하는 일, 2건을 결의하고 조문(弔文) 기초는 도쿠가와 의장에게 일임하였다. 조문(弔文)은 보통 한 편으로 하지 않고 별개로 장문의 조문을 기초(起草)할 것이라고 한다.

● 어제의 각의

29일 오전 9시 지나서부터 수상 관저에서 정례각의를 열고 이토공(伊藤公) 조난에 관한 27일 임시 각의 후 하얼빈 관동도독과 한국통감 등으로부터 도착한 중요보고 기타에 대해 협의하고 정오 휴식 2시 지나 산회하였다.

● 일진회 특사

한국 일진회에서는 이토공의 흥거를 깊이 유감으로 여겨 이토가(家)에 조사를 전하고 또한 장의에 참석하기 위해 부회장 홍긍섭(洪肯燮)을 파견하기로 하였다. 홍씨는 어젯밤 동대문을 출발하여 내조의 길에 올랐을 터이다.

● 한정(韓廷)이 당황하여 어찌할 바 모름

하얼빈의 흥변으로 한국이 가장 불행할 것이라는 것은 변(變)을 들음과 동시에 우리가 느낀 바이다. 왜냐하면 한국 미래의 부식이라는 것과 한국 황실의 보전이라는 것에 관해서 이토공은 일본인 중에서 누구와도 비교가 안 될 정도로 친절한 배려를 하고 마음과 몸을 이 일을 기꺼이 맡았고, 통감을 그만 둔 후에도 황태자 보도(補導)의 책임을 맡았으며, 쉼 없이 부식보전(扶植保全)을 잊지 않는다는 사실을 보이고 있는 분이다

이를 믿고 의심하지 않으므로, 한정(韓廷)도 공을 추존하여 태사(太師)라고 칭하였던 것이다. 이 한국의 귀중한 부식자이자 보전자가 하루아침에 독탄(毒彈)에 쓰러졌다. 또한 그 하수인이 한국 인민이라는 것은 한황의 친전(親電)에 보이는 바와 같다. 조정에 가득한 두려움은 말할 것 없다. 우리는 이 문자(文字)에 조금이라도

속임이 없음을 믿고 있으며, 상하 모두 당황하여 어찌할 바를 모를 것으로 생각한다. 그러므로 사변에 대한 그 행동이 혹은 옳으나 뜻대로 되지 않은 것이 있음을 보고서도 굳이 이를 게을리 할 마음이 없을지라도 저 범인이 한국 인민가운데서 나온 일은 역시 그 법령의 미비에 있다는 정치적 결론을 피할 수 없다. 한정(韓廷)은 개인의 범죄를 국가가 책임을 지지 않는 냉정한 이치만 믿고 조문 진사함으로써 스스로를 구할 수 있을 것이다.

천황 폐하는 어떠한 경우라도 관인대도(寬仁大度)하시다. 한황은 이를 잘 안다. 태황제 또한 이를 가장 잘 알고 있다. 소네(曾禰) 통감과 한국정부를 한마다 꾸짖으시기에 앞서 다만 스승을 떠나 외롭지만 충직한 한국 황태자를 위무하여 두려워하지 않게 하고 또한 선량한 스승을 뽑아 이토공의 후임을 임명하겠다고 말씀하시었다. 이처럼 숭대(崇大)한 제덕(帝德)이 있으므로 우리 천황 폐하도 일찍이 일본 관민 중에 불량한 무리들이 나와 외국 귀빈에 해를 가한 경우에도, 얼마나 자기 자신을 낮추시었는지. 오츠(大津)의 변(變)에는 즉시 어가(御駕)을 명하여 곧바로 고베(神戶)로 행행(行幸)하였다. 친히 위문하고 말로써 사과하시었다. 바쿠칸(馬關)의 변(變)에는 그 자리에서 결단코 허락할 수 없는 휴전조약을 어떻게든 양보하여 체결하게 하여 정치적으로 사과하시었다. 이와 같이 지존이 자기 자신을 낮추신 것은 실로 당시까지 우매한 일본 신민으로 하여금 마음 아파서 당연히 스스로 지난날의 잘못을 뉘우치도록 하여, 자연스럽게 불량한 마음을 품는 자가 없도록 하시었다. 종주국의 이러한 예는 보호국이 스스로 잘 배워야할 바가 아니겠는가. 종주(국)의 관인대도(寬仁大度)에 익숙해지는 것은 오히려 한국에 위험이 되지 않겠는가. 하물며 흉한이 특별히 미친 자가 아니고, 혹은 비밀결사 중의 한 사람일 것으로 추정됨에 있어서야. 또한 하물며 일본의 희생이 실로 한국의 은인임에 있어서야. 또한 하물며 아마도 흉행범의 무리는, 이토공이 통감시대에 시행한 것을 한국을 불리하게 한 것으로 여기고 나라의 원수를 갚을 생각일 테지만 그 잘못됨은 우리가 여기에서 설명해도 뭐하겠는가?

한정(韓廷)의 상하에는 반드시 한 사람도 이런 잘못된 생각을 감히 갖고 있지 않을 것이다. 과연 그렇다면 차제에 어떻게 해야 할지 생각해야 한다. 한황의 친전(親電)에 대해, 우리 황실이 어떠한 답전을 할 것인가. 당연히 곧바로 답전을 보낼 터이지만 이번에는 몹시 늦어졌다. 우리는 내심 우리 보호국이기 때문에 두려운 바이다. 소네(曾禰) 통감도 한국의 정치를 지도할 책임이 있으면서도 한국 민중 가운데 저런 범인이 나온 것에 대해 결코 안이하게 여겨서는 안 된다. 의미 없이 송구하게 여기는 한정(韓廷)의 착악(錯愕)을 그냥 지나치고 어떠한 지도도 하지 않는 것은 어떠한가? 우리는 천황폐하의 마음이 한편으로는 한황과 황태자를 위무함에 있음이 분명하고 다른 한편으로 한황에 답전이 늦어짐은 알 수 없는 바를 생각하여 보호국에 미안하여 이런 말을 하는 것이다. 다만 우리는 재한 일본인이 여기저기서 결의한 것이 무엇을 의미하는지 모른다. 이렇게 말하는 것은 전혀 다른 일이다.

● 이토가문 장의 계장 이토 미요지(伊東巳代治) 아들 이토공 장의 상주 대리 이토분키치(伊藤文吉) 씨

● 외상, 명령을 내리다

(범인 심판 확정)

이번흥행에 관한 범죄인 재판은 명치 41년 법률 제52호 제3조의 「만주에 주재하는 영사관의 관할에 속」하는 형사에 관해 국교 상 필요가 있을 때는 외무대신은 관동 도독부 지방법원으로 하여금 그 재판을 하도록 할 수 있다.」라는 명문에 준거하여 고무라(小村) 외무상이 27일 명령하였다. 그러나 원칙적으로는 동법 제2조에 의해 동법원은 영사관에서 중죄(重罪)라고 예심에서 결정한 것에 대해 공판을 하게 되어 있으나 이번에는 영사관 예심에서 단순히 한 번의 취조를 한 것에 불과하여 종심에 이르기까지 모두 도독부법원에서 이를 관할하게 될 것이다.

● 이토공과 의원(議院)

29일의 중의원 각파 교섭회에서 전회(全會) 일치로 후례(厚禮)하여 이토공에게 조사를 증정하기로 결의하였다. 또한 의원은 단체로 또한 걸어서 장의에 참석하기로 하고 하세바(長谷場) 의장은 모토다(元田)·세키(關)·아라카와(荒川)·센코쿠(仙石)·오가와(小川) 다섯 명을 조사기초위원으로서 지명하고 31일 오전 10시까지 의장 관사에 모여 각자 기초한 안을 교환하여 결정하기로 하였다.

● 이토공의 기원

▽ 스에마츠(末松)의 이야기

스에마츠 자작은 나고야(名古屋)에서 돌아와 28일 오전 6시 27분 오이소(大磯)에 도착하여 일단 소로쿠각(滄浪閣)로 갔다가 10시 17분 발로 귀경하였다. 나는 기차 안에서 다음과 같이 말하였다.

▲ 결국 재난이로다

상보(詳報)를 접하고서 조난 당시의 모양이 명확해짐에 따라 결국 재난 이외 아무 것도 아님을 알 수 있다. 세간에서 왕왕 러시아 측의 경계가 어떠했는지를 의심하는 사람도 있으나 컬코 그렇지 않다. 러시아는 대단히 친후(親厚)한 성의로 환영 경계에 유감이 없도록 하려고 한 것 같다. 그러나 공이 이번에 간 것은 개인적인 여행이기도 하므로 남만선(南滿線) 중에도 겨우 이렇다고 할 헌병의 경위를 받지 못하였다. 뿐만 아니라 장춘(長春) 이북으로 들어가서는 완전히 타국의 영력 안으로 들어가므로 경위를 멈추고 연선과 하얼빈의 경계를 특히 사절한 모양으로 그 때 부근일대의 보통 사람의 출입을 모두 금하는 러시아식의 엄중한 경계를 하지 않아 이런 불행을 가져 온 것 같다.

▲ 공의 종교 관념

만사에 대범하여 집착하지 않는 공은 종교 관념은 있지만 이른바 활안(活眼)[10]이 열려 모든 종지(宗旨)를 차별하지 않는다. 다만 신도(神道)는 국교로 융성시켜야 한다는 의견을 늘 말씀하시었다. 아울러 그 신앙도 또한 전혀 형식을 돌보지 않고 평생 기원 예배 등은 없었으나 생후 심신을 바쳐 오로지 기원만 한 것은 전

---

10 사리를 꿰뚫어 보는 눈.

후 합하여 3번뿐이라고 공 스스로 말하신 적이 있다. 그 첫 번째는 저 황태자 전하가 큰 병을 앓았을 때이다. 두 번째는 일러 전쟁이 시작되었을 때이다. 세 번째는 재작년 황태자 전하가 한국에 가실 때이다. 모두 이세대묘(伊勢大廟)에서 기원하였다. 또한 이번 흉변으로 공이 관음상을 늘 몸에 지니고 있었다고 전하는 사람도 있다. 하지만 그것은 관음상이 아니라 즈시(厨子)[11]에 보관한 약 4촌의 허공보살이다. (이는) 늘 공의 손가방에 넣어둔 것으로 몸에 지닌 것은 아니었다. 이 보상상은 일찍이 열해(熱海)에 놀라갔을 때 어떤 사원에서 구입한 것으로 배면(背面)에는 정성정행부자(正成正行父子)의 기일(忌日)이라고 쓰여 있다. 후지하라 후지후사(藤原藤房)가 행각(行脚)을 갈 때 지니고 있던 것이라고 전해진다.

▲ 유일한 유감

이번 흉변도 또한 국가를 위한 것이다. 공도 역시 바라던 바이다. 다만 여기에서 하나 유감인 것은 공이 작년 이래 생각하고서 준비 중인 선조제(先祖祭)로 세인도 다 알다시피 이토라는 성은 엄주(嚴父) 쥬조(十藏) 씨가 그 가명(家名)을 이어받은 결과로 원래는 하야시(林) 씨 출신이다. 이 하야시라는 성은 선도 미노(美濃)에서 나온 것이라는 설도 있지만 이요(伊豫)의 코노(河野) 씨에서 분리된 것으로 이요(伊豫)에는 동족(同族) 제사(祭祀)도 있으므로 이 사람들을 모 모아서 다음해 5월 일대선조제(一大先祖祭)를 지내려고 약 15,000엔을 들여 스호구니츠카리촌(周防國束荷村)의 구지(舊址)를 수축하였다. 공은 홍옥완(紅玉碗) 2개와 설주(雪舟)[12]의 병풍, 슈분(周文)[13]의 한산습득(寒山拾得)이라는 세로로 된 액자를 팔아서 그 수축에 충당하였다. 그 곳에 있는 동족(同族)은 벽촌이므로 내회자(來會者)의 숙박용으로 쓰기 위해 포단 50매를 새로 맞추는 등 여러 가지 준비 중이었는데 돌연 흉변으로 그 뜻을 이루지 못하고 죽었다.

● 토안(陶庵) 후작의 침울

▽ 애도의 정, 말로 다 못하다

사이온지(西園寺) 후작은 26일 오이소(大磯)에서 이토공 조난 소식을 접하자 대

---

11 불상·사리·경전 등을 안치하는 불교 기구.
12 15세기 중반에 활약한 승려 화가. 슈분슈분(周文)의 제자.
13 15세기 전반에 활약한 승려 화가.

단히 경악하여 서둘러 가까이에 있는 소로쿠각(滄浪閣)으로 공작 부인을 방문하였다. 이미 (조난) 사실은 의심할 여지가 없음이 확인되자, 평소 침착하여 대단히 과단성이 있는 후작도 또한 새삼 낙담하여 애도의 정이 끊어 올라 거의 그 자리에 있을 수 없을 정도였다. 잠시 후 공작 부인에게 위로의 말을 하고 자택으로 돌아왔다. 그 후 때때로 깊은 한숨을 쉬고 있을 뿐으로 대부분은 명상(冥想)에 빠져 저녁밥도 먹느니 마느니 하였다. 다음날 아침 일찍 공작 부인을 위문하고 집으로 돌아왔다. 그 후 도쿄로부터 소로쿠각(滄浪閣)으로 와서 위문한 스기다(杉田)·오오카(大岡) 정우회 대표자 대단히 친한 두 세 사람들의 내방을 비로소 받았다. 하지만 스기 간사장(幹事長)에게조차 「국가의 대손실이다. 애석함을 금할 수 없다. 정우회로서도 대단히 어렵지만 여러분들이 마음과 힘을 합쳐 선후책에 진력해 주기기 바란다.」라는 부탁의 말을 하였을 뿐 많은 말을 하지 않았다. 내방자는 일절 사절하였다. 기자에게도 다만 겨우 애석하다고 할 뿐 다른 말은 하려고 하지 않았다. 그 침울한 모습은 어떤 말로도 다 할 수 없다. 가슴 속의 감개무량함을 알 수 있을 것이다.

●이토공과 정우회
▲ 정당 조직 발단
이토공은 이전에 정당을 혐오하는 사람으로 내각을 완전히 정당과 별개로 따로 두어야 한다는 초연주의(超然主義)라는 것을 창도하고 또한 그것을 실행하였다. 입헌정치로는 도저히 정당을 무시할 수 없음을 알고서 이런 생각을 버렸다. 자신의 모범 정당을 조직하려는 희망을 가진 것은 지난 1899년(명치 32) 32년경의 일로 그 후로 자주 각지에 유설(遊說)하여 준비에 착수하였다. 유설의 요지는 기성정당은 피폐하여 실력이 없고 당원은 모두 방종 산만하여 규율 절제가 없으므로 헌정운용에 맞지 않다. 이리되어서는 헌정의 전도가 어떻게 될지 (모르고) 이를 구하기 위해서는 새로 유력한 모범정당을 조직하는 것 이외에 다른 길이 없다고 하였다. 때로 이따금 헌정당(憲政黨)(자유당)은 그 형체야말로 크지만 생각하는 대로 활동도 할 수 없었다. 모처럼 제휴했을 때 야마가타(山縣) 내각과는 절연하고 이대로는 인심의 수습도 잘 될 것 같지 않아서 마침내 극면 전개에 마음을 썼다. 호시 토오루(星 亨) 씨 일파의 사람들이 이토공과 헌정당을 결성하려고 계획한 것은 1900년(명치 33) 봄 무렵이었다.

▲ 이토공에게 입당 권고

이토공과 헌정당을 묶는 방책이라는 것은 이토공에게 헌정당에 입당하는 것을 권고하는 일이다. 이것으로 호시 토오루(星 亨) 씨를 비롯하여 총무위원은 오이소(大磯)에 있는 이토공을 방문하여 온갖 말과 모든 수단을 다 동원하여 열심히 입당을 권유하였다. 이토공의 마음이 움직였다. 그렇지만 입당할 것이라는 답은 하지 않았다. 잠시 숙고할 여유를 달라고 하여 그 자리에서 헤어졌다. 헌정당은 입당권고라는 것은 실로 헌정당을 완전히 이토공에게 진상하여 그가 하는 대로 맡기는 것으로 이토공을 헌정당의 일원으로 하는 것이 아니라 헌정당을 이토공이 소유한다는 것이므로 이토공으로서는 뜻밖에 바라는 바이나 기성정당에는 꺼리는 일이다. 시기는 또한 어떠할까 망설이고 있으므로 모처럼 하는 권고인데도 입당하지 않은 것은 한편으로는 헌정당 조직의 준비를 암암리에 계속하고 다른 한편으로는 헌정당이 변함없이 자기를 믿는 것이 필요함을 알고 있는 까닭이다.

이 점에서 공의 처세술이 대단하다는 점을 알 수 있다. 헌정당 쪽에서는 차제에 토공을 잃으면 국면전개의 기회를 잃어버리므로 뭔가 묘책을 생각하지 않으면 안 되는 궁지에서 이것저것 궁리하여 과감하게 헌정당을 해산하고 이토공을 추대하여 새롭게 정당을 조직하는 형식을 취하였다. 호시 토오루(星 亨) 씨는 그 위원으로서 이토공과 교섭하여 이토공도 "그런 뜻이라면"이라고 하고 승낙하였다. 결국 이토공의 정당조직 희망은 여기에서 실현되었다.

▲ 정우회가 만들어지다

이렇게 하여 이토공은 가요카이케(蟇ヶ池)의 와타나베 쿠니타케시(渡邊國武子)를 창립 위원장으로 공공연하게 신정당 조직의 준비를 하여 창립위원회를 열어 선언·정강을 발표한 것은 1900년(명치 33년) 8월 25일이다. 요전에 정우회 10주년기념회 때 회의장에서 요코야마(橫山) 간사가 읽은 정강은 즉 이 위원회에서 발표한 것이다. 위원회 이후 준비는 착착 진행되어 같은 해 9월 15일로 새롭게 정우회는 구성되어 발회식(發會式)을 제국호텔에서 거행하여 이토공은 일장의 연설을 하였다. 이토공이 창도하여 실행한 초연주의를 버리고 정당을 조직한 경위는 이상과 같다. 그 후 1901년(명치 36)으로 이토공은 정우회를 떠나 여전히 이전과 같이 정당 외인이 되었다.

●스기하라 테이이치(杉田定一)씨의 이야기

마음과 몸이 건장한 공을 배웅한 것은 바로 최근의 일인데 지금 갑자기 이 흉보를 접하였다. 다만 의외라고밖에 할 수 없다. 장백산(長白山) 아래 뼈를 묻겠다고 늘 공이 말씀을 하신 바이므로 혹 이것이 공의 숙망인지 모르겠지만, 공은 이번 만주행도 그 관찰이자 러시아 장상과의 회견이라고 하여 평소부터 보건대 반드시 일러의 국교와 동양정책 상에 뭔가를 초래할 터인데 계속 아쉬워하고 있었다. 다만 공가 목하 비교적 한직(閑職)에 있으므로 이번 흉변은 정치에는 이렇다 할 영향은 없다. 가장 큰 손실을 크게 입은 것이 정우회일 것이라고 생각하는 것은 애당초 심한 우견이라고 할 것이다. 물론 정우회로서는 자못 큰 손해이나 정우회의 손해는 곧바로 헌정치하의 각 정당의 타격이라고 보는 것이 지당하다. 환언하면 공이 흥거한 것은 헌정당의 손해이다. 공은 헌정 창설자로 또한 이를 유도 발전시킨 제일인자이다. 이후 우리가 걱정하는 것은 공과 같은 온화하고 문치적 정치가를 잃음에 따라 정당의 불평균을 초래하지 않을가 하는 점에 있다고 운운.

●장의는 5일

이토공 국장 기일은 그저께 밤의 회담에서 숙의한 결과 여러 설비의 상태로 보아 도저히 4일간으로는 불가능한 것이 명백하기 때문에 어제 아침 드디어 5일로 확정되었다. 오후 1시 레이난자카(靈南坂)의 관저를 출관(出棺)하기로 결정하였다.

▲ 유해 착경(着京) 시각

아키츠시마(秋津洲)의 요코스카(橫須賀) 입항은 바쿠칸(馬關) 해협 통과 후에는 확정하기 어려우나 철도원(鐵道院)에서는 그제 오후 5시 동 함장이 해군성에 타전해서 받은 보고에 기초하여 영구 열차의 운행 시각을 1일 오전 11시 반 요코스카 역발 오후 1시 7분 신바시(新校)에 도착할 것이라고 한다.

▲ 인연 깊은 연구차

영구를 태운 열차는 뽀기(POGGY)열차 6량을 앞뒤로 잇고 중앙에 영구 열차를 연결할 예정이다. (열차내의) 방은 2곳으로 나누어 한 쪽에는 영구를 안치할 백목(白木)으로 만든 대(臺)를 준비하고 다른 쪽의 방에는 친척과 시중드는 사람들이 있을 곳으로 할 것이다. 전등 기타의 설비는 자못 안전하다. 영구열차는 일찍이 이누우에(井上) 노(老) 후작이 위독하다는 소식이 있을 때 철도원이 만일의 겨우를 대비하려고 만들게 한 것인데 다행스럽게도 (무안 왔다)가 돌아가는 사람이 안심하여 노(老) 후작을 운반하는 슬픔은 면하였던 것이다. 그런데 이제 뜻밖에 공의 유영(遺靈)을 모시게 되어 진정으로 기이한 인연이라고 할 것이다.

▲ 제장(祭場)의 설비

제장은 드디어 히비야(日比谷)로 결정되어 어제 아침부터 천막과 여러 재료(材料)를 마차·하물차 수십대로 들여 놓았고 이미 각각 초재(礎材)[14]를 두고 서둘러 장소를 나누었다.

▲ 공작 묘지의 땅

묘소 조사는 각 방면에서 이루어졌으나 결국 이토가의 희망도 있고 아울러 후카오이촌(府下大井村)의 은사관(恩師館)에서 60간(間) 떨어져 있는 땅에 1,000평 내지 1,500평의 묘지를 새로 만들기로 하였다.

▲ 재주(齋主)와 회장자(會葬者) 주의

재주는 센게손코(千家尊弘) 씨로 결정되었으나 당일에는 대단히 혼잡하므로 회장자는 제장(祭場) 이외에 일절 사절하기로 할 것이라고 한다.

▲ 의장병 지휘관

국장 당일 의장병 지휘관은 카와무라 에이쥬(川村衛戍) 총독으로 결정되어 보기(步騎) 포병 약 2개 사단을 붙이기로 하였는데, 해군 의장병은 요코스카(橫須賀) 해병단에서 1개 연대를 보내고 그 지휘관은 동 단장 대좌 센토 후미오(仙頭武央) 씨로 내정.

▲ 조포 19발

영구 입경 당일 포병은 히비야(日比谷)공원에 포열(砲列)을 갖추어 영구가 신바시(新橋) 정거장에 도착함과 동시에 19발의 조포를 발사할 것이다.

▲ 유해 도착과 해군

오는 1일 이토공 유해가 요코스카에 도착하면 해군이 어떠한 의례를 행할 것인가에 대해 해군성이 심의한 결과를 상주하여 윤허를 청하였다. 종래 통감은 15발의 예포를 쏘았으나 추밀원 의원은 이에 대한 규정이 전혀 없으므로 어쩔 수 없이 윤허를 청하였는데, 오늘 아침 중으로는 재가가 있을 것이라고 한다.

▲ 상주대리

---

14 주춧돌 재료.

이토공 장의 상주는 아들 히로쿠니(博邦) 씨이나 현재 구미에 가 있어 부재 중이므로 이토 분키치(伊藤文吉) 씨가 대리하기로 하였다.

▲ 사무소의 신설비

레이난자카(靈南坂) 본관과 구 통감부 출장소 두 곳만으로는 좁게 느껴지므로 어제 아침 두 건물 사이 정문이 보이는 곳에 50여 평의 막사를 설치하여 국장에 관한 여러 접수를 받도록 하였다.

▲ 국장과 와세다대학(早稻田大學)

와세다대학은 늘 원조를 해주신 이토공의 국장 당일 전교 휴교하여 학교장으로써 조의를 표할 예정이다.

▲ 사타야쿠구(下谷區) 회의

동 구회는 29일 오전 10시 구회를 열어 결의한 후에 오모토(大本) 의장이 레이난자카(靈南坂)관저로 가서 조사를 올렸다.

▲ 세죠(成女) 학교 음악회 연기

오늘 칸다(神田) 청년회관에서 개최될 예정인 음악회와 자선바자는 다음달 23일로 연기

● 히비야(日比谷)의 국장 장소

▽ 대소 20 여동

▽ 2일 준공

국장 식장을 선정하는 것에 대해서는 궁내성 장의 계원들이 합의 중이었는데, 드디어 어제 시참사(市參事) 회의 결의를 걸쳐 히비야(日比谷)공원 내로 확정하여 곧바로 계원 몇 명은 궁내성 어용 토목 청부업자 시마사키(島崎)·키구치(木口)·후나다(船田) 세 명을 감독하여 지역 분할과 건축에 착수하였다.

▲ 북면의 제단

국내 식장의 위치는 음악당 앞의 대운동장 남단 700평의 지점을 골라 재단과 식장은 음악당 반대쪽 북면으로 하고 길이 6간(間) 직경 7촌의 새 통나무를 이용하고 깊이 7간 폭 40간의 박공(搏栱)을 만들었다.

▲ 장대한 부속 건물

이번 국장에는 내외 조야의 회장자가 많이 올 것이므로 그 설비도 종래의 예와는 크게 그 정취를 다를 것이다. 식장 이외의 부속 건물로 대단히 장대한 임시

로 막사를 설치하기고 하였다. 식장을 향해 우측으로 3간에 9척의 낭하에서 1간 반에 3간의 신찬소(神饌所), 좌측으로 1간반에 3간의 주악소(奏樂所)가 이에 접하여 5간에 3간의 막사를 설치하였다. 이곳은 가족 근친 등 상중인 사람들의 자리 앞에 식장 앞에 있는 것으로 7간에 40간의 큰 막사 양쪽에 설치하였다. 모두 깨끗한 새것으로 지붕을 판자로 잇고 기둥은 모두 통나무를 이용하였다. 마루에는 판자를 깔았다. 또한 음악당 앞의 일부에는 15간 4면의 꽃을 두는 곳과 대기소 크고 작은 20 여동을 설치하였다. 또한 주위에는 궁내성의 흑백의 가로무늬 장막을 펼쳐 놓았다. 좀 떨어진 곳 수 개소에 귀빈과 보통 회장자 변소를 설치하였다. 통로 전체에 새 돗자리를 깔 계획이다.

▲ 밤 새워 새로운 목재를 베어내다

궁내성의 내명을 받은 앞서 말한 청부업자들은 전일 이후로 팔방으로 분주하여 그제 밤 이후 후카유타카타마(府下豊多摩郡) 하타가야(幡ヶ谷) 산림 속에서 수 10명의 삼판꾼에게 통나무 을 새로 벌목하여 밤 새워 나무 가죽을 벗기여 수십대의 마차로 무사히 히비야(日比谷) 공원으로 운반하게 하였다.

▲ 공사 준공 기일 전기 각 청부업자들은 오는 2일까지 공사의 전부와 내외의 장식까지 준공하라는 명을 받았으므로 하여튼 시간에 맞추려고 공사를 독려하고 밤을 샐 결심이라고 한다.

● 자객 재판 관할

이토공에 대한 흉행자와 이에 관한 연루자 재판은 관동도독부 법원의 관할로 결정하였다고 한다. 현재 여순 지방법 원장은 마나베쥬조(眞鍋十藏) 씨인데, 그는 일당(日糖)의 중역인 이소무라 오토스케(磯村音介)의 친동생으로 마나베(眞鍋) 중장의 양자가 된 사람이라고 한다.

● 평양의 개신교

▽ 일본 기독교회 감독 토야마 신지로(貴山辛次郎) 씨 이야기

이토공 암살 흉한 운치안(雲知安)(32)은 평양에 있는 독기청년회[15] 회원이라 하지

----

15 기독청년회.

만 그 청년회라는 것이 과연 어느 파에 속하는 단체인지 불명확하다.

▲ 선교사는 거의 미국인

기독 전도가 용이한 것은 세계 어디에도 비교가 안 된다고 하는 한국 평양은 또한 가장 전도가 쉬운 곳으로 시민 3만 중 1만은 이미 기독신자이다. 그리고 이 선교 임무를 맡고 있는 자 중 10에 7, 8은 미국인이다. 일본 전도자는 장로 파에 속하는 몇 명과 미이파(美以派)[16] 한 두 명뿐인데 6천호 내외의 한 작은 시가에 열 몇 개의 교회가 있음을 보아도 얼마나 미국인 선교사들이 한인의 간에 이례적으로 성공을 거두었는지를 알 수 있을 것이다.

▲ 기독교와 배일사상

한인이 이렇게 기독교에 귀의하는 것을 갈망하는 원인은 어찌 되었던지 간에 한번 세례를 받은 한인은 많은 경우 배일사상을 품기에 이른 것은 사실인 것 같다. 다른 지방과 비교하여 기세가 드세고 늘 정치문제 등 때문에 범인을 배출한 경우가 많다. 평양의 사람들은 이런 경향이 자못 현저하다. 내가 일찍이 이곳에 갔을 때 장로파 목사 박사 모스엣트가 말하는 바에 의하면 한인의 배일 사상은 통감 정치가 시행된 이후 더욱 열도(熱度)를 높이고 청년 신도들은 단체 를 조직하여 길가에서 강개한 연설을 하고 시위를 시도하여 불온한 형세를 보 이는 일이 여러 번이므로 나와 같은 사람은 그들의 오해를 풀기 위해 늘 그 선 교사에게 청년의 무모함을 진무하도록 하고 있음에도 불구하고 한편으로 미 국인 선교사가 들어오고 나서 한인의 배일사상이 증대하였다고 하는 이유로 통감부에서 터무니없는 의심을 받아 둘 사이에 끼어 고통을 당하는 일도 적지 않다고 한다.

▲ 어쩔 수 없는 추이

처음부터 미국의 선교사가 배일사상을 고취하지 않는 것은 명백하지만 그들 대 다수는 모두 한국에 영주하고 이곳에서 생을 마감하려는 사람들이다. 그러므 로 그 동정은 스스로 일본의 시정보다도 한인의 입장에 빠져 있어 통감정치를 두둔한다고 만 할 수 없다. 특히 한인 자신도 신의 길을 알고 무종교의 영역에 서 벗어남과 더불어 개인의 자각으로 국가 현상(現狀)에 생각이 미쳐 특히 독립

16 감리회(Methodist).

이라는 생각에 사로잡힌 것은 어쩔 수 없는 추이가 아니겠는가. 더구나 미국 측에서는 매년 200만내지 300만원을 상회하는 금전을 들여 학교 자선병원 기타 한인 구제 사업을 창시하여 정신적으로 그들을 열복시키고 있다. 이에 반하여 통감제도가 시행되고 나서 일본 세력은 더욱 그들을 압박하였다. 하지만 전혀 정신상의 위안을 주지 않은 것이 사실이다. 일본을 이해하지 못한 그들이 점차 일본을 멀리하는 것도 어느 정도 이유는 있는 것이다. 하여튼 평양의 청년 기독교 신자가 일본을 미워하고 있는 것은 숨길 수 없다. 과격한 가두연설은 이제 더욱 성행하고 있다. 실제로 지난 8월 내가 조선 여행을 하였을 때도 25년간 일본에 산 우리의 사랑하는 목사 콜테스 씨 등으로부터 이곳 청년들 사이에 섞여서 일본을 이해시키려는 것은 실로 대단히 어렵다는 탄식을 들을 수 있었다. 다만 이번 흉한이 진정한 기독신자인가 아닌가 하는 것이 문제이다. 평양 부근의 미국 선교사들은 그 (신자)수만 늘면 된다는 생각으로 왕왕 무뢰배인줄도 모르고 아무렇지도 않게 기식(寄食)을 허락하여 신자들이 늘어나는 일이라면 좋다고 운운

● 동상 설립의 의견

이토공이 처음 오이소(大磯)에 별장을 지은 것은 지난 1898년(명치 31)이다. 그 후 공이 동정(同町)을 위해 진력하신 것은 한 두 번이 아니다. 극히 평민적으로 동정(同町)의 유지와 여러번 만나고 교육비로 500엔을 보내신 일도 있다. 당시 카바야마(樺山) 백작은 문부대신으로 이곳에 별장을 갖고 있는 야마가타(山縣) 공도 별장을 만들어 자주 오이소에 오시어 모두 공작과 함께 돈을 기부하시었으므로 동정민(同町民)은 이를 기본금으로 하여 현재의 소학교를 건축하였다. 공은 소학생에게 저축하려는 마음을 기르기 위해 여기에 100엔을 주어 이를 기본으로 매월 적지만 저축을 권하신 결과 현재는 그 수가 이미 4,500엔이라는 거액에 이르렀다. 그리고 특히 1,000엔을 공공사업에 기부하시었다. 기타 음으로 양으로 오이소정(大磯町)을 위해 힘을 쏟으셨으므로 비로소 30호인 한촌(寒村)이 공에 의해 일약 300호의 정(町)이 되었다. 오이소(大磯)라고 하면 유수의 피서지로 알려졌다. 정민(町民)이 입은 은혜는 너무나 커서 알 수 없다. 그러므로 동정민(同町民)과 유지는 이번의 흉변을 듣고 대단히 낙심하여서는 이 대정치가의 별장이 있는 곳이라는 명예를 짊어질 수 있는 오이소정민(大磯町民)의 뜻으로 표덕사은(表德謝恩)을 위해

10만 여엔의 비용을 들여 땅을 정하여 하나의 큰 동상을 건설할 것이라고 어제 유지회를 열어 의결하였다. 이 동상 문제에 대해서는 일찍이 공의 동상을 미나토 가와(湊川)에 세웠을 때 공 스스로도 전 오이소정장(大磯町長) 미야시로 켄키치(宮代謙吉) 씨에게 내가 죽은 후에는 꼭 오이소에 동상을 세워달라고 하신 적이 있다. 그러한 인연이 있으므로 정민(町民)은 꼭 함께 서둘러 공의 뜻을 이루어야 한다는 대단한 의지로 빠른 시일 내에 다시 유지회를 열어 제반 준비에 착수할 것이라고 한다.

● 이토공의 머리

오이소정(大磯町) 우편국 앞에 작은 이발소가 있다. 주인은 미즈마 요사마츠(水間與三松)라고 하며 1898년(명치 31) 공이 처음 이곳에 별장을 만든 이후 작년 경까지 오이소(大磯)에 가시면 언제나 이발소로 가시시는데, 공이 산발을 (깎아 달라고) 하시면 완전히 다른 모습의 남자가 된다.

「이처럼 처음 공작을 뵌 것은 1898년이었습니다. 그다지 뵐 생각은 없었다. 그러나 이토 씨는(이 남자의 말버릇처럼 이토씨 이토씨라고 친구인양 부른다.) 꽤 말하기를 좋아하는 분이지요. 오시면 언제나 정(町)의 일을 여러 가지 물어보시었습니다. 산발하지는 않으셨습니다. 뵈어도 손님이 많은 분이므로 사방에서 온 손님들을 피해서 머리를 깎았고, 때로는 손님과 이야기를 나누면서 옆 머리를 깎았습니다. 여름에는 대개 오엔가와(御掾側) 부근에서 겨울이 되면 2층 스토브 옆에서 지냅니다. 머리를 깎는 스타일은 원래 머리털이 거의 없으십니다. 게다가 극히 어렵지 않는 방법이어서 다만 짧게 깎아달라고만 하실 뿐입니다. 어떻게든 하려고 하지만 대범하십니다. 면도를 하는 것을 가장 싫어하십니다. 얼굴에 한 번도 면도칼을 대지 않았습니다. 그런데 언제인가 얼굴에 조금 뭔가 났습니다. 그때 수염을 통째로 잘라버렸습니다. 그 후로 결코 면도를 하신 적이 없습니다. 게다가 늘 그렇게 오래 이곳에 계시지 않으시므로 그다지 자주 뵙지 못합니다. 앞서 말한 미츠기쿠(光菊) 씨와 함께 계실 때는 꽤 오래 계십니다. 미츠기쿠씨가 얼굴 면도를 좋아하므로 이때에는 자주 오셨습니다. 때로 후키루(富貴樓)의 마담들이 와서 내가 일을 하고 있으면 옆에서 부추겨 끝내면 담배를 피기도하면서 둘이서 여러 가지 이야기를 곧잘 물으셨습니다.」

● 요리사가 본 이토공

13년간 소로쿠각(滄浪閣)에서 공의 주방을 맡았다가 이제는 물러나 요리점 쇼게츠(松月)의 주인이 된 마츠쿠라 치요키치(松倉千代吉)씨는 기자에게 다음과 같이 말하였다.

△ 내장과 머리를 발라낸 생선회

어르신 만큼 아래 사람에게 잘 해주는 분은 세상에 없습니다. 12년간 나는 한 번도 화를 내신 것을 본 적이 없습니다. 요리가 맛이 없으면 드시지 않으실 뿐 아랫사람을 혼내시는 일은 없습니다. 소로쿠각(滄浪閣)에서는 모두 일본요리를 이용하시었습니다만 7·8년 전 서양에 갔다 온 후로는 일본요리라도 서양류로 준비해도 드셨습니다. 주된 식사는 침주(寢酒)라고 하여 밤11시부터 2·3시 사이에 드셨습니다. 평생 건강하여 10년 전에는 대단한 대식가였습니다. 일본 요리로 좋아하시는 것은 회입니다. 회는 생선은 무엇이든 신선하고 구하기 어려운 것을 좋아하십니다. 게다가 배가 부르면 붕어나 잉어의 머리와 내장을 제거하여 그대로 드셨습니다만 2, 3년 사이 이빨이 안 좋아졌기 때문에 그것도 그만두셨습니다. 식물성 음식으로는 셀크르(Cercle)[17]를 좋아하셨다.

△ 일류 스프

스프이든 야채든 요리점에서 나는 것은 싫어하고 스프라도 푹 끓이거나 고기도 너무 삶아서 흐물흐물 해진 것은 꺼리십니다. 결국 스프든 야채든 서양의 스튜(stew)식으로 만들어 배가 부르지 않게 여러가지 다양한 방법으로 만든, 뭐냐 하면 산뜻한 것을 좋아하는 버릇이 있습니다. 경우에 따라서는 대단히 기름진 찐한 것을 좋아하십니다.

△ 포도주는 늘 마시다

10년 전에는 꽤 일본주를 드셨습니다만 요즘에는 전혀 드시지 않습니다. 23년 전부터 의사의 권고에 따라 포도주를 드셨습니다. 포도주는 일본관(日本館)에서 든 서양관(西洋館)에서든 혼자서 식당뿐만 아니라 방에도 두고서 계속 끝임 없이 드십니다. 질은 그다지 좋지 않으나 약용으로 드시고 계십니다. 식후에는 한 잔 기분 좋게 마시며 스토브 옆에서 책이나 신문을 읽으십니다. 목욕을 하고나

---

17 Cercle(원형의 틀)을 이용하여 만든 음식.

서 침주(寢酒)를 드시고 꽤 늦도록 주무시지 않으십니다. 서양요리는 외국인 손님이 오시지 않으면 그다지 드시지 않습니다. 하지만 드실 때는 세요켄(西養軒)이나 산유테이(三友亭)에서 주문하십니다.

● 이등공 낙엽(落葉)(3)

▽ 고 공작 추억 여러 가지

▲ 정적(政敵)의 애도

실로 원통한 지도자인 공이 만주 여행을 한다는 것을 들었으므로 찾아가 여러 가지 이야기를 하고 왔는데 이것이 최후의 면회로 영원한 이별이 되었다. 나보다 좀 나이가 아래로 아직 5, 6년은 괜찮을 텐데 대단히 애석한 일이다(타니(谷) 자작 이야기).

▲ 하루 15개피 시가

기자가 몇 년 전 오사카 세이카(大阪西下)에 있을 때 오이소(大磯驛)을 통과하였는데 이토공이 히다카 경부(日高警部)를 따라 일등실로 들어가 앉으셨다. 분명 나카야마(中山) 후작이라고 기억한다. 그 앞쪽에 자리 잡았는데 이분도 간사이(關西) 여행을 하고 있는 것으로 보였다. 그 때 이토공의 들어오는 것을 보자마자 『야! 이토씨 어디에 가시는지요』『아! 나카야마씨이시군요. 오늘은 동궁전하에게 문안인사를 올리려고 누마즈(沼津)까지 가는 참입니다.』라고 인사를 교환하고 나서 그 분과 여러 이야기를 계속하였는데 실내에는 즐거워 웃는 소리로 가득 찼다. 이날 이토공은 늘 그랬듯이 시가를 피우며 끝임 없이 연기를 뿜으셨다. 그런데 나카야마 후작이 돌연 『이토씨! 귀하도 시가를 대단히 좋아하시는 것 같은데 하루에 대략 몇 대정도 피우십니까?』라고 묻자, 공은 『그래요, 이미 중독된 것 같아요. 이것만은 끊을 수 없습니다. 아침에는 대개 4시 늦어도 5시에 일어납니다만 아침을 먹기까지 평균 세 개피는 핍니다. 그러므로 하루 13개피정도 많을 때는 15개피나 핍니다.』라고 웃으며 답하시는 가운데 기차는 곧 누마즈에 도착하였다(어느 기자).

▲ 공의 대위험(大危險) 시대

바칸(馬關)사건 당시 공의 신변이 대단히 위험해졌으므로 다수의 호위 순사를 도쿄로부터 불렀는데 뭔가 내의(內意)도 있어 나는 마침내 네 명의 순사만로 끝까지 밀고 나갔다. 사람 수만 많다고 해서 결코 완전한 것은 아니다. 그 대신 나는 대단히 고심했다. 도쿄로 돌아가서부터는 늘 방심하기 않고 순사들에게는 유니폼을 입게 하여 공의 인력거가 지나갈 수 있도록 검문하였다. 마차가 움직일 때도 마부로 가장시켜 붙도록 하고 각자 단도를 품속에 품도록 하는 등 그다지 예가 없는 호위를 하였습니다. 하여튼 개선문을 빠져나가지 못한다고 할 정도로 인심이 격앙되었을 때이므로 공보다도 우리가 큰 고심을 하였다(히다카 전 경부의 이야기).

▲ 엔쿄(圓喬), 입 닫다

이토씨의 연회에는 23번 갔습니다. 처음에는 뭔가 이야기가 좋을 것이라고 생각했습니다. 대단한 분이므로 딱딱하리라 생각했는데 야한 이야기를 많이 하시었습니다. 그런데 어른께서는 양 옆구리에 귀여운 기생을 줄 세워 놓고 꼬집고 찌르며 노시었다. 라쿠고(落語)[18] 따위가 전혀 귀에 들어오지 않으므로 조바심이 나서 그곳에서 너무나 길어 오히려 지루하여 인사를 올리고서 적당히 일어나려고 하자 선뜻 이봐 라고 불러 못 가게 잡으셨습니다.

▲ 뒤바뀐 말

나는 황송해 하였는데 어른께 다가와 손수 시가에 불을 붙여 나에게 주시었다. 과분하지만 받아 피우고 있자 이봐 엔쿄(圓喬) 지금 이야기는 뭔가 부족해 그곳을 좀 이렇게 하면 좋을 텐데 이곳을 어떻게 하면 좋을까 라고 하나하나 설명하며 뒤바뀐 말을 하시었다. 그 기억력이 좋음에 놀랐다(타치바나 엔쿄(橘家圓喬)의 이야기).

● 이토공의 전반생(前半生)(4)

△ 리스케는 효자

그런데 이 쥬조(十藏) 부부가 부모로 섬기는 이토가(家)의 노파는 꽤 권위적인 사람으로 이제까지 여러 번 양자 양녀를 들였는데 성질머리가 나빠 어디까지나 부부에 대한 잔소리가 많았고, 의붓 아들과 며느리를 날마다 괴롭혔다. 짧게는 며칠, 길게는 몇 달이 안 되어 뛰쳐나가 버리고서 잘 참지도 못하였다. 쥬조(十藏)가 부부가 양자로 들어오자 처음 얼마간은 좀 심하게 학대하여 대단한 쥬조

---

18 해학적인 이야기.

(十藏) 부부도 한 때 도저히 참을 수 없어 몇 번이나 집을 나오려고 내밀하게 상의 한 일도 있다. 이처럼 참을 수 없어도 도저히 진작부터 출세 따위는 생각할 수 없다고 다시 생각하였다. 아무리 참을 수 없어도 참고서 이 이토가에서 결코 나가지 알겠다는 굳은 결심을 하였다. 그런데 공을 미야이치(宮市)에서 불러들였는데 『또 식충이가 늘었군』이라고 그 노파가 처음에는 잔소리를 하였으나 아직 12세(혹은 13세라고 하나 자세하지 않다)의 순진한 이스케(利輔)는 애교를 타고나서 피를 나눈 손자가 아니지만 뭔지 모르게 귀엽게 굴었다. 노파의 고집도 점차 누그러져 쥬조(十藏) 부부는 비로소 안심하였다. 이 무렵 이웃집 사람들 모두이 공은 어린아이지만, 부모에게 잘하는 것에 감사하여 『이토 주죠씨는 행복한 사람이고, 리스케는 효자』라는 소문이 펴졌다고 한다.

공을 미야이치에서 자기 밑으로 불러들인 쥬조(十藏)의 마음은 단순하게 아이에게 빠진 부모의 마음만은 아니었다. 훌륭한 사람도 대단한 사람도 많은 하기(萩)의 죠카마치(城下町)에서 공부를 시켜 훌륭하게 입신출하기 위해서는 츠카리(束荷)에서도 미야시치에서도 상당한 독서와 글쓰기 연습시켜야 하는데 이렇게 하기의 죠카마치에서 살면서 놀며 지는 것은 아무런 도움이 되지 않는다고 하여 결국 같은 마츠모토촌(松本村)에 있는 쇼카촌숙(松下村塾)이라는 곳에 공부하러 다니게 하였다. 이 때 쇼카촌숙은 저 유명한 쇼인(松蔭) 선생의 쇼카촌숙은 아니다. 그 전신이라고 할 것이다. 쇼인의 숙부 쿠보 단조(久保强藏)라는 무사의 죠카마치 부근에 살면서 출사(出仕)의 무료함을 달래려고 촌의 아이들을 모아서 공부를 가르치고 있었다. 숙(塾)이지만 학문을 좋아하는 공은 이곳에서 거둔 성적은 대단히 좋았고, 순식간에 여러 아이들 중에서 두각을 나타내, 스승에게도 부모에게도 자랑거리였다. 그 자신도 더욱더 열심히 하여 비가 오나 바람이 부나 당당하게 촌숙(村塾)에 다닐 정도로 쥬조(十藏)는 하인 신분, 처는 집 주위의 밭을 다른 사람에게 빌려 농사 지어 가계에 도움을 주는 상황이므로 책 한 권, 종이 한 장, 땀 흘릴 가치가 없지 않은 것이 없고 부족함을 부평하지 않다. 그리고 집에 돌아와서는 성질머리가 나쁜 의붓 할머니 심부름도 하고 부모의 말을 조금도 어기지 않았다. 그 사이 숙(塾)의 스승에게서 빌린 자습서를 보고서 글씨 연습을 하였다. 쥬조(十藏)부부는 원래 바라는 바이므로 이를 권하여 말리지 않았으나 의붓 할머니 노파는 『또 글 공부냐 그만 두거라 시골사람 아니냐』 등 의외의 야단을 맞는 일도 있었다. 그 때 거스르지 않고 부엌 옆에 있는 목조 오두막으로 들어가 바닥에 멍석을 깔고서 어머니가 만들어준 보리 주먹밥을 먹고 물을 마시고 글쓰기도 하고 책도 읽는 더없이 즐겁게 지냈다고 한다.

이 쇼카촌숙은 요시다 쇼인(吉田松蔭)의 숙부 (玉木文之進)이라는 옛 무사의 전형이라고도 할 사람이 처음으로 자제들을 모아 기르치기 시작하였을 때 명명한 한 것이다. 나중에 쇼인의 외숙 쿠보 고우조우(久保彊藏)라는 무사가 자제에게 글을 가르치고 쇼카촌숙이라고 하였다. 쿠보다 씨가 벼슬을 한 후 오래동안 단절되었던 것을 쇼인(松蔭) 코카이(踏海)[19]의 거사가 실패하여 가옥에 있다가 다시 집에 유폐되었다. 근신 중 소년들에게 군사학을 한다는 명목으로 허가를 얻어 또한 쇼카촌숙이라고 하였다고 한다.

---

19 시모다 토카이(下田踏海).

본사 조선 특전

●한국 폭도

정거장을 기습

인가(人家)를 불태우다

30일 경성 특파원 발

어제 밤 폭도 300여 명 경부선 이원역(伊院驛)을 습격하여 정거장과 인가(人家)를 불태우고 조치원(鳥致院) 수비대는 곧장 추격했다는 급보가 있었다.

●한정(韓廷)의 의향

29일 경성 특파원 발

조농상(趙農相)을 방문하여 한정의 선후책을 물어보았더니 애도해 마지 않는다는 태도로 이 농상은 한국의 고례(古例)와 실상(實狀)에 비추어 가능한 한 애정(衷情)을 표하고 게다가 일본이 요구하면 의견을 분명히 정할 수밖에 없을 것이라며 많은 말을 하지 않았다.

●이토공유해 조위료(弔慰料)(동상)

한정(韓庭)은 이토공의 유해에 대해 10만엔을 증정할 것이라고 한다. 이것은 친왕(親王) 대우에 따른 것이다.

●소네(曾禰) 통감(동상)

소네(曾禰) 통감은 29일 아침 덕수궁에 이르러 흉변에 대한 태황제가 애통하심을 위로하였다.

●한국 정사(正使) 기타(동상)

30일 통감부를 대표하여 코쿠분(國分) 비서관 도쿄로 와 이토공 장의에 참석한다. 또한 의친왕(義親王)·조 농상은 31일 아침 출발, 장의 참렬 정사는 황태자로 결정하였다.

●수색 단서(동상)

범인 운치한(雲知安)은 안호시키(アンホーシキ)의 잘못인 것이 판명되고 다른 8명의 연루 체포에 대해서도 정보가 들어왔으므로 그 계통에서는 별안간 활동을 시작하여 수색 단서를 얻은 것 같으나 굳게 비밀로 하고 있다.

● 한정(韓廷)의 무책임한 변명(동상)

조사(弔使)를 마친 이 총리는 남대문에서 곧바로 통감 관저에 이르러 보고를 끝내고 자택에 각 대신을 불러 임시 협의회를 열었다고 한다. 들리는 바에 따르면 나(특파원)는 그 폐회를 기다려 조 농상을 방문하여 진상을 알려달라고 재촉하였는데 우연히도 조사(弔使) 일행으로 참가한 한성부 민 회장 유길준이 있었다. 두 사람 모두 뺨에 눈물을 흘리며 뭔가 이야기 하고 있을 때였다.

△ 조 농상(趙農相) 말하다

오늘 저녁에는 다만 대련의 보고를 들었을 뿐 아무 문제가 없다. 모두 한정(韓廷)의 선후책을 운운하는 것을 들었으나 나는 그 의미를 몰랐다. 지금 마음이 어수선하여 멍할 뿐이다. 특히 이번 흉변은 미친 한 인간의 폭행으로 이에 대해 뭔가 일본의 강압이 있을 터가 없고 또한 한정(韓廷)도 어디까지나 책임을 진다고 할 수 없다. 또한 각국의 역사를 보건대, 자국의 황제에 조차 칼을 향한 미친 자가 있다. 어찌할 도리가 없다. 영국이 인도에서 여러 번 태수(太守)에게 상처를 입힌 일도 있으나 영국은 인도 전 국민을 죽일 수 없었다. 어디까지나 당초의 의지대로 행동하지 않는가. 특히 이번 미치광이는 러시아에 귀화한 자가 아닌지 하는 의심이 있다. 과연 그렇다면 한정(韓廷)은 전혀 책임이 없다. 보시오. 시베리아 모든 지역은 한국 망명자는 점차 증가하여 140만을 헤아리기에 이르렀다. 미국(의 한국) 노동자는 7,000여 명에 이르렀다. 이들은 한정에서 단속을 하고자 하지만 할 수 없지 않겠는가. 그렇다고 해도 나는 이번 도일에 있어 무슨 얼굴로 일본 국민에 사죄할지 생각하여 여기에 온 것인데 거의 면목이 없다고 하며 또한 사나이가 목메어 흐느껴 울었다.

△ 유길준 말하다

나도 같다. 십 몇 년 전 일본에서 이토 공과 친근한 나는 대련 부두 아키츠시마함(秋津洲艦) 위에 있는 영구 앞에 평소 보아 익숙한 지팡이가 가로로 놓여 있는 것을 보고 나도 모르게 통곡하였다. 바라건대 이를 아부로 치부하지 말라. 이토공은 한국인을 가장 사랑한 사람으로 동양 아니 세계에 이런 분은 한 사람도 없다. 이런 분을 우리나라 사람이 암살하였다는 것은 완전히 꿈과 같다. 귀하(특파원)와 다른 일본인은 한정(韓廷)의 선후 운운을 자주 들었으나 한정(韓廷)에는 선후책이 있을 터가 없다. 만약 일본이 격노하여 뭔가 하려고 한다면 실행할 길이 있을 뿐이다. 차제에 요구나 협력 뭔가 있지 않겠는가? 나는 늘 한국인에게 "만약 일본에 반항하거나 또는 통감 정치에 만족하지 않는다고 한다면 폭행을 가하기 전에 100만의 병사와 50만 군함을 만든 후의 일일 것이다. 그렇지 않으면 무슨 일을 하랴."라고 하였다. 지금 한국에 정당이 있다는 것은 틀린 말이다. 정당은 곧 잘 정부를 움직이나 통감부를 흔들지 못한다. 그렇다면 그것은 존재할 필요가 없다. 이처럼 귀하들은 정당에 주목하였다. 나는 그런 이유를 모르겠다. 또한 한정(韓廷)의 의도를 찾으려고 하나 가소로운 한국인은 한정(韓廷)을 곧잘 좌우하지 못하기 때문이다. 통감정치가 공포된 지 3년이다. 점차 친선을 더하려고 하였다. 그 후 3년이 지나면 나는 일본인이 안심할 시기가 있음을 보장하였다. 이 때 이 흉변 일어나 대단히 유감이로다. 내 슬픈 마음도 알아주세요라고 하였다. 이 사람은 문물을 흘려 다음 말을 잇지 못하였다.

● 의화궁(義和宮) 중지

(황족은 불가)

30일 경성 특파원 발

30일 아침 출발할 예정이다. 특파 대사(大使) 의화궁(義和宮)은 별안간 출발을 중지하고 민 궁내 대신이 대신해서 출발할 것이다. 일본에서 29일 밤 깊은 밤 황족 등이 도항할 필요가 없다고 항의하였다고 전해져 한정(韓廷)은 대단히 당황하였다.

● 답전(答電)(동상)

우리 천황 폐하로부터 29일 정중한 답전이 있었다.

● 한정(韓廷)의 당황

(특파 대사(大使) 변경의 결과)

30일 경성 특파원 발

통감 저택은 특파대사가 급히 변경되었기 때문에 아침부터 밀의에 여념이 없다. 특파대사의 출발은 30일 오전 4시에 결정하였으나 한제(韓帝)는 이미 조서를 내렸고 기타의 수속을 모두 변경하여 당황하여 어찌할 바 모르고 있다. 사태는 완화되지 않는 것 같다. 조 농공상부 대신의 31일 출발은 변경하지 않았다.

● 공작 부인의 답전(答電)(동상)

이토공 부인으로부터 29일 답전이 있었다.

● 유길준의 내조(동상)

유길준은 국민을 대표하여 장의에 참렬할 예정이다.

● 흉도와 그 당여(동상)

흉도 안응칠(安應七)은 재작년 협약 체결 당시부터 완고한 배일주의를 품고 있었고 최근 블라디보스토크에 거주한 형적이 있다. 이곳 지방에서 유랑 중에 서북학회 수령 전 참의 이갑 유동설과 평양의 안정고(安正稿)[1](스티븐스 씨 암살의 장본인으로 진작부터 미국에 온 자)와 서로 왕래한 적이 있다. 여기에서 주의할 것은 약 1개월 전 안정고와 돌연 경성에 와, 이갑·유동설 등과 만난 흔적 있다는 것이다. 또한 유는 25일 순유 행선지인 평북 용천군(龍川郡)으로부터 평양으로 와서 안정고와 만나고 유동설 또한 종적이 불명하게 되었다. 이와 같은 계통을 보면 비록 흉도는 블라디보스토크에 있었다고 하지만 그 관계는 역시 경성에 있었던 것 같이 추측된다.

● 칙사 귀착

25일 인천 특파원 발

한국 칙사 이 총리와 나베시마(鍋島) 총장·나카카와(中川) 검사정 일행을 태우고 대련에 간 홍제호(弘濟號)는 29일 오후 귀항하였다.

일행은 대련에 상륙하지 않고 이토공의 유해를 태운 아키츠시마(秋津洲)에 가서 조사를 표하고 10분간 있다가 퇴함하여 대련에 2시간 있다가 돌아왔다.

● 폭도 내습 상보(詳報)

30일 경성 특파원 발

이원역 폭도 내습 상보를 들건대, 29일 오후 10시경 전방 그다지 높지 않은 산에서 돌연 정거장으로 발포하였으므로 역무원 4명이 대단히 경악하여 모두 도망하였다. 폭도는 기세를 타고서 정거장을 불태우고 격정된 역무원 관사의 가재(家財)를 그대로 파기하고 있었다. 그 때 마침 대전 발 기차가 도착하자 폭도는 곧바로 해산하였다. 역무원 가족 등은 연기가 가득한 좌우 두 역으로 피난하여 무사할 수 있었다.

본사 만주 특전
● 어디까지나 무법

---

1 안창호(安昌鎬).

29일 장춘 특파원 발

하얼빈 재류의 한인들은 범인을 돌려받으려는 불온한 상태를 보이고 있다. 흉한은 한국인 이범윤(李範允)의 부하이다.

● 카와미(川上) 총영사의 용태

29일 하얼빈특파원 발

카와미(川上) 총영사는 몸 상태가 조금 좋아져 상처에 고름이 안 나므로 절단할 필요는 없다고 한다. 씨는 곧 귀국할 예정이다.

● 범인 8명 도착

29일 여순 특파원 발

이토공을 저격한 흉한과 연루자 8명 30일 대련에 도착하여 곧바로 이곳 고등법원에서 출장 나온 미조부치(溝淵) 검찰관이 인계받아 이곳 법원에 수용할 예정이다. 이 한인 범인에 대해 그 취조는 1909년(명치 41) 법률 제52호 제3조에 의해 이곳 법원에서 취급한다.

● 범인 취조 협의(동상)

한국 통감부 나카카와(中川) 검사장은 29일 오후 3시 여순으로 왔다. 그 검사정은 30일 히라이시(平石) 고등법원장과 회견하고 그 취조에 관한 협의를 할 것이다.

● 한인 7명 포박

30일 하얼빈 특파원 발

30일 우리 관헌은 러시아군대와 함께 하얼빈 조선인의 가택수색을 하여 7명을 포박하였다.

● 이토공 최후의 연설(동상)

하얼빈일보는 이토공이 대련에서 행한 최후의 연설을 번역하여 다음과 같이 실었다. 그 중에서도 공이 북만의 일러 이익은 충돌하지 않을 뿐만 아니라, 양국이 서로에 의해 이익은 증진하고 청국인을 물질적 문명의 은택을 입게 할 수 있다고 하는 것은 마침 우리의 주장과 일치하였다. 불행히도 공의 생명은 하얼빈의 아침 이슬과 함께 사라졌을지라도 이미 일러의 교정(交情)은 깊어졌다.

● 한인 그림자 하나 없다(동상)

탐사 더욱 엄밀하여 시중에 한국인이 그림자를 감추고 30일 13명의 헌병이 장춘에서 도착하여 경관 등과 함께 엄중 감시 중이다.

런던 타임스 특전
● 러시아 반관보(半官報)의 조사(동상)[2]
러시아수도=반관보 러시아는 그 사설에서 이토공은 늘 친선을 바탕으로 일러의 결합을 주장한 정치가이다. 러시아는 조야(朝野) 모두 충심으로 이토공의 훙거에 대해 일본에 동정한다고 논평하였다.

일본 지나 특전
● 이토공과 지나 신문
29일 상해특파원 발

지나 신문의 다수는 동정하여 이토공의 훙거에 대해 애도의 뜻을 표하였다. 오직 신문보(新聞報)는 그 사설에서 훙한을 상찬하고 조선은 망국이라고 하나 조선인의 의기는 그에 의해 표시되었다고 평하였다. 게다가 또한 이토공은 세계의 평화를 위해서가 아니라 오직 일본을 위해 조선을 통치한 것이므로 위인은 아니다. 공은 조선인의 분격을 산 몸이므로 그 조난은 피할 수 없는 운명이라고 하고 마지막으로 청국인은 만주 시정(施政)에 있어 이토공 조난의 결과를 숙려하지 않으면 안 된다고 결론을 맺었다.

그리고 민호보(民呼報)[3]도 또한 같은 논조의 사설을 게재하였다.

국내 전보(30일 발)
● 일진회 부장(바쿠칸)
이토공의 훙변을 듣고 애도의 정을 표한 일진회 회장 이용구 씨는 일찍이 그 어머니를 잃고 이어서 자기도 콜레라에 걸려 예후(豫後)가 그다지 좋지 못하여 호(浩) 부회장이 일진회 회원을 대표하여 조사를 올리고 국장에 참렬하기 위해 30일 아침 장(張) 통역 외 2명과 함께 바쿠칸에 도착하여 0시 반 도쿄로 올라갔다. 일행은 우선 송병준 씨의 집에 이르러 조사와 공물 등의 협의를 할 것이다. 경성에서 만든 조화(造花)를 갖고 있는 장 씨의 이야기에 의하면 경성의 한인은 공의 훙거를 애도하고 특히 궁중의 애도는 대단하고 일반 국민도 또한 이번 사건을 중대하게

---

2 29일 타임스사발.
3 민우일보(民吁日報).

보고 있다고 운운.

●나카무라(中村) 만철 총재(바쿠칸)

와 무로타 요시아야(室田義文), 타츠이(龍居) 만철 비서 등은 12시 무츠레(六連)에서 하선 상륙하여 2시 40분 발 열차로 동경으로 올라갔다. 이들은 도쿄에 하루 빨리 도착하였다. 총재는 내각에 자세한 전말을 보고할 것이다. 무로타 요시아야(室田義文) 씨는 공작가(家)에서 실황 보고를 할 것이라고 한다. 다른 사람들은 아키츠시마(秋津洲)의 사관 1명의 전보에 의해 상륙하여 육로로 갔다.

●아키츠시마(秋津洲)바쿠칸(艦通峽)

이토공의 유해를 싣고 귀항한 아키츠시마(秋津洲)는 30일 오전 11시 무츠레(六連)의 해군 망루에서 현해탄(玄海灘) 저멀리 볼 수 있었다. 그 신호를 받은 후쿠오카현(福岡縣) 항무부 무츠레(六連) 출장소는 먼저 이를 항무부에 보고하고 준비한 기정(汽艇)을 출항시켜 군함이 다가옴에 따라 즉각 본부에 보고하고 그 군함 측에 대해 오세토(大瀬戸)로 들어왔다. 이 때가 정오인데 이로부터 먼저 서쪽은 요지베이이와(興次兵衛岩)부근으로부터 동쪽은 헤사키(部崎)등대 사이를 경위구(警衛區)로 삼고 해상의 요소마다 반기를 게양하였다. 항무부 관문(關門) 두 수상서(水上署)의 기정부서(汽艇部署)로 하여금 엄중하게 해면을 경계하게 하였다. 각각 편승한 후쿠오카 야마쿠치 두 시장, 시참사회원(市參事會員), 시회 위원 등이 송영(送迎)하고 애도의 뜻을 표하였다.

그리고 일반 선박은 항로를 피해 시모노세키(下關) 측 시민 기타의 송영표조선(迎送表弔船)은 칸류도(嚴柳島) 주변에서 조의를 표하였다. 상업학교 생도는 탄노우라 쵸후(檀の浦長府)의 연안에 정렬하였다. 또한 고등여학교 각 소학교생도는 연안의 적당한 장소에 정렬하여 각각 조례(弔禮)를 행하였다. 시중(市中)에서는 집집마다 반기를 게양하였다. 또한 모지(門司)에서는 시민 모두가 조의를 표하고 각 학교생도는 해안에 정렬하고 우편선, 상선 미츠이(三菱)의 기정(汽艇) 기타도 애도를 표하는 사람들을 가득 싣고 시라키자키(白木崎) 앞바다에서 송영 조의를 표하였다. 관문 두 항에 정박한 크고 작은 기선은 모두 반기를 게양하고 조례를 행하였다. 아키츠시마(秋津洲)는 항해 중 계속 반기를 게양하고 쓸쓸한 가을의 갯바람이 차가운 하야토모(早鞆)의 좁은 해협을 때리는 파도도 힘없이 기적 소리도 슬프게 들렸다. 올해 쵸쵸각(廳潮閣) 위 대훈위의 영자(英姿)는 이제 볼 수 없게 되었다. 관문 양안(兩岸)에 서서 파도 위 저 멀리 조의를 표하는 몇 만의 남녀는 흐느끼며 흘리

155

는 눈물을 삼키고 있다. 덧없는 세월은 16일 오후 1시 만주행 길에 오른 지 겨우 15일째 되는 오늘 흡사 그 사각을 맞추어 공의 유해를 맞이하려고 하는데, 비는 오지 않지만 구름은 낮게 끼리고 흐린 가을의 하늘은 늘 늠름한 군함이 파도를 헤치는 소리도 슬퍼 오후 1시인데 동쪽으로 달려갔다.

● 한정(韓廷) 대표자 여정(바쿠칸)

한정특사 궁내대신 민병석(閔丙奭) 승녕부(承寧府) 통감(總監) 박재빈(朴載斌) 두 사람과 한국 정부 대표 농상공부 조중응(趙重應) 씨 등 일행 10명은 31일 아침 도착 1일 오후 3시 신바시(新橋)에 도착할 예정이다.

● 폭도 봉기 공보(公報)

(통감부 도쿄 출장소 착전(着電))

29일 오후 10시경 이원역(伊院驛)에 폭도 수백 명이 내습하여 정거장과 관사에 발포하여 우리나라 사람 여러 명이 사상을 입을 것으로 보인다. 곧바로 군대를 보냈더니 폭도는 바로 퇴각하였다.

● 한국 폭도 별보

한국폭도에 관해 그젯밤 부산발로 모처에 온 전보는 아래와 같다.

이토공 훙거 소식이 한국 내에 전해지자 산 속에 잠복한 폭민(暴民)이 각 지역에 모였다. 전라도의 형세가 가장 불온하다. 폭도는 1,000여명이나 된다.

● 이원(伊院)의 폭도

29일 밤 이원 정거장에 내습한 폭도는 일찍이 충청도에서 봉기하였는데 토벌로 숨은 자들이 이토공이 암살당했다는 소식을 듣고서 급히 재기한 것이거나 또는 전라도 토벌대에 쫓긴 폭도가 도주하는 길에 충청도에 숨어든 무리라고 하나 아직 밝혀지지 않았다. 하지만 현재 미곡을 수확할 시기이므로 정거장에는 미곡이 쌓여 있음을 예상하고 도주하던 무리가 도주 중이던 같은 무리를 꾀어서 습격한 것이고 당국자는 판단하고 있다.

● 폭도가 습격한 이원역(伊院驛)

별항. 폭도가 내습한 이원 정거장은 충청남도로 부산에서 153마일, 경성에서

120마일, 추풍령·대전 사이에 있는 작은 역으로 유명한 궤도의 굴곡이 있는 지점이다. 정거장 부근에는 역장 역무원의 관사 34호가 있을 뿐 특별히 일본인이 거주하지 않는 한촌(寒村)이다. 폭도가 이원 정거장을 습격하는 것은 금품을 약탈하려는 목적이 아닐 것이다. 작은 역이므로 다액의 금품이 있을 터가 없으므로 그 손해는 그다지 크지 않을 것이다. 또한 역무원도 소수이므로 피해는 적을 것이다. 이 소식을 접한 대전(이원과 대전은 12마일 거리)주둔군은 곧바로 토벌을 하였다고 하지만 폭도의 대부분은 토벌 또는 포획되지 않았다고 그 쪽에서는 판단하고 있다.

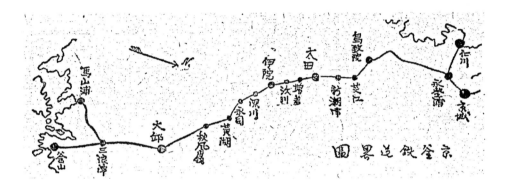

● 경계를 엄하게 하다

흉변 후 한국인 간에 동요하는 징조가 보였다. 소네(曾禰) 통감은 이노우에 군사령관에 이첩하여 사령관은 각지 주둔군에게 경계를 명령하고 또한 헌병대장, 경찰장도 같은 경계를 발하였다. 그 결과 군대·헌병·경찰대의 배치지 다수 증가되고 더욱 엄중한 경계를 하기로 하였다.

● 범인 취조

하얼빈에 있는 흉행범인에 대해서는 모두 도독부법원에서 심판을 열 예정으로 영사관에서는 오직 경찰이 취조를 하였다. 이에 의해 다소 그 계통을 알 수 있는 단서를 얻은 것 같다. 그리고 범인이 다나카(田中) 만철 이사 기타를 저격한 것은 이토 공을 맞추고 빗나간 총알이 아니라 다나카 씨 등도 역시 일본인 가운데 한 사람이므로 그 사람을 보고서 쏜 것이라는 말을 흘렸다고 한다.

● 혐의자 전부인도

하얼빈의 흉행 관련자로서 러시아 관헌의 손에 포박된 한인은 20일 전부 우리 영사관에 인도하였다는 전보가 있었다.

● 이토공 국장과 교육

문부성은 이토공 국장 당일 전국의 각 학교에서 적당하게 설명하여 조의를 표하도록 하기 위해 29일부로 아래의 통첩을 발하였다.

△ 직할 학교에 통첩

추밀원 의장 이토 공작 훙거에 대해 국장을 행하는 것에 대해서는 국장 당일에는 귀교 생도에게 고 공작의 국가에 대한 공적에 관해 적당한 훈화를 하고 애도의 뜻을 표하였으면 한다. 명에 따라 이처럼 통첩한다.

1909년(명치42) 10월 29일
　　　　문부차관 오카다 료헤이(岡田良平)

△ 지방장관에 통첩

추밀원 의장 이토 공작 훙거에 대해 국장을 행하는 것에 대해서는 귀관 아래 소학교·중학교·사범학교·고등여학교·실업학교 등에서 국장 당일 국장에 관한 사항과 고(故) 공작의 국가에 대한 공적에 관해 적당한 수신훈화(修身訓話)를 하고 애도의 뜻을 표하도록 할 것.

1909년(명치42) 10월 29일
　　　　문부성 보통학무 국장 마츠무라 모스케(松村茂助)
　　　　문부성 실업학무 국장 마노 분지(眞野文二)

● 헌병 순사의 북행

하얼빈병원에 입원 치료 중 인 카와미(川上) 총영사는 관동도독부에 경관 파견을 요구하러 왔으므로 명에 의해 헌병 11명, 순사 4명은 27일 여순을 출발하여 급히 북상하였다. 그 후 범인 혐의자 호위 임무를 맡고 있고, 법원 전송(傳送)의 도상

호위의 임무를 띠고 있는 것은 물론이다.

●안응칠의 출생
30일 소식통의 전보에 의하면 흉행 범인 안응칠은 평양성 밖에서 출생한 자로 31세이다.

●국장과 의장병
이토공 유해가 신바시(新橋)에 도착하여 레이난자카(靈南坂) 관저에 들어간 사이에는 육군 예식에 따라 원수(元帥)에 상당한 의장병을 붙이기로 하였다. 국장 당일의 의장(儀狀)에 관해서는 오는 30일 안을 갖추어 육군대신이 상주하여 재가를 청하였다. 이 의장은 고마츠노미야(小松宮) 전하와 산죠(三條)공 국장 당시의 의장을 참작한 것으로 재가를 받은 후 곧바로 발표할 것이다. 아마 제1사단으로부터는 재경 보병 2개 연대에 기병과 포병을 동원하고 성상(聖上)의특지(特旨)에 따른 근위보병 한 부대에 약간의 기병, 포병도 동원되고 참여단장 센바(仙波) 소장이 지휘관이 될 것이라고 한다.

●사칙(賜勅) 17회
이토공이 칙어(勅語)와 천황의 명을 받은 바, 실로 17회로 아래와 같다.

　1　1869년(명치 2) 4월　효고현(兵庫縣) 지사 사직(천황의 명)
　2　1870년(명치 3) 11월 특명전권 부사로 구미에 파견
　3　1872년(명치 5) 10월 철도 창건(천황의 명)
　4　1882년 (명치 15) 3월 헌법 취조 구주(歐洲) 파견
　5　1888년(명치 21) 4월 추밀원 의장, 특히 내각에 참여
　6　1889년(명치 22) 11월 궁고문관 임명, 대신대우
　7　1891년(명치 25) 3월 병에 걸렸으나 신한(宸翰)[4]을 내려　추밀원의장 사직 불허
　8　1895년(명치 28) 4월 강화조약체결

4　천황이 직접 쓴 문서.

9　1896년(명치 29) 8월 수상사직 대신 대우

10 1898년(명치 31) 6월 동상

11 1901년(명치 34) 5월 동상

12 1903년(명치 36) 7월　추밀원의장 임명

13 1904년(명치 37) 3월 한국 특파 대사(천황 명령)

14 1905년(명치 38) 11월 동상

15 1907년(명치 40) 2월 황실제도 조사총재

16 1907년(명치 40) 8월 일한협약 성립

17 1909년(명치 42) 4월 추밀원의장 임명

● 청제(淸帝)의 조전

청국 군기처(軍機處)는 이토공의 조난에 관해 황제의 칙명에 의해 아래의 조전을
우리 정부에 보냈다.

　명을 받든 일본의 이토공작은 원로중신으로 전 세계에 명망이 높았는데

　이에 불측한 변을 당하였다는 말을 듣고 놀라고 슬퍼함이 자못 깊어

　다급히 애태우노니 앞서가서 위로를 드리도록 하라[5]

위 조전은 28일 호(胡) 공사에 의해 외무성에 봉정되었다. 그리고 청정(淸庭)은 문
무 백관을 총 대표하여 경친왕(慶親王)의 명에 의해 공의 유족에 대해 정중한 조전
이 있으므로 호(胡) 공사는 28일 정오 오이소(大磯)의 이토 저택을 방문하여 친히
조의를 올리기 아울러 경친왕의 조전을 유족에게 전하였다고 한다.

● 요코스카(橫須賀) 도착 후의 영구

요코스카(橫須賀) 항 도착 이후에는 동항 내 제2, 제3구에 정박 중인 군함이 많
으므로 비교적 해안에서 먼 제1구에 투묘(投錨)할 것이다. 영구는 곧바로 론치

5　奉旨日本伊藤公爵元老重臣環球著望.
　　玆聞遇遭不測震悼殊深着胡憔德前件致唁欽此.

(launch)로 옮기고 대만에서 모시고 온 고 키타시라 카와노미야(北白川宮) 전하의 예에 따라 군항에서 포차(砲車)로 해안에서 곧바로 정거장으로 보낼 것이라고 한다. 다만 상황에 따라서는 군항 정문으로부터 우체국 앞을 통과할 지도 모르겠다. 만사는 오늘 30일 오후 3시까지 확정할 예정이다. 그리고 동일 공작부인은 동항에 마중 나갈 것이라고 들었다(오이소 전화).

● 교육 총재의 후임

우리 천황폐하께서는 기보(旣報)와 같이 이와쿠라(岩倉) 궁내대신을 도리이자카(鳥居坂) 어용저(御用邸)로 보내시어 한국 태자를 위무하시고 아침저녁으로 두 번 동대신을 파견하시었다고 한다. 교육 총재의 후임으로는 야마가타(山縣) 공이 대단히 적당하나 공은 근래 그다지 건강이 좋지 않으므로 아마 가츠라(桂) 후작을 교육 총재에 임명할 것이라고 한다.

● 한국 태자 기복(忌服) 분부하시다

한국 황태자 전하께서는 이토 태사의 훙거를 애통해하시었다. 그리고 3개월간 복상(服喪)하도록 분부하시었다.

● 평양 방면의 수색

이토공을 암살한 흉한 운치안은 평양 거주자임이 판명되었으므로 소네(曾禰) 통감은 마츠이(松井) 경시총감에 평양 방면의 수사를 가장 엄중하게 하라고 훈령하였다. 통감은 경시 경부 형사 순사를 평양에 급행시켰다. 또한 흉변 발생 후 평양은 가장 경계를 엄하게 하고 특히 만주 블라디보스토크 방면으로 여행하는 한인에 더욱 주의를 하고 있다고 한다.

● 이토공 몰후의 정계

하라케이(原敬) 이야기

하라케이(原敬) 씨는 츄코쿠(中國) 시코쿠(西國) 정우회 대회에 참석하기 위해 시모노세키(下の關)에 체재 중 이번 흉보를 접하였다. 28일 오전 9시 시모노세키를 출발하여 29일 오후 오이소(大磯) 공작 저택에 가서 조사를 올리고 오후 2시 14분의 기차로 귀경하였다. 씨는 다음과 같이 말하였다. 내가 마지막으로 이토공을 만나 것은 지난 12일이다. 그 때 공이 일찍이 만주에 가시려는 마음이 있었으므로 "이번이 두 번째는 아닙니까?"라고 물어 보니, 아니 처음이라고 하여 "과연 그렇군요"라며 웃으면서 헤어졌을 뿐이므로 조금도 마음에 걸리지 않았다. 바쿠칸에 가서 처음으로 이 일을 듣고 대단히 놀랐다. 바쿠칸에서 우리들 일행을 환영하려고 여러 가지 준비를 하였으나 이 때문에 모두 중지되었다. 다만 모임의 준비만을 진행하였다. 그리고 조사만 보내고 돌아왔다. 바쿠칸은 극히 공과 관계가 깊은 곳으로 정민(町民) 일동은 너무나 놀라고 대단히 슬퍼하였다. 하여튼 공의 이번 흉변은 실로 일본정계의 큰 타격임에 분명하다. 일본제국으로서 큰 고통이나 이후의 정계에 이렇다 할 대변동은 초래할지 않을 것이다. 또한 이로 말미암아 대한정책에 변동이 일어날 것이라고 주장하는 자도 있지만 나의 생각으로는 현재의 한국 정치는 오로지 공작의 방침을 답습하고 있으므로 별일은 없을 것이다. 우리 정우회도 똑 같이 공의 방침에 따라 행동하고 있으므로 이후에도 더욱 그 유훈에 따라 행동하고 전혀 변동이 없을 것이다. 귀경하여 단편적인 소식을 얼마간 접하였을 뿐이므로 아직 이것 이외에 정해진 생각은 없다.

● 재외 한인 단속

한국의 외교권이 일본에 이전된 이상 외국에 있는 한인은 당연히 일본 외교관의 보호의 아래에 있어야 할 터이지만 오늘의 상황에서는 일본 외교관과 그곳 재류 한인 사이에는 전혀 연락이 없고, 한국인은 그 보호를 우리 공관에 요청하지 않을 뿐 아니라, 오히려 이를 원수 보듯이 하고 있는 상황이다.

이는 방법이 없다고 하나 이러한 상태로 해외에 있는 한국인은 그 나라의 검속을 피할 수 있는 한 누구나 거리낌없이 마음대로 행동하고 있다. 샌프란시스코와 블라디보스토크에 있는 한인이 늘 우리 보호정치에 대한 반역을 꾀하고 있음은 이미 현저하게 드러난 사실이다. 특히 블라디보스토크가 한국 배일주의자의 책원지가 된 것은 알 만한 사람은 다 안다. 블라디보스토크는 한국의 국경에서 너무나 가까운 거리에 있어 교통이 극히 자유로운 곳이다. 이런 곳에 위험한 음모 장소가 있는 것은 우리 보호정치에 중대한 위협이다. 하지만 오늘날까지 이에 대해 어떠한 대대적인 구제책을 실시할 수 없었던 것은 유감이지만 이것은 우리나라가 러시아의 영내에서 치외법권이 없는 한 어쩔 수 없다. 그렇다고 하더라도 오랫동안 이러한 불안 상태에 있는 것은 우리나라가 감내할 수 없는 것이다. 그렇다면 이들에 대해서 뭔가 취체 방법이 있어야 한다. 이에 대해 러시아정부에 조회하여 그 경찰 활동을 요구하는 것이 당연한 방법이지만 그 본국인에 대해서조차 충분한 취체가 이루어지지 않는 러시아 경관에게 이를 바래서는 결국 그 효과가 있을 것으로 보이지 않는다.

따라서 그곳에 거주하는 한인에게 반드시 일단 우리 영사관에 신고할 의무를 지게 하여 우리 영사관의 허가를 받지 않으면 주거를 일절 허락하지 않는 것으로 러시아 관헌에게 계획하도록 하면 좋은 것이라고 생각한다. 러시아도 블라디보스토크가 한국에 특별한 지위에 있는 이상 이정도의 청구에는 응해도 좋을 것이다. 한국에서 해외로 나오는 자에게 엄중하게 여행권을 휴대하게 하는 것 이것만 행해지면 누군가 블라디보스토크에 들어와 어떠한 행동을 하는지 하는 정도는 대강 알 수 있을 것이고 이에 대한 검속 방법을 강구하는 데 지극히 편의할 것이다. 이번 흉변에 대해 러시아도 진정으로 유감의 정을 표하고 한국 부랑(浮浪)이 위험하다는 것을 감지하면 이 교섭을 시작하기에 좋은 기회가 될 것이라고 생각하는 것이다. 이는 어느 한국통의 이야기이다.

●도리이자카(鳥居坂)의 울한 기운
▽ 한국 황태자 전하의 근신

지난 20일 제12회 탄신일에 성대한 축연을 열어 여흥의 키네네오라마[6]에는 의외로 재미있어 하시어 이후 기분이 좋아진 한국 황태자 전하께서는 26일 이토 공의 흉변을 들으시고 나서 갑자기 기색이 안 좋아지시더니 우울하여 침울해 하는 모습을 근시(近侍)들도 살펴보니 가슴이 메어지는 마음이라고 말씀하시었다. 오늘 흉변 당일의 상황을 자세하게 들으셨다. 같은 날 오후 4시 반 공의 흉거가 드디어 확실하게 되자, 고 대부(高 大夫)·엄 시종(嚴 侍從) 등은 황공해하며 황태자 전하에게 나아가 『이토공이 살해 되었습니다』라고 말씀드렸다. 『아버지를 죽였다니, 어디서?』라고 말을 더듬으며 물으시었다. 이에 『하얼빈에서』라고 대답하였다. 잠시 후 『누구에게』라고 거친 목소리로 다시 물으며 허리에 찬 칼자루를 잡고 탁탁 칼을 휘두르셨습니다. 시종은 우물거리며 『죽인 자는 한

---

6 이는 kine와 panorama의 합성어로 파노라마에 색채광선을 비추어 색채를 변화시키는 장치. 명치말기부터 대정기에 걸쳐 유행하였다.

국인입니다』라고 대답하자 『뭐, 한국인이 왜 죽었느냐』며 큰 소리로 계속 물으셨다. 얼굴을 붉히셨는데 일찍이 볼 수 없을 정도로 격노한 모습에 시종은 엎드리며 어찔할 줄 몰라 황공해 하며 전문(電文)이 간단하여 자세한 것은 알 수 없다고 말씀 올리니 전하는 『저 좋으신 아버지를 왜 죽었을까』라며 슬퍼하며 눈물을 흘리시었다.

▲ 스에마츠(末松) 자작의 문안

어리심에 대부(大夫)들은 위로의 말도 드리지 못하고 물러갔다. 곧바로 오이소(大磯)로 가야 할 스에마츠 자작은 서둘러 달려가서 문안을 올렸으나 전하는 전혀 한마디도 하지 않으시고 『스승님이 돌아가셨다고 듣고서 놀랐습니다. 애도 드립니다.』라고만 하시고 나서 침울해 하시었다. 이에 스에마츠 자작은 위로하며 물러나 곧바로 오이소(大磯)의 소로쿠각(滄浪閣)으로 향하였으므로 전하는 그날 밤 김무관(金武官)·송병준을 보내어 위문의 뜻을 전하시었다.

▲ 깊이 슬퍼하다

그 후 전하는 대단히 깊이 슬퍼하시며 학우마저 만나지 않으시고 다음날 27일 아침부터 풀 죽어 있으므로 사쿠라이(櫻井) 양육계(養育係)는 곡진하게 위로하였지만 전하는 오로지 슬퍼하시었다. 뿐만 아니라 깊이 상처받아 학업조차 폐하실 정도이므로 성상 폐하께서 괴로워하시며 앞서 말한 대로 이와쿠라(岩倉) 궁해(宮相)를 어용조(御用邸)로 보내시어 지금은 학업을 열심히 해야 할 때이므로 학업을 폐하는 것과 같은 일이 없기를 바란다고 고맙게도 분부하시니 전하께서는 슬픈 가운데서도 기뻐하시며 학업을 부지런하게 하시기로 마음 깊이 새기셨다. 슬픔은 그다지 사라지지 않고 스승은 부모 다음이라는 고례(古例)를 명심하여 근신 일동 함께 깊이 근신(勤愼)하기로 하였다. 이후 뒤뜰에 나가 즐겁게 산보를 하시지도 않고 날마다 하시는 당구와 그네타기 놀이는 모두 폐하여 어용저(御用邸)는 더욱 적막하고 조용하여 호위병사의 칼 소리가 때마침 밖에서 들릴 뿐이다.

● 국장 휘보

▲ 제관(祭官)

제주(祭主) 부제주(副祭主)의 결정은 기보(旣報)와 같은데 그 후 제관 이하는 다음과 같이 결정되었다.

(제관) 소교정(少敎正) 미시무라 세이타로겐(西村淸太郞權), 권소교정(權小敎正) 사사키 요시후사(佐々木義房), 동 콘코만고로(金光滿五郞), 대의강(大講義) 카와나베 노보루(河邊昇), 대보정교(大輔敎正) 미야코 다이(宮光大), 동 아오키 토요쿠라(靑木豊藏)

(준비원) 권대교정(勸大敎正) 오쿠 이나호(奧稻穗), 동 히라이와 시게미치(平岩重道)

(청불원(淸祓員) 권중교정(勸中敎正) 남작 코다마 키요오(兒玉淸雄), 대강의(大講義) 호에하라 헤이죠(添原平藏)

▲ 입경 후의 유해

유해는 내일 오후 2시 레이난자카(靈南坂) 관저에 도착함과 동시에 2층의 정실(正室)에 안치하고 히비야(日比谷) 공원에서 장례식을 마친 후, 마차로 오마치(大井町) 묘지로 옮길 것이다.

▲ 이토가(家)의 마중

내일 요코스카(橫須賀)에 유해가 도착하였을 때 이토가에서는 수행원 츠루하라 사다키치(鶴原定吉)와 이시이(石井) 속관(属官)을 마중하러 파견할 예정이다.

▲ 유족 은사관(恩賜館)에 들다

오이소에 머물고 있는 이토공 미망인을 비롯하여 유족들은 어제 0시 50분 오이소발 열차로 오모리(大森) 은사관으로 들어갔다.

▲ 출관 시각 변경

이토공 출관 시각은 매관지의 거리가 멀기 때문에 어쩔 수 없이 영전제(靈前祭) 등을 올리고 4일 오전 9시 레이난자카(靈南坂)의 저택에서 출관하기로 변경하였다.

▲ 공작 부인의 묘지 살펴보다

이토 공작 부인은 어제 오후 오모리(大森) 은사관(恩賜館)에 들어 간 후, 스에마츠(末松) 자작 부인·이토히로쿠니(伊藤博邦) 씨 부인·니시(西) 서기관과 그 부인·이노우에(井上) 대사(大使)등과 곧바로 공작의 새로운 매장지를 살펴보았다.

▲ 화환은 열외

장의 때 제가(諸家)에서 보낸 생화와 조화는 모두 열외로 하여 매장지에 먼저 보내도록 할 것이라고 한다.

▲ 장의 행렬순.

　▲ 신바시(新橋) 레이난자카정(靈南坂町) 사이

　　신바시(新橋) 정거장으로부터 왼쪽으로 카와바타(川端) 오른 쪽으로 사이와

이바시(幸橋)로 들어가 우치가이와이쵸(内幸町) 덴샤도오리(電車通) 왼쪽으로 토라노몬(虎の門) 오른쪽으로 왼쪽으로 에노키자카(榎木坂) 레이난자카(靈南坂) 저택으로

▲ 레이닌자카 관저 히비야(日比谷) 제장(齋場) 사이

레이난자카 관사를 나와 왼쪽으로 오른쪽으로 에노키자카(榎坂)를 내려와 아오이바시(葵橋)를 건너 나가타쵸토오리(永田町通) 독일 대사관 앞 오른 쪽으로 카스미가세키(霞ヶ關)로 내려 와서 왼쪽으로 해군성 앞에서 왼쪽으로 히비야 공원을 따라서 왼쪽으로 히비야 문으로 들어간다.

▲ 히비야(日比谷) 묘지 사이

정문을 나와 왼쪽으로 덴샤토오리(電車通) 사츠맛빠라(薩摩原)을 오른쪽으로 타마치(田町) 시나카와(品川) 오른쪽으로 아오모노(靑物) 요코쵸(橫町)에서 와서 계속 묘지로 들어간다.

● 의장병의 편성

국장에 대한 육군 의장대의 편성은 어제 아래와 같이 재가를 얻어 확정 발표되었다. 즉,

▲ 유해 도착 당시

요코스카역(橫須賀驛) 출발 때에는 군항 정거장간에 중포병 1개 대대가 도열하고, 신바시역(新橋驛)에 도착하면 근위 기병 1개 소대(중대장 지휘)가 영구를 경호하게 함과 동시에 도쿄 위술(衛戍) 보병 3분의 1을 신바시(新橋) 정거장 레이란자카(靈南坂) 관저 사이 연도에 도열시킬 것이다.

▲ 국장 당일은 의장(儀仗)으로서 근위 보병 1개 연대, 동 기병, 동 야포병 각1개 중대, 근위군악대와 제1사단의 보병 2개 연대, 기병 1개 연대, 야포병 1개 연대(제1사단의 부대를 여단장이 지휘)를 장의에 열병시키고, 야포병 1개 중대로 분시(分時) 조포를 발포하도록 한다. 의장의 제병 지휘관은 카와무라(川村) 위술(衛戍) 총독이 맡는다.

▲ 히비야(日比谷)에서 오모리(大森)

묘지 사이는 기병 1개 중대가 영구차를 호위할 것이다. 그리고 장의식 당일은 상장관(上長官) 이상은 근무에 지장이 없는 한 출장하여 회장(會葬)한다.

●묘지는 오이촌(大井村)

▽ 밭 가운데 3,000여 평

묘지의 선정에 대해서는 여러 억설이 전해지나, 스키(杉子) 자작·이노우에(井上) 후작으로부터 오이마치(大井町) 은사관(恩賜舘) 부근에 적당한 곳을 매입한다는 것을 동정(同町)에 교섭한 끝에 드디어 은사관에서 서북으로 로쿠쵸후카(六町府下) 에바라군(荏原郡) 오이촌(大井村) 아자하라(字原) 5855번지의 남서 방면의 밭 3,380평의 땅으로 확정하였다. 이 땅은 동으로 잡화상 다나카 켄지로(田中源次郎), 서쪽으로 안경 직공 나카무라(中村留八)의 주택 있는 곳 이외는 밭과 산림만으로 극히 적막한 곳으로 지금까지 동 촌 이시쿠로 리헤에(石黑利兵衛)·사쿠라이 킨지로(櫻井金次郎) 두 사람의 소유지를 공작가가 사유 묘지로 매입하였다. 그 주위는 석벽을 쌓고 그 위에 높이 3척 5촌의 둑을 쌓아 상록수를 심을 예정으로 계원이 다수 출장 준비를 대단히 서두르고 있다.

▲ 전 지주들

선정지의 대부분을 갖고 있는 이시쿠로(石黑)는 다음과 같이 말하였다. 그 땅은 선조로부터 물려받은 곳으로 결코 팔지 않을 작정이었으나 이토께서 이 마을 사람들이 신세를 진 일도 있다. 이번 일은 정말로 안타까워 필요하다면 (드리는 것이)이 마을의 행운이라고 생각하였습니다. 나의 평수(坪數)는 1142평 여로 7엔/평으로 팔았습니다. 또한 사쿠라이 킨타로는 다음과 같이 말했습니다. 내 땅은 8무(畝)정도이므로 모두 이시쿠로 씨에게 처분을 부탁해 두었습니다. 대가를 주신다니 실로 고마운 일입니다.

▲ 소작인의 기대

이 밭을 소작하고 있는 사람은 앞서 말한 다나카 겐지로(田中源次郎)라는 지주 이시쿠로의 동생으로 그곳에 무·파·시금치를 심었다. 그는 "네! 저는 이웃에 이토께서 오시는 것은 감사한 일로 작물 따위는 전혀 관계없습니다. 언제나 이 앞을 지나가시었습니다. 그런데 이번에 모습이 변한 것은 뭐라고 드릴 말씀이 없습니다."라고 하였다. 옆에서 7세정도 먹은 여자아이가 훌륭하신 이토께서 오셨나요? (라고 하였다)

▲ 도로 표지

시나카와숙(品川宿) 난(南) 마장(馬場)을 서쪽으로 들어가 미니미시나카와(南品川)를 지나 작은 언덕 꼭대기를 오르면 좌우의 집이 제멋대로 늘어서 있고 공지에는 이른 단풍이 물들어 있고 지금 만발한 코스모스가 울타리를 따라 늘어서 있는 시골길을 완만하게 내려와서 또 좀 더 올라가면 2정(町)정도 왼쪽에 무성한 대나무숲 안쪽에 보이는 것이 은사관(恩賜館)이다. 이곳에서 서쪽으로 마코메(馬込め)로 통하는 마을길에서 느티나무 숲을 왼쪽으로 지나가면 오른쪽에 삼나무나랑 대나무숲이 있다. 낮인데도 어두운 나무 아래 길을 빠져나가면 참으로 넓고 넓은 막 시들어가는 들의 모습이도다. 가을의 맑은 시냇물이 흐르는 흙다리를 지나면 잡목의 단풍도 보인다. 또한 반정(反町) 정도 올라가 밭 사이 가운데 울퉁불퉁한 길을 따라가면 갑자기 문에 띠는 적송(赤松) 두 구루가 있다. 이곳이야말로 공의 관을 묻을 곳이로다. 은사관으로부터는 약 6정(町) 떨어져 있다.

오이촌(大井村)이토공 묘지 검분(檢分)

(왼쪽에 서있는 사람은 이노우에(井上) 후작. 구부리고 표목을 심고 있는 사람은 카타야마 도쿠마(片山東熊))

● 이토공과 관폐사(官弊社) 제신(祭神)

▽ 이토공을 관폐사에 모시는 제안

▽ 아마 실현되지 않을 것이다.

이토공을 봉사(奉祀)하여 특별히 관폐사가 되도록 하는 제안이 현재 도처에서 이루어지고 있다. 그 관계자에게서도 거의 내정되었다는 소문이 났으나 그것은 지극히 그저 희망에 지나지 않아 도저히 실현될 일이 아니다. 이에 대해 제사(祭祀)에 대해 잘 알고 있는 모씨는 다음과 같이 말하였다.

▲ 우리나라의 제신(祭神)은 하늘에 계시는 선조를 비롯하여 모든 현실의 신인(神人)으로 황실과 국가에 공로가 있는 자 및 대대로 덕이 높은 천황이다. 이는 서양과 같이 종교적 색채를 띠는 것과 다르다. 무형의 신이 아니고 원래 유형인 사람들이다. 미나토가와(湊川) 신사는 쿠스노키 마사시게(楠正成) 공을 모시고, 나시키(梨木) 신사는 산죠 지츠만(三條實萬) 공을 모시는 등 제신은 모두 현실의 사람이다. 대공신을 각별관폐사(別格官幣社)에 모시어 봉사하려고 하는 것은 신하가 청원할 수 있으나 그 재결은 모두 폐하께서 내고, 유신 후 신하로서 관폐사(官幣社)에 모신 사람은 한 사람도 없다. 다만

▲ 야스쿠니(靖國) 대만(臺灣) 두 신사는 특별하다. 각별관폐사(別格官幣社)인 야스쿠니(靖國) 신사는 전쟁으로 죽은 공신을 합사한 곳으로 관폐대사(官幣社大社)인 대만 신사에는 고(故) 키타시라카와 노미야요시히사(北白川宮能久) 친왕 전하를 봉사하고 있다. 따로 대국혼신(大國魂神)[7], 대사귀신(大巳貴神)[8], 소언명신(少彦名神)[9]이 합사되어 있는데 다른 경우에 있어서는 현대의 공신을 관폐사에 모시는 일은 어려울 것이다. 고(故) 산죠 사네토미(三條實美)공은 유신 공신 중의 대공신, 원훈 중의 대원훈이므로 나시키 신사에 합사하려고 하였으나 심의한 끝에 재가를 받지 못하였고 또한 고 이와쿠라 토모미(岩倉具視)공을 마츠고(松戶)에 모시자는 제안도 허락되지 않았다.

▲ 이토공의 경우는 뭐라 해도 공의 덕은 현대에 비교할 데가 없다. 그 죽음은 거의 전사에 비교될 것이나 공을 관폐사에 모시는 심의는 어떻게 될 것인가! 산죠·이와쿠라 두 공과 함께 이토공은 유신의 대공신이므로 후대에 혹 관폐사(官幣社)에 모시실 수 있을 것이다. 하지만 폐하의 치세에는 이 일은 없을 것이다. 나의 생각으로는 우선 이토 신사를 건립할 건물·부지·자금 등 훗날에 각별관폐사(別格官幣社)가 될 수 있도록 하는 것이 당면한 과제이다.

▲ 이코신슈(一戶鎭守)[10]로 공의 영혼을 모시는 것이 가장 온당한 방법이다. 이렇게 하여 세월이 지남에 따라 각별관폐사(別格官幣社) 또는 관폐대사(官弊大社)가 되

---

7 오쿠니타마노오카미.
8 오아나무치노카미.
9 스쿠나비고나노카미.
10 신사의 한 종류.

면 될 것이다. 묘지 부지는 오모리(大森)로 결정하였다고 하므로 공의 영령(英靈)은 그 유지와 함께 오랫동안 한국에 있어야 하므로 한국의 한 곳에 문묘(文廟)를 만들어 황송하지만 수좌남신(須佐男神)[11]의 신령(神靈)와 함께 봉사하는 것이 좋을 것이다. 만약 가능하다면 하얼빈 시외에 광대한 문묘를 운영하는 것은 더욱 좋을 것이다. 요컨대 공의 혼령을 신으로 모시고 각별관폐사(別格官弊社)로 삼는 제의는 허가되지 않았다.

● 이토공과 한국 기독교

▽ 신도에 대한 동정

흉한 운치안(雲知安)과 관계가 있다는 풍설이 있는 평양 시가에 우뚝 솟아 있는 기독교 교회가 있다. 이는 감리교파 중앙교회로 일본인이 전도의 중임을 맡았는데, 이토 공은 통감이었을 때 건축비로 5,000엔을 보내었고, 우리나라 사람 전도 결과가 자못 좋음을 상찬하고 또한 일면으로 모모 교회신자인 한국청년 등이 일본에 대한 잘못된 생각을 고쳐 반감을 없애려는 노력을 바랬다. 작년 12월에도 경성의 황성기독청년회관 기공식을 거행하였을 때 황태자와 함께 그곳에 참석하여 그 낙성식에서는 한바탕 대연설을 하여 참석한 한국 신자들을 감동시킨 일도 있다. 그리고 세브란스병원 부속 의학교(醫學校)의 졸업식에는 공이 직접 증서를 수여하는 등 깊이 한국의 기독교를 동정하고 청년의 종교심을 계발시킨 바가 적지 않다. 그럼에도 이름만 기독교신자인 흉한 한 사람의 독수에 쓰러진 것은 유감이다. 이에 대해 『평양 기독교』대변인 일본 기독교 간부 기야마(貴山) 씨는 다음과 같이 말하였다. "한국 청년 신도 중에 지금 마음속에 많은 불평을 품은 자가 있을 것이나 표면적으로는 대단히 조용하다. 평양 등도 어제 오늘에 과격한 배일운동의 힘든 모습은 그다지 보이지 않는다. 그곳에 사는 우리나라 전도사는 조합파와 감리파에 각각 한 명이 있는데 앞서 말한 바와 같이 일찍이 이토공이 칭찬하실 정도로 대체로 성적이 양호하고 미국인 선교사라고 해도 한인을 동정한 나머지 스스로 비난을 사는 일은 있으나 이것은 모두 우연한 결과로 결코 다른 뜻이 있는 것이 아니다. 또한 통감정치에 대해 피

---

11 스사노오가미.

치자인 한국인 측이야 말로 여러 불평을 하고 있으나 우리는 어디까지나 선정을 베풀려고 하는 것은 물론이므로 평양의 기독교도 중에서 흉한이 나왔다고 하여 곧바로 선교사 혹은 통감 정치의 죄라는 할 수 없다."

● 오이소(大磯)의 어제와 오늘

▲ 이토공의 유영(遺詠)
공작 저택에서는 어제 공의 유작 시를 한 수 발견하였다. 이것은 지난번 한국태자를 호종하여 동북 순유 때 후지타 토코(藤田東湖)의 히타치오비(常陸帶)[12]을 읽고 제목을 붙인 것이다. 다음과 같다.

히타치오비(常陸帶)를 읽으면 구슬 같은 눈물이 흘러 사람을 움직이는 것이 사람의 진정한 마음

▲ 가련한 조문(弔文)
소슈카마쿠라자이카와구치촌자(相州鎌倉在川口村字) 카타세(片瀬)의 카와구치(川口) 소학교 심상 3학년생 코이케 키누(小池きぬ)는 이번 흉변을 듣고 어린 아이의 마음에도 공의 죽음을 슬퍼하고 28일부로 그제 아래와 같은 가련한 조문을 오이소(大磯) 공작 저택으로 보내었다.

공작 이토께서 이번에 하얼빈에서 적에게 돌아가셨습니다. 뭐라고 할 수 없는 슬픔을 느낍니다. 나는 신문을 보고서 가슴이 터지는 것 같아 눈물이 뺨에 흘렀습니다. 공작 각하의 극락왕생을 빕니다.

▲ 어제의 위문객
야마네 쇼지로(山根正次), 아라카와이치로(荒川一郎兩) 두 사람은 대동(大同)클럽을 대표하여 조사를 올려 오시마(大島) 대장·마츠다(松田) 중장·쿄우라(清浦) 자작·하나부사(花房) 자작·타카키(高崎) 자작·하라케이(原敬)·오오카 이쿠도(大岡育

---

12 지금의 이바라키현(茨城県) 지역.

171

造) 기타 50명 모두 오이소로 와서 조사를 올리고 귀경하였다.

● 공작 부인의 귀경

▽ 이토 공작 부인은 30일 오후 0시 58분 발의 기차로 오오모리(大森)으로 출발하였다. 이날 스에마츠(末松) 자작, 니시켄 시로(西源四郎), 이와이(岩井) 의사 등은 0시 30분 공작 저택을 나와 정거장으로 가 여러 가지 준비를 하였다. 공작 부인은 0시 45분경 야키치(彌吉)라고 하는 운전사의 도움을 받아 스에마츠(末松) 부인·히로구니(博邦) 부인 등과 함께 정거장에 이르러 플레이트폼에 만들어 놓은 의자에 앉아 잠시 기차를 기다리고 있었다. 스에마츠(末松) 부인은 울어 눈이 부어 있었는데 공작 부인은 병으로 수척한 데도 끊임없이 배웅하는 사람에 인사를 하고서 숙연한 표정을 다시 지어 씩씩하게 보였다. 부인의 복장은 머리를 대충 감아올리고 연보라색의 반 깃에 푸른 빛이 나는 검은 색 오메시(お召し)[13]에 솜옷을 입고 그 위에 쿠로하부타에(黑二重)[14]에다가 히후(被布)[15]을 입었고, 자색의 작은 가방과 양산을 들고서 드디어 기차가 도착하자 니시(西) 부인의 도움을 받아 임대한 1등 열차를 타고서 북쪽 구석에 에마츠(末松), 히로쿠니(博邦) 두 부인을 앞에 앉히고, 스에마츠(末松) 부인과 이와이(岩井) 여러분 옆에 앉자 기차가 서서히 출발하였다. 정민(町民)은 100명 정도로 모두 하오리하카마(羽織袴)[16]을 입고서 배웅하였다. 배웅하는 부인들 모두 눈물을 얼굴에 흘리지 않았으나 글썽이는 것처럼 보였다(오이소 전화).

● 이토의 낙엽(落葉)(4)

▽ 여러 가지 고(故) 공작 추억

▲ 낮밤 전후

공작은 대체로 매일 오후 2시부터 3~4시까지 낮잠을 늘 주무신다. 대단히 바쁠 때를 제외하고 낮잠을 주무시지 않은 적은 없다. 그런데 낮잠을 주무시기 전

---

13 일본 정토 직물의 하나.
14 일본 정통 옷.
15 일본 정통 정장.
16 일본 정통적인 정장.

에는 반드시 책을 읽습니다. 책은 대부분 그때 그때의 신간으로 말할 필요도 없이 정치에 관해 것이 대부분을 차지하고 있으나 어쨌든 취미가 넓고 또한 독서광이므로 정치 이외의 것도 많다. 조선 근방에서 사 모은 고서적류도 적지 않았다. 그러나 잡지는 그다지 본 적이 없다. 또한 공작이 독서광이라는 것은 멀리 외국에까지 소문나 있는 것으로 진귀한 신간 등이 나오면 구미의 서점에서 직접 호의로 증정하는 일도 때로 있습니다(우치다 료헤이(內田良平) 씨의 이야기).

▲ 서재의 모양은

극히 소박하고 오히려 난잡하다고 할 것이다. 모두 오이소(大磯)의 소로쿠각(滄浪閣)는 세간에 명성이 높은데 그 건축이 조잡하다고 하면 실로 언어도단이고, 완성되자마자 곧 천장이 무너지고 벽은 떨어졌다 하니 것은 모두 말이 안 되는 것 같다. 그러나 공작은 의식주 따위는 전혀 관심이 없는 분이었으므로 그 서재가 난잡한 것도 이상하지 않다. 탁자 위나 마루 사이에는 다양한 책들이 수북하게 쌓여 있어 공은 그 중에서 필요한 것을 손을 뻗어 빼서는 아무렇지도 않은 듯이 읽고 계시다. 때때로 서재로 손님을 부르는 일이 있을 때조차 앉을 수 있도록 치워야 했을 정도였다.

▲ 부엌에서 술을 갖고 오다

그러나 생각해서 이를 정리하면 오히려 어디에 두었는지 알 수 없다고 질책하므로 하녀 등도 그대로 두고 손대지 않는다. 너무나 난잡하면 공 자신이 정리하신다. 모두 공작은 어떤 경우라도 그다지 다른 사람의 손을 빌리지 않는 성격으로 술이라도 드시고 싶으면 스스로 부역으로 나가서 술잔을 들고서 혹은 술병을 들고서 술자리로 돌아온다고 한다. 매사가 이런 식이었다(동상).

▲ 죠에이식목(貞永式目)[17]을 애독하다

통감이 되어 한국에 부임하였을 때 키타죠 야스토끼(北條泰時)[18]가 제정한 죠에이싯목(貞永式目)까지 갖고 가 대단히 애독하였다. 카마쿠라(鎌倉) 막부의 키타죠(北條) 씨가 집권한 상황과 그 조정에 대한 태도 등을 극히 자세하게 연구하시고 있는 것을 보았다. 공이 한국통감 준비를 철저하게 한 것은 이 하나의 일을 보아도 알 수 있다고 생각한다(동상).

---

17 카마쿠라(鎌倉幕府)의 기본 법전.
18 카마쿠라 막부 3대 장군.

▲ 처음에는 싫어하다

이토공이 장년이 되었는데도 휘호(揮毫)를 대단히 싫어하여 반드시 써야했을 때 졸자(拙者)에게 대필을 명령하신 적도 있다. 그것이 말년에는 스스로 나서서 휘호를 하시고 서체도 차차 정하였다. 공은 자기도 휘호를 좋아하게 되었다고 하시었다(타츠이(龍居) 만철 비서장의 이야기).

▲ 예기(藝妓) 집에서 주인인양 행동하다

공부경(工部卿) 시절의 이야기이다. 그 무렵에는 때때로 단의(單衣)의 키나가시(着流し)[19]인가를 입고서 훌쩍 나아가서 미나미나베정(南鍋町)의 예기(藝妓) 이와이야 오테이(祝家 おてい)(고 모리 타칸야(守田勘彌) 미망인)의 집으로 가서 구석진 8번 마루방(下座敷 八疊)에 주인인양 친구를 부르러 보내 크게 과시하였다. 근처에서는 어디 문직이인가 생각하다가 혹시 급한 일로 마차가 맞으러 왔는데 비로소 이토공임을 알았다(동상).

▲ 놀 때는 걱정

1875년(명치 8년) 경이었다. 이토께서 미타(三田)에 살고 있었을 무렵 어느 날 밤 6~7명의 남자들이 복면하고서 칼을 뽑아 쳐들어 술집 구석구석까지 뒤졌으나 다행히도 그날 밤은 가지 않았으므로 물러났다. 다음날 아침 어른께서 오시어 이 이야기를 듣고서 웃으며 들어오셨다고 한다. 그 날 밤 신바시(新橋)의 키츠네 우나기(狐鰻)에서 만나자 어제 밤에는 이러이러한 일이 있었다고 이야기를 하니 이 머리를 가져가도 가치가 없을 것이며 웃었다. 이런 까닭으로 이토께서 노실 때에는 첩들까지도 실로 걱정하였다(이와이야 오이테의 이야기)

● 이토공의 전반생(前半生)(5)

처음 군대에 간 나이는 태합[20]과 같다.

공은 16세의 봄을 맞아하였다. 하지만 천하는 봄이 되지 않았다. 꽃이 만발한 에도(江戶) 토쿠가와(德川) 막부, 300년 폐도(覇圖)가 드디어 흔들리기 시작하였다. 1853년(카에이(嘉永) 6) 북미합중국의 군함이 우라카(浦賀)에 와 소동이 일어났다. 막부는 여러 다이묘(大名)에게 명하여 소(相)·부(武)·호소(房總)의 바다를 굳건히 지

---

19 남자의 옷차림.
20 토요토미 히데요시(豐臣秀吉).

키게 하였다. 쵸슈(長州) 모리가(毛利家)에게도 군역(軍役)을 명하였다. 1853년 이후 수년간 우라카 내의 경계를 굳게 하였다. 일가 중의 사무라에는 제외하고 보졸(步卒)·봉공인(奉公人)²¹에 이르기까지 적어도 사족(士族)·졸족(卒族)이라는 자는 모두 징병에 응하여 나가게 되었다. 공은 이토 스케(伊藤利輔)의 명으로 처음 한 사람의 졸(卒)이 되었다. 이 우라카의 진야즈메(陣屋詰)²²을 명받았다. 그 때의 나이는 16세로 탯줄을 끊고서 처음으로 군대에 갔다. 53역(驛) 300리(里) 짚신에 살갗이 벗겨져 다리를 질질 끌었다. 느닷없이 변경의 성을 지키는 군인이 되었다. 토요토미 히데요시(豐臣秀吉) 태합(太閤)이 홀엔슈(遠州)로 가서 마츠시타 카헤이지(松下嘉平次) 아래로 들어간 해와 같은 나이이다.

공이 속한 진야(陣屋)²³의 중역(重役)으로 쿠리하라 료죠(來原良藏)라는 사람이 있었다. 그는 쵸슈하치쿠미(長州八組)²⁴의 사족(士族)으로 장년(壯年)에 유이(有爲)라고 불렸다. (그는) 공이 미역(微役)의 어린 몸으로서 학문을 좋아함을 특히 아끼어 이것저것 보살펴 주고, 매일아침 날이 새기 전에 공을 안아서 일으키고 자신이 근무를 나가기 전에 혹은 말 위에 등불을 두거나 혹은 촛불을 접시에 두거나, 간절하게 글을 가르치는 것을 상례로 하였다. 그리고 눈이 내릴 때는 특히 흰 눈 위를 맨발로 걸으라고 명하고 춥다고 해서는 절대 안 된다고 훈계하였다. 적어도 무가의 봉공(奉公)을 하는 이상은 윗사람의 명을 어기지 말며 조금은 무리한 일도 참고 푼념하거나 투덜대지 않으며 나를 버리고 공(公)을 따르고 청렴결백하여 이익을 추구하지 않으며 평생 동안 되도록이면 온화하게 지내며, 옳다고 생각할 때는 십분 용기를 내야 한다. 이것을 무사도의 심오한 가르침으로 삼는다는 것을 책에 맞추어 설명하여 들려주었다. 마치 하나의 흥미로 공의 심신을 단련시켜 특출한 인물로 기르려고 하는 것 같았다고 한다. 공이 구리하라에게서 받은 교훈은 아직 순진하여 세상에 물들지 않은 소년의 뇌리에 깊이 새겨져, 공의 한평생 인격 도야의 기본이 되었다. 보아라! 공은 69년 평생 동안 이 구리하의 교훈을 큰 모범으로 하여 활동하였음을.

----

21 하급무사.
22 지방의 군대.
23 에도시대 성(城)을 갖지 못한 영주(領主)의 처소 또는 군다이(郡代)·다이칸(代官) 등의 관아(官衙).
24 쵸슈(長州)의 번사(藩士).

이 구리하라 료죠라는 사람은 존왕양이(尊王攘夷)를 주창하였지만 결코 완고한 편견에 사로잡혀 있지 않았다. 일찍이 쵸슈(長州) 군제개량(軍制改良)에 뜻을 두고 시도된 적이 없었던 서양 (군대의) 훈련을 모방하였다가 번(藩)부터 대단히 질책을 당하였다. 주제 넘는 방법이라고 하여 우라카 고향에서 쫓겨나 잠시 칩거(蟄居)[25]하였으나, 번론(藩論)이 점차 (변하여) 40명이 (서양식) 훈련의 필요성을 느끼게 되었다. 서양 조총부대(銃陣) 연구를 위해 나가사키(長崎)에 있는 네덜란드 사람에게 사람을 보낸 적도 있었다. 그 후 시국이 잘못됨을 분개하여 할복하여 죽었다. 이는 당시의 혈기에 찬 무사가 하찮은 일에 흥분하여 할복한 것을 무 자르기로 생각하는 무리들의 할복과는 다르다. 조금도 무리하지 않는 훌륭한 무사의 각오이었다. 자세한 이야기를 하면 너무 길어지므로 여기에서는 말하지 않겠다. 이후 공의 심신에 적지 않은 은혜를 입은 요시다 쇼인(吉田松陰)은 실로 이 구리하라의 친우로, 가츠라 코코로(桂小五郎(키도 코인(木戸孝允))는 또한 이 구리하라의 처형이다. 당연하지만 공은 평생 구리하라의 은혜를 잊지 않았고, 언제나 그 이야기를 하면서 눈물을 지으며 그 인물을 상찬하였다.

---

25 에도시대에 공가(公家)·무사에게 과한 형(刑)의 일종으로 외출 등을 금하고, 자택의 한 곳에서 근신시키는 것.

日本 新聞 中 安重根 記事 I

-東京 朝日新聞

日本語本

本社 浦潮特電
● 露國藏相
　一日浦潮特派員發
　來る九日露都出發當地に向ふ

倫及タイムス特電
● 露國藏相極東行(同上)[1]
　露國大藏大臣ココウトセフ氏は近日極東を巡回せんとす

1　二日タイムス社發。

倫及タイムス特電

● 露國藏相極東視察(同上)[1]

大藏大臣ココウヅフ氏は十月十二日露都出発浦潮斯徳港に赴き職業不振の事情、北滿露國鐵道活動の狀態及び哈爾濱露淸居留地の實情等を調査す可し又政府は露人をして日本人の商業的活動と並行するを得せしめんことを欲し之が爲め先づ充分に該方面の經濟的事情に精通せんことを希望し居り且其抱懷せる考案中には露淸銀行西比利亞銀行の合併露都に於ける日露協會の設置等の計畫をも含有せり

● 伊藤公卒倒説に就て

三日伊藤公が桂侯爵邸に於て卒倒し人事不省の儘大森の公爵邸に引返したる由を傳ふものあるが公爵が桂侯を訪ひたるは去る三十日月見の晩にして末松子を訪はるる途次午後三時頃侯爵邸に入り雑談中腹痛を感じたる爲小山醫師を招き一應診斷せしめたるも別にさしたる事もなくブランデー少量を服用し其儘歸邸せられたるが其後何等の別狀なき由多分是等の事を聞き誤りて斯く大業に傳へられたるものなるべし

----

1 四日倫敦タイムス社發。

本社朝鮮特電

●藤公滿洲行の意味(同上)[1]

伊藤公の滿洲行に就き某昵近者は曰く是れ公が統監在任中は日本の外交基礎が韓國本位なりしも今後滿洲本位となるべき證據にて事茲に至りしは後藤男が桂侯を介し伊藤公をして滿洲政策を確立せしめんが爲なり從つて今回の旅行は最も主意すべきものなりと

●伊藤公の出發

伊藤枢密院議長は愈々來る十四日大磯出發神戶若くは馬關より乘船直に大連に航し往復約一ヶ月の豫定にて滿洲を一巡する筈なるが今回は全く個人としての旅行にて政治上の意味を有するに非ず從つて其乘船も商船會社の汽船にて軍艦等の警衛なく詩酒風流を極め到る處吟囊を肥すべしと云ふ

●伊藤公の御乞暇參內

伊藤公は來る十四日大磯出發滿洲旅行の途に上るに付九日參內する由

1　七日京城特派員發。

本社米國特電

●藤公滿洲行と米國

八日桑港特派員發

華盛頓来電に我伊藤公が此際滿洲視察の途に就くべしとの報道は政治上重大なる意味ある者として頗る官邊の注意を惹けり米國外交家は日本が滿洲に於て米國の政策を危險ならしむべく諸種の特權を獲得しつつありとし非常に憂慮せり日本が最近鑛山開掘權及安奉鐵道改築權を得又滿洲鐵道競爭線敷設には日本の承諾を得ざる可らざる旨約定せしめたるは滿洲に於ける他の外國人排斥に終らんことを疑ひつつありしが伊藤公の滿洲旅行は其状態を研究して或は今後起り得べき他國の抗議に對する答辯の材料を得んとする準備なりと觀察しつつあり

伯林電報(日独郵報社取次)

● 露國藏相極東行

九日伯林特約通信社發

露國大藏大臣ココウトセフ氏は極東に向け出發せり氏は特に浦潮斯德港につき調査する筈

● 岩倉宮相の訪問

岩倉宮内大臣は昨日午前十時伊藤公を靈南坂邸にに訪問し何事か傳達されたり宮相は同三十分退出後直に宮中に出任し復命する所ありたり

● 伊山兩公會見

伊藤公は十四日出発滿州視察に赴くを以て昨日午前山県公と會見し滿州問題其他重要事件に付打合せする処ありたり

本社浦潮特電

●露藏相と伊藤公

十二日浦潮特派員發

露國藏相は二十九日哈爾賓着五日間滞在の筈ならが伊藤公の同市着も略同時日なるより兩人間に何等かの問題なきやと察せらる殊に旅行中の川上總領事が急電に接し旅行先より引返したる事實は更に此疑問を深からしむ

●伊藤公隨員

伊藤公渡滿に付隨員は左の人々に決定す

貴族院議員室田義文

宮内大臣秘書官森泰次郎

外務書記官鄭永邦

陸軍歩兵少佐松木直亮

宮内屬黑澤滋次郎

公爵家家從小林勝三郎

右は外務省より露國政府清國政府にど通牒したりと聞く

● 伊藤公に御下賜

　伊藤公は愈々今十四日午後三時四十分新橋發下ノ關急行列車に大磯より乗車滿
州視察の途に上るに付畏き邊りよりは昨日御使を滄浪閣に差遣され左の通り御下
賜相成りたり

　　一清酒一梅一交魚一麥

路透電報
● 露國藏相極東行(同上)[1]

露國大藏大臣ココウトセフ氏は極東行につき露帝の聽許を得たり

伯林電報(日独郵報社取次)
● 露國藏相演説(同上)[2]

露國大藏大臣ココウトソフ氏は極東行の途上莫斯科に到着し同市長クレストウニコウ
氏等之を歡迎せりク氏は露相に對し露國財政回復と外國信用の增加は露相の功なり
と説きたるに藏相は之に答へて余が極東行の目的は東方鐵道を視察するに在り先きに
政治的に重要なりし同鐵道は今や純粹に商業上の價值を有するに至れりと言明したり

本社浦潮特電
● 露相に委任

十四日浦潮特派員發

露國藏相は十二日露都出發東淸鐵道善後策の全權を委任せられたり

內國電報(十五日發)
● 伊藤公出發(大磯)

伊藤公は古谷秘書官外随行員を從へ十四日午後五時二十三分大磯驛通過の急行列
車を特に停め東京よりせる淸國公使鄭外務書記官と同乘滿州行の途に上りたり是よ
り先停留場又は山北迄同乘見送りたるは後藤遞省、樺山伯、末松子夫妻、西園寺八
朗、鮫島武之助、令息博邦、井上勝之助諸氏其他二三貴衆兩員議員大磯町長外町
會議員等百餘名にして公はフロックコートに黑の山高帽子と云ふ輕裝にて一々見送り
人に挨拶し喜色滿面に溢れ居たり尙公は途中何れにも下車せず下關に直行する筈

1　十四日上海經由路透社發。
2　十四日伯林特約通信社發。

倫及タイムス特電
● 露國藏相演說

十五日タイムス社發

露國大藏大臣ココトソフ氏は莫斯古取引所に於て演說し露國財政の改善と列國豫算の困難が露國に比し一層大なるを說き其極東行は重に東淸鐵道に關係す然も之に對する政府の政策は瞭々たり卽ち先きに政治的商業的なりし同鐵道は今や唯商業的問題をのみ殘すに至れる其例證を擧げられは露國貨物を北淸に輸入し同時に淸國原料品を露國に又其國貨物を浦潮斯德に輸送するが如き是れなりと言明せり尙藏相は其後西伯利に出發したり

內國電報(十六日發)
● 伊藤公發船(下關)

伊藤公は十六日朝來訪客に接して談を交へ硯海窯所有者石井某より十五日初めて釜開を爲し燒き得たる花瓶を受け尙其陶器の命名を諾し森槐南氏と素燒の陶器に李太白の一句を染めたり午餐後零時三十分隨員と共に鐵嶺丸に搭乘紀念の爲一同撮影を爲し船は午後一時拔錨大連へ直航せり大連着港は十八日午後四時の豫定にて歸朝は十一月十五日頃ならんと

本社浦潮特電
●露國藏相の用向
十七日浦潮特派員發

露國藏相の極東視察事項は

一、自由港閉鎖後の極東經濟狀態を實地に調査すること

二、露國國庫に最も多き損害を與へつつある東淸鐵道の先後策を根本的に解決すること

三、極東國境に於ける露國住民が日淸兩國民より受くる壓迫を防ぐこと

等を主なるものとし其他對外懸案を一掃するにありと傳へ居れり

本社滿洲特電

● 伊藤公着發豫定(同上)[1]

伊藤公十八日來連遼東ホテルに入り十九日市内を巡覽し午後六時官民の歡迎會を伏見臺公會堂に開く二十日小野田セメント工場を一見し同夜中村總裁の催しに係る晩餐會に臨み二十一日旅順に向ふ筈

● 露藏相と伊藤公

露國大藏大臣ココウトソフ氏は廿四日哈爾賓着の豫定なり伊藤公は廿五日の夜行列車にて寬城子を出發する豫定なればコ氏との會見は廿六日なるべしといへり

● 露國藏相の用事

露國新聞に依り藏相が今回極東巡視を企てたる動機を探るに第一東淸鐵道の現狀價値を査覈し其の收支相償はずして國庫に累を及ぼす原因を研究し進んで改良の方法を講ずる事第二極東に於ける露國の政治的地位幷に日淸兩國の對露關係を視察するにありと云ふ素より日淸露の政治問題の如きは藏相の直接關係すべき性質のものにあらざるべきも近來沿海州、滿洲邊の露國官憲は一種の猜疑心を以て日本人の行動を觀察し針小棒大の虛報を捏造して政府に報告するより今回のし視察の動機と爲りたるものの如し

1　十七日大連特派員發。

本社支那接待委員
● 伊藤公接待委員

　十九日北京特派員發

　伊藤公の滿洲巡遊に對し淸國外務部は特に接待員として曹汝霖氏を奉天に派遣

　し敬意を表せしむと

本社滿洲特電
● 伊藤公一行

二十日旅順特派員發

二十二日午前十一時旅順着、大連まで出迎へたる大内事務官、相賀民政所長随從、文武高等官、市民有志、小學校生徒等多數の出迎へを受け大内事務官同車旅館大和ホテルに入り高等文武官は直にホテルに伺候せり午餐後民政部、海軍港務部、工作場及記念品陳列館等を観覽し午後六時より偕行社に於て開かる、官民合同歡迎會に臨む公は二十一日滞在二十二日午前七時四十分發奉天に向ふ筈

● 伊藤公の演說

伊藤公は十九日夜大連に於て日本人、支那人、歐米人の合同歡迎會に臨み大要左の演說を爲せり出席者内外人三百餘名未曾有の盛會なりし

予は從來滿洲を視察せんと欲したるも遂に其暇を得ず昨今小閑を得たれば勅許を經て漫遊の途に上れり昨日當地に到着したるのみなれば自分より有益なる談話を爲す能ばず却て諸君の高說を聞かんと欲す一言此に平生の所懷を陣ぶれば極東の平和は日本に取りて重大なる關係あり從つて之れを維持するに付ては日本に重大なる責任あり滿洲在留の日本官憲は常に門戸開放、機會均等の主義に戾らざる施設を爲し在留日本人は此主義を尊重し常に淸國人及露國人と親密の關係を有せざるべからず淸國政府の現に執りつつある進步的政策の成功は日本の最も熱心に希望する所にして日本政府は直接之れが援助を爲す能はざれば間接にても援助すべきものと考ふ尚地方の淸國人は日本人と常に親睦して互に利益を增進し文明の恩澤に浴する事を期せざる可らず自分の所見にては當地方に於ける露國の利益は決して日本の利益と衝突せざるのみならず各々其利益を增進する事に依り當地防の發達を來し淸國人に物質的文明の恩惠を施す事を得べし之を要するに支那人、日本人、露國人及其他此地方に利益を有する諸國民の協力に依り滿洲の平和的發達

は期待せらるべき者にて此平和約[1]發達は延て以て極東全體の平和に貢獻する所尠
からざるべし

---

1 的。

本社滿洲特電
● 伊藤公一行

二十二日旅順特派員發

二十二日午前六時四十分發北行す在順文武官市民學校生徒等數停車場に見送り大内事務官随従せり

本社支那特電

● 伊藤公漫遊と外人(同上)[1]

伊藤公の滿洲漫遊に關し當地の外人は一人も單純なる漫遊と信ずる者なし殊に米國シンヂケート代表者なるストレート氏が過般滿洲總督と鐵道敷設其他に關し密約を爲せりと傳へられ又一方には露國大藏大臣の來滿駐淸露國公使の哈爾賓行等あるを以て一層何等かの意味あるを推測しつつあり

本社滿洲特電

● 伊藤公旅程

二十二日奉天特派員發

伊藤公は二十二日午後六時到着直に滿鐵公所に入り二十三日滯在二十四日撫順を視察し二十五日發長春に向ふ豫定なり錫總督は國賓として待遇し二十三日夜盛んなる晩餐會を催す筈

1　二十二日北京特派員發。

路透電報

●内田大使歸朝

二十四日浦潮特派員發

内田大使二十三日夜着二十四日午前九時敦賀に向へり其談に曰く予は露國藏相と滿洲里驛迄同車し來りたるが藏相は至極元氣にて各驛にて諸種の報告を受け又車中にて熱心に執務し居れり藏相は予に語りて日本行は希望なるも議會開會の爲來月廿日迄に歸都せざる可がらざるを以て今回は訪問出來ず遺憾なり伊藤公とは會見すべしと言へり各國新聞記者目下哈爾賓に執中せり云々

●清國領事哈爾賓行(同上)

當地清國領事は二十四日哈爾賓に向へり

本社滿洲特電

●伊藤公奉天着

二十三日奉天特派員發

伊藤公廿二日六時着奉直に滿鐵公所に入る我官民の出迎へせる外清國に於ては特に歡迎門を停車場に造り各文武官及軍隊を停車場に派遣錫總督及程巡撫は自ら滿鐵公所に出迎へ其通路には軍隊巡警を派して警戒を嚴にし一般市民には國旗を掲げしめて敬意を表する等頗る盛況にして待遇の叮重なる從來其例を見ず同一行は廿三日錫總督を訪問し後宮殿北陵を拜觀し六時總督の晩餐會に臨めり

●伊藤公と露國藏相

二十三日長春特派員發

伊藤公は廿五日當地通過廿六日朝哈爾賓着の豫定なり

露國藏相は廿四日哈爾賓着兩三日滯在の上浦潮に向ふ

本社滿洲特電

●伊公錫督會見

二十四日奉天特派員發

伊藤公廿四日朝撫順に赴き同夜歸奉の筈因に廿三日錫總督との會見は内外人の注目を惹きたれど錫總督より滿州問題に關する淸國側の希望を述べたるまでにて他に何等の意味なかりしものの如し

●露國藏相到着

二十四日哈爾賓特派員發

露國藏相一行二十四日午前八時當地到着多數名士の出迎へあり藏相はホルワド氏と共に鐵道廳に入れり伊藤公との會見あるべく期待されつつあり

●露國藏相會見

十五日哈爾賓特派員發

露國藏相、ココウツオフ氏二十五日着市中を巡視し午後三時我領事を訪ひ二十分間會見せり

●伊藤公出迎(同上)

川上領事は伊藤公出迎の爲め廿四日夜東淸鐵道特別列車にて寛城子に向へり

●伊藤公北行

二十五日奉天特派員發

伊藤公は二十五日午前十一時發長春を經て哈爾賓に向ふ廿九日再び來奉卅日朝發京奉線にて営口に赴く豫定なり

●伊藤公と露國藏相

露國が曾て其國力を極東に傾注したりし頃、其朝廷の大官が親しく巡視し來りたるは、ウ井ツテが一回、クロパトキンが一回のみなりしかと記憶す。あとは圖上の判斷、書面の研究にて事を足したるものと見ゆ。結局日本と意外の衝突に及びて、大なる損失を速きたるも、亦其故ありと謂ふ可し。然るに吾人は他國の事のみを云々す可からざるの地位に在り。我日本にても、戰後の滿州に多大の利害關係を有す

る事となりたるに拘らず、政府の當局者の親しく巡視したるは、微行的なりし西園寺卿の一回あるのみ。而して今の內閣總理大臣桂卿は、日淸戰爭に際して、師團長として彼地に轉戰したる事こそあれ、政事家として政治的觀察の跡を彼地に印せず。一時滿州懸案をして其歸着の處に迷はしめたるも道理とや言はん。懲るる所ありたるか、今後露廷にては有力の執權者たる大藏大臣ココウヅフ君聖彼得堡より東行し來り、我伊藤公も亦海を渡り西遊して哈爾賓に詣らんとす。旅程にして誤りなくば、本日あたり此二觀光客が北滿州の大都會にて偶然に落合ふこととなる筈なるが、會見の約もある樣なれば、幸ひ落合ひて幸ひ談話し、雙方共に誤りを正して、雙方共に利益を得るにも至る可きなり。但頃日の桂邸の國際新聞協會にて樞密院議長が親から辯明したる通り、今度の其一行には何等政治的使命の負擔なし。而してココウヅフ大藏大臣も旅行の首途に於て日本政事家の滿州行を知りたる位なる可く、從つて日露の國際上に於ける政治的交涉を爲す可き何等の委任を佩びざる事と思はるるなり。又實際吾人の知る限りを以てしては、目下の日露兩國間、雙方の大政事家は煩はして談判せしむ可き程の何等の懸案も無き筈なり。只夫れ政事家相會して、話題の政治的ならざる由緣も無かる可く、此會見を利用して、少くも相互の従来.りを解くことは、必ず兩者共に好んで爲さんとするに至る可き歟。先日の日淸協約に關しては、北米合衆國に於て多少.解の行はれたるは、既に事實となりて知られたるが、露國側に於ても、其折の其新聞紙の論調により又西歐諸電の所報により、吾人は何等歟.解の上下に行はれたる痕跡を認めざる能はざるなり。而して彼の當時、吾人は米國よりも寧ろ多く露國に誤解の起りたるを感じたる事なり。其末今日にても或は何等歟の芥蔕なきを保す可らず。之を解くだけの談話は、伊藤公の必ず好んで爲す所ならんと思ふ。此機會を用ひて吾人の所懷をも披瀝せんか。吾人は實に今後の露國との戰爭を恐るること甚だしきものにして、何等歟の犧牲を拂ひても再戰の厄を御免蒙りたしと祈り居るものなり。而して積極的なる願望としては、吾人は實に日露の兩國の商業的關係のますます緊密に赴き繁昌に達せんことを欲する者なるが、それには露國が今後ますます西比利亞開發に成功せんことを條件とする外なし。露國に取りては、西比利亞の開發は寧ろ支那開發よりも急なりとせずや。吾人の所懷正に此の如し。

● 露國藏相

(本日伊藤公と會見すべきココフツオフ氏)

露國の大藏大臣にして內史(親任官)元老院議員及皇族院議員を兼ねるウラヂミ
ル、ニコライヴイツチ、ココフツオフ氏は舊貴族の家に生まる祖父はヤロスラーウ
リ縣裁判所顧問にして且地方新聞の記者たり第二彼得堡學校卒業後アレクサ
ンザル皇帝學校に入學し退學の後司法省に奉職し主として監獄問題を研究せり
千八百七十八年監獄事務究所の爲外國に派遣せられ歸國後內務省に傳任し中
央監獄監督となりしが千八百七十八年中央監獄次長となる監獄に奉職中追放人
及被監視者に關する法規等の著書あり又大に監獄の衛生事務其他囚徒取扱法
等を改良せり千八百九十年國家事務局に轉じ、樞密院秘書次長、經濟會議長國
家經濟局秘書等に傳任し同九十五年には內閣書記官次長に榮轉せり其國家事
務局に在るや、各種の職務に鞅掌せるが故に政治殊に財政に通曉し、國家重要の
問題に關する文書の基礎者となり財政及商工業に關する準備行爲を指摘するに
至れり千八百九十六年より千九百二年迄の間に於ては大藏次官の重職に當り、特
に當時の藏相ウイテの片腕となり財政各般の重要なる事務を取扱ひ國庫並に租
稅に關して力を盡し又航海業の改良計算、豫算編成等に就ても功勳少からざりし
千九百〇一年歐露中部の經濟事情を研究するの必要ありとの說大藏省內に起り
之に關し特別委員會設立せらるるや、氏は委員長に任ぜられ翌年內閣書記官長に
任ぜられしも依然右委員長の職に在り翌年の秋、中央十八縣の委員を召集し、種
々の重要なる改革を爲せり解放農民が、國家に對して拂はざる可らざる土地代金
を非常に輕減したる如き卽ち其一なり此外次官時代に於ては田舍工業改良に關す
る特別委員に擧げられ、露國民の生計に關する百般の經濟問題及之に應ずる相
當の改良方法を研究することに就き盡悴する所不尠、內閣書記官長の職に在ても
財政、豫算問題の大家として國家の經濟に密接の關係を有せり千九百〇三年對土
地信用調查特別委員會設置せらるるや其委員に任ぜられ藏相ェ、デ、プレスケー
病に臥するに際しては千九百〇四年の豫算編成に就き特に力を盡したるのみなら
ず日露戰爭に關する困難なる豫算を編成せり千九百〇四年の二月藏相に任ぜられ
露國財政の重任を雙肩に擔ふに至り翌年ウイツテ內閣成立するや一時藏相を罷
めて貴族院議員に任ぜられしも幾何ならずしてゴレムイキン(頑固派)內閣成立せら
るるや再び藏相に任ぜられゴレムイキン內閣倒れストールイピン入て首相に任ぜら
るるに當つても依然藏相の職を保ち現內閣の重鎭なり、氏は非常の雄辯家にして

懸河滔々言々自から詩文を成し而も肯綮に當り上、下兩院の花と稱せらる其頭腦緻密にして果斷に富裁決流るが如く、又非常に勤勉にて細大の事務電話に依て決することさへ尠からず然ども國會を惡む事蛇蝎の如く、帝國議會の演壇に立て『幸ひに未だ我國には議會なし』と大聲叱呼せし如き人口に膾炙する所の如く陰然頑固派の黑幕、首領となり屢宰相に擬せられたり

本社浦潮特電

● 伊藤公殺害さる

二十六日浦潮特派員發

伊藤公二十六日朝哈爾濱停車場にて韓人の爲に狙撃せられ絶命したりとの報告あり

本社支那特電

● 伊藤公暗殺

二十六日上海特派員發

哈爾濱よりの報に依れば今朝九時三十分韓人刺客爆裂彈を以て伊藤公を殺害せり其際川上、田中兩氏も負傷したり

● 伊公錫督會見論評

二十五日北京特派員發

北京日報は廿四日伊藤公と錫總督と三時間に互る會見ありたりとの電報を載せて曰く是れ支那及各國が滿洲協約に不滿の意あるを知り支那人及外國人の惡感を融和する爲なりとせり

● 伊藤公狙撃さる

廿六日哈爾濱領事發午後二時半着電

伊藤公今廿六日午前九時哈爾濱に着しプラットホームに下るや韓人と覺しき者の爲めに狙撃せられたり

● 伊藤公危篤

伊藤公の傷所は數發の命中により生命危險なりとの續電あり

● 田中滿鐵理事も

別報によれば隨行の田中滿鐵理事も輕傷を受けたりとあり

伊藤公

●六連發にて絶命

廿六日午後二時三井着電に據れば今朝伊藤公韓人の爲に暗殺せらる川上總領事田中滿鐵理事負傷し犯人直に就縛とあり

尚別處来電に據れば伊藤公は午前十時哈爾濱停車場プラットホームにて下車せる刹那歓迎の群集に紛れ居りたる一韓人手に六連發の短銃を擬すると見る間に公爵目蒐けて狙撃せるに公は胸部を貫かれて倒れたるも犯人は六發を連發して遂に公爵は絶命せり川上田中兩氏の負傷は重からずとあり

●伊藤公遭難彙報

(西秘書官特派)

別項伊藤公遭難に就ては本版締切迄は未だ詳細なる報道達せざりしも公は豫定の如く一昨夜隨員一行を從へて長春を發し二十六日午前九時哈爾賓停車場に着しプラットホームに下ると其儘出迎者の間に紛れ居りたる韓人に狙撃せられたるものの如く狙撃者が豫め計畫する所ありたるを見るべし而して公の傷所は別項の如くにて遂に絶命せる次第なるが其狙撃者は直に捕縛されしや否やといふに同地には我領事館に附屬し數名の警察官も駐在し居り當日は何れ出迎の爲め停車場に出張したるべく而して現行犯なる以上卽坐に我警察權を執行し得べきことなるが犯人は其場にて捕縛せられたりと東三省總督の報あり右公報の達すると共に外務省

は直に長春駐在の松村總領事に打電し哈爾賓に急行せしめ又公の女婿たる西大使館書記官を滿洲に派遣したり

● 公遂に殪る

(川上總領事負傷)

廿六日某所着電に曰く伊藤公は朝鮮人の爲めに本日午前哈爾賓に於て暗殺せられたり隨行の川上哈爾賓總領事は重傷田中滿鐵理事は輕傷を負ひ加害者は現場に於て直に逮捕せられたり

● 遺骸發す

伊藤公に中りたる銃丸は腹部に命中したるを以て手當其效を奏せず公は間も無く薨去したり因りて公の遺骸は廿六日午前十一時哈爾濱發の列車を以て大連に向け送り出したり併し官邊に於ては尙公の薨去を發表せず

● 伊藤公別報

某所に達せし哈爾賓二十六日午前十一時五十分至急電報左の如し

今朝停車場にて伊藤公爵暗殺されたり川上領事、田中滿鐵理事は負傷したれども輕し、犯人は朝鮮人なるが其場にて逮捕されたり

● 奉天よりの報

奉天より後藤遞相の許に達したる報道に依ば伊藤公は今朝哈爾賓停車場下車の際プラットホームに於て韓人の爲に狙擊され生命危篤なり事實取調中なりとあり

● 伊藤公即死說

三井鑛山部への着電に依れば伊藤公爵は田中滿鐵理事と馬車に同乘して東淸鐵道當局者の招待會に臨まんとする途中に於て韓人のために爆裂彈を投ぜられ伊藤公爵は即死したりとあり

● 內閣臨時參集

　廿六日伊藤公遭難の報に接したる內閣は各大臣直に參集して凝議したり

● 元老大臣會議

　伊藤公遭難の報達すると共に昨日午後四時頃より外務省に於て山縣公、井上候、桂首相、寺內陸相、斎藤海相參集し俄に會議を開き夜に入りて散會の模樣なし

● 岩倉宮相參內

　廿六日午後四時岩倉宮相は坂下門より入りて直に參內御座所に於て伊藤公遭難に就き奏上せり

● 伊藤公遭難と株式

　伊藤公遭難の飛報は株式市場を震骸せしめて名狀すべからざる混亂狀態に陷り爲に引跡の氣配は著るしく崩落し新東直は百六圓五十錢の安値あり引直より實に五圓方の暴落なりとす東鐵の直取引亦一圓方低落し公債は九十五圓五十錢を呼ぶに至りたるが些か狼狽に過ぎたりとの自覺にて午後四時頃の人氣は稍落付て新東直は八圓五七十錢を唱へたり

本社滿洲特電

● 伊藤公遭難詳報

二十六日大連特派員發

伊藤公一行二十六日午前九時哈爾賓に到着するや露國大藏大臣汽車内に公を訪問し二十分間談話を交換せる後川上領事の先導にて一同下車し露清兩國軍隊各國外交團、清露兩國文武大官其他各歡迎團體の整列せる前を歩み露清大官各國代表者と順次に握手し日本人團體の整列せる場所より更に引返さんとする時露國軍隊の整列せる傍より突然ポンポンと爆竹又は煙花らしき音起る一利那彈丸三發公爵の右腹の肺部に命中せるより中村總裁直に公爵を抱き居る中露官憲一同介抱して汽車内に連れ込み小山醫師豫て用意の繃帶を施し歡迎に來り居りし日本醫師二名露國病院より來れる醫師と共に應急手當を爲したるも卅分の後絶命したり兇漢は二十歳位の朝鮮人にて凶器は七連發の拳銃なり先づ藤公を撃ち次に川上の右腕胸部を撃ち森槐南も川上同様に撃たれ田中理事は右足を撃たれたり兇漢は藤公に壓迫されたる怨みを報ゐん爲と言へり

● 遺骸奉天通過

二十六日奉天特派員發

伊藤公はピストルにて數人に射撃され腹部に二發命中して即死せり公の遺骸は二十六日午後十二時奉天通過に付錫總督程巡撫は停車場に出迎ふ筈

● 錫總督の弔辭

二十六日奉天特派員發

伊藤公は廿六日午前哈爾濱着の際韓國人爆裂彈を以て狙撃したる爲め公爵は即死川上總領事、田中滿鐵理事、森槐南氏は負傷せりと錫總督は公電に接し午後五時我總領事を訪ひ弔辭を述べたり

● 伊公死して雪降る

二十六日奉天特派員發

廿六日初雪降る昨年より早きと十三日例年より五日早し

● 哈爾濱に集る

二十六日長春特派員發

哈爾濱に於ける露國各新聞紙は滿洲對露新生面を開くべしと論評し鴎洲の記者哈爾濱に集まる

● 露人と隨員の負傷

二十六日長春特派員發

森槐南氏危篤なり川上總領事田中滿鐵理事輕傷外に露人十二名負傷せり

● 遺骸送還艦艇

二十七日旅順特派員發

旅順鎭守府第七艇隊は廿七日未明大連方面に急行し軍艦赤城及大連碇泊中の秋津洲は各所在地に於て命令を待つべしとの命令廿七日朝司令長官より通達あり右は伊藤公遺骸送還の爲なり

本社朝鮮特電

● 韓國政府の特派

二十六日京城特派員發

伊藤公遭難につき大臣會議の結果政府を代表して李總理、皇帝の代理尹悳榮太皇帝の代理趙民凞、統監府より鍋島外務部部長、明日朝仁川より廣濟號にて大連に行く

● 京城の動搖

二十六日京城特派員發

藤公遭難の報は當地上下を騒がつつあり△ 統監は新造警邏船參觀の爲め仁川に至りしが七時半急遽倉富法部次官を招き暫く秘密會議す△ 中川地方裁判所檢事正二十七日仁川發の安東丸にて下僚を從へ伊藤公遭難地哈爾濱に向ふ△ 市中は二十六日夜大警戒を爲せり△ 侍從院德政閔宮內大臣特使として統監邸を見舞ひ李總理以下各大臣統監邸に參集今後の策を協議す各大臣殊更に憂色を見る△ 當地に於て差詰起る問題は犯人が當地に於ける政治的系統に關聯するや否や之を極めて後統監の意志決定する筈にて倉富次官に會見せしも是が爲めなり左れど一般の想像は浦潮に在留の韓人か否らざれば哈爾濱常住せる者と認め居れり△ 軍司令官今統監邸に到り秘密會見す

● 韓帝の電報

二十七日京城特派員發

伊藤公薨去の公報なき爲め二十六日夜皇帝は我 陛下を初め奉り在哈爾賓公爵宛及大磯公爵婦人宛に鄭重なる見舞電報を發送せり

● 兇變に對する決議(同上)

當地新聞記者團は廿六日夜京城ホテルに會合し左の決議を爲せり

一、伊藤公が韓人の兇手に殪れたるは排日思想の表現なりと認め將來の禍根を斷つ爲め此際當局者は對韓政策の上に最後の解決を與へんことを期待す

二、吾人は韓國皇帝が藤公の遭難に對し直ちに日本に渡航して我上下に對し謝罪せんことを希望す

● 居留民の憤慨

二十七日日本浦特派員發

伊藤公今回の凶變に對し居留民は哀悼の情堪へざるものの如く且つ國家の受けたる大損害は我對韓政策優柔の致す所なりと憤慨し今後の發展を期待し居れり

● 居留民の弔電

二十七日日本浦潮特派員發

伊藤公の兇變に就き當地居留民は高根民長の名を以て宮內省樞密院桂首相統監府伊藤公邸へ弔電を發せり

本社浦潮特電

● 凶變と露國

二十七日浦潮特派員發

當地露國新聞は藤公の遭難を慨嘆し韓人の兇暴は自國を滅ぼすものなりと論ぜり、露國の主なる官憲は二十七日朝來見舞の爲め皆我領事館を訪へり尙當地にては兇徒はスチーブン氏を殺害せし一派の者と推測し居れり

本社香港特電

● 凶變と香港

二十七日香港特派員發

當地各新聞は伊藤公の薨去を悼み日本現代の大政治家を失ひたるを痛惜し弔意を表せり

本社米國特電
●凶變と米國
二十六日紐育特派員發

伊藤公の暗殺事件は新聞紙擧つて特筆大書せり同時に公爵の人物を賞讚し公を呼ぶに日本のビスマークと稱する者多し尚或者韓人が日本に對する思想を一變するに至らしめんと言へり

伯林電報(日獨郵社取次)
二十六日伯林特約通信社發

●藤公暗殺と獨逸
獨逸國民の羨慕を受け居る日本の最大政治家伊藤公暗殺の報道は獨逸到る處痛悼の念を以て迎へられたり半官報北獨アルゲマイネ、ツアイツングは伊藤公紀念の社說を草し此卓拔なる人物の絶大なる政治的事業に對し獨國民が抱懷せる賞讚の意を述べ同時に日本政府及國民に對して其最大愛國者、政治家の喪失につき懇篤に同情を表したり

倫頓タイムス特電
●露人哈爾賓會見觀
二十六日タイムス社發

露都來電=最も事情に精通せる筋に於ては哈爾賓に於ける伊藤公及び露國藏相コウトソフ氏の會見が必ず好良なる結末を齎す可きを豫想せり

●凶變詳報
(二十七日長春發)

△致命傷

公爵廿六日午前九時哈爾賓安着汽車內にて露國藏相と約二十分談話の後下車、プラットホームにて出迎への文武官に挨拶あり大藏大臣の希望に依り守備

兵前列前の一巡を了りたる際洋服の韓國人ピストルに狙撃したれば直に汽車内
に運び入れ應□[1]の手當を盡したるも十時頃溘然として薨去せられたり犯人は
卽時露兵に捕へらる彈丸は(一)右上肺外面より内面皮下を去る五サンチの所を
通過し第七肋骨間に向て水平横行に竄入す(二)右肘關節外側烏啄凸起より同
側上膊外面を過ぎ稍内側に向つて第九肋骨に射入し肺及横隔膜を通過して左
肋下に留彈す(三)上腹隔上の中央より射入し筋の間に留る此三ヶ所の内二ケ所
は既に致命傷にして術の施すべきなしといふ

△ 黨類卅人

犯人は年齢二十四五氏名未詳釜山の住人にあらざるも同地を發し浦潮を經て
廿五日哈爾賓に入り同夜は停車場附近にて旅宿し廿六日朝出迎へ日本人の間
に紛れ込みだるもの其兇行の趣意は韓國は伊藤公の爲に名譽を汚されたれば
之を回復したるのみ但し己一人の發意にて他に同類なしと陳述し居るも其筋に
ては此自白に信を措かず現に二十五日夜松花江サイカユウ驛附近にて怪しき韓
人二人取押へ調べたるにピストルを所持し居れば取調の上哈爾賓に護送したる
が二十六日朝珍事の後右二人の白狀に依れば彼等の仲間は凡そ三十人ありて
此内の一人志しを遂げたるなりと云へり、又廿五日哈爾賓居留の韓人に宛たる
「親類の者其地を通過したり」との差出人不明の電信來りたることあり仍て露國
側にても充分警戒したるに從に此凶事を見たるは返す返すも遺憾なりと云へり

△ 隨員の容體

川上總領事は肩先、森秘書官は脇下淺く田中理事は左足の胛に貫通傷を受け
たるも田中氏は幸ひに輕し森、田中兩氏は車内にて治療を受け公の遺骸を奉ぜ
る一行と共に十時四十分哈爾賓を發し四時半長春に着せり其他一同無事

△ 露國側の見送り

露國側にはホルワト將軍及大藏大臣に面會の爲め哈爾賓に來れる北京駐在公
使は長春迄送られたり

△ 各驛の表弔

公の車哈爾賓を發する際哀みの樂を奏し中間驛にても同樣弔意を表せり又公

---

1 急。

の遺骸は見事なる花環を送り殊に同車の露國人は皆喪章を帶び弔禮甚だ厚し
公の遺骸は長春より滿鐵列車に移し大連に直行す

● 凶變別報

(三井物産會社着電)

△ 狙撃して萬歳を唱ふ

△ 露國將校も負傷

伊藤公は二十六日午前九時二十分哈爾賓着露淸兩國官民の歡迎あり停車場
乘降口より馬車に乘らんとする際一韓人突如として現れ短銃を以て六發迄も發
砲し公の倒るるを見るや他の兇徒と共に萬歳を唱へて縛に就けり此際出迎への
露國將校亦負傷す兇徒關係者は三十餘名ありて哈爾賓に潛伏し居れり目下檢
擧捕縛に努めつつあり

● 伊藤公殺害元兇

伊藤公を殺害したる兇徒の元兇はウンチアン(三十一)なり此者は平壤のものにして
元山浦潮を經て兇行の前夜に到着したる形跡あり

● 犯人引渡さる

狙撃犯人の幾人にして連類者あるや否や等は實際の所未だ分明ならず目下頻り
に搜索を盡くしつつあるが昨日現場に於て露國警官の爲めに逮捕せられたる一
人取調の結果兇行の嫌疑あり且韓國人たること明白となりたるを以て露國官憲
は我領事に引渡し目下哈爾賓總領事警官に於て監禁中なり尙今後該犯人として
逮捕せらるるものにして韓人に間違なきものは其都度我官憲に引渡さるる筈なり

● 伊藤公の護衛者

伊藤公の滿洲旅行に就ては關東都督府より毎に憲兵數名を附し護衛せしめしも
長春以北は憲兵の護衛を徹し全く淸國官憲のっ保護となりし次第なり

● 御親電

二十六日午後五時三十分宮內大臣は　兩陛下の旨を報じ伊藤公へ向け御慰問の

御親電を發せり

● 伊藤公に御使

伊藤公遭難のこと天聽に達し痛く御軫念遊ばされ昨廿七日を以て左の諸氏を滿洲
なる伊藤公の許まで差し遣はさるる旨廿六日仰出されたり

       宮內省御用係 子爵 末松 謙澄
        侍從武官 男爵 西 紳六助
         侍醫　　　桂 秀馬
       宮內省書記官 小原 詮吉
       東宮武官 子爵 田村 丕顯

尚韓國皇太子殿下には同時に金武官を差し遣はさるることなれり一行は今日午前
八時三十分の急行列車にて滿洲に向ふ

● 薨去發表

伊藤公薨去に就ては其發表は內地歸還の上にすべしとの內意もあり既に內外へ
傳播せられたる今日は寧ろ事實其儘に發表するを適當なりとし二十六日哈爾賓に
て薨去のことと爲し今明中に發表せらるべし

● 國葬

伊藤公薨去發表と同時に公爵の偉勳に對し國葬と爲すことに決したる趣にて廿七
日午後臨時閣議を開き豫算を決定し勅裁を仰げり

● 位階陞叙

二十六日附にて左の御沙汰ありたり

     樞密院議長正二位大勳位公爵 伊藤公爵
     叙從一位

● 護送軍艦變更

一作夜元老大臣會議の結果軍艦盤手を佐世保より急行せしむることに決定し海
軍大臣より佐世保鎮守府長官に電命せしが昨廿七日午前に至り俄に前議を飜へ
し二十六日旅順より大連に寄港し同日午後佐世保に向ふ筈なりしを大臣の電命に
て出帆を引止め其儘大連に碇泊せしめ居れる軍艦秋津洲に公の遺骸を搭載する
ことに決定し二十七日遺骸の到着と共に之が準備を整へ至急護送のこととなれる
を以て準備出來次第搭載拔錨すべき筈なり御使として御差遣相成りたる侍從武
官一行は途中より引返したり

● 公の絶筆

左に掲ぐるは伊藤公の絶筆の一とも謂ふ可きものならん時は本月十一日夜桂内閣總
理大臣は國際新聞協會員を其官邸に招きて宴を開きしが公は賓客の第一位を占め
主人が其滿洲行送別の意を籠めたる祝杯を擧げたるに答へ例よりも更に快活にし
て且圓轉を極めたる演説を爲したるのみならず宴はてて後、協會員の誰れ彼が紀念
の爲の揮毫を其夜のメニューの裏面に乞ひたるを亦快よく引受けて何枚となく書きたる
中、『忠』の一字を書きたるもの一枚、當夜の筵に列したる記者の一人の手に落ちたる
が是なり忠の一字の揮毫が絶筆とならんとするも何かの因縁と思ひてここに掲ぐ
因に記す其時會員の一人は其絹の手巾を出してこれへ揮毫をと差出したるに公は
極勤愼なる筆法を用ひて七絶一首を書き付けたれば之を獲たる某氏は大慶至極、
これが最初の最終の獲物と打喜びたるを傍に在りし小村外務大臣口輕く『最初は
宜しいが最終はひどい』と無遠慮に呵呵と笑ひ消したり公は之聞流して少しも氣に
も留めざる風なりしが一語識を爲したりけり

● 伊藤公夫人卒倒

大磯なる伊藤公爵夫人は先頃來病氣の處此度の凶報を聞くや驚愕の餘り卒倒し家人の介抱に依り直に覺醒せるも病勢增進の虞あり宮内省侍醫寮御用係岩井禎三氏は診察の爲め昨日午後大磯に急行せり

● 井上侯の痛嘆

井上侯は伊藤公の凶報に接するや直に外務省に至り元老大臣會議に列席し午後六時過會議の散ずると共に歸邸し末松子及勝之助氏と公爵家今後の處置に關し凝議する所あり折しも大磯なる公爵夫人卒倒の報もあり侯の心痛は一方ならず病後の身をも打ち忘れ善後の處置に就ては萬遺漏なきを期せざる可からずとて諸事攝政の任に當る筈にて兎に角今廿七日午前八時三十分新橋發　汽車にて大磯に公爵夫人を訪問することとなりたり

● 西園寺の談話

(政友會に對して)

政友會は廿七日午後各團體聯合會議を開き杉田幹事長は西園寺總裁より佐の意味の談話ありたる旨を疲勞したり

伊藤公の兇變は誠に哀悼の至りに堪へず此際黨員諸君は意氣を沮喪せず一難を經る毎に一倍し來る底の勇氣を以て吾黨の本領を發揮し國家の爲め憲政の爲め盡瘁せられんことを切望し且其本領を固守すると共に自重自任努めて輕舉を避け愼重の態度に出んことを望む

● 政友會地方大會延期

來月十一日開會の政友會東海十一州大會及同十五日開會の北信八州會は何れも伊藤公薨去の爲め延期さるべしと

伊藤公の遭難

驚き入りたる兇變、哈爾濱に於て伊藤公の身の上にふりかからんとは、公自らも夢

にも覺らざりしなる可く、餘りの事に人をして暫く茫然たらしむ。差當りて吾人は言ふ可き何にもを有せざるなり、而して只公の負傷の幾何にても輕からんことを祈るの外なかれども、遭難後の其旅程の在る所を見れば、もはや公は百時畢り居るに相違なしと思ふ外はあらず。最近公の心事は實に韓國扶植に專らにして韓國の皇室のためなどに就ては、日本人中何人も公の如く親切なるは無からんと思ふ程なりしを、何等の不幸ぞ、却て韓國人中に公の生命を呪ふ者生ぜんとは。公の不幸といふよりも、日本の不幸といふよりも、先第一に韓國の不幸此上なからん。而も亦何をか言はん。狂兇は何國にも其種を絶つを得ざるものなり。

文明の世の中にて、此ばかり憾みなるはあらず。只夫れ吾人は飜つて思ふ、最近数十年間、韓國及滿洲に於て日本人の血を流したるもの幾何なるを知る可らざるに、聲望位祿共に高貴を極めたる血の彼地の草木に灑がれたるは即ち此迄は無かりき、即ち武人の側よりしても無かりしを、今度は滿洲の北部の中央に於て文官出身なる我朝廷第一の功臣の血を注ぎ盡すを以て始めとせり。此血は必ず東洋の此局面の平和を永遠に養ふ可き本たらざるを得ざるなり。此く觀念すれば即ち公自身も寧ろ笑を含まんか。而して公の一生の行事は、此に至りて更に大光明を放つ。公曾て述懷の詩を詠じて『萬死平生志、千秋一寸功』といへり。一寸か一尺か、吾人は其功の長さの今月今日更に加はる所ある可きを覺ゆ。而して其平生の志の此に至りて酬はれしに對しては則ち吾人ここに敬意を表す。

● 伊藤公遭難影響

意外なる伊藤公の早世が日本に與へたる損害如何は、未だ容易に測る可らざるものあれども、公が翼襲したる絶世の大業即ち立憲正體の實狀は精神的に於て猶大に改善を要する所あるに拘らず、形式的に於ては即ち既に大に其礎石を固めたる所あり、國民的勢力は外に向つても又内に於ても國事の重荷を重しとせざるまでに成り來り居るを以て、一人の生死が國の進運の大勢に關係を有するもの多からざること、吾人の斷じて疑はざる所なり、顧みるに伊藤公は實に日淸戰勝後に於て武人の政治的勢力を持餘し、公自身に不本意なる戰後經營の創叛者なり、其後を承けたる松方大隈の二老も亦公と同じく持餘す所あり、爲に明治三十年以後同三十七八年に至るまでの財政困難を引起し、又同三十五年日英同盟締結に際しても、功を他に讓る所ありたる末、日本政局の中心は聊か公と相離れたる氣味もあ

り、此事情の中に生み出されたる公の政黨樹立事業も、公の首領時代には多ぐの
故障に遭遇して十分の成蹟を擧ぐるに至らず、彼のビスマルクも對佛戰勝後に於
てモルトケ一派の軍人が老帝の傍に有したる勢力を奈何ともすること能はず、不思
議にも外國の新聞紙を利用して以て自己の欲する所の大政方針を維持したる事あ
りしが、公の政黨樹立はビスマルクの爲したる所の如く隱微ならず、堂堂として太
だ經世的なりしに、勢ひの不可なるもの有るを以て、遂に其業を西園寺卿に讓り、
自己は日露戰勝後に於て韓國統監となりて出で、老後の心血を大陸の一端に注ぎ
たる後、遂に今度の事あるに至る。一生國政の前途を善くするの事業を以て自ら任
じ、斃れても猶已まざらんとするの志を抱けること歷然たりといへども、而も日本の
政情が公の意料外に出づる所ある外、日本の國勢も亦寧ろ公の打算以上に進步
し來り、今は明治十八年後の第一功臣の生死によりて多くの影響を受けざるまで
に至れること何人も肯定する所ならん。公に於ては則ち寧ろ本望の至りなる可しと
思ふ、此間に於て若し何等かの影響ある可しとすれば、そは殆ど公によりて成り立
ち居れる日本元老制度の行末なる可し。吾人は新聞紙の論場に於て此元老制度
に就ては始終反對し來りたる榮譽を有するものなるが、國の大事あるに際しては則
ち元老制度の利益の存する所も亦爭ふ可らざるもの有り。而して實際我日本が多
故多變なるを免れざりしにより、吾人の元老制度反對も乃ち遂に絕對なるに至らず
して、以て公の世を終へたり。今や公既に館を捐つ。今後の元老制度の成行如何
は、則ち亦吾人の念頭に浮び來らざらんと欲するも得ず。多分今後元老の盡力を
要するは、國の大事ある場合に限る事ともなる可き歟。何となれば則ち殘存の元老
中、公の如く凡て平生の國事に堪能なる人多からざるを以てなり。影響といへば此
邊にある可しと思ふ、但是豫期に外ならず。差當りては、日本の外政に於て並に內
政に於て直接に何等の動きも起らざる可し。

● 遭難公報

(倉知局長の談話)

伊藤公遭難に關し二十七日正午迄に接受せる諸公報を綜合するに大要左の如し
當時の光景
去る二十四日東淸鐵道會社は公爵の爲特別貴賓車を出し民政部長アフアナシエ
フ小將經營部長ギンツェ氏第八區軍務長フェオドロフ大佐外五六名之に乘込み

長春迄出迎へ二十六日午前九時哈爾賓着其際目下停車場構内車輌内に滞在中の露國大藏大臣は公爵を車内に訪ひて對談あり右了つて公爵は大藏大臣先導の下にプラットホームに整列せる露國軍隊の前を過ぎ出迎の爲參集せる各國代表者露清官憲團體代表者に對し挨拶せられ更に引返して露國軍隊の全面を通過せらるる際其の列間より洋装せる一韓人は短銃を押出し公爵に對し數發發射したり公爵には二三の重傷を負はれ隨行の川上總領事は右腕に森秘書官は腕より肩に貫きたる銃傷を受け田中滿鐵理事も亦輕傷を受けたり公爵は隨員に擁せられて車室内に入られ當時居合せたる本邦醫師並に露官に於て應急の手當を施したる後露國醫官將校數名附添ひの上二十六日午前十一時發特別列車にて長春に向け引返されたり右特別列車には在清露國公使在長春同國領事及東清鐵道長官等乗込み露國軍隊警衛の下に午後四時長春に着し日清軍隊護衛の上滿鐵特別列車に移乗六時南行せられたり尚本件加害者及連累者は己に捕縛せられたり

露清韓の同情

韓國皇帝陛下は公爵の遭難を聞せられ勅使侍從院卿を大皇帝[2]は趙民熙[3]を何れも遭難地に派遣せられ政府よりは李總理大臣統監府よりは鍋島參與官を派し一行は本日仁川にて弘濟號に乗込み大連に向ふ筈なり尚公爵遭難に關しては露清兩國政府に於て深厚なる同情を表せり

● 皇后宮行啓御止

伊公の凶變に就ては　聖上　國母陛下共に深く御軫念あらせられ殊に　國母陛下には恰も昨日は午前十時三十分御出門濱離宮に行啓の御豫定なりしも特に行啓御止め仰出しれたり

● 韓皇帝の御親展

廿七日午前一時韓國皇帝陛下より伊藤公遭難に就き深厚なる御慰問の御親電到着九時德大寺侍從長より奏上せり

2　太皇帝。
3　趙民熙。

● 伊公敍位

伊藤公は現に正二位大勲位公爵にして今回の薨去に付いて勲爵に於て昇すべき
餘地なければ發喪と前後して特別の思召を以て正一位に徐せらるべしと云ふ

● 哈爾濱と韓人

露國新聞記者卜氏の談
今春我邦に來遊したる露國學生日本觀光團の主權者たりし浦潮ダリヨカヤ、オク
ライナ新聞の主筆トロイツキ氏今來りて東京に在り氏往訪の記者を延て談藤公遭
難の事より始まつて哈爾賓に及ぶ、曰く

△ 哈爾賓の地位

元來哈爾賓は其發達の地位及順序によりて三個に分たる停車場より北に渉れ
るは新市街とて最も殷賑なる地區たり、之より稍西南に舊市ありて之は主として
支那人の住居軍隊の駐屯せる所たり此二者の外別に波止場哈爾賓と唱へて松
花江の岸に沿へる小區域あり之は專ら松花江通商の爲に興れるなり此三者昔
は劃然と區別せられゐしが哈爾賓の發達と共に次第に相接近し今は殆ど其境
界を分つべがらざる位となれり停車場は恰も此新舊兩市街の間に在り

△ 停車場

は廣大なる建物にてプラットフヲームは其南側に唯一箇所あるのみ、長春より
來る車も浦潮又はイルクーツクより來る車も皆此處に横附にせらるるが故に藤
公の狙擊せられたるも亦此處なり、ホームは幅六七間にして屋根なく唯停車場
の建物に近く庇屋根を仕つらへたり、停車場の建築は二階にて室數頗る多く且
孰の室にも大形の窓を穿ちたれば兇徒なんどが紛れ入りて潛み居るにも屈竟な
れば又潛伏所よりホームの方も案内の方も自由に見透し得べく誠に兇行者の都
合のよきやうに出來たり

△ 警察

哈爾賓には露國の守備隊及び憲兵及び警官の警戒せるあれど支那人に對する
警察權の執行は悉く支那の警官之を勤め居れり兇徒が使用したる短銃は極め
て精巧なる新式のものなりし由なるが之は外國より密に輸入したるに相違なし
浦潮にても哈爾賓にても露國人の外には一切銃器を賣買することを許されず、
露國人にして銃器を求めんとする者にても三人以上の證人を立てて一々其筋の

許可を得ざる可らざることとなり居る位なり

△ 無賴の韓人

は一時浦潮にも多數入り込み居たれど之は目下追々に減少しつつあり哈爾賓には初より餘り多數の韓人が居たりとは聞かず、浦潮にては一時韓國の不平黨相集りて韓字新聞[4]を發行し盛に人心を煽動するが如きことありしが露國の警察官にて嚴重に取調べする結果件の新聞は何れかの外國にて印刷し之に浦潮發行の由を追加したることを發見し關係者は盡く國外に放逐したり又浦潮にて某銃砲店にて莫大の盜難に罹りしことありて之も韓人の所爲に非ずやとて嚴重に探索せしが其後然らざること分明したり此等の事ありし後は無賴の韓人に對して隨分嚴重なる取締を加へ居りしが故にまさかに今回の如き事のあるべしとは思ひがけざりき云々

● 韓裝せる伊藤公

公の左は公爵夫人右は末松子爵夫人なり

---

4   大東共報。

●內田大使歸朝

▽ 其談話

最も新しく哈爾賓を通過し最も新しく浦潮の地を履み亦最も近く露國藏相と相
語れる內田大使が昨日午前九時着京の豫定なるを以て記者は藤公凶變に就て
何ぞ新事實を聞き得べきかと思ひ之を國府津に迎へたり折柄箱根豪遊の歸途
同地に大使を迎へたる大使の舊友林田翰長と落合ひ汽車中の談は夫から夫か
らと中々に盡くる所を知らざりき此日大使はスコッチ脊広[5]の服身輕に裝ひ長途
の旅行に聊かも疲勞の色を表はさず至極元氣に見えたり

△ 藤公遭難

に就て曰く實に意外の事にて唯だ驚くの外なし余は莫斯科より露國藏相ココウ
ゾフ氏と偶然にも同車し滿洲里迄其行を共にしたるが氏も哈爾賓に於て藤公に
會見の機を得たるをこよなく喜び居たれば今回の事變に就ては定めし多大の遺
憾を感じ居るべし余は哈爾賓には僅一時間計り停車したる丈にて其儘通過した
るが余の通過が四五日後れたらば余も亦或は現狀に出會したるやも計るべから
ず、さて兇行者は直に縛に就きしとや夫は至極本懷なり由來

△ 哈爾賓

は露國犯罪者の衆合地なると共に各國の無賴漢も多數入込み人情頗る兇險な
るに加へて同地の行政權は露國に在るか淸國に在るか夫すら今尙決定せざる
有樣なれば警察權の活動も平素或は思ふ樣屆かざりしなるべし之が今回の兇
徒に其意を逞しうせしめたる次第ならん、韓國人は暗殺に掛けては極めて巧妙
なり上海にて金玉均を殺したるも唯一發にて之を仕止め昨年桑港にてスチーブ
ンス氏を襲ふたるものも其目的を誤らず而して今回も彼が如し近來の傾向に依
りて察するに或は韓國人の間にも虛無黨同樣一種の結社あり順次を以て實行
者を指定し兇行を企てしむるものにあらざるか若し左樣ならば其害は懼るべし
云々、大使は更に話題を轉じて曰く

△ 露國藏相

ココウゾフ氏に就て氏は快活なる人にて極めて親しみ易く且頗る事務に勤勉に

---

5 背広。

汽車中に在ても到る處の停車場に於て其驛長なり又他の官吏なりより報告若く
は說明を徵し寸時も休止せざる姿にて中々多忙に見受けたり而して其極東巡視
の用件は多々あるらしく先づ滿洲里に於て露淸國境上の問題より調査を始め哈
爾賓を經て浦潮に赴き來月二十日迄に歸都の豫定なりしと語れり斯て大使の談
を聞く丈け聞き了りたる記者は更に

△ 大使夫人

に何ぞ歐洲最近の流行談でも承はることを得ずやと方向轉換を行ひたるに「御
話ならば何卒內田に」と愛想よく逃げられたるは外交夫人の流石に如才なし新
橋にては外務省連其他多數の出迎へあり大使は直に大久保の自邸に入れり

● 嗚呼伊藤公爵

▽ 秋風肅殺凶報を齎す

▽ 哀悼の聲上下に滿つ

● 維新後の伊藤公

王政維新年二十七徵士參與職外國事務局判事尋で兵庫縣知事大阪府判事等と
なる二年大藏少輔に轉じ卿大隈重信と謀り衆議を排して東京橫濱間に鐵道を敷
設し三年財政及び銀行取調として米國に赴き歸朝の後造幣局を大阪に創立す四
年岩倉大使の一行と共に歐米に派遣せられ六年九月歸朝此時征韓論起る西南役
の際には參議兼工部卿たり十一年五月大久保內務卿の害に遭ふや公其席を襲ぎ
議定官法政局長官を兼ね十三年專任參議尋で參事院議長を兼任す十四年國會
開設の詔下るに及び十五年各國制度取調の爲歐洲へ差遣せられ十六年歸朝す
十七年宮內卿となり宮中に制度取調局を設け之を主裁す此年華族に列し伯爵を
授けらる十二年朝鮮京城の變あり翌十三年特派政權大使として淸國に赴き天津
條約を訂結す十八年宮制改革乃ち內閣總理大臣を以て宮內大臣を兼ぬ廿一年樞
密院議長となる廿七、八年日淸戰役の當時內閣總理大臣として淸國和を請ふや全
權辨理大臣として馬關條約を訂結し功を以て侯爵に列し大勳位に叙せられ菊花
大綬章を賜ふ日露戰役後には韓國と條約を訂結し三十八年十二月廿八日統監に
任命四十年公爵に進められ四十二年六月統監を免じ樞密院議長に任ぜられたる
に圖らず今回の厄に遭ふに至れり享年六十九公終始國家の大局に當りて參贊規

畫し赫々たる功あると同時に世の誹謗を招なき事に非ざりしも其終始一貫して憲
政擁護のために力めしは國民の齊しく瞻仰する所なり

● 伊藤公と韓人

三十九年三月伊藤公が統監として京城に乘込みし當時、韓人等逆賊伊藤、長谷川
と併稱して其肉を啗はんと罵合ひしも遂に一人の挺身して公を狙はんとするものな
く公が三年半の韓國在勤中、統監暗殺の陰謀ありとの風説數々傳へらへたるに拘
らず或時は未然の中に發見せられ若くは韓人の無智より不能の計を立てたる場合
等に過ぎず眞實生命の危險を思はしめたるは去る四十年政變の當時京城動亂の
最中に公然幕部下を隨へて新帝卽位式に列したる其當時唯一回ともいふべし無
論當時の警戒は極めて嚴重なりしも人心の激揚、其極に達したる折といひ例の狹
巷に立ち列ぶ韓人家屋の窓戶より一發の彈丸を見舞ふことは極めて易々たりしな
りされば寧ろ公の參內を止めたしと思ふ者多かりしに拘らず公は平然として日本
居留地を出で卽位式場にては皇帝に侍立して列國代表者の祝賀を受け無事に南
山の官邸に歸りたることあり當時の情形を追想すれば公も或は一死を覺悟したる
やも知れず元來韓人は惜より頗る暗殺好きの國民にして政權爭奪の餘波互に相
殺戮する如き殆んど日常茶飯の事なれば公が韓國に於て免れたるは寧ろ不思議と
いふべく畢竟宗主國の權威、警察の普及之を然らしめたりとはいへ漸次韓人の思
想も變化を來し特に伊藤公に對する韓人の信仰は逐年漸く增加して逆賊伊藤が
何時の間にか韓人の信賴を得つつあるの今日此事あるに至りしは眞に遺憾を極む
といはざる可からず伊藤公の對韓政策を成功せりと云はんは尙早きに失すれど公
の老練圓滿なる手腕が韓人の信賴を收め少くとも收むるの端緒を開きたるは疑ふ
可からざる事實にして在外韓人が本國に在る者に比して一層の排日思想を保有す
るは畢竟最近數年に於ける韓人思潮の變化に取り後れたるものと見ざるを得ず其
犧牲として曩にスチーブンス氏あり今は遂に初代の統監伊藤公をして兇手に斃れ
しむ實に殘念なりと韓國に在りたる某氏は慨然として語れり

● 悄然たる大隈伯

一昨日の大隈伯は年來未だ曾て見ざる悄然たる伯であつた、應接室に通ると何時
ものアームチェーアに依り掛つて居るが和服で義足も取つてシートの上に横にじり

221

に坐つて居るので尙小さく淋しく見える、後へ靠れて天井を睨みながら黙つて居る時に主客四人動もすれば話しが杜絶る、壁には狩野風の仙人の軸が二幅更に海岸松林の一幅、一室寂として無常の松風も聞えそう、マンテルピースの上には花瓶一對に黃白の菊花やがて藤公への手向の姿である、伯の面には例の快濶[6]な色は少しもなく徐ろに口を開いて今日は駄目だお喋舌の俺れも先刻から二十人近くの訪問客に迫られたが一向に喋舌れない、只茫然たるのみだ、我々仲間では伊藤が一番元氣だつた此間も出發前銀行集會所へ招かれて愉快に話して居たのが忽ち此悲報だ、彼の時が最後の別れだつた』……暫らく言葉が折れる記者連も今日は根問ひ葉問ひの勇氣も出ない、伯は又『前年スチーブンスも此手でやられた、伊藤も朝鮮では一度汽車に石を投げられ昨年の韓帝御巡遊の時』も何か無禮を加へられたが先づ今日まで無難で濟んだ、大體朝鮮人は石を投げるのが上手ぢや奴等は石位投げて居るのが分相應だが米國や哈爾賓などに居るのはハイカラでピストルを持ち居る、到頭思はぬ處で倒れて任舞つた、長白山頂に骨を埋めると謂つたが全く讖を爲したよ、左樣俺の始めて伊藤に會つたのは長崎で彼れが二十七八の時ぢや何らも書生の元氣盛りで好く議論をやり居つた、其後東京では今の築地本願寺の隣邸に我々が梁山泊を造つて居たが、伊藤が丁度兵庫縣令であつた、大分反對黨がやかましいので之れを呼び寄せて賑かな事だ、何しろ食客が又數十人の食客を引連れて來るんだから豪儀だ、彼の時分が一番面目かつたよ、伊藤も世間からひどく敵視せられ狙ひ廻されて居る時は死ないが有らゆる紛糾を通り越して山の頂に上りかけた今日突然こんな命に會ふ、妙なものだ、伊藤は幸運ではあつあつたが今の若い者の樣な樂な生涯では決してない、東奔西走の苦勞は並太抵ではない、今の子供でも末松のお德さんだけだ其時代を知つて居るのは、此お德さんが如何したものか生れて四歲位まで身體がシヤンと立たない、伊藤が始終抱き詰めで困つたものだものだと云つて居たが遂に彼んな立派な奥樣になつた』……話は餘程いつもの調子とは違つて居る、併し何處までも黙つて聞いて居る、すると誰かが『昔築地の長屋に伯と公と隣合つて住んだ時分邸内に小さな稲荷の祠があつたのを何かの時取り壊すと伊藤公附の馬丁が忽ち狐憑になつて大に其不法を怒り

---

6 快闊。

出し猛り狂つて始末に了へなんだ』といふ突拍子もない事を云ひ出すと流石鬱いで居た伯も思はず笑ひ出して『イヤ彼の時は伊藤も困り居つた、お家の寶刀をスラリと抜いて馬丁を切り付けんと追ひ廻す騒ぎぢや……死にかけた井上が殘つて介抱した伊藤が死んだ、井上の本復祝ひの時二人が相擁して泣いたが彼の光景は今も眼前に彷彿する、國家は非常な損害だ俺れも無二の舊友を喪つて仕舞た噫』

●大西郷以來の清廉
▽ 犬養毅氏の藤公觀

意外意外只氣の毒と云ふの外なし予は今日まで個人として伊公と交際したる事なし現今政界に多少名を爲したるものにて一度も公の門を潜りたる事なき者は恐らく予一人なるべし而も予は過去に於て其政見上絶えず反對したるに拘らず公に學ぶべき所多かりしを斷言す第一大西郷逝いて後金錢に冷淡なる政治家即ち死するまで清廉の德を像つけざりしは恐らく唯一の伊藤公のみならん又公は長州閥の隊長にてありながら比較的公平なる思想を有し勢力の爭奪よりも理窟に重きを置きたり故に公の内閣の時には袞龍の御袖に匿るる譏はありしも未だ曾て山縣公等の如く黄白を以て議員政黨を腐敗せしめたる事又は暴力を以て世論を壓したる事なし而して公は世界の政治家として内外人の信用を得確に日本の信用を更に重大ならしめたる要素なりき今や要素の一を缺く國家の損害大なりと云ふべし勿論統監を辭し目下閑職にあるを以て其死が直に政治界に影響を及ぼすことなからんも從來文治派の棟梁と仰がれたる公なれば今後或は多少の武斷派の横行を見ることなきやを危ましむ進歩黨には何等の關係なきも政友會には大打撃ならん又今回の滿洲行は果して如何なる用務を帶びたるや又單に汗漫の游なるや知らざれども好し單なる漫遊とするも其結果は決して漫游に止まらず將來日露間の平和の爲め又滿洲に於ける日本の政策が實際何等非開放的の行動なきにせよ列國間に多少の疑惑を抱かしめ居る折柄伊藤公の旅行を聞かば彼等外人は必ずや同公の公平なる視察と善後の處置あるべきを信じて少からず安心を得たるべきに更に又公が哈爾賓の歸途北京に立寄り清國が今や熱心從事中の憲法施行に就て生ける日本の立憲政史とも見るべき公の助言を與ふるを得ば兩國の親交上如何に多大の利益を得たるべきに今や即ち空し、桂等も煙くは思ふ事あらんも其代り又困難の場合には公の指揮助言に

223

よりて困難を切り抜けたる事幾干ぞ、併し公が過去の歴史は順潮に帆を擧げて光輝榮華に滿ちたり今回の凶變により更に世の同情を深うすべく公亦以て瞑すべし云々

● 大石正己氏の談

伊藤公が不慮の災難な遭遇せられ終に薨去せられたるは誠に痛惜の至りなり元來伊藤公は進んで事をなすの人にあらずして退いて事を守り全きを持すると云ふ主義の人ありしが故に守成の時代に當りては必要缺くべからざる人なりき我維新更革後は徐々に事物の整理をなしつつ進歩發達を圖るべきの時代なりしを以て公の穩和的政策は最も時代に的當し從つて國家に貢獻したるの功績は實に偉大なりしなり此穩和的政策は外交上に於ては平和主義となりたるが爲に時に或は不決斷の人なりと譏られたる事ありたれども全局より公の施設したる事柄を觀察すれば能く事宜に適し居りたり伊藤公薨去後の形勢如何に就て一考せんにビスマルクの死後獨逸の政策が何等の變化なかりしと同じく公が薨去したればとて日本の政策に變動を來し東洋の平和が動搖する等の事は決して之なきのみならず寧ろ公の遂行したる政策を繼續して變る事なきを信ずるものなり併しながら我憲政發達の上より觀察し來れば伊藤公の薨去は我憲政上の一大損失なり何となれば公は政治的に於ては別して感情を斥け道理に據りて事を判斷するの人にして其在朝の時と在野の時とを問はず常に眼を大局に注ぎ公平の見を持し假令政敵と雖ども其言ふ所の意見が道理に合すれば之を採用し味方と雖も其云ふ所不合理なれば之を斥くる云ふ風の人にして日夕憲法を圓滑に適用せん事に腐心し居りたり或は時の勢ひに依り憲法を無視すべしと云ふ議論の起りたる時の如き遂に右等の不祥事を發見せしめざりしは一に公の力なりと云はざるべからず又公は個人としては極めて文明的の人にして常に餘暇さへあれば内外の新著に眼を曝らし新智識の養成に怠らざりしが故に朝にに在つても野に在つでも政策を謬らざりしなり特に今後は支那も萬事更革の時代となり我日本に學ぶ所多かるべきの時に當り且又種々なる交渉事件の發生せんとするの時に當り公の如き新智識を備へたる最も信用厚き代表的人物を失ふは實に惜みても猶餘りある次第なり

● 原敬氏の談

(下の關の政友會)

伊藤公の薨去を聞きたる四國中國政友代議士は廿七日の聯合懇親會を開くに先だち弔辭を決すべく而して其夕刻より開く有志懇親會は弔意を表し遠慮の意味を以て催さるる事となれるが猶廿八日下關市主催の招待會をも遠慮する事に付昨夜着したる原敬氏其他の幹部にて取極めたるが無論演說會も之を見合す事になれり又原氏の談に伊藤公薨去の報は三田尻附近にて受取たり誠に哀悼に堪へざる次第なるが韓人以外に關係者ありとも思はれず殊に韓人は斯る行爲を敢てするの癖ありて先きには米國にてスチーブン氏を暗殺したるが如き事もあれば蒙昧なる彼等の所業或は豫め謀り居たる者なるやも測り難し而して公の遺骸は昨夜既に長春に着した容子なれば遲くも卅日頃には歸り來給ふならんと察せらる云々(下關電話)

ハルピン停車場の一部

●立憲政治の權化

▽ 尾崎行雄氏談

伊藤公今回の遭難は殆ど夢の如く只驚愕の外なし公の薨去は實に國民の大不幸大損失なり公が立憲政體の爲めに如何に多量の心血を濺がれたるやは余の喋々を俟たずして世人の熟知する所なり公の一身は慥に立憲政治の權化なり公の薨去に對しては國家は十二分に哀悼の意を表せざる可らず余が多年の政友

225

と分れ公と握手したる理由は卽ち公が立憲政治の發達進步の上に意を致さるるの厚きに感じたる結果にして余は一身の榮譽を忘れ公の驥尾に附して國家に竭さんと決心せしなり余が當時の心事は其後余が政友會を脱したる顚末によりても明かなるが余は今日自己の立場を辨明せんが爲めに之を言ふには非ず公が立憲政體の上に如何なる貢獻を爲せし偉人なるかを國民と共に追臆[7]し國家の爲めに此偉人を失ひたるを哀悼するが爲めに言の之に及べるなり云々

● 學者としての藤公

法學博士　有賀長雄氏談

憲法發布以前に於ては憲法が出來れば主權の置所が變ると一般に思はれて居て自由黨は主權は人民にありと云ひ帝政黨は主權は君主にありと主張し又改進黨は君主と人民との中間の議會にありと唱へて居たが伊藤公は折衷說を案出して國體を基礎とした立憲政體を制定して主權は君主に有て其一部分と雖も人民に渡すものでないと云ふ說で其組織には非常に苦心された、伊藤は政治の上に於て調和を計ることが甘かつた樣に學文の上にも能く調和を計つた所が見えて居た、公には學者臭味と云ふ一種の臭味は全くなかつたが能く學說を咀嚼し之を同化し時の形勢を察し國情に照して巧に之れを應用した其學問ぶりは失張政治家ぶりであつた、學問と云ふても專門學者の樣に深く緻かにあるのではなくて廣く大體の精神を呑み込んで之を日本の國情に合はせて行かれたと云ふに差し閊へはない驚くのは一を聞いてを十に活用することで全く天才と云ふより外に評の仕方がなかつた、喜んで人の說を聞いて又能く之を容れた尤も初手の内は却て議論するが善き說と見れば直ぐ折れて聞く公には先入主が無い樣に後入主と云ふのもなく只管學問を土臺にして新しい自分の考へを作り出すことに焦慮て居れらた、非常な讀書家で絶えず研究を續けられて居た、學問の質は政治家としての質と同じで極めて廣く能く調和を計つて惡く云へば八方美人主義とも云ふものである、公が新しい學問に長じて居たのは全く英書を讀むに堪能であつた爲めで佛語の書籍も讀まれて居た又漢籍は非常に好む所で支那政治家の政策論などは片時も離さず精讀されて居

7　追憶。

たが是等の書籍より新なる伊公類の學問が編み立てられたに違ひない

兵庫縣令時代の伊藤公

工部卿時代の伊藤公

● 林伯の感慨

　林董伯は伊藤公遭難の報を聞き感慨に堪ざるものの如く嗚呼是實に驚くべき出來
事なり其關係の大損害なるは言ふ迄も無く予の如きは四十年來厚誼を辱なうした

る者にて公の薨去を聞いては悲痛眞に無上なり公の人物に就きては世上自ら公論
の有る在り殊に此大悲報に際し予の意見を述ぶるの要無し唯予が一言せんとする
は政治上に於ける公の後継者如何の事なり公は夙に穏健なる進歩主義を懐抱せ
られ終始一貫此主義を以て國家に竭し又國民を指導せられたるものなるが公にし
て果して薨去せられたるものとすれば今後何人が能く公の後継者たるを得べきか
是予の最も憂慮に堪ざる所なり知らず識者の見る所果して如何と大息して語れり

● 外人の伊藤觀

伊等公爵暗殺せられたる日の夕米國大使オーブライエン氏を靈南坂に訪ふ、大使
尙燈を掲げて事務室に在り、先づ歸任の祝辭を述べたる後單刀直に藤公暗殺の
談に入れば大使憮然として曰ふ余の最後に公を見たるは此夏の初余が歸國の前
なりき余が歸任の時公既に旅程に在り其滿洲視察の途に上れるを聞いて余は深
く其擧を壯とし且其志を喜べり蓋し之に依て日本の眞意實狀を外人に示し以て日
本の受くべき樣々。解を防き得べしと信じたればなり、公の人格に就ては其從來の
經歴より推し其從來の言動に見て余は其大人物なるを疑ばざりしが余の來りて公
と相見て相識るに及び其誠に欽仰すべき大人物なるを知れり公や行くとして可なら
ざるなし、其韓國に在るや韓國の扶植を圖り誠心誠意韓國の平和と進歩とに盡し
たるは頗る多とすべし、公の逝けるは誠に日本及韓國に取つての大損失といるべし
と、言ひ畢つて屢大凶事大慘事つぶやく

歸途聯合通信社のケネーデー氏を訪ふ、座に米國大使館書記官ポースト、ホヰー
ラー氏在り、相見て悄然として憂色あり、一人テリブルを口にすれば一人はホリブル
といふ第三の者更に一語を加へてシムプリー、テリブルと呼ぶ、ホヰーラー氏曰く先
刻小村外相と會したるに韓國の内ならば知らぬこと哈爾賓にてまさかに左ることも
あるまじとてやや警戒に油斷したるが誤りなりきと外相は語れり是實に昨年のスチー
ブンス暗殺と同一轍の油斷に出でたるなりと

ケネデー氏曰く余は一切の外人中特に藤公の知を辱なうしたれば哀悼の念も亦一
入なり公は眞摯にして度量廣く能く人を容て更に城府を設けず是公を知れる外人
一同の深く德としたる所なり現に韓國に於て公の政策に反對を唱へたる外人すら
猶且公に對しては常に好意を有し何等公に對して苦情を唱ふる者なかりき以て公
の如何に外人間に推重せられたるかを知るべし

氏又愁然として記者に語りて曰ふ思へば先夜卿等とともに桂首相邸の晩餐會に會
して署名を求めたる時が我等の見をさめなりきあの時は中々の元氣にで頻りに新
聞記者を相手に談論を闘はしたるが今卒然として其が暗殺の報に接するは何等の
意外、何等の惨事ぞや、思ふに哈爾賓發の電報は同一時間にして倫敦に達し又一
時間にして紐育に達すべければ今頃は此報既に倫敦紐育の諸新聞の號外となり
て歐米諸國の大問題となり居るなるべしと

川上ハルピン總領事

田中滿鐵理事

●國際法上の意見
伊藤公の遭難場所たる土地は清國の領土なるも停車場に其警察權の及ばざるは

勿論にして露國司法權の下に在るものなるは當然のことなりとす然らば其責任の歸する所も亦自から明かなりと雖も斯かる豫知すべからざる椿事に就きては國際法上之を云爲するを得ざるも德義上其責を免る可らざるは當然にして現に湖南事件の際の如き日本に於ては廟堂の一大騷動となり當時の内務大臣及び外務大臣は其責を引いて辭職したり一方露國軍艦の示威的行動ありしをも記憶するも當時某國の其間に斡旋するあり且我宮廷に於ける御軫念の深かりしとに依り僅に事なきを得たる始末なりしと記憶す又佛國に於ても伊太利無政府黨員の大統領カルノーを暗殺せしことありしが右は佛國内に起れることにて差して國際法上の問題となるに至らず唯將來無政府黨員の取締を嚴にすべしとの意を以て伊國に主義せしに止まり遂に國際問題となるに至らざりしことあり今回の事、領土は淸國、司法權は露國、下手人は韓國人とせば露國は唯此の豫知すべからざる不意の出來事に對して甚だ不注意なりしと云ふに止まり國際道德上之に對し唯は濟まされまじと思惟するのみ然して一方伊藤公は曩に統監として赴任の際既に社稷の臣として此の重任を荷ふ以上萬一の場合一死以て國に盡くすの覺悟ありしは勿論にして日本國家の爲公を失ふは衷心頗る遺憾に堪へざる所なるも公は却て本懷なりしなるべく之ガ爲日本の韓國に對する措置更に一步を進むるに至るべし云々

● 韓太子殿下の御愁嘆

洩れ承はる如くんば凶報初めて鳥居阪なる韓國皇太子御殿に達するや御用掛始め一同餘りの意外に呆れ果一時は其眞僞を疑ひしが後報續々到来し今は疑ふ餘地無きに至りしも直に之を殿下に言上せんは如何あらんと何れも逡巡の色ありしが斯くて已む可きにあらねば高大夫より極めて徐ろに公の遭難を言上したるに殿下は御驚きの餘り御椅子を飛離れ給ひ言葉忙しき韓語にて何人ぞ何人ぞと連呼し兇漢の誰なるかを問はせ給ひ其の韓人なる旨を聞し食して「何我國人とや」と最と御口惜げに見えさせ給ひしが畏くも御顔の色も只ならず御涙をさへ浮かべさせ給ひ、扨何處なりしぞとの御言葉に今朝哈爾濱に着してのことと答へ奉りしに哈爾濱か哈爾濱かと口の裡に繰返させ給ひ少時御物思に沈み給へるには高大夫嚴祗侯等も慰め奉る可き言葉も出ざりしと、恐れ多けれども殿下と公は下様の爺と孫との如き御間柄にて公の殿下に仕へ奉ることの厚く深きは云ふに及ばず殿下も亦大師々々と懷かしがり給ひしに今一朝にして此凶變あり殿下の御胸中拜察し奉るだに涙の

種なりかし

●凶報と滄浪閣

▽ 大磯の大混雑

廿六日午後七時三十分凶報を齎して大磯に赴ける西書記官は韓太子殿下の御名代として差遣はされたる金武官と共に直に滄浪閣に至り公爵夫人並に末松夫人に面會して此時迄に分明せる限りの詳報を傳へたる西書記官は當時の模様を語りて曰く「夫人は以前から病氣で臥せつて居ましたが二三日前から宜い方で大したことは御座いません様でしたが東京から遭難の電報が來るに至つて少く御容體が悪くなつた様です末松夫人は既に覺悟を定めて居たと見え私の持つて行つた詳報を聞いてひどく感動されたものの氣は慥かに持つて居られました然し未だ末松子も見えませんし何を何うすると云ふ様なことは少しも分らない模様です其中に親戚の人々が集つて雛て向ふへ人を出すとか何とか定める心算です伊藤博邦氏は目下航海中で來廿九日に馬耳塞に着く筈ですから途中へ電報を打つことになつて居ます伊藤文吉氏は東京に居ますが未だ見えませんやがて伊東巳代治男もるでせう云々

▲ 夫人の涙

西書記官の至る迄は午後三時半の電報のみにて更に其詳細を知る能はざりしより公爵夫人は電報を以て桂首相に模様を問ひ合せしも目下照會中にて確報なり難しとの返電あり獨り公爵のみならず田中滿鐵理事も負傷せりとのことに夫人は兇漢は必ずピストルを以て狙撃せしものなるべしなど想像しては人知れず落つる涙を病の袖に押し隠せり

▲ 町民の驚き

大磯の町にては午後四時頃より伊藤公暗殺せられたりとの噂立ち町民は半信半疑の中に在りしが東京よりの電報引も切らず見舞客は一列車毎に大磯停車場に下るより扱こそ眞實なれと大いに驚き公爵邸に押し寄する者潮の如く同町長、警察署長、郵便局長を始め出入の商人職人などは何れも同邸に詰めかけ平生公の恩顧を蒙れる者は悉く玄關に詰め切りて心配氣に囁き居れり

▲ 町民の愁ひ

又滄浪閣に宛たる電報電話は頻々として來るより電信局にては頗る繁忙を極め

電信は一纏めとして時々自轉車を以て運びつつあり恁くの如き有樣なれば車夫の如きは大拂底にて停車場には一臺の空車もなく滄浪閣に至る者の中には闇を衝いて徒歩する者多し町民は車の走る度人の通る每に仕事の手を休めて往來を眺め「あれは滄浪閣へ行くのだ」などと話し合ひ居れるが大磯の名を滄浪閣の名と共に天下に響かしめし公爵の今は世に亡き人と聞きて愁然たるものあり夜の更くるに從ひて海の風強く松嶺濤聲に和して悲曲を奏し闇の空に瞬く星影はいと愁はしげに大磯の町は何となく志める勝なり

▲ 見舞

其後武田宮北白川宮家より御慰問の電報あり桂侯、加藤男、香川皇后宮大夫、德大寺侍從長、渡邊宮內次官、岩倉宮相、髙橋是清、花房子、後藤男、田中伯、秋元子、毛利後室等は何れも電報を以てお見舞をなせり又平井軍醫總監は夫人の容體を氣遣ひて西書記官と共に來り西園寺八郎、井上角五郎氏も相踵いで來れり尙井上候は二十七日午前九時四十分特別急行列車を以て來る筈なり

(廿六日午後十一時大磯電話)

大森伊藤公恩賜館

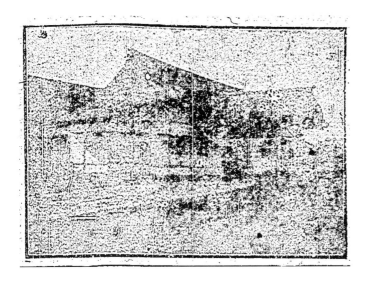

● 一昨日の恩賜館

大森なる恩賜館には(公爵夫人は常に大磯別邸に在り)目下洋行中なる嗣子博邦氏夫人のみ留守居し居たるが同夫人も再昨日午後三時七分の汽車にて末松夫人と共に大磯に赴き執事一人のみ残り居れり

▲ 最後の消息

公爵よりの消息は日々外務省より同館に通知し秘密の事件のみ直接大磯に通知する事となり居れるが同館に達せる公爵の消息は再昨日午後「本日奉天に向ふ」と云ふ極めて簡単なる物なるが是雖て最後の消息一昨日午後三時に至り外務省其他より初めて今回の兇變を知れるものなり然れども唯留守居一人のみなれば見舞客は何れも大磯に赴き館は格別の混雑をも來さざりしものの如く日比翁助其他數氏のみ取敢ず同館に参し見舞を述べて帰宅せり

● 大磯に行ける末松子

▽ 悲痛なる汽車中の談話

末松謙澄子は一昨夜七時五十分新橋發の汽車にて大磯の伊藤公爵邸に急行せり同乗せる記者は伊藤公遭難の弔意を述たるに「エ、誠に…」と云ひたるのみにて少時は言葉もなく此驚く可き急激なる世界的出来事を胸に浮かべて感慨に堪へざるものの如し車中人少く薄暗き汽車のランプは愁多き子の顔を照して更に痛み深く彼方の隅に蹲まれる痩せたる一婦人と子と記者と何れも黙して胸に去来する此大事變を悲むのみ、雖て記者は「韓太子は随分お驚きなすつたでせう」と尋ねたるに子は「誰でも驚かないものはありませんが韓太子の驚愕は殊に非常なもので此報を聞いて夕飯も碌々上りませんでした然し私は申上たのです岩倉さんも居らつしやるし外にも頼りになさる方が澤山居られるのだから左う御心配なさらないが好いと、私は先刻漸く御用を濟ませて抜られない處を無理に是から大磯へ参るのですが妻は昨日から向ふへ行つて居ります勿論此事件とは關係ないのだが偶出つくわしたのです公爵夫人が卒倒したと?そんなことはないでせうが驚いたには違ありません」唯之を思ふだに胸も塞がる可き悲しみを子は之を口にするに堪へざる者の如し記者は「公爵夫人は先日から御病気だつたさうですがひどくお惡かつたのですか」と問ひたるに子は曇りたる面を上げ「何そんなでもなかつたのですが何か少し食物の中毒の氣味で臥せつて居たのです

其處へ此凶報なんですから東京の者も驚いて醫者を連れて行かうの何のと非常
に騒いだのですが私はまア餘り騒がない方が好いと云つたのです」平生快活に
して磊々たる子も今宵ばかりは流石に其俤さへなきも氣の毒なりランプの光愈
暗くして子の面は益曇る、記者は重ねて此事件を語るの勇氣なかりき

伊藤公夫人

● 東洋平和の楔
汽車中にて韓國金東宮武官談
何うも飛んだ事が起りました、私は韓太子の御傍にいましたが突然今回の兇變を
お聞きになると非常に

▲ 韓太子は御驚悼
　になり何分少しも事情が判らぬから一刻も早く御見舞に行つて來る様にとの御
　下命で、實は取る物も取り敢ず五時半の汽車で大磯に向つて今歸る處です

▲ 兇漢の身分
　暗殺の模様は侯爵邸の方でもまだ充分に判らない様ですが兇行の下手人は韓
　國人の様で實に殘念な事です、果して是が韓人の所為とすれば私は前年米國で
　スチーブン氏を暗殺した連中と同じ輩ではあるまいかと思ひます、斯る事の起る
　のも何方かと云へば

▲ 淺墓な根性

が原因するので畢竟するに蒙昧無頼漢の所為だらうと思ひます誠に心得違の
事で今後は何うしても我黄色人種は一致協同して行かなければならぬ位の事は
少し世界の事情を見ると了解し得る事なんです此點から見ると伊藤公の如きは
徹頭徹尾

▲ 東洋平和を主眼

として居られ何事を經營さるるにも悉く此主義から割り出されていた事は實に感
佩に堪へません公は實に

▲ 圓滿平和の人

で公の説に反對を唱へるものでもあれば是を威壓すると云ふ事せずして諄々と
して是を説き諭された一例を舉げて見ると彼の韓國皇帝の御巡遊の際の如き
到る處頑冥の徒を集めて懇諭し眞に心から両國民の調和を計られたと云ふ事
は流石に世界の大政治家としての政策であると皆感服していました

● 狙はれたる公爵

▽ 鶴原定吉氏談

▲ 暗殺の噂

統監府開始頃から伊藤公初め長谷川大將等暗殺の噂は度々あつた、初めの一
年間は最も甚だしく愈來る何日何處の韓人が伊藤公暗殺の爲京城に來るなどと
云ふ報告は月に何本來たか判るらぬ中にも現皇帝即位式の當日の如きは最も
激烈で或は事實になりはしないかと危ぶんだが、汽車に投石したものが有つた
而巳で一度も實行したものはなかつた、近来は其數が非常に減じた様であつた
が今度の事には實に驚いた

▲ 排日黨の巣窟

随分まだ排日黨は澤山あり彼のスチーブン氏の暗殺事件等も其一例で排日黨
の最も激烈なのは米國、浦潮斯徳、布哇と此三ケ所を本陣として巧に聯絡を通
じてゐるから今度のも或は其仲間の奴等ではあるまいかと思はれる、幾何頑冥
な朝鮮人でも内國に居るものは伊藤公の性質を知つてゐる筈だから何うしても
生囓りの無頼漢に相違ないと思ふ

● 宋秉畯氏の談

235

▲ 危險なる秘密結社は崔及び洪の兩名にして崔は慶尙道の生れにて二十年前露京に入り通譯を業とし奇利を占め又洪は甞て郡守を勤めたる際人民を虐げ蓄財し戰爭前より露國に出入し居たるが彼等の間には非常に堅固なる秘密結社樣のものあり本部を浦潮に置き或るものは馬賊となり運動費を掠奪し其同類は米國布哇上海天津の各地に散在し日本留學生中にも連絡を通ぜるものあるに似たり過般伊藤公を殺害すべしと日比谷公園に貼紙したるが如き慥かに夫なり

▲ 長白山下に死せん

且夏藤公渡韓の際にも近親の人は頗る危險を感じ切に之を引留又今回出發の際にも前夜送別會の席上にて予は切に諫止したるも公は死生の間に出入すること前後五十餘年幸ひにして生を完うし來れるが長白山下に骨を埋むるは宿志なり縱令兇刃に斃るるも永く兩國の前途を護らば何の怨みかあらんとて一笑に附せるに不幸此言讖を爲せり

▲ 韓京の動亂如何

飜つて凶變が韓國政治上に及ぼす影響如何を見るに上述の如く彼等暴徒には四方に連絡あり殊に表面靜謐なる如き京城に於ても其裏面には絶えず諸種の密策を畫する者あるが故に守備警戒嚴なりと雖も尙多少の動亂は免れざる可し但し中央政局の動搖は萬々起らざる可きを信ず

▲ 韓人の德とする所

公が初めて統監として赴任せる以來一般韓人間に最も深く其德を垂れたるは着任早々日本人中の無賴漢を嚴重に取締りたることなり日本の開國當初に其例ある如く領事裁判は往々不逞の徒に利する所あり漸次内地に漲ぎりて良民を苦しめつつありたるに公は早くも此に留意し韓民の生命財産初めて安固なるを得たり公の幾多事績中の此一事程現實的に一般人民を悅ばしめたるはなく今春公が地方巡廻の際の如き十里二十里を遠きより來りて公に贈り物を呈する者多かりし如きに徵するも之を推知するに足るべし要するに公が尙に口にせし如く公明正大誠心誠意以て韓國の啓發誘導に盡されたるに却つ仇を以て酬いらるるに至りたるは返す返すも痛嘆に堪へざるなり

● 角觚取締雷權太夫談

▲ 最終の一言

常設館の建設に就て赤坂靈南坂の御邸へ伺うた時は桂首相其の他の方々も御列座でありましたが昔馴染だとの仰せで酒肴が出る種々雑談あり御邸を退く時公はお前は年寄になつて氣樂だが己は之から角力を取るのだと仰ありし時實に豪いと思ひましたが今は之が記念のお話です

▲ 酒の飲み合

私が大阪を飛出て兵庫に遊で居ると公は其頃兵庫縣令で私に遊に來いとのお使ひ早速縣廳へ出頭すると事務室に酒肴を取寄せ大茶碗で遠慮なく飲めとて色々のお話がある内相撲取は馬鹿だから氣が置けずに酒が旨いと言はれたので私はグット癪に障り態と大茶碗に酒をなみなみ注いで出すと宜しいと二三口に飲干して茶碗を下さつた腹立紛れに何杯となく呑んだので中々度胸が宜い毎日遊びに來いと仰有る夫からといるものは毎日酒呑に縣廳へ押掛ました

▲ 公を凹ます

大阪から東京へ來て漸う幕に這入つた時伊藤公から迎へがあつて伺ふと暫く逢はなんだ兵庫では面白かつたお前も大阪から東京へ來て出世したから改名せよとのお勸め私は一生梅ヶ谷で通す積なれば改名は御免と言へば公は否改名せよ己が名を選んでやると仰有る私は兵庫で馬鹿と言れた憤りが頭に殘つて居るので改名するなら毛利と願ひ度と云ふと夫れは妙だ仔細は何うだとあるから私は御前の御主人の御苗字を頂戴して怜悧になる積ですと答へると呵々大笑して夫はいかぬ一本參つた

▲ 醵金の横綱

十七年濱離宮で天覽相撲があつた時伊藤公は私を招かれ今度の天覽には横綱を張との仰せ私は横綱は一生張らぬ積です横綱を張ると弱くなると辭退するとイヤ夫なら己達で拵へて遣ると御同席の山縣、井上、山内の方々と談合して太刀と化粧廻しとを拵へて下さつたので私の土俵褌には長州樣の紋が付いて居ます太刀は今倅が持つてる彼の長いのです

● 新喜樂女將大に泣く

▽ 心持の綺麗なお方

伊藤公奇禍の報を聞くや否や取敢ず例の新喜樂の女將の驚愕や如何と直に築地三丁目の同家を訪ふた、折柄女將おきんは他から歸つた、歸つて泣ながら出

て來た「マア何といふ事でせう泣いても泣いても泣き盡せませんよ、今日は斯な事とは知らず氣が鬱ぐから大森の月見から歌舞伎座を見やうと唯今三州屋へ行くと自宅より電話、聞いて見ると御前樣がお打れなすつたとの急變、妾は餘の事に吃驚して靑くなりがた靑くなりがた慄に出しだので何かしやしないかと皆さんが心配して吳ましたが何にしても芝居處ではないから直に歸宅したのですが夫人も定めし御心痛で在つしやらうから今夜十一時の汽車で直に大磯へお悔みに伺ふ積です、凶事を暗に知らせる杯といふ事もあるさうですが朝から氣持の惡かつたのも或ひは夫な事かと悲しくてなりません、妾が御前樣に御晶屓になつたのは明治十七年蠣殼町に居た頃からの事で妾の方には別に婦人などの關係もなく只面白い奴だ義俠な奴だとおつしやつて特別に眼を掛けて下さいますから夫人も妾には御安心下すつて同じく御晶屓を受けて居ました、御前樣のお遊びは誠に淡泊したもので妾方へ御出になつても帳場や料理番の老人に揶揄ひ臺所へもお出になるから勿體ないと申しますとナーニ夫んな事があるものかとお笑ひ遊ばす女中等にも召上り物にも終に一度お小言を仰やらずお氣に入らねば召上らぬ分で毎時陽氣にお騷ぎでサラリとお切上げになる、誠に粹なお心持の至つて綺麗なお方でありました、ですから同じ戴くお金でも六ケ敷いお客から戴くお金よりは甚麼に難有いか知れません遊びに來しつて小理窟をいふお客樣には御前樣の爪の垢でも舐めさせ度いと思ふ位です、今度の變事が國の爲め何う斯うといふ事は貴方がたが御存じですが妾共に取つても斯んな悲しい事はありません分けて常常韓太子殿下を大切に御奉養申上げ實にお可愛いと仰やつて在しつたのに其韓國の人に殺されたのですから情ないたつて斯んな情ない事はありません、私は十四日のお見送りが今生のお別れになりました」と手巾を顏に當て又冷め潛々と泣いてた

俊介時代の伊藤公

(右井上侯)(左伊藤公)

● 美人語らず

　▽ 寵妓文光の悲嘆

　　去る三十八年まだ大阪の富田屋に居て蕾の色もあどなかりける其頃より公爵の
　　寵を蒙り其後は公が旅路の上り下りにも必ず御前に侍して仲間の羨望を一身
　　に集め居たる寵妓文光、去年京橋八宮町大阪屋に自前の披露目をなしてよりは
　　屢大磯の別荘に御機嫌伺ひに罷り出で終始變はらぬ老公の愛情に浴し居たる
　　事とて意外の悲報に接するや今は身の置き所さへなき様にて出の化粧に忙しき
　　夕暮時を鏡の前に泣き伏して面も得揚げず記者の訪問に逢ひ文光に代りて上
　　框に現れたる母のおふみも悲電の愈眞なるを知るや今更の如く袂を絞りつつ文
　　光は今夜の宴會も斷つて泣いて居りますどうしても嘘ではないのですかね、私は
　　之から大磯へお伺ひに出やうと思ふ處ですがモウ何うして好いやら分りません
　　ハイ文光も一緒に參りますのですと流れ來る涙に困じ果は『今夜はモウ之で御
　　免を蒙ります詳しい事はいづれ申上ます』と面を背向けて語らざるこそ哀れなれ

● 花柳界の寂寞

　　一昨日到達したる伊藤公兇變の報は殆んど全市を震愕せしめ親しきも疎しきも皆
　　國家の爲其訃を悲しまざるなく誰言合さねど公の爲に哀悼の意を表し一昨夜の花

柳界は至る所ペンともシヤンと言ず全く寂寞を極たり

● 伊藤公の前半生(一)
▽ いぶせき藁屋の誕生

山陽道周防國束荷村の片ほとりに、十藏といふ百姓あり、姓は林、天性惡氣の無い人間にて、見る影も無き藁茸の屋根の下に暮らす幾春秋、天保十二年九月二日と云ふに目出度産の紐を解き、玉の如き男子出生し利輔と名けたり、此男子こそ、他日維新の元勳、國家の柱石、内閣總理大臣統監正二位大勳位公爵伊藤博文其人なりと誰か知るべき。斯の六十年後の大勳位公爵が、始めて地に落つるの時、維新前後の風雲兒は如何なりしか、長州の長井雅樂、周布政之助、薩州の小松帶刀等は稍や壯丁の境に入りしも、吉田松陰は十二歳、恰も君前兵書を講ぜし翌年にて、大村益次郎は十八歳、始めて長崎に赴き蘭學を修めし年なり、西鄉隆盛は十三歳、大久保利通は八歳、木戸孝允は七歳、山縣有朋は四歳、井上馨は七歳、黑田清隆は二歳、大隈重信は四歳、高杉東行、久坂玄瑞は同じく此年を以て生れ、其外橋本左内、平野次郎、阪本龍馬、或は竹馬驅りて野山を走り、或は印地打ちて野鳥を追ひ、或は母の乳房に眠り、或は父の膝に戲るいたいけざかりなりしなり、偉人の傳記に必ず見ゆる生れて穎悟凡兒に異なり、屹として巨人の志あり等の形容詞は、ここに要なく、利輔決して凡兒に異ならず、ただ十藏が百姓に似氣なく頗る名聞を好み、立身を志ざすところより、此子は是非とも一廉の武士にしてくれんと手習師匠三隅勘三郎の許に通はせたり

さて此子がと取立てていふ程の事はなかりしも健康に育ちて質の惡い方にもあらず親の言葉を背むくことも無かりしかば十藏ますます鍾愛して、この草深き土地に在りては立身出世する見込なし、いかでいかでといらだつ矢先、家計の不如意ますます加はりければ、ある夜ひそかに村を走りて萩の城下を志ざし同じく周防國の宮市といふ天萬宮に名高き地の大專坊といふ寺に着けり、此寺宗旨は眞言にて、十藏と聊かの俗緣あり、萩の城下に出で多少のたより求むるまで足手纏ひの此利輔を、しばし預かり置かせ玉へと住職の和尚にたのみ聞こえ、萩の城下に出立ちけり實に鳳凰も卵に在りては、蟻螻の侮を受くるとかや利輔が束荷に在りしとき十藏夫婦は農事いそがしく、秋の短日を田圃に暮し、鳥も塒に急ぐなる、雀色時家に歸り、火點さんとするに油無し、二人は農具の片附夕

餉の仕度に手の取れず、まだ六つ七つの利輔に市まで行きて油を買ふて來よ命
ず、流石に柔順しく親の言葉を肯かねども、日は暮れかかる田舍道、數丁隔てし
市までは寂しき所も多かるに油德利[8]の消々と出で行く姿を見しときは、胸が一
杯に悲しかりしを、今に忘れずとは後年公爵出世の後、大殿樣たる十藏の或人
に話せしとぞ

或は謂ふ、油買ひの話は十藏出萩の後松本推原臺に家をトせし時の事なりと
然れども著者が慥かなる筋より十藏の直話なりとして傳聞せし所によれば束荷
に於ける出來事たること疑無きが如し暫らく束荷說に隨ふ

● 伊藤公の前半生(二)

▽ 英雄誕生の異說

微賤より起つて、富貴功名の極に達せし英雄の傳記はいつも其第一ページを、
種種の異說に彩らるるなり、豊臣太閤は中の中村百姓彌助の子にあらず、母あ
る夜日輪懷に入ると見て身めりとあるは、その貴種なるを證するなりと、國史略
に松苗博士は疑ひを記し、平相國は眇の忠盛の子にあらず、畏き御方の落胤に
て、兵衛局の腹は假托生なりといひ、盛衰記にも平家物語にも祇園精舍の昌頭
あり、それと是とは異なれども、伊藤公誕生に就ても異說あり、曰く利輔は十藏
の子にあらず、十藏夫婦同棲してすでに數年に及ぶと雖も、一子無きを歎く折し
も、ある時一人の行脚僧、束荷の里に行き暮れて、一夜の宿を十藏の家に求め
しが、不思議にも僧侶に似氣無く一人の嬰兒を携へたり、夫婦不審晴れやらず、
其原由を問ふに僧は答へず、此嬰兒はなみなみの種にあらず、身分ある人の私生
兒なり、拙僧に託し大事に育てんといふ人を見立て譲り與れよとて、若干の錢を
附けられたり貰はんといふ人多けれど、錢に眼くるる人に與へては此兒の為め宜
しからずと、諸國遍歷月日を經れども未だ此兒の親とするもの無しと云ふ、十藏
夫婦は嬰兒を打見ふに、容貌端麗にして神采すぐれ、實にも平人の種とも見え
ず、あはれ斯る兒を我の子ともするならばと思ふより、僧に向ひ、われ等同棲して
多年、今に於て一子無し、貧しきのも、斯くはいへば錢欲しき故とも思はんが、

8　油德利(あぶらとっくり)は、日本の民具の一つで、灯明などに用いる油の購入用または保存用の容
　器。

我々夫婦今こそ零落れて名も無き農民と爲りたれど、先祖の由緒ある武門なり、
八幡懸けて其子を粗かにせじ、我に賜へといふに、僧、其眞心を知り、之を與へ
て去れり、この子卽ち利輔なりと、是れ其第一說なり、今一つは十藏夫婦の束
荷村を去り萩に行く途、宮市の大專坊に滯在せし時、この大專坊の和尚、隱し
妻に一人の子を生せ、持餘し居る所なりしかば、夫婦に子無きを見、强ひて請ひ
て其子の上を賴む、其子卽ち利輔なりと、是れ其第二說なり、兩說ともいづれも
公の昔をよく知るといふ人の口より、さも眞相らしく傳へられ、第二說の如きは公
が利輔より俊輔と爲り國事に奔走し、漸く人に知られし時、同僚の間にコソコソ
噂せりと、云ふまでも無く兩說皆非なり、公が利輔時代に束荷に居りしことは、
かくれなき事實にて三隅といふ家に手習に通ひたることも疑ひなく、現にその手
習師匠たりし三隅勘三郎に實子あり、明治の初年公が兵庫縣令たりし時、其家
の食客たり、後洋行も爲せたりしが、不幸にしで病死せり、されば三隅家には渡
邊といふ家より養子を貰ひ其家を繼がせたり、僅に殘る里の故老も、公の幼時
此村に在り、なにがしの子とよく遊びしなど話すなり、疑ふべからず、さるにても
兩說とも圓顱に綠のあるが不思議なれ

大專坊に一人遣し置かれし公は、萩に出でし父母の事慕はしからぬにあらね
ど、天性溫和しく賢しく、愛嬌ありて何人にも馴染しかば、寺中の者に愛せら
れ、和尚は見所ありとて、孝經、大學、中庸と順々に素讀を敎へしに、果して讀
書は三度の食事より好み、義解も早く、記憶も良く、しかも怠ることなかりしか
ば、課業も思ひの外進みけり、他日人臣の極位に至りし時も、常住坐臥卷を放
さず、外國の新刊書は誰よりも早く取寄せて一讀するを常とし、他の元老をして
『伊藤は學問が有るから』と一目置かしめし基は、すべてここに萌せり、蛇は寸に
して牛を呑む

● 藤公の落葉(一)

　▲ 公の淸廉

伊藤公の金錢に淡泊なるは今更云ふ迄もなけれど現に昨年の事夫人は家計の
經費五百圓を請求せしに公は小鞄中にある三千圓(十圓札三十束)の中より五百圓
(五束)を取出し渡されたり夫人は一々其數を算せんとせしに公は已に百圓宛束
ねあるに勘定する必要なしといふ夫人は聞かずして數へしに何ぞ計らん百圓束

皆何時の間にか一枚宛抜取あり都合五十圓の不足を生ぜり事の次第を公に告しにマサカと云ひつつ殘る二千五百圓を夫人に渡して改めしに全部皆一枚宛抜取りありしが公は一笑したるのみにて別に詮議も爲さざりし公の金錢に淡泊なりしは此一事にても知るべし(一記者)

▲ 滄浪閣を賣れ

又其後の事なり夫人は又一ケ月の經費を請求せしに公は持合せがない金が要るなら滄浪閣を賣り放して大森の恩賜館に引込まうよと云ふ夫人も其言の餘りの可笑しさに今差當つての家計の入用あるに此家を賣れと仰られても間に合はぬと笑へば夫れならお前の手にて如何とも都合し置くべしだと云ひ更に意に介せざりしと云ふ

▲ 韓國留學生の緘默

麹町區中六番町の監督事務所を訪ふ申監督は去月歸國の途次門司船中にて虎疫に罹りて死し目下は李昌煥外數民のみ事務を執れり記者を見て曰く貴下の談にて愈藤公の遭難を確めたり公は我皇太子殿下の太師素より尊崇すべき人なり然れども藤公を談ずるは政治に渉る虞あり我等學生として政談は嚴禁なれば我等は藤公について語る資格なけれど其訃を聞く追悼の情に禁へず今敢て語らざる心事は深く洞察ありたしとて口を噤めり(一記者)

▲ 公の節酒

公も一時は隨分強烈な酒を飲まれ健康を甚だしく害したから私は井上侯を介して爾來葡萄酒に更められん事を乞ふた、其後は強烈な酒を廢され日本酒を少量づづ用ひられたが概して葡萄酒のみとなつた(高島多米次氏談)

▲ 公の齒

自分が米國から公と一緒に歸つたのは明治三十五年であつたが爾來公の齒は自分が手當をして居た、元老中で一番立派な齒で僅に前齒二本半を某宮家の馬車と衝突して大地へ投出された時折つて了つた其外奧齒が少し惡い位で他は皆丈夫、實に古稀に近い老人とは思へぬ、此間は猪を食はれて少し痛められた、今度出發前にも公が「彼地は氣候が惡いから能く診て齒いて吳れ」と云はれた其聲がまだ耳に殘つて居る(同氏談)

▲ 天子樣は難有い

今度の御旅行についての御宴會には凡て當家の料理で妾が始終召されましてお

243

立まで御傍に居りましたがア、いふ御氣性ですから妾共にも餘り隱さないでお話
しがありました、今度國への御奉公で滿洲へ行くのだ天子様は難有いから死ぬ
まで御奉公する、今度も天子様から旅費を頂戴したが夫れはチヤンと旅費に充
て斯うして遊ぶ金を其中から出しては相濟まぬから自分のを遣ふのだと仰やつ
てでした(濱町大常磐老女中神崎きよ談)

▲ 公の嗜好

召上り物は決して好嫌びを仰やりせんが御酒を召上るので淡泊したものに御箸
がつきます、索麺のやうな麺類は凡てお好でした、御飯の代りにお粥を召上るの
がお好で夫も二度程煮立て湯を絞り新規にお湯を入れたのを召上ります大磯
にお出での中は夫人が御自身で夫を拵へて差上げます(同上)

▲ 口癖の端唄

公爵様は御酒の場も賑やかなのがお好きで都々逸や端唄清元などをお聞かに
なり一杯きこしめすと御自分で口癖のやうに唄はれる端唄は『浮氣同志がつい
斯うなりてア、でもないと四疊半、湯のたぎるより音もなくアレきしやんせ松の風』
といふのでした今度も舞子の驛でお見送り申した節歸りには是非寄るからと申
されましたのに此度の御遭難は只々夢のやうです(舞子萬龜女將松下みつ談)

▲ ただモウ豪いた於方

元老方で一番贔屓を受けたのは伊藤様と井上様ですが天秤にかけて見ると伊
藤の御前の傍がズツと豪いお方です唯モウ豪い方なのです伊藤の御前は全く
男らしい所があります井上様は商人などを近づけて隨分出入りする人も多いが
伊藤様には夫がありません何だか昔の豪いお役人がアンナ風であつたらうと思
はれます(富貴樓おくら女將談)

▲ 大磯の白兎

高い聲では申されませんが御前のお好は全く豪いものでしたよ餘程以前の事で
すが一夜大磯の松林でヒヨツクリ御前にお會ひ申すと眞白に塗り立てた白兎の
やうな女を連れて入らつしやるでせう嫌になるぢやありませんが跡で聞くと女義
太夫だといふので私は何うか是ばかりはお止し遊ばせと御意見を申上げて到頭
私の言條を通した事がありますよ(同上)

本社滿洲特電

● 伊藤公の臨終

二十七日大連特派員發

命中せる彈丸は三發にして二發目に受けたる時公は兇行者の方を睨み付けたるが同時に三發目を受けて卽座に斃れ一言「仕舞つた」と言ふて絶息するや直に列車内に運び入れ小山醫師皮下注射をなしたる時息を吹き返し古谷、室田に對し他人を退け二三の遺言をなし終りて露國藏相ココウゾフ氏面會し滿鐵社員莊司兼五郎の通譯にて見舞を述べ犯人を逮捕したりとて其自白等を述べたりしも公は直に絶息せり

川上總領事の負傷は胸、田中は左踵にて川上最も重し、中村、室田も洋袴に貫通の跡あり

● 伊藤公遺骸通過

二十七日奉天特派員發

伊藤公の遺骸及び負傷せる川上、田中、森の森氏は午前一時奉天驛通過大連に向へり十三夜の月皎々として白雪劍光と相映じ頗る悽愴の光景を呈せりキチナー元帥は幕僚を、錫總督は程巡撫以下を隨へ停車場に出迎へり汽車は徐に停車し喇叭吹奏の『哀の曲』は殊に悽愴を極めたり元帥と總督とは車中に公の遺骸を拜せり

● 遺骸到着

二十七日大連特派員發

伊藤公を乘せたる列車は午前十時着、文武官市民出迎へり步兵第十二聯隊より儀仗兵一中隊來り遺骸は白毛布に蔽はれ擔架にて徐々プラットホームより出て一行皆徒步にて大和ホテル別館に入る沿道聲なく悲痛を極む

● 秋津洲出發(同上)

軍艦秋津洲二十八日午前十時拔錨に決す中村滿鐵總裁隨行の筈

● 兇漢の同類か(同上)

兇漢は元山を經て二十五日午後七時哈爾賓驛に到着せしものなりと二十五日夜伊

藤公の乘れる列車細河口通過の際にも銃劍所持せる韓人を捕縛せりと

● 露國大使の見送り(同上)

遺骸を乘せたる列車が二十七日午前十一時四十分哈爾賓發の際北京駐箚露國
大使ホルワート氏其他露國官憲喪服にて長春まで見送れり

● 都督府法官北行

二十七日旅順特派員發

伊藤公遭難事件取調の爲當地高等法院溝淵檢察官は廿七日午後五時發哈爾賓
に向ふ北方視察の歸途伊藤公の遺骸と共に大連迄歸來せる平石同法院長も大
連より直に引返し同行する筈なり

● 哈爾濱の祈禱會

二十七日哈爾賓特派員發

伊藤公の薨去に就ては諸新聞紙筆を揃へて哀悼の辭を述べ藏相ココウツオフ氏
を頭に祈禱會を施行せり因に氏は二十八日夜十時浦潮に向へり

● 犯人連累逮捕(同上)

犯人連累者十名捕縛せられ尙探偵中なるが加害者は平然自若として伊藤を殺し
たるは韓國の爲東洋平和の爲め將た先帝の爲めなりと言へり

本社朝鮮特電

● 凶變と曾禰統監(同上)

二十七日京城特派員發

予(特派員)は今他の委員と共に記者團を代表し統監に會見先づ伊藤公遭難に對し
挨拶を述べたるに統監より鄭重なる答辭あり斯くて二十六日夜の決議を提供し參
考とせられたき旨を述べしに暫時熟讀の上公遭難の顚末は未だ公表せられざれ
ば何等意見を發表し難し統監は平常韓國を敎導するの任にあるも今回の事の如き
は非常の場合にて普通の政務と趣を異にし居れば韓國政府夫れ自身の眞意を窺
ふにあらざれば手を下さん由なし廿六日夜も某大臣は逸早く善後策に就き協議し
來りたるも同一の意味にて何等決答を如へざりき云云斯くの如く多くを語りざりし
も其眞意は深く察せらるるものありたれば感謝の意を表し退出せり

猶統監は令息寬治氏を大連に派して弔意を表せしめたり

● 統監邸警戒(同上)

統監邸並に各所の警戒嚴重なり

● 朝鮮人の喜憂

二十七日京城特派員發

韓人側の意向を觀測するに心あるものは只管哀悼の意を表し居るも其半面には何事か其らん斯を恐怖し居り雜輩等は何れも章擧なりとて喜色あり

● 大韓毎日社の祝宴(同上)

大韓毎日新聞社の主筆梁起鐸以下廿六日夜韓國國旗を掲げ酒宴を開き萬歲を唱へたり

● 韓皇勅使以下出發

二十七日仁川特派員發

藤公の遭難に對し弔意を表する爲韓皇陛下の勅使侍從院長尹德榮氏、太皇帝陛下の勅使並に韓國政府の弔使總理大臣李完用及び鍋島外事總長、菊地大韓醫長は二十七日午後弘濟號にて大連に向へり

● 韓廷の宴會停止

二十七日京城特派員發

宮中にては卅日の坤元節を停止する旨發表す又同日閔宮相より祕苑一部の開放祝賀會を行ふ筈なりしも是亦停止す

● 韓國團體の態度(同上)

一進會は全く誠意を以て痛惜し居れり大韓協會は殊更沈黙を守れり

● 凶變と平壤

二十七日平壤特派員發

今回の凶變に對し多數の韓人は韓國の前途を悲觀し居れり

● 發喪後の統監邸

二十八日京城特派員發

二十八日朝伊藤公薨去の公報に接したる統監邸にては各官參集當面の善後策を協議せり尙今後の問題に就き何事か協議せるやに察せらる

● 韓內閣の密議(同上)

韓內閣も亦廿八日朝來密議に餘念なし

● 韓帝弔問(同上)

皇帝は取敢ず弔問の爲め廿八日午後三時統監邸に行幸ありたり

●記者團と市民大會

二十八日釜山特派員發

伊藤公の訃に對し釜山新聞記者團は廿七日左の議決を爲せり

伊藤公に對する韓國民の兇行は許す可らず吾人は當局最後の斷行を期待す

右に付三十一日市民大會を釜山に開く筈にて廿九日夜發起人會を催す筈

本社支那特電

●伊藤公に對する哀悼

二十六日北京特派員發

伊藤公の不慮の遭難に對し當地の新聞は何れも驚愕せざるはなし中にも特に北京デーリー、ニュースは社說にて世界的政治家を喪ひたりと哀悼し公は日本政治家中最も朝鮮に同情を表し同國人に寬大なる政策を執りたる人なるに頑冥なる朝鮮人が公を誤解せるは遺憾の極みなりとし唯暗殺者が朝鮮人にて其場所は露國管理の停車場なれば累の支那に及ぶことなかるべしと評論せり

公の遭難に對し支那皇族大臣は公を識ると識らざるとの論なく何れも哀悼の意を表せざるものなく我が公使館を弔問せるもの非常に多し又公の遭難は二十七日上奏する筈當地在留外人も凶報を得て日本の世界的偉人を喪ひたるを哀悼せざるものなし

●上海在留內外人の痛悼

二十六日上海特派員發

昨日伊藤公暗殺の報道上海に到着し皆悲慘たる事件の生起に驚駭せり淸人及外國人共に此大人物の履歷を回顧して日本の大損失に同情し痛悼の意を表せり又諸新聞も同一の態度を執り伊藤公の履歷に數段の紙面を費せり

松岡總領事代理の談に依れば、各道臺列國領事、外國宣敎師代表者等は伊藤公の薨去につき同情し痛悼の念禁じ難き旨表白し來りたりと猶當地に於ける伊藤公痛弔の狀は殆んど未曾有の程度に在り

倫頓タイムス特電

●藤公暗殺と露國

二十七日タイムス社發

露都來電=露人は哈爾賓に於ける伊藤公暗殺につき驚駭仰天其極度に達せり又之が爲め兩國の友愛なる協商を進むるに何等の影響なからんことを希望しつつあり諸新聞は盛んに伊藤公の卓腕美質を賞讚せり

● 獨紙の哀悼

伯林來電=北獨ガゼツトは大いに伊藤公の絶大なる人格と政治的效業とを賞讚す

● 外相の藤公觀(同上)

巴里來電=佛國外務大臣ピシヨン氏は伊藤公の氣力と其宏識達觀とを激賞せり

● タイムスの藤公弔悼(同上)

倫敦タイムスは伊藤公薨去につき深厚なる弔辭を掲げ筆を極めてその驚く可き效業を賞讚し公は恐らくは人類の進步に貢獻せる最大人物中に列す可き運命を有するならん公は能く事物を洞察する最上の技能を有せり加ふるに其の造出せる邦國民は實に他に比類無き所たるを見る,蓋し日本は先に知られざりし傳說、習慣、思想及理想を文明國民の社會に齎らしたればなりと說き更に日本は今回の慘酷なる暗殺事件の爲め其俊傑中の俊傑が定めたる對韓政策を變動するが如きこと無きを信ずと言明したり

● カーゾンの弔辭

前印度總督カーゾン卿はオツクスフオルドに於て演說し深厚なる同情を以て公と自己との親交に言及し光榮ある日本革新の事業を遂げたるは實に公の力なりと斷言せり

本社米國特電

● 英國人の同情

二十六日桑港特派員發

倫敦電報に依れば英國人の總ては他の歐洲人と等しく新日本建設者たる伊藤公が兇手に斃れたりとの報道を得て恰も自國大政事家を失へるが如く悲しめり日本大使館は凶報に接したる以來官吏外交官其他の來訪者を以て充され電報にて樣子を聞合す者無數なり

● 華盛頓の震駭(同上)

華盛頓來電に據れば伊藤公遭難の報に接し華盛頓官民震駭せり日本大使館は弔問者及弔問電報にて忙殺されつつあり國務省官吏は現代世界に於ける最も有名なる大政事家を失へることに就て最も悲しむ旨を言明せり

● 英帝の悲み(同上)

巴里來電に據れば露國外相イズウォルスキー氏は伊藤公遭難に就て露國皇帝陛下の如く悲しみ給ふものは他に是れあらざる可し帝は公を以て日露の關係を改善する最も適任者と見做し居給ひたればなりと云へり

伯林電報(日獨郵報社取次)

● 伊藤公暗殺と歐米

二十七日伯林特約通信社發

哈爾賓に於ける伊藤公暗殺の報道は露都の人心に深き感動を與へたり又獨逸諸新聞は皆伊藤公弔悼の辭を草し公を以て日本最大の政治家なりとせり

● 獨帝の弔電(同上)

獨帝は日本皇帝陛下に對し伊藤公薨去の弔電を送られたり其電文に曰く

朕は唯今伊藤公暗殺の報に接せり依つて玆に陛下が其忠實に光輝ある人物の喪失に對する朕の誠意ある弔辭を受け級はンことを乞ふ」と

● 國葬

昨夜官報號外を以て左の痛り發表せらる

樞密院議長從一位大勳位公爵伊藤博文薨去ニ就キ國葬ヲ行フ

御名御璽

明治四十二年十月二十七日

内閣總理大臣 桂太郎

● 葬儀係

樞密顧問官子爵 杉 孫七郎

故樞密院議長伊藤博文葬儀掛長被仰付

内閣書記官長　柴田 家門

内閣書記官　江木　翼

同　牛塚虎太郎

同　天岡 直嘉

宮内書記官　小原 駩吉

宮内大臣秘書官　近藤 久敬

樞密院書記官長　河村金五郎

樞密院議長秘書官　古谷 久綱

樞密院書記官兼秘書官　入江 貫一

掌典　佐伯 有意

内匠頭　片山 東熊

故樞密院議長伊藤博文葬儀掛被仰付

● 秋津洲大連發

(廿八日午後零時三十分大連ヤマトホテル滞在中の富岡旅順司令長官發電)

　今朝十時半弘濟號大連に入港、伊藤公の靈柩は十一時無事秋津洲に搭乗十一時半同艦は横須賀に向け出發す港口にて韓國勅使一行は秋津洲を訪問したり

● 遺骸着期

　一日午前か午後

　二十七日午後十時大連發秋津洲艦長發電に「廿八日午前十一時大連發三十日午後一時の潮にて馬關を通過し天候良ければ豊後水道を經て一日午前九時横須賀着然らざへば瀬戸内を經て一日午後四時着の豫定一行古谷、室田、中村、鄭、森、小山、松木外三名」とあり左れば横須賀到着時刻は同艦馬關通過後にあらざれば確定せず」

● 遺骸と柩

　二十七日午前十時大連大和ホテル別館に到着せる伊藤公遺骸は三浦軍醫監、齋藤軍醫大監、河西醫院長、柳瀬醫員等協同して遺骸に對し適當の防腐劑を施し

たる上遺骸は亞鉛と一寸の檜材より成れる寢棺に納めたり此の亞鉛は棺を密封したる後小口を穿ちフヲマリン瓦斯を充分に滿たしたる上其小口を嚴重に閉ぢあるを以て防腐上十分なりと尚右遺骸は中村總裁其他隨員之を護送し軍艦秋津洲にて別項の如く來一日橫須河着の筈なるが橫須賀より直に靈南坂官邸に入り國葬掛の手に移さるべし

● 葬儀は四日と決定

伊藤公の國葬は十一月四日靈南坂の官邸に於て擧行するに決定し葬儀委員は廿八日より準備に着手したり墳墓は芝白金瑞聖寺卽ち先代十藏翁の墓地なり

● 犯人の審判

現場に於て捕へられたる一人の兇行者は目下は哈爾賓にて我領事の手中に在るが之に對しては川上總領事が入院中なるを以て未だ正式に豫審を開くに至らず普通の順序より云へば同領事館に於て豫審を決定し滿洲に在留する邦人の管轄裁判所は都督府法院なるを以て之に引渡し公判を開くべき譯なれども今回は事態頗る重大なるを以て豫審も都督府地方法院に於て之を開ぐに至るやも知れずとなり

● 犯人の素性

兇行者ウンチアンは平壤の者にて加特力教の信者たること並に今回兇行の目的を以て平壤を發し浦潮を經て二十五日哈爾賓に着したることは既に疑ふべからざる事實なれども其以上に於て同人平素如何に動作をなし又其の交友の範圍如何等に就ては未だ正確なる實證を得るに由なきを以て其陰謀の根源を突留むるに至らざれど由來平壤は韓國に於ける基督教の根據地にして其寺院等も古く建立され教導の數も小からず從つて我邦の施設に對しては同地よりは常に苦情の種を持出し京義鐵道敷地買收當時の如きも最も困りたるは同地なり斯る事情なれば今回の兇行の底には意外なる事實の潛むやも知るべがらざるが是等は取調べの進むに從つて明かなるに至るべし但し犯人飽迄自分一己の決心にて兇行を敢てしたりと陳述し居る由

● 善後の處置如何

今回の兇行に對し目下我政府の取る處は一に犯人を取調べ兇行の原由を糾明する
るに在りて其以上には何等及ぶ所無きが如し而して我政府の態度が更に展開して
韓國の上に及ぶや否やは一に取調べの結果に依らざるべからず若し今回の事件
は偶發の特位事實にあらずして其事件の根底には脈絡あり系統あり而して之を放
置するときは其禍測るべかざるに至るべきを確めたる上は我政府は無論單に犯人
を處刑するのみを以て已むものにあらざるべし統監府法院の中川檢事正が哈爾賓
に急行したるも兇行の根源を糺して統監の決心に資せんとしたるや知るべく要する
に最後の決定は犯人取調べの結果に待たざるべがらずとなり

● 犯人の處罰

▽ 梅法學博士談

梅博士は昨日午前見舞の爲め滄浪閣に赴きたるが其際記者に語つて曰く

▲ 裁判は日本

犯人の處罰問題ですか、まだ十分取調ては居ないが丁度二十七日も司法大臣
の官舍で法律取調會が開かれて私も出席しました、今回の兇行地なる哈爾賓は
御承知の通り支那領になって居るが日本も淸國との條約で治外法權を得て居
るから裁判は勿論日本で遣るだらうと思ふ、今年獨露紛擾の際も露國が獨逸の
治外法權を承認したる前例もある之れは條約に依つて得たる日本の正當の權利
で犯人は當然日本に引取るであらう

▲ 裁判所は何處

先きに起る問題は何處で裁判するかと云ふ事だが哈爾賓の日本領事か或は關
東都督府法院で行るかも知れぬ、然し之れは未定であるらしい大連まで來れば
相當の監獄もあるから或は玆で遣るかも知れない

▲ 處罰の程度

何れにもせよ日本の刑法では三年以上又は無期懲役或は死刑だが謀殺の證據
十分だらうから何れ死刑は疑ひなからう一説には今回の兇漢が露國歸化韓人と
云ふ説もあるが之が眞ならば一寸困る尤も露國の事だから或は日本以上の刑を
用ひるかも知れぬが何しろ取調が十分に住かぬかも知れない、私の考へでは兇
漢に對しては何もさう急しで處罰する事はない、澤山の共謀者があると云ふ噂
だから十分愼重な態度で取調べ根本から此醜類を一掃するのが最も必要の事

で今回の犯人は殊に秘密の鍵を握つて居る重要の犯人だから逃亡自殺等を企でさせない様に十分の警戒を加へなければならぬ

● 伊藤公薨去と英紙

(廿八日着加藤大使傳報)

伊藤公薨去に關し昨夕及今朝の當國新聞紙は何れも長文の傳記を掲げて公一生の經歴を敍述するの外其社説に於て公爵の薨去を哀悼するもの日本を外にしては英國に若くものなしとして最も鄭重なる弔意を表し中にも二三新聞は韓國人が日本に對し好感を有せざるべきは彼の印度人が英國に對すると同じく睹易き理なりと雖も由來公爵は溫和政策を守持し熱心韓國の啓發に盡瘁せられ却て韓人の爲に犠牲となれり韓國民も他日其過ちを悔悟するの期あるべきと共に公に對しては一層の同情に堪へざるものあり然れども公は終生一意奉公の誠を以て稀有の大功を君國に樹て生前既に親しく其成果を目撃することを得られたるは彼の伊國建國の父たるカブールに比し更に幸なるものあり惟ふに古武士の勇と愛國的改革者の信念とを以て充滿せる公は此最後に對し笑て地下に瞑せらるるならんとの趣意を述べ而して日本は對韓政策上公の遺闘を襲ふて依然溫和の方針に出づべしと噴望[1]せり
尙ロード、カーゾンは昨廿六日オックスフォルドに於ける演説に於て故公爵に對し深厚なる弔意を述べ又外務大臣を初め省員よりも鄭重なる助辭を送り來り本使の同僚も亦多く弔意を表せり

● 伊藤公薨去と米紙

(二十八日着水野總領事發信)

昨夕より今朝にかけて紐育の新聞は伊藤公薨去に關する社説を掲げ何れも日本が大政治家を失ひたるに對し同情を表せり、ニウヨークタイムスは公爵死するも日本の極東定策は變化を見ざるべしと論じ、テレグラフは伊藤公の薨去は或は武斷派の勢力を增すに至るべしと恐れ、サンは公爵が韓人の一部の恨を買ひたる所以を書き、ウォールドは韓國問題は既に定り居れば□□刺客の兇行ありたりとて韓國の

---

1 渴望。

運命を變する能はず今回の變事は或は唯統治國が被治國に對する強壓的政治を長引かすに過ざるべきかと疑ひ、トリビーン[2]は一韓人の兇行は韓國の責任にあらず併し韓國は伊藤公の爲に開明に向ひたりと賞揚しヘラルド[3]は今回の兇行に關し鐵道沿線の警察權は淸國の手にあらざる旨を指據し此變事の滿洲問題に及ぼす影響を見んと欲すとの社說を揭げたり

● 伊藤公を弔ふ

「英雄看慣是常人」といふことあり、生前は只一常人の如くも見られたるが、さて此なれば「英雄回首卽神仙」と化し去り、或は人間以上なりしが如く思はるる伊藤公其人は、自からは「痼疾慕英雄」と歌ひしことある人、少壯よりの言動は、一として國の爲てふことを目的とせざるなく、其一生を國の爲に生きて、其一死を國の爲に死す、英雄を學んで英雄となり、本人の本壞は此上ある可らず、故に吾人は日本の爲に此忠僕を失ひたるを悲しむに堪へずといへども、本人の爲には小しも悲しまず、而して唯斯人の一生一死を見て感奮興起した後勁者[4]の千古に亙りて生じ來らんことを希ふのみ、之を希ふも亦決して由緣なきにあらず、本來日本の歷史が吉松田蔭を孕み、松蔭が亦多くの兒子を孕みたる中に、伊藤公も孕まれて出づ。日本の道義敎風の地に墜ざる限り、英雄兒は其中に孕まれざるを得ず、而して英雄兒の出るを絕たざる限り、風雲兒亦其中より出で、龍となり蛇となりて以て天地を經緯す可きに非ずや。只夫れ伊藤公は龍たり、斷じて虎にあらず。是知らざる可らざるなり。

公が少壯より志を立てて、日本のためにしたる其一生の行事を說んには、先以て其文久年中の帆船洋行より始めざる可らず、世間に困苦洋行者は多し。然れども其志は大抵己の爲にするのみ、吉田松陰の發意の如く、又其例に依れる伊藤公一行の志の如く、己を捨てて、純ら國の爲にしたるもの幾何ぞ。但其の往くや國の爲にし、其の還るや赤國の爲にし、長藩攘夷の狂擧を止め以て日本開國の基を全くせんが爲に、斷じて還りて維新前の怒風亂雲の中に投じたる以來、伊藤俊介が博文となり、博文が令となり、輔となり、卿となり、以てよいよい木戶大久保と共に明

2　トリブン(Tribune)。
3　Herald。
4　後繼者。

治政府の建設事業に從ひ、其先輩の前後凋落の後、三條岩倉を補けて以て日本の新制度新文物を造る 事となり、遂に憲法制定に及び、並に國會開設後の內閣總理大臣に任じ、日淸戰役を斷行し、伯爵が大勳位となり、又侯爵となり、更に日露戰役を經て公爵となり、位人臣を極めて朝廷第一座の功臣となるに至りし公一生の行實は、新聞紙上に於て一朝に述べ去らんには餘りに長くして且關係も廣く、曲折も多く、又變化にも富みたる事なり、想ふに公の傳記はやがて際物的に出づ可きものを別として、又其親近の人人が其一家のために編す可きものを外として、更に內閣が此第一功臣のため官吏を作る可きものをも措きて、後世百年若くは幾百千年に至るまでも其時々々の史家が好んで筆を執る所ならんは必定なり。其日々々の文筆に逐はるる新聞記者が卒爾に之を爲すには當らず、たとひ之を爲すに當るとしても、吾人は則ち其人にあらず、一切他に讓るとして、而も此際其英魂毅魄を迎ふるがため、國の爲に一言するの必要ありとせば、吾人は姑く說述の便宜の爲に之を藤原鎌足に比す可し。天智天皇の中興の大業が、今の大御代の更始の鴻業と匹す可きもの無きにあらざるを以てなり。而して支那文化との混同的制度の彼時の創建が、希臘羅馬以後の西洋文化との混同的制度の今の刱立と似たる所もある可きを以てなり。此匹似の點に於て、皇家のために盡したる人と人とを合せて見れば、藤原鎌足と伊藤博文とは、日本の歷史の上に於て必ずや併傳せらる可きなり、但其相似ざる所を求むれば、我明治の大御大の更始が、大化の改革と相似ざる所の存する丈、其丈亦徑庭あるを免る可らざる也。第一に往昔三韓を失ひたるは天智の朝の內政改革に專らなりしに始まれる事なるに、明治の大御代にては制度文物の一新と共に、國の勢力と權威とを大陸に伸ぶるの大端を啓き、淸露兩國との戰爭戰勝を經て、博文自ら第一の統監たり、而して內に於ける此國是を建つるに付て、亦太牛は自ら局に當りて直接之を經營し、他の一牛は則ち局外に在りても猶且元老の第一座として間接といふよりも寧ろ直接に參畫開道したる所極めて多し。此關係に於ては、天智の朝といへども今の大御代に及ばざる所あると同時に、鎌足は則ち博文に及ばず、然り、大に及ばずとも言ふを得べし。明治の大御代の大御代たる所以は、實に此に在り、而して博文の博文たる所以も亦實に此に在り。第二に天智の中興改革は支那の文明と混化したる根本に於て、聊か亦支那の文弱を日本に輸入し、奈良平安の靡弱をも來し、鎌足は一面に於て日本の數代の文弱の開祖ともなりたるが、博文は則ち然らず。明治の文明の歐洲的混化に際し

て、剛健なる封建時代の武士的道義風教をも博文自ら繼承する所あり、他の廟堂の武斷的侵略的傾向と相當り相制して、上となり下となり、結局は此道義風教に於て最も崇尚する所の一死國に許すの大義を實行し、他の武人に先だちて血を滿洲の中央に注ぎて而して甘眠す、其生前に博文を罵りて以て優柔の傾向ありと爲したるものをして、藉口する所なからしむ。多武の峰は長白山の高きに及ばざる所幾百仞。大觀すれば、此第一第二の要點は、博文が鎌足と異にして、而して優る所ある者なり。後世の史家と雖も、必ずや之を動かす能はざる也。英魂毅魄よ、首肯するか、せざるか。

若夫れ鎌足が連綿萬世の皇統と共に、其春日明神の子孫をして世々朝廷の執權たらしめ、而して文弱の風氣が一時世職執權の奢靡と共に增長し、遂に武門武士をして跋扈して天下總地頭たらしめ總追捕使たらしめ、幕政となり封建の世とならしむるの端を啓けるに反し、博文が君主的憲法政治を開くの大業を翼贊し、國民に參政權を賦與し、帝國議會に據りて以て政府に對立せしめ、併せて戰勝後の武權とも對立するを得せしめ、又政黨を造立扶植して政機運轉の器たらしめ、權柄の一處積重を防ぎたるは、本來の其理想の粉本が他と異なる所あるに因るとはいへども、亦其人格の平允にして且正大なるに因らずんばあらず。世或は藩閥の執着者を以て之を目する者ありと雖も、吾人は取らず、執着者ありとせば、別に之あらん。公が淡澹無私、政權を其政敵たる大隈卿に讓りたり事あるに徵すれば、事實の自ら明白なるものあらん、而して公の對立者は內に於ては則ち一時は大隈卿たり、又一時は山縣公たり、外に於ては則ち故李中堂[5]たりしこと、世人の大抵知る所の如し、李失意中に死して、而して公は則ち其終りを合くす。然り、吾人は視て以て其終りを合くすと爲す。非常に似て而して決して非常ならず。一世の英物、公の如きものに於ては則ち決して非常ならず。故に吾人は公の爲には悲しむものにあらず、只國のために悲しむのみ。而して私に於ては則ち竊に大隈卿のために悲しむ所あり、又大に山縣公の爲に悲しむ所なきこと能はず。故にここには謹んで弔詞を此一公一卿に上る。

5　李鴻章。

● 韓皇儲御慰撫

聖上陛下には伊公の凶變に對しては畏れ多き迄軫念を勞せさせ給へるが更に畏き
は韓國皇儲[6]陛下の御上にも聖慮を悩まし給ひ廿七日特に岩倉宮內大臣を御用邸
に差遣はされ左の意味の御沙汰を傳へさせられたりと承はる

　　教育總裁伊藤博文は今次兇手に斃れ愁傷の程察するに餘りあり左れど今は最も學
　　業を勵まるべきの秋なれば之れが爲めに一日たりとも學業を廢さるるが如き事な
　　き樣せられたく日ならず朕は適當の材を得て總裁たらしむべし

● 所謂排日派
▽ 各方面氣脈を通ず

伊藤公を銃擊せる兇漢は韓人『ウンチアン』と許りにて其素性の如何なる者なる
かは未だ知るに由なしと雖も曩にスチーヴス氏を斃したる者と同一の筆法に出
で殊に一行六七名と共に浦潮方面より哈爾賓に入り込みたりと言ふ以上排日派
中の最も過激なる分子なること明白なり抑此排日派なるもは殆んど祕密決死に
類する徒黨を組み折に觸れ時に臨んで出沒自在の行動を取れること既に事實
の證明するところなるが其所在地と言へば主として桑港、布哇、浦潮の三ケ所に
して其他は京城、平壤を始め北韓各地に散在し居るももの如く就中桑港、布哇、
浦潮等の各地方を通じては無形の本部を置き互に相連絡を取り機宜を怠らざら
んことに努めつつあるは掩ふべからざるの事實なり、而して現に桑港にては新
韓民報、布圭にては新韓國報、浦潮にては大東共報、京城にては大韓每日申
報の發行せらるるあり一たび其內容に接せんか驚くべき暴言を以て日本及び日
本の爲政家を攻擊して已まざるものあり試みに其論調を大別する時は

　　第一國權回復に名を藉り日本の保護に反對して陰に陽に反旗を揭げんことを鼓吹
　　　するもの

6　皇太子。

　　第二日本の保護を目して韓國を併呑せんとするものなりと誣ひ以て一般韓民の反
　　　　感を起さしめんとするもの
　　第三暴徒を目して國家に忠なる者となし之に聲援を與ふるもの
　　第四無根の流説を思へて人心を惑亂せしめ若くは事を誇大に吹聽して國民を憤慨
　　　　せしめ以て官の施設を妨げ社會の秩序を攪亂するもの
　　第五國權回復には國民の共同一致を要すとなし團體の組織を奬勵するもの
　　第六國權回復には國民の文明改化を要するとなし新教育の普及を唱導するもの

等にして罵詈讒謗を極めたる中には『伊藤の通路に日本國旗を掲ぐとせば日皇の
行路には何を掲ぐべきか』と言ひ、『林權助は何等の報償を與へずして通信權全部
を獲得し倨慢尊大韓國內閣員の任命を左右し、五條約成立後は伊藤韓國の司長
となり日皇の信任を挾んで過去三年間專制を行ひたり』と論じ更に甚だしきは『伊藤
強盜は人の國を亡ぼさんとした大逆無道の宋秉俊、李完用をして聯邦問題を唱導
せしめ』と言ひ、或は『昨年十月二十一日夜博文、權助、好道等兵を率ゐて入闕し
政府を威脅、條約を勒定し我外交を移し統監府を置き我獨立自由の權を一朝にし
て失去せしめ』云々と非難するの文字擧て數ふべからず若し夫れ排日派の首領を以
て目せられたる者は崔益絃と稱する者なること知る人ぞ既に知る、同人は三十八年
一月の日韓協約を憤慨し同三十九年春閔宗植等と謀り國權の回復を唱へて全羅
道に暴徒を嘯聚せしが敗れて縛に就き對馬島警備隊囚禁中歳七十四を以て死歿
せる者にて其經歷を繹ぬれば日韓事ある每に率先必ず反對して頑迷を逞うするを
本領とし其著倡義討賊疏外二十一種ありと云る、彼の死後に至つては排日派の牛
耳を把れる者果して誰なるか、蓋し李範晋は其人にして勢力威望尠からず今は浦
潮方面に亡名して陰に陽に一味徒黨の指揮に當り居れりとは眞説に近し、而して
排日派活動の資源に至つては揣摩臆測一にして足らざるも要するに何れの方面に
かに於て絶えず資源の供給に任じ居る者あるは疑ひを容れず今回伊藤公銃擊の
一事また素より十分の準備と十分の計畫ありしや論なしと雖も京城奧深き一方より
の敎唆に基きたりとの説は未だ確信するに由なしと

伊藤公自筆の英文

(明治元年)

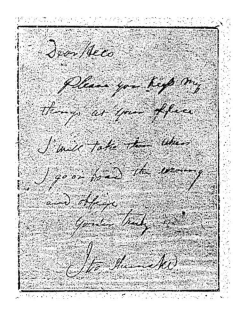

● 陰謀の裁判

今回の兇行が韓國の政府とは何の關係なきこと既に明かなる以上夫に就ての責任が韓國政府に存せざること言ふ迄も無ければど既に韓國民の一人の所爲たる以上は全體としての韓國は如何にしても其責任を逃るべきにあらず況や兇行者には若干の連累あり而して其 陰謀は更により多數なる同國民の間に計畫せられたりとの嫌疑も未だ全く打消す能はざるに於てをや又よし今回の陰謀は其本國に於ける一種の仲間と通謀したる事實なしとするも右の仲間が平素我保護政治に對して慊焉の情を懷くはまだしも常に妨害の機會を覘ひ居り今回に類じたる非行の禍心を包藏し居ることは隱れもなき事實なれば彼是れ思ひ合せて今回の兇行に對する善後の處分には深く意を用ひざるべからず夫に就ては今度の兇行の責任を實體的に韓國の上に負はしむること肝要なり其方法は當局者の考案に待つこととし兎も角も彼等が斯る陰謀は每に彼等の國家に取りて非常の不幸にして斯る邪道に踏入り足搔けば足搔く程其國の命脈を縮むる所以なるを痛切に感得せしは彼等の不逞なる陰謀を打破するに就ての極めて良き教訓なるべし固より今回の事の爲めに我對韓

政策の根義の變ずべからざるは勿論なれども如上の手段は決して之と背馳
するものにあらずして寧ろ其施行を滑かにするものなれば決して躊躇するを要せず
要するに一部韓國人の間に潜める危險なる事狀に就ては充分に注意を拂ふ所無く
ば由々しき大事を仕出かす事あらんとの說一部政客の間に行はる

● 露國官憲の弔電

伊藤公の遭難に關し露國大藏大臣ココフゾフ氏並に東淸鐵道總裁ウェンチェン
氏より後藤遞相に對し左の弔電を送り來る

> 伊藤公遭難に對し余は如何に驚愕せしか筆紙の盡す所に非ず凶變の際余は公の傍
> に居たり委細の事は我が大使より御聞取を乞ふ謹で深厚の弔詞を呈す嗚呼運命の
> 道は時として豫知し難し
>
> 　　　　　　　　　　　　　　　　　　　　　大藏大臣ココフゾフ

> 非常なる兇行の爲伊藤公並二三の貴國人犧牲となられしこと洵に驚愕に堪へず不
> 取敢貴刻下に此の異變に對し衷心に弔詞を呈す
>
> 　　　　　　　　　　　　　　　　　　　　東淸鐵道總裁ウェンチェン

尙別に東淸鐵道總裁ウェンチェン氏より後藤遞相並に中村總裁に對し左の電報
あり

> 總裁後藤中村閣下玆に再び今回の不幸に對し最も深く最も厚く痛惜の意を表す田
> 中君(理事)の狀態其後如何氣遣ひ居れり此の不幸なる事件のため閣下と相互協商の
> 事件に關し意思交換疏通するの機を失したるを痛惜するものなり

右に對し中村總裁より左の通り返電を發せり

> 田中理事は發熱し居るも御心痛に及ばず小官は幸に災害を免かれ居るを以て重て
> 御面會を得て交通上の議に關し御高敎を仰き得るの機を與へられんことを祈る

● 英蘭艦隊司令長官弔詞

　△ 在横濱和蘭司令官テードマン海軍大佐は廿八日桂首相、東郷軍令部長、齋藤
　　海相等を横濱オリエンタルホテルに招待して晩餐會を開くべき豫定なりし處之
　　を見合せ特に悼惜の意を海軍大臣に表し來れり

　△ 英國支那艦隊司令長官ラムトン中將より海軍大臣へ左の弔電あり
　　伊藤公の薨去に對し深厚なる哀悼の意を表す依て此の際伊集院長官の有明灣
　　に於ける狩獵を辭退す右同長官に電報せられたし

● 負傷者の現狀

　中村滿鐵總裁より後藤遞相に宛たる廿七日附電報に依れば各負傷者現狀左の如
　し

　△ 田中理事の負傷は左足内方踝の下より外方踝の下に貫通したるものにて彈丸は
　　靴下の内に留まり居たるも彈丸の尖を十文字に切りありたる爲其切口に靴足袋
　　の毛を挾み居りたり尙本日(廿七日)大連に到着の上傷口を檢せるに傷口にも靴足
　　袋の毛を發見せり熱は目下三十八度にて多少の痛みを覺ゆ昨夜汽車中痛み甚
　　だしく睡眠困難を感ぜり

　△ 森槐南氏は右腕上膊部を貫通し併せて胸後の皮膚をも貫通したるも發熱せず
　　本人は強て歸京を望まるるを以て醫師の許可を得廿八日同船貴國せしむべし

　△ 川上總領事は森氏と同樣の負傷なるも骨を碎きたる模樣にて昨夜醫師及看護
　　婦二名を送り置けり
　　又別報に據れば中村副總裁は其衣類を改めたるに外套並に右ヅボン[7]膝下約
　　一寸位の箇所に右より左に貫通したる彈痕を發見せるも幸ひに擦過傷だも被ら
　　ざりしとは好運と云ふべし室田義文も外套に三四箇所の彈痕と右ヅボン[8]膝下
　　及ヅボン[9]下にも右より左に貫通したる彈痕ありしも是亦擦過傷だも負はざりし
　　とは不思議と云ふの外なし

7　ズボン。
8　ズボン。
9　ズボン。

● 獨逸新聞の弔詞

二十七日東京着珍田獨逸大使發電に依れば伊藤公の薨去に關し北獨逸報は左の如き記事を掲げけ弔意を表したり

伊藤公が刺客の手に薨れたる悲報は獨逸全國の痛恨措く能はざる所なり日本現時の政治家中第一位を占め其偉大なる人格丼に其政治上の功業は我國に於ても深く嘆賞する所にして日本の憲政及將來の進運の爲め貢獻したる此偉業は日本歷史に特筆大書すべき事實にり吾人は深く此偉大なる愛國政治家の死を悲み玆に日本政府丼に同國民に對し熱誠の弔辭を呈す

● 嗚呼伊藤公爵
● 井上侯と語る

一昨廿七日午前八時三十分新橋發の急行列車は大磯驛に一分間停車の便宜を得たる爲め同車中には大磯なる滄浪閣に伊藤公爵未亡人を見舞ふ多數の貴顯紳士を見受けたるが中にも井上侯は最も親しき友の奇難に老軀をも打ち忘れ前夜來の疲勞を物ともせず一等室の中央に座を占むるを見たれば同乘せる記者は老侯に向つて藤公の遭難に就き其感想の一二言を求めたるに老侯は憮然として語り出でらるるやう「國事に身命を盡して七十に垂んとする老伊藤の病死は元より自然のことならんも遙にハルビンに迄旅し其生命を兇手に託して失はんとは實に意外にて人の運命程測られざるはなし又飜つて考ふれば人に生るるてふことのなかりせば又死すてふことのなき筈なて生れ出でたる時こそ即ち死の約束の始めなれ老伊藤にしても余にしても常に生死の間に往來したるものはさして死の恐るべくを知らざれど昨年余が大患の節寢食を忘れて余を介抱しくれたる伊藤の後事を今日余日が引き受くるに至るとは聊か意外の感なき能はず余は今日より暫時大磯に滯在して萬事世話せん考へなるが子息博邦君は海外に在り又西夫人も目下病氣のため入院中なれば伊藤家に取りて萬事都合あしさき譯なり宮內省よりは本日電報を以て博邦氏を呼び返す筈なり海外にて兇音を聞く人の心や如何ならん、偖老伊藤の死を見るに如何にもスチーブン氏の死と能く似たり兇漢も餘程腕のききたる者なりしと思はる此の兇漢により日本國は忠誠なる人物を失ひ余自身に取りては無二の親

友を奪はれたる譯なれば余が心中實に堪へ難きものあるも亦致し方なし且老伊藤
の横死は余をして坐ろに余が往年の遭難を追想せしめ運命の不思議なるを感ぜし
む余が遭難の當時は十一名の兇漢余を追尾し來り一人余が名を問ふ故余は明白
に井上と答へしに後より余が足を取るものありたれば余は直に前方に倒れたる刹
那に余は抜き打ちに背を切られたり然るに不思議にも此處に同車する杉君が余が
身を慮りて與へたる一刀を偶然にも敵の刃を防ぎて余が體は兩斷せられずそれより
兇漢は滅多打ちに切り付けて逃げ去りたるが暫時にして余は人心地付き頭を擧げ
たれど眼眩みて見えず誰だ前方に小屋の如きものあるを認めたり且咽喉渇して水
を欲すること頻なれど腰立だず其盡人事不省に陥りたるが其のうち余を呼ぶもの
ありて曰く「汝の背を抱へつつあるものは汝の母なら、汝は國家には忠者ならんも
家にとりては實に大不孝子なり」と是れより余は家人の親切なる介抱に依り今日あ
るを得たる次第なるが當時の事を想起すると共に老伊藤及其家族に對する感情
は實に得堪へず當時既に死すべかりし余が死せずして今回老伊藤が死するとは實
に感慨無量なり」と老眼に涙を湛へるたり

● 山縣公の悲哀
山縣公は數日來感冒にて椿山莊に引寵り療養中なりしに廿六日午後伊藤公遭難
の報に接し驚愕を極め直に外務省の元老大臣會議に臨み其盡大磯滄浪閣に赴か
んとせしも他の止むる所となり井上侯代理を兼て赴かれ公は椿山莊に歸りしも心
痛一方ならず一昨日は遭難當時の詳報兇漢の人物、、逮捕後の處置等の報を待ち
居たり

● 三浦子の藤公觀
伊藤公の薨れたるに就て予は『嗚呼悲哉伊藤公の薨去』の一語を絶叫せんとする
ものである此哀しむべく悼むべき公の薨去に取て往を考へ來を推せば二種の觀察
が出來る現時我國の元勳としては先づ伊藤公、山縣公、井上侯の三人で山縣公は
軍事上に於て井上侯は經濟上に於て伊藤公は政治上に於ての元勳であるが此の
三元勳の中でも伊藤公は政治家として廣き意味に於て實際上の中心で他の公爵
は各一方に立つて兩翼の形をなして居つた即ち公の地位と經歴とは元勳中第一の
人だつた此人にして今や有冥界の人となつたとすれば我國は取も直さず中樞の重

鎮を失つたも同一で此點よりして將來を考へると非常なる影響あるものと信ずる卽ち第一は外交で海外各國より見て伊藤公は平和主義の人であると信じて居られるので今回滿洲地方へ漫遊に出かけたのも或は多少の問題があつたかも知れぬ兎に角外交に就ては日本に於ける平和の主腦を失ふて誠に殘念だと云ふ事は各國人の齊しく感得する所でらら う是は第一に我國の不幸である次には内政だ、目下の有樣を見ると暗々裏に公が重鎮となつて居つた、それが爲に現内閣に對し挑戰せんとするものが隨分澤山ある樣子だが其の鋒鋩が現はれなんた、現にあの尨大な政友會があれだけの多數を有して野に居りながら政府に反抗せぬと云ふものは畢竟伊藤公と云ふ重鎮に對する遠慮が大に力となつて居たからだ、尤も今日では西園寺侯が政友會の總裁で伊藤公は關係を有つて居らぬ併し政友會の多數は總裁たる西園寺侯よりも伊藤公に信賴して居たのだ、又現内閣は新政黨を組織せんとして居るとか何とか種々風說があつて其風說が事實なるが如く又虛說なるが如く屢吾輩の耳にも入るのだが是は現内閣が政友會其者に對して恐れて居るのみでない其背後に立てる公の德望に對して遠慮して居るから起る所の風說であるが内外の事を併せて觀察すると公の薨去は誠に悲しむべき事であつて國家の將來に及ぼす影響は決して尠くない公は無邪氣で淡泊で大臣になつた人の中でも最も廉潔であつたのだ、それで吾輩は伊藤公と爭ふて居つた時でも常に人に向つて公の淸廉潔白を賞讚したのであつた公は人より私怨を受くる樣な人ではない故に今回の凶變も斷して朝鮮人の私怨ではないと思ふ元來公の對韓策は衆口齊しく優柔不斷を罵り宋襄の仁を笑ふて、强て勇猛果敢と云ふ事を公に行はしめんとして皆皆頻りに勸めて居つたにも拘はらず公は終始一貫懷柔政策を原則として秋毫も變らんた然るに猶且此凶變に遭遇した、で、吾輩は公の薨去は全く國家の爲め對韓政策の爲め犧牲となれしものと斷言するを憚らぬのである

● 同年同鄉の親友
▽ 藤田傳三郎氏談

伊藤公の老知友藤田傳三郎氏を須磨の新莊に訪ふ碧海を眼下に見る新座敷に臥床の儘持病を忍びつつ悲痛の眼を瞬いて曰く降つて湧いたる伊藤公爵の凶變何だか信ずる能ざる心持に堪へず維新前後十餘年間白死を免れたる公は四十年後に於て世界を驚かすの偉大なる死を爲せり而も其世界を驚かすに至り

たる死は卽ち日本國民の悲哀の度の深大なる譯にして或一方より見れば伊藤公
爵の死は確に日本國民の一種の悲痛なる覺醒を促すものに似たる心地す▲ 伊
藤公と予とは等しく本年六十九歳にして伊藤公の家と予の家とは共に萩に在り
て而かも近隣にあり予の父と公の父君とは數十年間割なき友なりき唯公は十代
より脱藩して東奔西走せしを以て予が伊藤公に親しく交り始たるは公が第一着
の洋行を終りて歸來したる明治元年の五六年前なりき想へば維新當時の事は
憶として夢の如く伊藤俊介、井上聞多、山尾庸三、遠藤金作等は當時長藩に於
ける最强烈なる尊王攘夷黨の急先鋒なりしが敵に勝つは先づ敵を知るにありと
なし當時剛膽なる英船長スチーブンス氏の任侠に頼り國禁を犯して渡歐を企て
一英船の船底の石炭の裡に隱れて辛くも幕吏の嚴査を免れ曩に失敗したる吉
田松陰の失敗せる所を危くも萬死の裡に成功し得て終に此有爲なる數名の靑
年は倫敦に航するを得たるなりき是等を今より想へば日本の現代の文明起點と
も謂ふべきことなり日本に於ける私人として洋行の最先鞭者として且又當時最
新知識者としての公等が萩に歸り來りたる時は一般の注意を滿身に集めたりき
爾來公は常に其地歩と勢力とを次第々々に增進して一同も失墜することなく遂に
今日に及びたるは世人の知る所茲に贅せず

▲ 予は後にて公より聽けり此日本最新洋行者等が別天地的の歐米流の文物制度
に初めて當時開けし上海で出會ひし時は頗る面白かりし而も其中最も熱烈なる
攘夷黨の一人井上侯が是は攘夷どころではない彼等に學ばざる可らずと第一番
に歐米の文明に對して兜を脱ぎたりといふ事なり今より之を想へば殆ど隔世の
感に堪へず公ほど日本人として日本は愚か世界に知れ渡りたる人はなけれど此
處に公の特性を贅するの要なし唯四十年の老友として一言公を評すれば公の
生命は政治にして又其道樂も政治以外には無しと斷言せざるを得ず或は公を目
して政治以外の道樂者の如く評すれども是れ公の心事を明解せざる者なり公
の酒を煽りて豪遊するは公に取りては無邪気なる餘興に過ぎず其證據は公の
遊びは決して執着せず遊興振り亦サラサラとして水を行けるが如く而かも其本
道樂たる政治に對すれば偉大なる執着力の發揮は滿天下を驚かせしこと果し
て幾何なりしかは日本國民の周知する所なり若し夫れ公の心中は淸新にして悠
々眼中黄金なく子孫なく國家に任じて常に全責任を以て自己を帝國政治家中の
最先學者を以て任ぜる點に至りては此に言ふの要なし

▲予は四十年間伊藤公と會語すること幾百回なるを知らざるも常に會ふ毎に一種言ふ可らざる快活の公と意氣相照して何時會ふても公の老を認むる能はざると同時に自分の老を忘るるを常とせり多士濟々たる日本の朝野に於て過去にも未來にも公の如く如何なる大事件の上にも快活の上に信仰を持して急がず焦らす巧に料理する大政治家は少かるべきを信ず此快活なる大政治家にして又にして又何時にても老ざる政治家たりし伊藤公が今突如として薨去せらる公の老友たる自分は如何にするも痛惜を禁ずる能はず

▲本年五月京都に於る目戸公の祭典に自分は井上、伊藤、九鬼の老友諸公と會せり其當時貴所にも最う後繼者の若い方々が遣られるやうになつたから身體を大切に樂な御地位になつたらどうですと言ひたるに政治を以て究竟の生命とせる公は唯莞爾としてムヽと言へり思へば是が最後の會見にして最後の言葉となれるを悲しむなり云々(大阪電話)

●鐵嶺丸上の藤公
▽大河平商船助役談

今回伊藤公の滿洲漫遊に就ては社會の船にて渡航さるる旨滿鐵より大阪商船本社に電話あり依つて其乘船と定めたる鐵嶺丸は一等船客を斷り公一行の爲に全部提供することとなり滿鐵よりは龍居秘書役長、商船よりは余が接待役と定まり十五日神戸より同船にて門司に向ひ春帆樓に在りし公に會合し翌十六日午後一時公一行を迎へて鐵嶺丸に乘船し出帆に先だち後甲板にて紀念の寫眞を撮られたるがこれこそ最後の紀念となりれ▲扱船は同日午後一時門司を發し六連を距る遠からざる沖合にて日露役捕獲の紀念船たる天草丸(目下大阪商船の大連航路使用船)より「公爵の健康と安全を祈る」との信號あり之に對し本船は「好意を謝す」と答へ其儘別れを告げたり公は船口では始終フロツコートにて之が却て氣樂なりとて濟まして居られしも再三の余の勸に從ひ遂に最後の一日だけ和服に着替へられたり公は去卅三年郵船にて歐洲に赴かれたる限り統監としての韓國往復には常に軍艦に乘られたる爲商船は久し振りにて船室も綺麗なり設備も完備せりとて非常に滿足し居られたり船中では出帆後一回鄭書記官と碁を戰はせし外書見と談話にて日を送られたり、いざ談話となればのべつ幕無しにて毎晩夜半を過ぎ二時前後に及べるも、而も朝は早起きなり談話中もシ

ガー、ブランデーは遣られるし其精力の强大なる只驚くの外なし其内面白き談話
なりしは公が三十三歳の時帆船で英國に渡りし顚末談なり▲ 當時長崎上海を
經て百五十日間を費し希望峰に廻つて航海の練習をしながら英國に赴きしが丸
で船中は水夫同樣で非常なる苦楚を嘗めつつ英國に到着し敎師の宅に同居し
て英學を硏究し漸次進むに連れ漸く新聞を讀める樣になりしが扨驚いたことは
世の進步にて日本と比較しては到底話にならぬなんの攘夷の騷ぎ所ではなし斯
かる日本の現狀にては遂に日本は滅亡するやも知れず一日もじつとして居る時機
に非ず學問も肝心なるが日本の現狀は危機一髮にあり一日も早く歸國して世界
の大勢を說き攘夷說を打破せざるべからずと切に感じたるより直に歸國の途に
就きしが是亦往船と同樣の帆船にて中途大暴風に出會しボートは浪に攫れ三
名の英國水夫は遂に海中の藻屑となりたり幸ひに余は無事に歸着したるも長崎
でも下關でも上陸を許されざるのみならず當時幕吏の追窮激しく危險極りなり
し依てホルトガル人として橫濱に上陸したるに當時英國艦隊が下關を砲擊する
とのことなりしより英國司令官に面し生命を賭して說破するに依り暫時の猶豫
を請ひしに幸ひにも許諾され期日を限れる一封の書面を持し急遽山口に歸着せ
んとしたるも陸行は到底不可能なりとて英艦に途中迄送られ漁船に移りて山口
に歸り藩の要路者に到底戰爭の不可能なるを以てし攘夷の無謀なるを說きしも
遂に用ふる所とならざるのみならず伊藤俊介の如き平和主義を唱ふるものは軍
神の血祭にすべしとて大反對を受けたりそのうち遂に下關砲臺の砲擊となり償
金を提供して一段落着きし後毛利公の御召に依り御前に於て三時間に渡り世
界の大勢を說き攘夷の不可能なるを述べ大に賞讚を博せることありたり其當時
も暗殺に逢はんとし其後今日まで五回殺されんとしたるも幸ひに無事なるを得
たり云々

▲ 夫より談は征韓論に入り又大西鄕、大久保兩公の心事杯未だ世に知られざる
談話を聞くを得たり尙十七日卽ち大連到着の前日は卽ち神嘗祭なりしを以て船
中に晚餐會を催し席上一行と共にシヤンパンの杯を擧げ公の健康を祝するや
公直に筆を呼んで左の時を染られだり

匆々南北東西客、裘葛一年更幾回、

萬里壯游黄海、上神甞祭日其傾杯[10]、

▲ 公は今回の漫遊に就ては何等政治上の意味なし滿洲の漫遊は戰後多年の希
望にして更に機會なかりし幸ひに稍閑職に在るを利用し陛下の御許しを得て北
行を企てたるもの所謂百聞は一見に如がずとの意味より出でたるものなりとは
神戸にても下關にても聞く所なりし

▲ 公の旅程は來る二日大連着三日の天長節は大連にて祝杯を擧げ四日午前十
時出帆の鐵嶺丸にて下關に歸着夫より別府溫泉に案内する筈なりしに突然
此の意外の凶變に遭遇されしこと遺憾至極にて國家の爲一大恨事と云ふべ
し

● 物騒な哈爾濱

▽ 停車場の光景

哈爾賓に久しく住し居たる某氏は曰く

「伊藤さんも實に氣の毒千萬です、イヤ彼の哈爾賓停車場が大體平生から物騒
な處です、其光景を一寸話すと、先づ長春からの列車が着く、と見ると更にプラ
ツトホームらしいものが見えぬ、其筈です、同停車場構内は實に廣大なもので日
比谷公園位もありませう、線路は西伯利亞行と浦潮行と寛城子行の三線ですが
新停車場(舊停車場は別にスタルハルビン驛と云て一哩半許り東南に在り)は非常に立派
なものです、併しプラツトホームは其正面一箇所しかない、其前面に約十條許も
線路があつて汽車の重なる時には後へ後へと入つて來るから段々プラツトホー
ムへ遠くなる遠くなる、寛城子からのは時によると四筋も五筋も越た處に停車
する而して下車する客は三ツも四ツもの列車を縫つてプラツトホームへ出なければ
ならぬ、處が露國の汽車は五呎[11]廣軌で馬鹿に大きい、三段の梯が附いてある
が是れを上り下りは隨分と骨が折れる、其上困るのは何物だ、一切合切自分の

---

10 つくづく南北東西の旅人は。
一年一年更に何回も。
遠い黄海の上で豪遊する。
神甞祭に杯を傾ける。

11 フィート（feet）。

箱に詰めるので是を運び出す時には餘程注意せないと直ぐ盗まれる、白い前掛をした露助の赤帽に頼めば良いが是も人數は少し、うつかりプラットホームへ荷物を置いて茫然して居やうものなら忽ち黑山の如く汚ない奴が蝟集して來る、是れが支那人朝鮮人の苦力で荷物に手を觸れるが最後金になりさうと見ると群集に混れて盗んで行く、尤も停車場警戒の露兵憲兵淸國兵等は長劍を横へて張番して去るが皆木偶だ旅客の投げ棄て往た卷煙草の餘りを拾つて澄した顔でスパリスパリとやつて居る、一二等客は少いが三等の支那客が大きな蒲團を擔いで右往左往で目も眩るやう、其上露國の停車場は待合室とプラットホームとの間に日本の様なキッカリした枠で仕切れて居ない切符は乘車後檢めに來て而も無切符でも車掌への鼻藥次第で、おツ通せるといふダラシのない有様だからプラットホームには常に眼付の凄い無賴漢がゴロゴロして何か良い鳥でもと狙つて居る、其上年中例のウオツカをあふつた醉漢が徘徊く、又ダルーシンと稱して露國南部の一特殊風俗を有せる徒が更に凄味を添へる、此賭博殺人強盗を専門にして居る仲間で暗夜針金を持つて行人を路傍に待ち伏せ突然横合から他の首筋に引掛けギユツと自分の肩に締付けて之を負ぶひながら疾走して息の根を止め徐ろにポケツトを探る、又或る時は一人が突然行人を後から抱き上げて其藻掻く隙に乘じて他の一人がポケツトに兩手を入れて財布を強奪し抵抗すれば直ズドーンです、馬車に乘つてると飛込んで來て脅迫するのもある、兎に角ピストルや彈藥の臭ひは夜書となく其邊にウヨ付いて居る處です、先には横川沖兩志士[12]の血を嘗めた哈爾賓は今又日本の寳とも云ふべき此大功臣藤公の血を嘗めました實に物騷千萬なことです

● 恐多い叡旨
凶變奏上當時の光景
元師山縣公爵の直話
山縣公爵は二十八日午前十一時の汽車にて大磯に着し直に伊藤公爵邸に入り夫

----

12 横川省三・沖禎介。1904年(明治37)、日露戦争開戦に際しては民間人ながら陸軍の特務機関に協力しながら、ロシア軍の輸送路破壊工作に従事した。後にロシア兵に捕獲され、ハルピン郊外で処刑された。

人に弔辭を述べ談話二時間に亘り午後二時二分發車にて小田原に向へり車中記者に語りて曰く「今回凶變を聞いたのは當日午後二時頃三井物産の益田から電話が掛つた其時は唯哈爾賓へ安着されたと聞えたので宜しく返事をして呉れと答へて置いたが、此れは自分が暗殺と安着とを聞き違へたのであつた益田の電話が切れると其後から直に外務省より電話で伊藤公は今朝哈爾賓で狙擊されたと言うて來た玆に初て眞の凶變を知つたのだが併し狙擊とあるのでさう大した事でもあるまいと思つた併し氣に掛るから直ぐ馬車で外務省に出掛たがまだ精しい事は分らぬ桂の所へ行つて始めて詳細を聞いて非常に驚愕した夫れから陛下の御前にも出て詳細の御報告を申上げると陛下は一々御耳を傾けさせられ御聽取の上非常に御力を落させられ實に殘念の事をしたと仰せられた何しろ平生壯健の男であるから斯う云ふ事があらうとは夢にも知らず日本に居りさへすらばアノ調子では百まで生る男ぢや今から思へば返らぬ事ではあるが實に殘り多い伊藤は自分とは十五六歳の時から一緒に奔走して居るので兩人の關係は實に兄弟も唯ならぬのであつた日本國の爲から言へば國家の柱石とは言ふべき人を失うたのであるから外國に對しても日本の輕重に係はる問題である俺は伊藤より三歳年長であるが葬式をして貰る筈であつたに今死なれて仕舞つて反對になり自分は老衰して後に殘る、近頃はモウ夏は涼しき場所冬は暖かい場所に行かねば身體が保たぬと醫師に言はれて居る位で軍隊の方では孫の樣な連中の葬式の世話をする樣な逆緣にばがりなつて終ひ夫でもまだ死ねもせず到頭伊藤にも死遲れて仕舞つた誠に殘念至極に思ふ」と憂愁の色面に溢るるを見たり

●韓太子日課廢止

昨日鳥居坂御用邸は御門前に司衛の人を見るのみにして一輌の車だに見えず寂々として殊の外愁雲に閉ざされ居たるが是なん韓太子殿下の引籠り居らせ給ふなる殿下には二十七日愈伊公の薨去を發表せらるるや其日より全く御日課を廢せられ御學友の參殿する者あるも何時もの如く御居間に延かせられず只管御謹愼遊ばされ居る樣洵に御痛傷の極みなりとぞ承たまはる殿下が凶報を得給ひし當夜直に近臣宋秉畯を遣はして滄浪閣に御慰問の御意を傳へさせられしが宋氏は廿七日歸京復命に及び同時に公爵夫人の最と平穩なる旨併せて言上せしに愁眉を開かせ給ひ深き御驚きの中にも聊か御安堵の體に見奉られしとぞ因に近臣一同も今は皆

271

深く謹愼を表し居れり

● 葬儀係と伊藤家
▽ 末松子の入京を待つ

靈南坂の伊藤公邸には廿八日午前九時前後より掛長杉子爵以下各掛員出席營膳、庶務、會計の三部に分ち掛員は內閣宮內樞密院の屬官を督して開會の手筈なりたれど何分主なる公爵夫人は大磯に臥床尙又親戚中の重なる末松子の入京もまだなれば墓地其他に關しては先方伊藤家とも合議を要すること多々なれば午後一時に至るも開會の運びに至らず一同午後入京すべき末松子を待ち居れり尙伊東子は朝來引も切らざる慰問客の重なる者に接し間を得て同邸樓上の一室に九時頃來邸の井上侯爵及び杉子爵と鼎座葬儀諸般の熟議中なれど是れ亦末松子の入京を待ち居れり

昨日の滄浪閣

● 渡滿前夜の公
▽ 子女を集めて戒飭す

藤公が此度大磯を出發せし前夜例により東京より女將藝妓等の伺候せるあり宴を張りて少時の名殘と杯を擧げたるが例になく公は少しも醉を發せず酒數行にして杯を納め女將等は卽夜歸京せしめたるを一同不審に思ひ居たるが同夜

272

公は梅子夫人を始め末松西兩夫人等の子女を一室に集めて坐を正し予が結婚
したる時は梅子僅に十七歳なりき爾來四十有五年梅子が嘗め來れる辛酸は殆
ど言語に絶す予が今日ある實に其内助の功に負ふ所最も多し然るに卿等は幼
より貧困辛苦の味を知らず而かも未だ内助の功の擧ぐ可きなし卿等は母を見て
自ら深く警めざる可らず予萬一の事あらん後は母を仰ぐ事恰も父を見るが如くせ
よと儼然たる口調にて訓戒を垂れたりといふ測らずも此言遂に遺訓となれる今
日夫人等の胸中如何なる可き

●汽車中の西夫人
▽ 今度は何分にも不意

昨日午後一時十分新橋發濱松行列車一等室に發車數分前に至り乘込みたるは
伊藤公爵の愛孃今の西源四郎氏夫人朝子の君にてありしかば記者は有賀博士
の紹介にて刺を夫人に通じ心からなる悔詞を述べしに新愁も加はりしものにや
夫人は坐ろに手巾を濕ほざる事暫時、扨物語らるるやう「妾は少々加減が悪い
爲赤十字社病院に入院して居たのですが凶變の報知に接しましても第一報の
時までは夫でも急所を外れれば……との果敢ない望みに繋がれて幾計か心丈
夫の所もありました、尤も末松の兄抔からは今度は覺悟をせいとの事でございま
したが…」と云ひさして暫らくは聲を呑まれぬ、頓て又途切れ途切れの語を續け
て「今となつては丸で夢の様で御座います此前朝鮮に居りました時は始終萬一
の事は覺悟して居ましたが今度は何分にも不意であつたものでしたから……で
も御出立前は妻の身體もまだ何とも無かつたのでり見送り丈は出來ました……
ハイ母の病氣も今日邊りの報知では左程でも無い様なので安心して居りますが
是から大磯へ參つて顔を見ましたなら又悲しさが增すだらうと存じます」とて堪
へ得ずなりて鼻打ちがまれぬ

●伊藤公の刺客觀
▽ 伊達時氏の談

二宮に在住せる前代議士伊達時氏は久しき間公に接近してその公私兩面に對
する思想性格を知り居れり氏は二宮各物の甘酒を啜りつつ語つて曰く

▲ 刺客を虜るは愚

予は陸奥伯の紹介によりて公に面接し爾後十數年間公に接近しよくその性格
を知るを得たり公は刺客なる者に就いては豫てより考へ居る所あるものの如く星
亭の伊庭に殺されし時公はその葬送に際し演説せんとすと聞きたれば予は危
險なれば演説を止められたしと切諫せしに公は打笑ひて「今末松より手紙あり
足下と同様の事を云ひ越したり予は今回演説を廢めて弔詞を朗讀するに止むる
考へなり素刺客は專門家にて、刺さるるものは非專門家なれば、いつ何處にて
要せらるるやも知れず注意は素より必要なるも此の多忙なる頭腦を刺客に使ふ
は愚なり」と云へり

▲ 決死の渡韓

公が統監となりし時予等は公夫妻及び末松夫妻を招仙閣に招待して送別會を
開きしが席上公は暗愁の雲に蔽はれたる顔を上げて曰く「君命は重し君の在る
處予は火を踏み水に入るべし、人は皆予を優柔不斷となし八方美人なりとの評
を下せど予の壯年時代は可成に膽力ある仕事をなしたる積り也身不肖を以て統
監の大任を忝なうするは光榮餘りありと雖も一度雞林に入るや予は此の老軀を
全うして歸り得可からざるやも計られず而も君命は至重なり一身は至輕なり予
は決然として起たんとす」と言辭悲壯、滿座潛然として皆泣き誰一人の起つて送
辭を述ぶるものなかりしが此の時も亦公の眼中には刺客の幻を捉へつつありし
ものの如し

▲ 到る處の靑山

今回滿洲視察に赴かるる時予は大磯停車場より同車して山北停車場まで見送
りしが車中予は聲を小さくして「滿洲は既に寒し只の視察ならば來春にせられて
も宜しきものを何故今頃出立せらるるや」と問ひしに「寒風冷氣はた何かせむ、
滿洲視察は積年の宿志にて氷刃をも辭せざる覺悟なり人生滄茫命は天のみ到
る處に骨を瘞むるの靑山あり」と云ひ呵々として大笑せられたり今回公が毫も狼
狽せざりしと云ふ電報より見るも公が平生、刺客を豫期し大事に臨み寸毫も周
章せざりしを知るに足る

▲ 眼中勝敗なし

山縣公と伊藤公とは政見上或は理致せざる所有しなるべし而も私人としての交
際は頗る厚く圍碁の際には兩公の交誼遺憾なく發揮せられたり予は屢伊公と碁
を圍みし事ありしが公は眼中勝敗なく唯だ消閑的に局に對せしのみなるが如し

「今日は東京へ往つて來るが、まだ三十分時間があるから一つ碁でも打たうでは
ないか」とて烏鷺を闘はし戰未だ半ならざるに時到ればアア面白かりしとて石を
片附くるが如き事屢ありたり公は壯年にして始めて碁を習ひ雁金準一氏の敎へ
を受けしこともあれど實は笊碁にて彼是云ふ程のことはなきも局に對して悠揚
迫らず劫を以て對手を劫やかすが如き惡劣をなさざりき以て公の性格の一斑を
窺ふべし

●藤公と護衛

老警部日高憲明氏談

前後十三年間藤公の身邊に侍し護衛の任に當りたる元警視廳警部日高憲明氏
(五十七)を豊多摩郡大久保村字西大久保に訪ひ今回藤公の遭難に關する感想を叩
きたるに氏を左の如く語れり

▲ 警衛の秘術

私は二十四年三月警視廳の命を受け兩來十三年間伊藤公護衛の任にあたりま
したので私が感想として此際思ひ起こすは警衛の任務という事です、今回藤公
が遭難現場の警衛について實に遺憾に思ひます私の考へでは警衛といふ事は
當の主人公よりも寧ろ周圍の狀態に注意を拂はねばなりません何れの場所何れ
の時でも伊藤公の如きは多數人民の視線を惹きつける其時が最も危險の場合
である、斯かる場合には當の主人公のみに心を取られず却て四邊に氣を配つて
注意を拂ふ事が最大必要で且警衛の秘術と思ふのです

▲ 藤公赫怒す

私が藤公の身邊に侍して以來最も危險と恐怖の念に驅られましたのは去る廿
七八年役で遼東半島還附問題の喧すしき當時總理大臣として藤公は故陸奥外
相西郷海相等と廣島馬關の間を頻繁に往來されたので警視廳よりは一部の警
部小倉信近が五十名の精選したる巡査を率ゐて出張する事となり私は僅に四
名の巡査を連れて常に藤公の身邊に附添つて居た、愈馬關條約の談判開始と
なるや山口縣知事並に警務課長等は地方の巡査を馬關に集中し嚴重なる警戒
を致しましたが終に李鴻章の變を生ずるに至りましたが此時私は直に此の報を
藤公に告げますと公は事の意外なるに驚かれ玄關の前に立たれた儘忽ち顔色
を變へ飛んでもない事をして吳れたと沈思默考されつつある中縣知事等は遲れ

連馳に驅付けて李鴻章の變事を公に通じました、公は李伯は最早死なれたか
と尋ねられまだ判りませんと答ふるや否や藤公は大聲に馬鹿野郎と怒鳴りつけ
大立腹で叱責しました私は藤公の赫怒されたのを見たのは前後十三年間に此
時計りでした後で私に向つて申されたには百の護衛警官あるも此調子では何の
役にも立たぬわいと苦笑されましたと往時を追懷したる日高氏は老眼に涙を泛
べて暫時黙然たりき

▲ 背向きの警戒

今の大浦農相が馬關凶變の後山口縣知事となりし當時に於ける途上警衛の行
り口は一種異様の觀を呈した其れといふも李鴻章凶變當時の警衛が單に形式
に止まりしに鑒みたると一ツは藤公に對する警衛上より起りし大浦知事の考察
であつたとの事であるが其れは背向きの警戒である普通の場合の警戒は警戒
すべき主人公の方に向かつて立つ例なるも大浦式の警戒は主人公の方に背を
見せて周圍の群衆の方に面する警戒であつたとの事である

● 槐南氏家族の安堵

伊公と供に負傷せし森槐南氏の留守宅には母堂織尾子(七十八)夫人幾保子を始め
として令息令嬢四人あり頭髮雪よりも白き母堂眼境越に記者を見て曰く「始めて泰
次郎」が怪我を受けたと聞がましたのは廿六日の夕方でしたがどれ程の傷か分ら
ないので大變心配致しました」又夫人は令兄森川竹溪氏と席を同じうして「良人か
らは出立以來一度も手紙が參りませず今度の遭難についても何とも云つて參りま
せんので役所から噂を聞いて居りますが廿八日の午前十一時に伊藤公の遺骸と共
に秋津洲に乘つて大連を出帆したと云ふ通知が御座いました昨日までは更に樣子
が分らないものですから母を始め子供等まで心配致しましたが滿鐵にゐる弟が彼
方で逢つて詳しく狀況を報告して呉れましたので良人の傷は左腕上搏[13]部と脊中
の軟部とに貫通銃創を受けたが大した傷げない事が分り不幸中の幸だと安心致
しました何時軍艦が橫須賀へ着くか分りませんが分りましたら長男の健郎を出迎
に出す積で御座います、良人よりも伊藤公爵が飛んだ御災難でお國の爲めにも大

---

13 上膊。

した損害で御座います」云々

●京都の五女將

▽ 公爵夫人の狐狗狸さん

▽ 聞く者皆凶變を信ぜず

公と京都とは維新前から最も深い因縁がある公が京都に到る毎に必ず其の旅館を訪ひ左右を離れざる者は祇園の老妓中西君尾(六十五)木室町吉富樓女將吉田とみ(六十五)祇園新地貸座敷堀てい事堀井てい(五十二)祇園下河原杉ノ井女將杉井(五十二)祇園中村樓女將辻はる(五十)の五人である

▲ 吉富の女將

は昨日外出中凶變を聞き驚いて馳歸り「エライ事が出來ましたなア」と一杯の涙を泛べて語らく「御前は京都に御越になれば必ず私方へ御込寄になりました最も近いのが今年五月二十六日木戸公三十三年忌の時で其日暮ごろ中西君尾等と一緒に我方へ御越しになり其處へ藤田さんも來て君尾さんの外祇園の藝妓小三、うめ、小美勇等を呼び何時になく面白さうにお遊びになり藤田さんは舞を舞ひ御前が踊つて御歸りなりましたが其時御前は私に向ひ「俺は東京や京都では死なぬ西行法師師だ

▲ ズツト西で死

のだ所が家内が俺の遊ぶのを氣にして狐狗狸さんに見て貰つたが七十三になる迄は藝妓買は止めぬと云ふので家内は之を氣にして居つたよ、其狐狗狸さんは俺の壽命を九十迄あると言つたさうだと語り「和且樂」の三字の額に向ひて合掌三拜した

▲ 堀井の女將

を如何と見れば同女は凶變と聞いて目を剥いて驚き「私は元万亭に居りました頃丁度二十二三年前御前が東丸太町の迎賓館に總理大臣として御泊」りで夫れから馬車で中村樓の宴會にお供を致したのが御贔屓を受ける始まりで以來一層御贔屓を戴き私方の様なむさくろしい家へも屢次お越下すつた事があります」と語りつつ涙を拭ふ

▲ 中西君尾曰く「此の間御前が御越の時俺はモウ五年とは生きては居らん」と片手を出して私に御話になりましたが前兆でした御前の出發前私は倅を東京へ遣は

し靈南坂の御屋敷に伺つて私の家の事を御相談申上げたこともありし又中村樓
の仲居お□の持つて居る寫眞が珍らしくも木戸孝允と大津西郎右衛門の御兩
人の寫眞でありましたから私は夫を御前にお眼に懸け度いと漸く複寫が出來た
許りでありましたのに頓と夢の様に思つて居ます此西郎石衛門さんの刀には常
に瓢箪が結へてあつた程酒好の人で伊藤さんとは至つて話しが合ひました」と語
り件の寫眞と公の筆に成りし「割實贈君一片心」の横物を床に懸け燈を照して嫁
と共に拜して居た

▲ 下河原の杉の井

を見れば女將おまさは大阪に行つて不在であつたが家族の五六人は公の凶事
を聞くや口々にエーと驚き何れも女將の歸宅を待ち「今頃は大阪で凶變を聞いて
驚いて居るだらう」と語り合つて居た

▲ 中村樓の女將

はるを訪へば私方は常に御前の御旅館を勤めて居りますが此の間木戸侯の御
法事の時は私方へは御越下さりませんでしたが私方の料理は召上りました多く
の御前の中でお肴の舊情の出なりのは此の御前です御前の京都に於る絶筆と
も申しますは此の間長樂館で下村一貫さんに「蒙庵長樂館」私方に「祿陰深處」
の四字をお書き下さいましたのがそれで、此の他にはありません所が之には落
款がなかつたので態々東京へお持歸りになり直落款してお送り下さいました」と
眼を濕めて語る(京都電話)

名妓ちやら次に與へたる公の醉墨

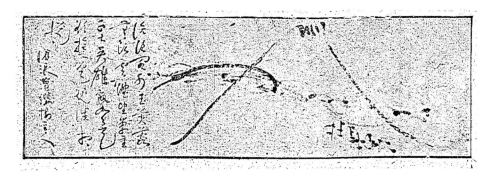

●山根氏の診断

昨年後國府津をさしてして急行のトある一等車室の内、大兵肥滿の身をドツカと倚子深く沈ませた蜂須賀侯爵は品海の波を脊にして默々たる有賀博士の方を前屈に覗き込み『結局どうなるでせうか』と續らしい談話の終りを結ぶ。と胡麻鹽頭の博士は片手のステキを立直しながら『要するに哈爾賓の行政權が問題でせるな、尤も今は露西亞の管轄になつて居るが』話は又暫らくときれる車輪の響が一切り轟と高くなつた。博士と斜向ひには山根正次氏、之と向ひ合ひに某氏が居る汽車の品川驛に入る時分『太皇帝は凶變を聞かれて飲食ふ箸を取落とされたといふ事だが』と一座の沈黙を破つて某氏言び掛けると山根氏は直引取つて『神經痲痺に罹つたのだ』と言ふ。西窓の日射がぼんやりと影つて波の色が重苦し相だ人々が滄浪閣に行き着くのは多暮であらう(鹿)

●伊藤公の前半生(三)

▽ 一癖ある郷里の氣風

伊藤公の誕生地防週束荷は、今日の出口縣周防國熊毛郡束荷村にして、昔は此地方の人をすべて熊毛人と云へり、束荷村は熊毛郡の中にて殊に邊僻なり、熊毛人の特色は進取の氣に富み、空しく田舍の水呑百姓にて終るをいやがり、必ず他郷に出て一旗擧げんと志す者多し、されば其人情も田舍人の淳撲のみにはあらず平たく云へば一癖有る輩にて、善く行けば勢の俊傑と無り、惡く行けば親の首へ繩を掛けるとさへ言ひ傳ふ、一方には『熊毛の親殺』てふ俚諺あり、防長二ケ國の中にて最も多く罪人を出すは此郡なりと萩藩の老獄吏の話なるが又一方には『熊毛の者は根性が確乎して居る』といはれ、襦袢一枚に二匁三分の旅費を持ちて萩に出で、巨萬の富を作りし吳腹屋あり、生れし村に居られず妻子を捨て大阪に出で日本に指折る豪商と無りし者[14]もあり、今日にても布哇、米國などへ出稼する者の此地に多きは爭はへぬ事なり、されば當時に於ける防長二州の首府なりし萩の城下さして出來たる熊毛人は實に澤山なりしなり、酒屋の杜氏(酒釀る人)商街の手代、仲間、若黨武家奉公も少からず、維新の際に勤王を唱

----

14 なりし者。

へて身を殺せし者、土地の土人は申すに及ばず、陪臣(毛利家重臣の家臣)農民の中よりも多く出でしも、この氣風に養成されしなり、公の父君十藏が住み馴れし地を捨て、萩に出でし理由は無論前に陳べたる通りなれど、斯の如き土地の氣風に促され、我も出世したく、倅は更に大に出世させたしとの希望ありしに外ならざるべし

最愛の公を宮市の寺に賴み、萩に出でたる十藏夫婦は、數多き熊毛人の中にかねて知り合ひし者もありしかば之をたよりて身の振方を相談せしに、この頃の萩は今日の阿武郡萩町の如く日に月にさびれ行く有樣とは異なり、防長二州の太守三十六萬九千石毛利大膳大夫侯の城下にして二州の首府なれば、其繁華いはん方なく、口糊ぎには不自由□けれど、十藏の目的は一合取つても武士になりたいの一筋なりしかば、取分は小くとも武家奉公を志、彼處此處に仲間折助に住み込み、妻は他人の縫針洗濯など賴まれ、共稼ぎの難苦を重ねる程に、世話する者あり、林の苗字を改め伊藤と名乘るに至りぬ、伊藤は萩藩にて奉公人といふ身分低き卒族の家なり老婆さん一人ありて、他には家族無く、十藏夫婦は、世にいふ夫婦養子と爲りしなり、城下を離れて東、松本川といふ大河を渡り、松本村といふにささやかなる家を借り、利輔をも宮市より呼び、始めて萩の城下に親子四人水入らずの小さき家庭を作ることとなりぬ、少しばがりの扶持米、足らぬ勝の生計なれど、卒族といへば武家のはしくれ、十藏かねての目的は、ここに其緒を見出し、公が光輝なる一代の履歴は、徐々として彩どられ始む

● 藤の落葉(二)

▽ 故公爵思ひ出のかずかず

▲ 藤公最後の功績

今回兇行の原因が果して伊藤公の施政に反對しての事なら實に方角違ひだ公は韓國發展の爲には寢食を忘れて努力せられたのである其施政の方針は威壓よりも寧ろ懷柔で其事業の功績も一々舉ぐるに違なきは勿論だが公が一生の希望であつた韓國司法權の獲得は實に最後の一大事業であつたと信ずる何といふても此世界的大政治家を失つたのは東洋諸國の爲め惜むべきことである(鶴原定吉氏談)

▲ 非凡の强記

公の強記は幽明なものだ二三年前の事でも大概は記憶して居て其事件の關係
者が覺え違ひなどすると遠慮會釋なく其誤謬を指摘して之を訂すから大抵の人
は此一點だけでも往生して了ふ且如何なる複雜の事でも自分の總轄せる事件は
一通り記憶して居て突然に質問するので課局の主任者も大に狼狽する事がある
（一記者）

▲ 夙に遲き起く寢ぬ

夜は大抵二三時頃まで夜更しをして而も朝は六七時に必ず起きる此強盛なる精
力は又驚くべきものであつたが迷惑なのは家族や召使の人人で公の寢る迄は自
分達も寢られず其上朝は公より早く起きて茶でも入れて行かぬと機嫌が惡いの
で隨分苦しい大概の女中は此睡眠時間の少いので閉口しげ逃げ行く（同上）

▲ 胸が一杯

先日滿洲へお立の時私は夫と新福(老妓)の三人で夜中名古屋停車場へ見送りに
行きましたが殿樣は御寢になつて居たのでよう御眼に懸りませんでした後でお
附の方の御手紙に殿樣は岐阜の手前で眼を覺まし是は飛んだ事をした名古夜
では川文の女將が出て居たらうに氣の毒な事をしたと仰しやつたとありました妾
共に迄優しいお言葉今思ひ出しても胸が一杯になりますよ(名古屋川文女將談)

▲ 嚴格な家

昨年の夏殿樣の御供をして大磯の御邸へ伺ひましたが御家庭は至つて御嚴格
でお居間の西洋室には御先祖の佛壇、肖像額面、楠公の軸物等が掛けてあり
御園内の梅林の中の御宮には三條大久保木戸西郷の四枚の額を掛け正面に
簾を垂れ榊が供へてありました。夫人のお話には此處で毎朝　天皇陛下を御
遙拜申上げるのださうです(同女將談)

▲ 馭者の爲め妾を逐ふ

公一日馭者の服の寒げなるを見て其方夫では寒からう丁度予が歐洲で製らし
た裏毛の外套があり古くなつて汚れて居るが未だ着られるからアレを與らうと云
つて時の愛妾例の光菊に命じた、所が其裏毛が中々珍稀の品で且夫れ程汚損
しでも居ないので光菊は内々裏毛だけ取去つて裏なしの外套を馭者先生に與
へた、馭者はオヤオヤ變だと思つたが其儘頂戴した後で光菊が裏毛を着服し
た事を聞いて口惜しがり光菊に向つて泥棒だと罵つたので光菊も承知せず泣い
て公に訴へたから公は馭者を呼んで聞糺すと先生は正直に御前から頂いた外套

281

の裏毛を光菊が取つて了つたから泥棒と申したのですと答へた、公は之を聞く
と勃然色を作し光菊を呼つけ「左様な不心得者は一刻も予が邸に置れぬ即時立
去るべし」と嚴命し泣いでも詫つても肯かれずしてトウトウ追出して了つた、愛に
溺れず、義を失はず公は只婦女子に溺るる如く云ふ者は未だ公を知らぬ者であ
る(一記者)

▲ 嬖妾放逐の失敗
次も妾の話だが在韓中嘗て微恙に罹つた時宋秉畯氏始め日韓の高官等は公の
病氣の原因が愛妾お蝶(巴城館の養女)にありとなし之を遠ざけるが必要だと宋君
から此事を長谷川大將に告げた所流石三軍を叱咤する大將も之には聊か當惑
して元氣沮喪、據所なく曾禰副統監に相談すると日頃何事か忠義を盡さんと心
がけて居た副統監は好機逸す可らず宜しい承旨したと早速藤公に向つて長谷
川大將宋秉畯等の意見なりとてお蝶放逐の議を持出した、公は其時笑つて何と
も答へなかつた、其後或時長谷川大將も宋秉畯も藤公の許で落合ふと公は軈
てお蝶を兩氏の面前へ呼出し實は此間お前を放逐しやうといふ相談を持込ん
だのは此人達だよと素破拔いたので兩豪傑共ウーと詰つて眼を白黑(一記者)

● 黑板新聞と伊藤公
▽ 小學生の哀悼の涙
京橋第二尋常高等小學校では二十六日藤公暗殺の新聞號外を見ると同時に
左の如き黑板新聞が掲げ出された男子部のには

嗚呼伊藤公 公は若い時から國の爲めにつくされたこと五十餘年一日でも國家のこ
とを忘れたことはありません、我國今日の文明も公の力によるところ大きなるの
であります、しかし二十六日滿洲ハルピンで韓人の爲に狙擊され遂に薨去せられ
たとのことです何と惜しことではありませんか

又女子部の黑板新聞は報ずらく

大勳位公爵伊藤博文といふ方は二十六日露國ハルピンで擊たれて終に薨去になり
ました。このお方は明治維新の時から今日まで永い間國のために働いて忠義を盡

されましたから天皇陛下の御 信任のたいそう厚いお分でありました此度のことが
あつたため陛下はどの様に思し召さるるでありませうか、誠に恐れ多いことでご
ざいます、この様な忠義なえらいお方が俄に薨去されたのは日本のために實に惜
いこはではでざいませんか

と是と同時に同受持教師は生徒に對して藤公薨去を教室にて語り生徒の同情心
涵養に資したが、各生徒とも極て靜肅に聞き居り中には涙を流したものさへある、
是は獨り京橋小學計りでなく全市各小學校殆ど皆で七つ八つの子供が家に歸る
や直ぐ父母に向つて『偉い方がなくなりました』と告げたのは此結果である、斯して
伊藤公の忠君愛國の赤誠は永久に小學兒童の脳裏に刻み込まれたのである

本社滿洲特電
●藤公遺骸出發

二十八日大連特派員發

二十七日夜藤公薨去發表されにに就き二十八日朝葬儀令を以て午前十時大和ホテル別館發兒玉町日本橋幹部通を經て順路大棧橋に着き軍艦秋津洲に搭乘午前十一時發橫須賀直航の途に就けり葬儀の順序は先驅の憲兵三騎儀仗兵二個大隊花環柩(柩の右には室田古谷鄭小山其左には中村龍居松木小林)文武官民總代十名卽ち伊地知師團長富岡鎭守府司令長官星野都督府參謀長太田旅團長三浦都督府軍醫部長江頭鎭守府參謀長平石高等法院長大內都督府事務官佐藤警視總監久保田理事隨從、儀仗兵一個大隊後驅一般會送者一千名大連在住日本人老幼の別なぐ皆沿道に立ち淚を呑みて見送りたり

●韓皇勅使到着(同上)

韓國軍艦弘濟號二十八日午前十時二十分鍋島參與官中川檢查長のみ上陸弔使尹德榮趙民熙李完用氏等は艦內に殘り棧橋突堤前にて進航を留たる秋津洲に追付き同艦に赴きて韓皇及太皇帝の弔詞を傳へたり

●韓人續々捕縛

二十八日長春特派員發

今般の變事に關しては露國官憲は衷心より同情を表し市中に於て朝鮮人とさへ見れば悉く捕縛訊問しつつあり

本社朝鮮特電
●韓皇の親電(同上)

二十八日京城特派員發

皇帝は二十八日朝我 天皇陛下に左の親電を發せられたり

曩に伊藤公爵の遭難を聞き憂慮已まざりしと雖も尙密に一縷の望を囑して速に平癒せんことを祈念したるに今や溘焉として薨逝す焉ぞ哀悼痛愕に堪へんや況や公

爵の凶變たる我國人の毒手に殪れたるを傳說するをや舉朝震駭措く所を知らず茲に謹んで無限の痛悼の至情を表す

又兩陛下より公爵夫人へも弔電を發せられたり

● 韓皇の調書(同上)

廿八日午後官報號外を以て國民一般に對する詔書出づ要は韓國一流の巧辭令を以て伊藤公の爲人を論じ日韓の關係より東宮の輔育迄列べ今回の凶變を痛み特に義親王をして葬儀に列せしめ文忠公の諡を與ふる所以を記せるものなり

● 停朝三日(同上)

韓帝は各學校及興行物を三日間停止し特ひ韓國の古例に據りて停朝三日を仰出さる

● 連累者捜索(同上)

兇徒の系統連累者及首謨の有無は聽て根本問題解決の爲なれば其筋にては極力捜査に努むるも遭難地よりの報告並に公報も極めて簡單にて其端緒を發見し難し左れば尙照會中なるが今明日中には旅順に着せる我官憲の取調ある筈なれば委細は是にて判明すべし一說には兇徒は元西北學會に籍を置き爾來各所を流浪せる白面の書生なりと傳ふるも疑はし又西北學會の首領李甲は過般來平安道に赴き平壤南門附近に潜伏し居るが彼の性行よりして關係ありはせずやと認めらるるも是又推測なり兎に角當局は全力を舉げて檢舉せん決心なり

● 文忠公と諡す(同上)

皇帝は統監邸に若二十分間留まりたるが先づ伊藤公遭難の凶報に對し驚愕に堪へずとの弔意を表し尙出來得る限り弔慰を表したしとて二十八日御前會議の決議に基き伊藤公に對し文忠公の諡號を贈れり號の據つて來りしは德を植ゑ博く聞く曰く『文』、國を慮りて家を忘る曰く『忠』との意味なり統監は唯々として首肯し多くを語らざりき

● 特使派遣(同上)

韓皇名代として義親王太皇帝名代として承寧府副總管朴齊斌氏、政府代表者として趙農相を日本に派遣し(二十九日出發)祭文祭粢料三萬圓を贈るに決せり

倫頓タイムス特電

● 藤公暗殺と露國(同上)[1]
　露都來電=露國首相ストリピン伯は本野大使と會談し伊藤は公平和的儀禮的行
　動を任遂げんとするに當り暗殺せられたるものなりと言明せり又諸新聞は義氣ある
　日本人が日露の友交を增進せんとする伊藤公の事業を繼承し以て伊藤公に酬ゆ
　可きを確信せり

路透電報
● 英帝の哀悼
　二十八日上海經由路透社發
　英國皇帝は伊藤公暗殺につき驚懼措く能はざるを說き且其親類に對し深厚なる
　同情を表せる加藤大使宛の親簡と共に特に式部官長を倫敦に送られたり
● 英國外相弔辭(同上)
　英國外相サー、グレーは英日本大使館及東京政府に向け弔詞を送れり
● 米國新聞の痛悼(同上)
　紐育ヘラルド其他諸新聞は伊藤公暗殺につき驚駭の意を表白し之が爲め日露間
　の親交に影響なからんことを希望せり又歐洲大陸の諸新聞も公に對して讚辭を連
　ねつつあり
● カーズン卿演說(同上)
　前印度總督現牛津大學總長カーズン子爵は牛津大學に於て演說し聽衆中數名の
　日本人あることを說き最深の同情を以て伊藤公を哀悼し子と藤公との親交久しき
　ものあるを述べ更印度と朝鮮との統治事業を比較し抑東洋人民の問題は我等自
　身に執り頗る困難なるを示せり、然も日本も我等に劣らざる困難に會しつつあるの
　觀ありと言明せり(昨紙タイムス特電參照)

本社支那特電
● 獨紙の藤公弔悼
　二十九日上海特派員發

1　二十八日タイムス社發。

東亞ロイドは伊藤公の性格及事業につき長文の弔辭を掲げ公は戰場の勇士として仆れたものなりと言明せり

● 伊公と張中堂

二十八日漢口特派員發

湖北官民は伊藤公暗殺されたりとの報道に接し何れも哀悼の意を表し張中堂の逝去と相比較して東洋の二忠臣を失へりと稱し居れり

國內電報(二十八日發)

● 藤公遺骸通峽期(下關)

伊藤公の遺骸は三十日零時半軍艦秋津洲にて當海峽通過の筈なるを以て當地各小學校生徒は檀の浦に整列して遙に弔意を表する豫定なり

● 國葬と學校生徒

文部省に於ては國葬當日全國各種學校をして休校せしめんとの內議あり之と同時に市內各種學校生徒をして沿道に整列して靈柩を迎送せしめんとの內議あるも是は皇室皇族の大葬の外は嘗て先例なきを以て調査中なり

● 露國藏相の報告

(凶變目擊の狀況)

露國大藏大臣ココウゾフ氏が伊藤公兇變當時親しく現狀を目擊したる模樣に關し在本邦露國大臣に宛てたる電報(廿六日哈爾賓廿八日東京着)左の如し

廿六日午前九時十五分伊藤公爵哈爾賓に到着次で下車せられ本大臣及地方駐在の露國諸官と共に儀仗兵列の全面を通過して將に諸文官及諸外國領事の參集せる場所に步を進めらるるや此等參集諸員の後方より一人突然ブラウニング式短銃を以て數發を發射せり爲めに公爵は致命傷を受けられたり之と同時に田中氏は脚部に輕傷、川上總領事は生命に危險なきも症狀輕からざる創傷を受け森氏も輕傷を負ひたり

犯人は韓國人なるが如く現場に逮捕せられたり其審問中の供述に依れば本人は故國に對し伊藤公の加へたる害惡の仇に報ひんが爲め又一は本人の親戚にして公爵の命に依り死刑に處せられたるもの尠からざる恨みを霽らさんが爲め特に公

爵を殺害するの目的を以て哈爾賓に來りたるものなりと云ひ又其殺害實行の功を
奏したるは自ら欣懷とする處なる旨を述べたり本件兇行は豫謀に出でたるものと見
へ廿五日ヂアヂアコツ(?)[2]停車場に於て或警察官はブラウニング式短銃を帶たる
舉動不審の韓國人三名を逮捕せり川上總領事は曩に露國の鐵道警察官に求むる
に一切日本臣民をして自由に哈爾賓停車場内に立場せしめんことを以てせり而し
て右兇行者たる韓國人は日本人と酷似して到底之を識別すること能はざりしなり
當時露國の諸官は又等しく危險の地位に在りしものにして本大臣自身も右兇行の
際近く公爵の傍に侍し現に負傷せる日本人諸氏よりも一層公爵に接近せり
露國鐵道沿線到る處公爵の遺骸に對して相當の禮式を表し北京駐箚露國公使は
寛城子迄隨從せり在奉天露國外交代表者は右列車を訪問すべし
本大臣は當時公爵閣下と共に下車せるに先ち互に交へたる款談の友好懇懃を極
めたるに顧み哀悼の情殊に切なる者あり依て玆に貴大臣に囑し本大臣の最も深厚
なる弔意を日本政府に表せられむことを望む

● 藤公最後の態度(極めて平然)

今回伊藤公の刺客に遭ふや一絲亂へざる森嚴なる態度を持せられたり先づ第一
彈の銃擊を聞きしも平然前進し其舉動常の如くにして毫も周章の態なかりしは流
石に膽を武士道に鍛へたる大丈夫にあらざれば能はざるなり此れ實見せし人々の
嘖嘖稱贊する所而かも正面の急所に三彈を受くるが如き實に當時公の態度の崇
高沈着なりしを想見するに餘りあり隨員中に重傷者なかりしも全く右の如く公の態
度の極めて平然たりしが爲なりど實見者より報道ありたり

● 護衛警官を斥く

(長春出發當時の伊公)

伊藤公が平素保衛の警官を厭ふ風ありしは陰れなき事實なるが今度滿洲巡遊の際
も長春停車場までは都督府に於ては殆んど強請的に護衛憲兵を附せしめ公も亦
其好意を諒とせしも愈二十五日長春停車場を離れて露領に入らんとするや公は急

2　蔡家溝。

に都督府當路を招き毅然として曰く既に他邦の領土に入らんとす何すれぞ自國警
察を隨ふの要あるべき是れ寧ろ露國の警察權を蔑視するにも均し今日以後は斷じ
て日本警官若くは憲兵を余の身邊に置く勿れと嚴かに申渡され佐藤都督府警視總
長の如きは一再抗辯して其必ず露國の警察權を疑ふものにあらず自國の元勳に對
する禮を盡さんとするものなる旨を陳じて平服憲兵の隨行許可を要請したるも公は
斷じて旨を斥け遂に自餘の隨員のみを從へて哈爾賓停車場に向ひ不幸兇漢の暴威
を遑しうせしめたり是れ斷じて我憲兵なかりしが爲めにあらず護衛警官を附せざり
しが爲めにもあらねど以て公が平生を偲ぶの一端として痛悼の念に堪へずとなり

●ダム、ダム彈使用

確なる筋へ着電に依れば今回兇徒の狙擊に用ひたる彈丸はダム、ダム彈にして現
に滿鐵田中理事の脚部を貫通したる彈丸は彈頭を十字形に裂け居りたりと

●嫌疑者李甲

伊藤公暗殺の連累として目せらるる西北學會首領李甲は本年三十二歲平安北道
蕭川郡[3](平壤より十里)に生れ地方の名族にして富豪なりしが十五歲の時觀察使閔
泳徽(日淸戰爭當時閔泳駿の名を以て知らる)の爲め財産全部を沒收せられたるを遺憾と
し弱冠の身を以て日本に渡航苦學數年成城學校より士官學校に入り日露戰爭の
際は通譯且韓國軍人として從軍せり性質は沈默なれども韓人には珍らしき剛毅の
人物にして常に生死の間に出入し昨年の政變後は軍籍を脱して政治界に入り幾ば
くもなく西北學會の首領となれり平安道博川の人柳東讀[4]は李甲と友とし善く共に
西北學會の牛耳を執れりと

●貴族院と伊藤公

貴族院各派交涉委員は廿九日午後議長官邸に會し伊藤公薨去に對し弔詞送呈の
件急靈柩着京の當日德川議長上院を代表し之を新橋に迎ふる事の二件を決議し
弔文の起草は德川議長に一任したり弔文は普通一遍のものとせず別個に長文のも

---

3 博川郡。
4 柳東說。

のを起草すべしと

● **昨日の閣議**

廿九日午前九時過より首相官邸に定例閣議を開き伊藤公遭難に關する廿七日の臨時閣議後哈爾賓關東都督韓國統監等より到着せし重要報告其他に就き凝議し正午休憩二時過散會せり

● **一進會の特使**

韓國一進會にては伊藤公の薨去を深く遺憾とし同家へ對して弔詞を述べ且葬儀に參列せしめんが爲に副會長洪肯燮を派遣する事となり同氏は昨夜南大門出發來朝の途に上りたる筈なり

● **韓廷の錯愕**

哈爾賓の凶變に付、韓國最も不倖なる可き事は變を聞くと同時に吾人が直に感じたる所なり、何となれば、韓國の未來の扶植の事、及韓國皇室の保全の事に關して、伊藤公は日本人中にて何人も及ぶ可からざる親切の配慮を爲し、心身を此業に委ねて厭はず、統監を罷めたる後も、皇儲補導の任に膺り、念々扶植保全を忘さざるの實を示し居たる人なればなり。

之を信じて疑はざればこそ、韓廷も公を推尊して太師と稱號し居たるなれ、此の韓國貴重の扶植者保全者が一朝にして毒彈に斃れ、且その下手人が韓國の一人民なりしに就ては、韓皇の親電に見えたる所の如く、滿朝震駭も固より其所。吾人は此文字に少しも僞りなきことを信じ上下錯愕出さん所を知らずと見る。故に事變に對する其行動の或は宜しきに叶はざるもの有るを見ても強て之を咎むるの心を有せざれども、彼の犯人の韓國人民中より出たる一事は失張り其法令の缺くる所あるに困るとの政治的結論を免れざるを以て、韓廷は個人の犯罪に國が責に任せざる冷理をのみ賴み、弔問陳謝以て自ら營救するの儀を失ふ可きにも非ず。

天皇陛下は如何なる場合にも寬仁大度にておはしますぞ。韓皇能く之を知る。太皇亦最も能く之を知る。未だ一語も曾禰統監及韓國政府を戒め玉はざるに先だち、只師傅に離れて煢々の忠ある韓皇儲を慰撫して怖るる勿らしめ、且更に善良の師傅を選みて伊藤公の後任たらしめんと宣り玉へひさ。此る崇大の帝德を有し玉へ

る　我天皇陛下も曾て日本吏民中に不良の徒を出して外國貴賓を害せんとしたる
場合には、如何に自卑自枉し玉ひたるぞや。大津の變には卽時に駕を命じて直に
神戸に行幸あり、親から慰問陳謝し玉ひたり、馬關の變には卽ち斷じて許すまじき
休戰條約を枉げて讓歩して締結せしめて、以て政治的に陳謝し玉ひたり。此の如
き至尊の自卑自枉は、實に當時まで暗昧の部分あるを免れぎりし日本臣民をして、
痛心して一般に自ら改慘せしめ、自然に不良の心を抱くもの無からしめたるなり。
宗主國の此例は保護國が宜しく自ら學ぶべき所にあらずや。宗主の寛仁大度に慣
るるは寧ろ韓國の爲に危險ならずや、況や兇漢が特發の狂人にあらずして、或は
秘密結社中のものある可く推せらるるをや。又況や日本の犧牲が實に韓國の恩人
たるをや。定めて凶犯人の徒輩は、伊藤公が統監時代に施したる所を以て韓國に
不利を爲すものとなし國讐を報ずる所ありたる積りなる可きが、其の間違ひたるは
吾人のここに説述するまでも無がる可し。韓廷の上下には、必ず他に一人も此る誤
想を敢てするもの有る可らず。果して然らば、此際如何にす可き乎を一考せざる可
らず、韓皇の親電に對して、我九重より如何なる御答電ある可き乎。常ならば直に
御答電ある可きに、今度は痛く御遲引なり。吾人竊かに我保護國のために恐るる所
あり、曾禰統監も韓國の政治指導の任に居りながら、韓國民中に彼の犯人を出し
たるに就ては、決して安閑たる可らず、徒らに惶懼せる韓廷の錯愕を見流しつつ、
何等の指導をも與へざるが如きは如何。吾人は天皇陛下の大御心の、一方には韓
皇儲御慰撫に於て明かに、又他の一方に於ては韓皇への御答電遲引に測る可らざ
る所あるを思ひ、保護國のために恐懼して此言を爲すものなり、但吾人は在韓日本
人の處々にての決議の何事を意味するかを知らず。斯く言ふは全く別事なり。

● 伊藤家葬儀係長伊東巳代治子　伊藤公葬儀喪主代理伊藤文吉氏

●外相命令を發す

(犯人審判確定)

今回の兇行に關する犯罪人の裁判は明治四十一年法律第五十二號第三條の「滿洲に駐在する領事館の管轄に屬する刑事に關し國交上必要ある時は外務大臣は關東都督府地方法院をして其の裁判をなさしむる事を得」との明文に準據し小村外務相は廿七日を以て之れが裁判を命令せり而して原則としては同法第二條により同法院は領事館に於て重罪なりとの豫審決定をなしたるものに就き公判をなす事となり居れるも今回は領事館に於ては單に一應の取調をなすに過ぎずして豫審より終審に至る迄總て都督府法院に於て之を管掌する事となれり

●伊藤公と衆議院

廿九日の衆議院各派交涉會に於て全會一致禮を厚うして伊藤公に弔詞を贈呈するに決し且議員は團體として且徒步を以て會葬することとし長谷場議長は弔詞起草委員として元田、關、荒川、仙石、小川の五氏を指名し三十一日午前十時までに議長官舍に會合し各自起草の案を交換して決定することとせり

●藤公の祈願

▽ 末松子爵談

　末松子爵は名古屋より引返し二十八日午前六時二十七分大磯に歸着一度滄浪閣に入りたる後十時十七分發にて歸京せり、予は車中語りで曰く

▲ 結局災難也

　詳報に接して遭難當時の模樣明なるに隨ひ結局災難と云ふの外無きを知る、世間往々露國側の警戒如何を疑ふものあるも決して然らず露國は非常に親厚なる誠意を以て歡迎の警戒に遺憾なきを期せんとしたるものの如し、然るに公今回の行は個人的旅行の事にもあれば南滿線中も僅に夫れとなく憲兵の警衛を受けたるのみにて長春以北に入りては全く他國の領域に入りたることなれば之を止め沿線及哈爾賓の警戒に就ては特に遠慮したる樣子にて何かの折には附近一帶の一切普通人の立入るを禁ずる露國式の嚴重なる警戒を用ひざりしを以て此の不幸を來したるもの如し

▲ 公の宗敎觀念

萬事に恬淡にして執着せざる公は宗教に對しても觀念はあれども所謂活眼を開きたるものにて何れの宗旨とて差別せず唯神道は國敎として隆盛ならしめざる可らずとの意見を常に漏らされたり併し其信仰も亦全く形式を顧みず平生は祈願禮拜等の事は無かりしも生れて以來心身を捧げて祈願を籠めたるること前後合して三度のみとて公自ら語られたることあり其の第一は彼の皇太子殿下が大患に惱ませられたる時にて第二は日露開戰の際第三は一昨年皇太子殿下御渡韓の砌にて何れも伊勢大廟に祈願せり、又今回の兇變に由りて公が觀音像を終始肌身に附け居たりと傳ふるものあるも其は觀音像に非ずして約四寸の虛空藏菩薩にして厨子に納めあり常に公の手提カバンに入れあるも肌身には着くべくもあらず此像は嘗て熱海に遊べる時何地の寺院にて入手せるものにて背面には正成正行父子の忌日を記入しあり藤原藤房が行脚に來れる際納め置きたるものと傳へらる

▲ 唯一の遺憾

今回の兇變も亦國家の爲なり公も亦本懷とする所、唯だ玆に一つ遺憾なるは公が昨年來思ひ立て準備中なりし先祖祭にして世人も熟知せる如く伊藤の姓は嚴父十藏氏が其の家名を襲げる結果にして元は林氏の出なり、此林姓は祖先美濃に出づとの說もありたれど伊豫の河野氏より分れたるものにて伊豫には同族の祭祀もあるを以て是等の人々を集め明年五月一大先祖祭を行はんとて約一萬五千圓を投じ周防國束荷村の舊址を修築する爲め公は紅玉の碗二個及び雪舟の屏風、周文の寒山拾得の横額とを賣り拂ひて其の資に充てまた同地に在る同族は僻遠の地とて來會者の宿泊用に供する爲め蒲團五十枚を新調するとか夫れ夫れ準備中なりしに突然の兇變にて其の志を遂ぐる能はずして逝けり

● 陶庵侯の沈憂

▽ 哀悼の情言外に溢る

西園寺侯は廿六日大磯にて伊藤公遭難の報に接するや一方ならず驚愕し急ぎ隣接せる滄浪閣に公爵夫人を訪問し最早事實の疑ふべき餘地なきことを確めたる時は平素沈着にして果斷の氣性に富める侯もまた今更に落膽し哀悼の情湧出して殆ど座にも堪へざるものの如くなりしが漸くにして公爵夫人を慰め辭して自邸に歸れる後は時々深き吐息を漏らすのみにて多くは冥想に耽り夕食の如き

293

も匆々に箸を措きたり翌朝は早く公爵夫人を見舞ひ歸邸後東京より滄浪閣を見
舞へる杉田、大岡の政友會代表者を始め二三昵懇なる人々の來訪を受たるも杉
田幹事長に對してすら「國家の大損失なり、哀惜に禁へず、政友會としても大難
なるも諸君は協心戮力して善後に盡され度し」との意を述べたたのみにて多くを
語らず來訪者は一切之を謝絶しつつあり記者に對しても唯僅に哀惜の意を漏ら
すのみにて他を語るを欲せず其沈鬱の狀は千言萬語に盡す可らざる胸中無量
の感慨を察知せしむ

● 伊藤公と政友會
▲ 政黨組織發端
伊藤公は以前は政黨嫌ひの人にて內閣を以て全然政黨以外に置ぐべき者也と
て超然主義なる者を唱道し又之を實行したりしが此意見を捨て立憲政治は到
底政黨を無視する能はざるを知り自身模範政黨を組織せんとの望みを起したる
は去卅二年頃の事にて夫より以來頻りに各地を遊說して準備に取掛りたり遊說
の主旨は既成政黨は疲弊して實力なく黨員は何れも放縱散漫にして規律節制
なければ憲政運用に適せず斯くては憲政の前途如何あるべき之を救ふには新
に有力模範政黨を組織するより外なしと云ふにありたり時偶憲政黨(自由黨)は其
形體こそ大なりしも思ふ通りの活動も出來ず折角提携したる時の山縣內閣とは
絶緣し此儘にては人心の收拾も覺束なしと局面展開に心を碎き居たる折柄なる
を以て星亨氏一味の人々は伊藤公と憲政黨を結び付けんと企てたるは三十三年
の春の頃なりき

▲ 藤公へ入黨勸告
伊藤公と憲政黨を結び付くる策と云ふは伊藤公に憲政黨へ入黨する事を勸告
する事是にて星亨氏を始め總務委員は大磯なる伊藤公を訪問して辭を盡くしす
手を換へ品を換て熱心に入堂を勸告したり伊藤公、心は動きたるものの左らば
入堂すべしとの返事は與へず暫しが間熟考すべしと猶豫を救めて其場は物別
れとなれり憲政黨は入堂勸告とは云ふものの實は憲政黨を全然伊藤公に進上
して其爲すが儘に任すと云ふことにて伊藤公を憲政黨の一員とするにはあらで
憲政黨を伊藤公所有のものとするの謂ひなれば伊藤公に取りては案外の好都
合なりしも既成政黨にては嫌なり時機は又如何がと二の足を踏む次第にもあれ

ば伊藤公は折角の勧告ながら入堂はせずに一方には憲政黨組織の準備を暗々裡に繼續し一方には憲政黨の相變らす自己に賴るべきの必然なるを察し居たる次第にて此邊が公の處世術に妙なるところと知らる憲政黨の方にては此際伊藤公を逸しては局面展開の機を逸して仕舞ふ事なれば何とか妙策を考へねばならぬ破目にて彼是と思案して一層の事憲政黨を解散し伊藤を戴いて新しく政黨を組織するの形式を取る事に取極め星亨氏其委員として伊藤公に交渉し伊藤公も其儀ならばと承諾して愈伊藤公の政黨組織の望みは茲に現實となりたるなり

▲ 政友會成る

斯くて伊藤公は蟇ヶ池の渡邊國武子を創立委員長として公演と新政黨組織の準備を爲し創立委員會を開き宣言、政綱を發表したるは明治三十三年八月廿五日なり過般政友會十年紀念會の折會場にて横山幹事が讀み上げたる政綱は即ち此委員會にて發表したるものなり委員會後準備は着々進行して同年九月十五日を以て新に政友會は成り發會式を帝國ホテルに擧げ伊藤公は一場の演說を爲したり伊藤公が其唱道し實行したる超然主義を捨て政黨を組織したる經過は以上の如し其後三十六年七月を以て伊藤公は政友會を去り又々以前の政黨以外の人となれり

● 杉田定一氏談

心身壯健なる公の發程を送りたるはツイ此間のことだつたに今突如として此凶報に接す唯意外と云ふの外なし長白山下に骨を埋めんとは常に公の口せられた所なれば或は此方が公の本懷なるや知らねねども今回の滿洲行の如きも其觀察と言ひ露國藏相との會見と云ひ公の平生より見れば必ずや日露の國交及東洋政策の上に大なる何物をか齎すべかりしに、返す返すも惜しき事をしたりけり、只公が目下比較的閑職にあるの故を以て今回の凶變は政治上にはさしたる影響はなく最も損失を被ること大なるものありとすれば开は政友會なるべしと思ふは抑甚だしき謬見と云ふべし固より政友會に取頗りては頗る大なる損害なれども政友會の損害は直に以て憲政治下に於ける各政黨の打擊と見るを至當とす換言すれば公の斃れたるは憲政上の損害なり公は憲政創設者にして又之を誘導發展せしめたる第一人なり今後の吾人の懸念は公の如き溫和なる文治的政治家の喪失に依りて政黨の不

均衡を來さざるかにあり云々

●葬儀は五日

伊藤公國葬期日は一昨夜の會談に於て凝議の結果諸設備の都合上到底四日の間には合ざる事明白となりたる爲め昨朝遂に五日と確定し午後一時靈南坂の官儲を出棺する事に決したり

▲ 遺骸着京時刻　秋津洲の横須賀入港は馬關海峽通過の上ならでは確定し難きも鐵道院にては一昨日午後五時同艦長より海軍省に打電し來たる報告に基き柩車の運轉時刻を一日午前十一時半横賓賀驛發午後一時七分新校着と決せり

▲ 因緣深き柩車靈柩を　運轉する列車はポギー車六輛を前後に配し中央に柩車を連結する筈にて室は二區畫を施し其一方に柩を安置する白木の臺を備へ他方の室は親近附添人の席たるべく電燈其他の設備頗る完全せるが該柩車は曩に井上老侯危篤の報ありし際鐵道院が萬一に備へんとて製造せしめたるものなりしを目出度回者の喜びに逢うて老侯の爲に之を運轉する悲を免れたるに今計らずも公の遺靈を乘するに逢ふ洌に奇因緣と言ふべし

▲ 祭場の設備　祭場は彌日比谷と決し昨朝より天幕諸材料を馬力、荷車數十臺にて引込み既に夫々礎材を植ゑ地割を取急ぎ居れり

▲ 公爵墓地の地　墓所の調査は各方面に行はれたるも結局伊藤家の希望もあり旁府下大井村恩師館を去る六十間の地に千坪乃至千五百坪の墓地を新營する事となれり

▲ 齋主と會葬者注意　齋主は千家尊弘氏に決定したるが當日は非常の混雜を來すべきを以て會葬者は祭場以外は一切謝絶する事となるべしといふ

▲ 儀仗兵指揮官　國葬當日儀仗兵指揮官は川村衛戌總督と決定し步騎砲兵約二個師團を附する事となりたるが海軍儀仗兵は横須賀海兵團より一個聯隊を出し之が指揮官は同團長大佐仙頭武央氏に內定

▲ 弔砲十九發　靈柩入京の當日砲兵は日比谷公園に砲列を敷し靈柩新橋停車場着と同時に十九發の弔砲を發すべし

▲ 遺骸到着と海軍　來る一日伊藤公遺骸の横須賀到着に際しては海軍として如何なる儀禮を採るべきかにつき海軍省にて審議の結果を上奏し允裁を仰ぎつつあ

り從來統監としては十五發の禮砲を放り居りしも樞密院議員としては何等之に對する規定なき由にて止むなく允裁を仰げる次第なるが今朝中には御裁可あるべしと云ふ

▲ 喪主代理　伊藤公葬儀喪主は嗣子博邦氏なるが目下渡歐不在中に付伊藤文吉氏代理する事となれり

▲ 事務所の新設備　靈南坂本官及び舊統監府出張所兩所のみにては狹隘を感ずるより昨朝兩建物の中正門見附けの場所に五十餘坪の幕舍を設け國葬に關する諸受付を取扱ふ事となせり

▲ 國葬と早稻田大學　早稻田大壑は校喪として常に援助を與へられし伊藤公の國葬當日全教休校して弔儀を表する筈

▲ 下谷區會の弔詞　同區會は廿九日午前十時區會開會決議の上大本議長靈南坂官邸に至りて弔詞を呈せり

▲ 成女學校音樂會遠慮　本日神田靑年會館に開催の筈なりし音樂會及ひ慈善市は來月二十三日延期

● 日比谷の國葬場
　▽ 大小二十餘棟
　▽ 二日竣成
　國葬の式場選定に就ては宮内省葬儀係員の内に於て合議中なりしが愈昨日市參事會の決議を經て日比谷公園内と確定し直に係員數名は宮内省御用土木請負業島崎、木口、船田の三請負業者を督し地割並に建築に着手したり

▲ 北面の祭壇　國内に於ける式場の位置は音樂堂前の大運動場南詰七百坪の地點を選み祭壇並に式場は音樂堂と相對して北面と爲し長さ六間末口七寸の新しき四谷丸太を用ひ奧行七間間口四十間の破風造りなり

▲ 壯大なる附屬建物
　今回の國葬は内外朝野の會葬者夥しかる可きを以て其設備の如きも從來の例とは大に其越を異にし式場外の附屬建物は極めて壯大なる幄舍を設ける事とし式場に向つて右側に三間に九尺の廊下より一間半に三間の神饌所左側に一間半に三間の奏樂所之に接して五間に三間のを幄舍を設け此處は幄舍家族觀親等親しく喪に服すべき人々の席に宛て式場前七間に四十間の大幄舍を兩側

297

に設け孰も淸新なる板葺にて柱梁は皆四谷丸太を用ひ床板を設け又音樂堂前
の一部には十五間四面の花置場供待所を設け大小二十餘棟の多きに及べり又
周圍は宮內省の黑白の段幕を張り廻し些し離れし地點數ケ處に貴賓並に普通
會葬者の便所を設け通路の全部には新筵を敷き詰める設計なり

▲ 徹宵新材を伐り出す 宮內省の內命を受たる前記の請負業者等は前日來八方に
奔走し一昨夜來府下豊多摩郡幡ケ谷山林中より數十名の杣をして四谷丸太の
新材を伐木ししめ徹宵皮を剝き十數臺の牛馬に曳かせて順路日比谷公園に運
搬せしめつつあり

▲ 工事竣工期日 前記各請負業者等は來る二日迄に工事の全部內外の裝飾迄も
竣工すべき命を受け居れば風雨は素より如何なる故障を排しても間に合さんと
工事を督勵し徹宵の決心なりといふ

● 刺客の裁判管轄
伊藤公に對する兇行者及び之に關する連累者の裁判は關東都督府法院の管轄と
決定しだる由目下旅順に於ける地方法院長は眞鍋十藏氏なるが同氏は日糖重役
磯村音介の實弟にして眞鍋中將の養子と爲りたる人なりといふ

● 平壤の耶蘇敎
▽ 日本基督敎會監督貴山辛次郎氏談
伊藤公暗殺の兇漢雲知安(三十二)は在平壤の基督靑年會 會員なりとの事なれ
ど該靑年會なるものが果して何派に屬する團體なるやは不明なり

▲ 宣敎者は殆ど米人
基督傳道の容易なる事世界無比と稱せらるる韓國にあつて平壤は又最も傳道
の容易なる所なて市民三萬中一萬は既に基督信者なり而して之が宣傳の任に
當り居る者の十中七八は米人、日本の傳道者は長老派に屬する數名と美以派
の一兩名あるのみなるが六千戸內外の一小市街に於て十數箇の敎會を算する
に見ても如何に米人宣敎者等が韓人の間に異數に成功を收め居れるかを相見
すべし

▲ 基敎と排日思想
韓人が斯く基督敎に歸依渴仰する原因は兎に角一旦洗禮を受けたる韓人は多

くの場合に排日思想を抱くに至るは事實なりさらでたに他の地方に比し慄悍にして氣力あり常に政治問題等の爲めに犯人を出す事多き平壤の民に於て此傾向の頗る顯著なるを見る予が嘗て同地に赴きし時長老派の牧師ドクトル、モスエツトの語れる處に依れば韓人の排日思想は統監政施行以來盆熱度を高め青年信徒等は團體を組て路傍の慷慨演説に示威を試み不穩の形勢を示す事屢次なるより予の如きは彼等の謬想を解かんが爲め常に他の宣教師に對して青年の無謀を鎭撫せしめつつあるに拘らず一方統監府よりは米人宣教師入込みて以來韓人の排日思想增大せりとの理由にて痛くなき腹を探られ板挾みの苦しき目を見る事尠からずとの事なりし

▲ 已むを得ざる勢ひ

素より米國の宣教師とて排日思想を鼓吹するものに非ざる事明白なれど彼等の多くは總て韓國に永住し此處にて命を終らんとする人々故其同情は自ら日本の至誠よりも韓人の立場に注がれ統監政治に謳歌せざる樣の事なしとも限らず殊に韓人自身も神の道を知て無宗教の域を脱すると共に個人の自覺より國家の現狀に思ひ及び遂に獨立の念に驅らるるは又已み難き勢ひならんか剩へ米國側にては年々二百萬及至三百萬圓に下らざる金錢を投じて學校慈善病院其他韓人救濟の事業を創始し精神的に彼等を悦服せしむるに反し統監制布かれてより日本の勢力は盆彼等を壓迫し而も何等精神的の慰安を與へざる事實あり日本を了解せざる彼等が漸く日本を離るるも半面の道理はあるなり兎まれ平壤の青年基督信者が日本を恨み居る事は蔽ふ可らず過激なる路傍演説の如きは今尚盛んに行はれつつあり現に去る八月予が朝鮮旅行の際も二十五年間日本に在住せる我方贔屓の牧師コルテス氏抔より當地方の青年間に立交りて日本を了解せしむるは實に至難なりとの嘆息を聞けり但し今回の兇漢が必ずしも眞の基督信者が否かは問題なり平壤あたりの米國宣教師等は數さへ殖せば好しとの考へにて往々無賴の徒とも知らず平氣にて寄食を虛して信者の群に加へ居る事あればなり云々

● 銅像設立の議

伊藤公が初めて大磯に別莊を設けられたるは去る三十一年にして以來公が同町の爲めに盡されたるは殆ど一再に止まらず極めて平民的に同町の有志と屢會合さ

れ教育費として五百圓を送られたる事あり當時樺山伯は文部大臣にて此地に別莊
を有し山縣公も別莊を設け度々來磯され何れも公爵と同時に金圓を寄附されたれ
ば同町民は是を基本金として目下の小學校を建築せり公は尙小學生に貯蓄心を
養成せしめんが爲是に百圓を與へ是を基本として月々多少に拘はらず貯蓄を勸め
られたる結果目下は其數旣に四千五百圓の巨額に及べり尙別に一千圓を公共事
業に寄附せられ其他陰に陽に大磯町の爲に力注がれたれば初め三十戸なりし寒
村が公によりて一躍三百戸の町となり大磯と云へば有數の避暑地として知らるる
に至れる有樣にて町民の蒙れる恩惠は殆んど計り知る可からずされば同町民有志
は今回の凶變を聞き非常に落膽しせめては此大政治家の別莊地たる名譽を擔へ
る大磯町民の志として表德謝恩の爲十萬餘圓の費用を投じて地を卜し一大銅像を
建設すべく昨日有志會を開きて議決せり此銅像問題に就きては嘗て公の銅像を
湊川に建立せられたる時公自よりも前大磯町長宮代謙吉氏に向ひ余の歿後は是非
大磯に銅像を建て呉るべしと語られたる事あり斯る因緣あれば是非共至急に公の
意志を果すべしとて町民は非常の意氣込にて近々再び有志會を開き諸般の準備に
着手すべしと云ふ

● 伊藤公の頭

大磯町郵便局の前に小さやかな理髮店がある主人は水間與三松とて三十一年公
が初めて此地に別莊を設けられてから以來昨年頃まで、公が大磯に行かれると何
時も同邸に罷り出て公の散髮を仰付かつてゐた、一寸一風變つた男だ
「左樣初めて公爵樣に伺ひましたのは三十一年でしたがね、別段伺うも何とも思や
しませんや然し伊藤さんは(此男口癖のやうに伊藤さん伊藤さんと友人のやうに云ふ)中々の
話好きの方でね、行くと伊時[5]でも町の事を色々御尋ねになりました、散髮は極りは
ありませんがね、何うも御客人の多い方だから、方々に御客を逃げ逃げ苅りみをや
るので、たまには客と話ながら其橫を苅ました、夏は大槪御椽側あたりで冬になる
と二階のストーブの橫でやります、髮の苅方ですか、何元來もう頭には殆んど毛が
ありませんし其上に極めて無造作な方でしたから、只短く遣つて呉れと云はれる切

---

5 いつ。

り、何んなにしやうが無頓着なもんです、尤も顔を剃る事はお嫌ひでしてね、顔には一度も剃刀を當ません、然し何時でしたか顔に少々許り物が出てね、其時は鬚ごと剃つちやいましたが、それからは決して剃られた事はありません、夫れにいつでもさう永くは此方に被居らないから餘り度々は伺ひませんでしたが例の光菊さんと御一伴の時は可成永う御左いましたし光菊さんが顔を剃るのが好かだから此時にはよく上りました、時には富貴樓の女將さん等が來て、私が行つて仕事をしてゐますと横から煽いだり濟むと煙草を付けたりして能く二人で色々の事を尋ねられました」

●料理人の見たる藤公

十三年間滄浪閣に在りて公の廚房を司とり今は退りて料理店松月の主人たる松倉千代吉氏は記者に語つて曰く

△ 刺身にセゴシ

殿様程奉公人に可い方は世間に御座いますま二十二年間私は一度も怒られた事が御座いません料理が拙ければ食らない丈で下の者をお叱りに成る事は有りません滄浪閣では一切日本料理を用ひられましたが七八年前洋行して貴られてからは日本料理でも西洋流に拵へて召し上られました主な食事はお寝酒と云つて夜の十一時から二時三時の間に取られるのでした平生身が達者で十年も前には中々の大食家でした日本料理としてお好なのは刺身で刺身は魚は何でもよい新しくて珍らしいのをお好みに成りそれに飽けば鮒や鯉のセゴシを召上られたが兩三年歯がお悪い爲めにそれもやめられました植物性のものでは例のセルクがお好でした

△ 一流のお汁

お汁でも野菜でも料理屋で出すやうなものは嫌でソツプで煮込んだり肉を煮煮めたりして濃くて溶けるやうなのをお選みですつまりお汁でも野菜でも西洋のシチユー式に作り飽かないやうに色々と手を變へ品を變へましたまあ何方かと云ふとサツパリした者がお好きな癖に、物に由つては馬鹿に脂つこい濃厚なもののお好みに成りました

△ 葡萄酒は常用

十年前には隨分日本酒を召上られましたが此頃では少しもお用ひに成りません

二三年前から醫者の勸告によつて始終葡萄酒を召し上りました葡萄酒は日本館の方にも西洋館の方にも獨り食堂のみならず御部屋へもお置きに成つて絶えず用ひられましたが質はそんなに良いのでなく藥用のものを召上つてゐられました食後は一杯機嫌でストーヴの側で書や新聞を讀んだりなさるるが湯に立つてからお寢酒と云ふ順序で隨分夜遲くまでお寢りなさいませんでした、左樣西洋料理は外國人のお客でもなければお上りなさいませんが、お上りに成る時には西養幹や三友亭からお取寄せで御座いました

● 藤の落葉(三)

▽ 故公爵思出のかずかず

▲ 政敵の哀悼

實に惜い事をした先達公が滿州へ旅行をすると云ふ事を聞いたから訪ねて行つて種々噺しをして來たがアレが最後の面會で永の訣れとなつたのだ、ソーサ私より少し年下でまだまだ五六年は大丈夫やれるのであつたに返す返す惜い事だ(谷子爵談)

▲ 一日十五本の葉卷煙草

記者先年大阪西下の時大磯驛を通過せしに伊藤公日高警部を從へて一等室に乘込み來りやをら腰に据ゑられたるが確か中山候なりしと記臆し其前方に座を占めて之も關西旅行の道すがらと見えたる折りも伊藤公の入り來るを見るや否や『ヤー伊藤さん何方へ』『アー中山さんですか、イヤ今日は東宮殿下の御機嫌奉伺の爲め沼津まで參るところです』との挨拶が交換されて扨其後は其れから其れと四方山の話が續き室内は茲に歡笑の聲もて充たされたり、此日伊藤公は例に依て例の葉卷を口に咬へて絶えず煙を吹かされたるが中山候突然問を發し『伊藤さん、貴下も葉卷が大分好きのやうですが一日大凡何本位吹かされますか』と言へば公は『左樣、最早中毒と見えて是許りは止されません朝は大抵四時、遲くて五時には起きますが、早飯までに平均は三本吹かします、そこで一日十三本位、多い時は十五本もやります』と笑ひながら答えられて汽車は間もなく沼津へ着きぬ(一記者)

▲ 公の大危險時代

馬關事件當時は公の身邊危險の虞が甚だしくなつて來たので多數の護衛巡査

を東京から呼寄せては何かと云ふ内意もあつたが私はトウトウ四名の巡査で押
通した、人數ばかり多くても決して完全には行かぬ其代り私は非常の苦心を致
しました東京へ歸つてからは尙更油斷せず巡査には法被を着せて公の腕車の
跡押をさせ馬車の時も馬丁に假装させて附添はせ各自短刀を懷中させて置い
たなどは餘り例のない護衛でいた何しろ凱旋門を潛らせぬと云はれた位で人心
の激昂した際ですから公よりも我々が大苦心を致しました(日高前警部談)

▲ 圓喬の閉口

伊藤さんのお座敷へは二三度伺ひました最初は何んなかお話がよからうと考へ
ましたがアアいふお方ですから堅苦しいものよりはと艶氣澤山のお話を申上げ
ました所御前は兩脇へヅラリと可愛い妓を並べて捻りッこや櫟りッこを遊ばして
落語なんか一向お耳に入らないので私は氣が揉めましたね、乃で餘り長いもの
却て御退屈とかお察し申して好い加減に落をつけて座を立たうするとお氣輕な
お方でアアコラとお呼び止めになりました

▲ アベコベにお話

私は恐る恐る御前へ進みますとお手づから巻煙草へ火をつけて私に下さる、勿
體ないが戴いて吸つて居ますとオイ圓喬今の話は何だか物足りなかつた彼處を
モウ少し斯うしたら好からう此處は何うするがよいと一々御説明でアベコベにお
話を伺つた其記憶のよいには驚き入りました(橘家圓喬談)

● 伊藤公の前半生(四)

△ 利さんは孝行者

然るに此十藏夫婦が親として事ふる伊藤家の老婆は、中々のしたたか者にて、
これまで幾度となく養子、養女を爲せしも、例の姑根性のどこまでも口やかまし
く、婿虐め嫁虐めに日もこれ足らず、短きは数日、長きも幾月と經たぬ間に、お
ん出て仕舞ふありさまにて、よく辛抱するもの無し、十藏が夫婦養子として入家
するや、はじめの程は例の如く小むづかしく虐め散らし流石の十藏夫婦も一時
は迚も辛抱は仕切れまじと、幾度か家出せんと夫婦内々にて相談せしこともあ
りしかど、これ位の辛抱が出來ぬやうにては迚も豫ての出世など思ひよらずと思
ひ返しいかに堪忍のならぬ所をも堪忍して、この伊藤家は決して出まじと決心
の臍を固め、さてこそ公を宮市より呼び迎へしなれ、『また厄介者が殖えた』と例

303

の老婆の、初手は口やかましく云いしも、まだ十二(或は十三歳なりしともいふ詳なら
ず)の無邪氣なる利輔の公は、天の成せる愛敬あり、血こそ分けざれ孫となれば
何となく可憐しく爲り、老婆の角漸く折れて、十藏夫婦の胸はじめて安まりぬ、こ
の頃も近隣の人々、皆公の小兒ながら親にやさしき振舞に感心し『伊藤の十さん
は幸福者ぢや、利さんは孝行者ぢや』と專ら取沙汰せしとかや

公を宮市から手元に呼び寄せし十藏の心は、單に子に迷ふ親心のみにあらず、
立派な人も俊髦い人も多き萩の城下にて勉強させ、天晴立身出世させんが爲な
り、束荷にても宮市にても、それ相當の讀書習字を習はし事なれば、かく萩の城
下に住みながら一日も遊ばして置くは無益なりと、終に同じ松本村に在る松下村
塾といふに書物學ばせに通はす事となりぬこの時松下村塾は、彼有名なる松蔭
先生の松下村塾にあらず、其前身ともいふべき者にて松蔭の叔父の久保強藏と
いふべき武士の、城下はづれに住みて出仕のつれづれに村の童集めて書物を教
へ居りし塾なりしが、學問好の公は此處の成績も頗るよろしく、忽ち衆童を乗越
えて、師にも親にも褒められれば、其身もますます励みに成り、雨にも風にも
めげず臆せず、村塾通ひする程に、十藏は奉公の身、妻は家の周圍の畠を人より
借りて作り、活計の助けと爲す狀況なれば、一冊の書物、一枚の紅唐紙、汗の
値ならざる無く、萬事足らぬ勝なるを不平も云はず、なほ家に歸りては姑根性の
むづかしき義理ある祖母の使ひなどを爲し、父母の言葉に露るばかりも背かず、
其隙には塾の師より貰ひし手本にむかひ、習字の机によらざること無く、十藏夫
婦は固より望む所なれば、之を勸めてそすれ制める事は無かりしも、例の義理あ
る祖母の老婆には、『又手習ひか、止しにせよ、町人に爲るのではあるまいし』な
ど見當ちがひの叱言を食ふ事あり、其時は逆らはず、庖厨の横手の木小屋に入
り、土間に古蓆を敷き、母に握つて貰ひし麥飯の團飯を食べ、水を呑みつつ手
習ひもし、本も讀み、無上の樂みとせしといへり、

この松下村塾は吉田松蔭の叔父玉木文之進と云へる古武士の典型とも云ふべき人
の始めて子弟を集めて教授を始めし時命ぜし名なりしが後に松蔭の外叔に當る久
保強藏といへる武士同じく子弟に書を敎へ松下村塾と號せり久保氏仕官の後久し
く斷えたりしを松蔭踏海の擧に躓き囚獄の身の更に家に幽せらるるに至り勤愼中
少年に軍學敎授を爲すてふ名の下に許可を得て又松下村塾を名とせしなりと云ふ

本社朝鮮特電

● 韓國暴徒

停車場を襲ひ

人家を焼拂ふ

三十日京城特派員發

昨夜暴徒三百餘名京釜線伊院驛に襲撃し停車場及び人家を焼拂へり鳥致院の守
備隊は時を移さず追撃したりとの急報ありたり

● 韓廷の意嚮

二十九日京城特派員發

趙農相を訪ひ韓庭の善後策を質したるにさも哀悼に堪へざるものの如き態度にて
此上は韓國の古例と實狀に鑑み出來得る限りの衷情を現し其上更に日本より要求
あらば議を定めて決するより外なからんとて多くを言はず

● 藤公遺骸弔慰料(同上)

韓庭よりは伊藤公の遺骸に對し十萬圓を贈る筈這は親王の待遇を爲せるに基きた
るものなり

● 曾禰統監(同上)

曾禰統監は二十九日朝德壽宮に到り兇變に對する太皇帝の軫念を慰めたり

● 韓國正使其他(同上)

三十日統監府を代表して國分秘書官東上、伊藤公の葬儀に列席す又義親王、趙
農相は卅一日朝出發、葬儀參列の正使は皇太子に決定す

● 搜索の端緒(同上)

犯人雲知安はアンホーシキ。りなる事判明し他の八名の連累逮捕に就ても情報來
りしかば其筋にては俄に活動を始め搜索の端緒を得たるが如きも固く秘し居れり

● 韓廷無責任辯(同上)

弔使を終へたる李總理は南大門より直に統官邸に至り報告を了し自宅に各大臣を
呼寄せ臨時協議會を開きたる由耳にしたれば予(特派員)は其閉會を待ちて再び趙

農相を訪問し眞相を叩きしに偶弔使一行に加はりたる漢城府民會長兪吉容[1]あり
二氏とも涙を頰に垂れて何事か談じ居りし時なりしが

△ 趙農相曰く

今夕は唯大連の報告を聞きたるのみ何の問題もなし一體韓廷の善後策云々を
聞かるも予は其意を得ず今は心雜然として自失するのみ殊に今回の兇變は一狂
人の暴行にして之に對し日本が何等かの強壓ある筈なく又韓廷も飽迄責任を負
ふと言ひ難し且各國の歷仕を見るに自國の帝王にさへ刃を向く狂人のあるなり
如何とも詮方なし英國の印度に於ける屢大守を傷けらるる事あるも英國は印度
全民を殺す能はず飽迄當初の意志の如く行動せるに非ずや殊に今回の狂人は
露國に歸化せるものなるやの疑ひあり果して然らば韓廷は全く責任なし見よ西
伯利亞一體の地は韓國民の亡命者は漸次增加して百四十萬を數ふるに至り米
國勞働者七千餘と稱するに至れり是等は到底韓廷に於て取締を加へんとするも
能はざるに非ずや然れども予は今回渡日するに於て何の顏にて日本國民に罪を
謝せんや思ふて茲に至れば殆んど面目なしと又男泣きに咽ぶ

△ 兪吉容曰く

予も又同樣なり十數年日本にありて伊藤公と昵近なる予は大連埠頭秋津洲艦
上柩の前に平素見馴たるステツキの橫ふを見て思はず慟哭せり乞ふ之れを以て
一片の媚となす勿れ伊藤公は韓國人を最も愛撫せる人にして東洋否世界に斯の
如き人一人もなし之を我國人が暗殺したりとは全く夢の如し貴下(特派員)並に他
の日本人は韓廷の善後云々を頻に聞かるるも韓廷に善後策のある筈なく若し日
本が赫怒して何等か爲さんと欲せば實行の一途あるのみ此際要求も協約も何
かあらん予は常に韓國人に敎ふるに若し日本に反抗し若くは統監政治に慊らず
とせば暴行を加ふる前に百萬の兵と五十萬の軍艦を造つて後の事とすべし之な
くんば何事かなさんや今の韓國に政黨あるは間違ひなり政黨能く政府を動かし
統監府を搖かすに非ず然らば其存在や要なけん左るを貴下等は政黨に注目さる
予は其意を解せず又韓廷の意を探らんと欲せらるるも可笑し韓國人は韓廷を良
く左右するものに非ざればなり統監政治布かれて三年漸く親善を加へんとし今

----

1   兪吉濬。

後三年を經ば予は日本國人に安心を與ふる時機あるを保證す其際此凶變あり
何等の遺憾ぞや予が衷心を察せよと之も涙に暮れて後を言はず

● 義和宮中止

(皇族にては不可)

三十日京城特派員發

三十日朝出發の筈なりし特派大使義和宮は俄に出發を中止し閔宮内大臣代つて
出發す這は日本より廿九日夜深更皇族などの渡航の要なしと抗議したるものなり
と傳へられ韓廷は狼狽甚だし

● 御答電(同上)

我天皇陛下より二十九日鄭重なる御答電ありたり

● 韓廷の狼狽

(特派大使變更の結果)

三十日京城特派員發

統監邸は特派大使の急に變更せし爲め朝來密議に餘念なし特派大使出發は三十
日午前四時に決定したるが韓帝は既に詔書まで出せしこと〴其他の手續をも合
せて變更し狼狽措く所を知らず事態穩かならざるが如し趙農工商部大臣三十一
日出發は變更せず

● 公爵夫人の答電(同上)

伊藤公夫人より廿九日答電あり

● 兪吉睿[2]の來朝(同上)

兪吉睿睿は國民を代表して葬儀に参列する筈

● 兇徒と其黨與(同上)

兇徒安應七は一昨年協約締結當時より頑固たる排日主義を懷き最近浦潮に居住
せし形跡あり同地方流浪中は西北學會首領前参議李甲柳東説及平壤在住の安
正稿([3]スチーブンス氏暗殺の張本人にて豫て米國に遊びし者)と相往來せし事あり茲に注目
すべきは約一ヶ月前安正稿と突如として京城に來り李甲、柳東説等と會合せし迹
ある事なり又柳は二十五日巡遊先の平北龍川郡より平壤に歸來して安正稿と會見

----

2 兪吉濬。
3 安昌鎬。

し柳東説又踪迹不明となれり欺くの如き系統を見れば縦し兇徒は浦潮にありとす
るも其關係は矢張り京城にあるものの如く推測せらる

● 勅使歸着

二十五日仁川特派員發

韓國勅使李總理、及鍋島總長、中川檢事正一行を乘せて大連に赴きたる弘濟號
は廿九日午後歸港せり

一行は大連に上陸せず伊藤公の遺體を乘せ秋津洲に至り弔辭を述べ十分間にし
退艦し大連に留る事二時間にて引還したり

● 暴徒襲來詳報

三十日京城特派員發

伊院驛暴徒襲來の詳報を聞くに廿九日午後十時頃前方小高き山より突然停車場
に向つて發銃せしかば驛員四名の驚愕一方ならず何れも逃げたれば暴徒は勢ひに
乘じ停車場を燒打し驛員官舍の家財を思ふが儘に破棄し居たるが其時恰も大田
發の汽車到着せしより暴徒は直に解散し驛員同家族等は煙に卷れつつ左右兩驛
に避難し無事なるを得たり

本社滿洲特電

● 何處迄も不埒

二十九日長春特派員發

哈爾賓在留の韓人等は犯人を取戾さんとして不穩の狀を示せり兇漢は韓國人李範
允の部下なり

● 川上總領事の容態

二十九日哈爾濱特派員發

川上總領事は容體稍宜し傷口化膿せずば切斷の必要なしと氏は近々歸國の筈

● 犯人八名到着

二十九日旅順特派員發

伊藤公を狙擊したる兇漢及連累者八名三十日大連着直に當地高等法院より出張
せる溝淵檢察官引取り當地法院に收容する筈右犯人は韓人につき其取調は明治
四十一年法律第五十二號第三條により當法院にて取扱はるるものなり

● 犯人取調の協議(同上)

韓國統監府中川檢查長は二十九日午後三時來順す同檢事長は三十日平石高等
法院長と會見右取調に關する協議をなすべし

● 韓人七名捕縛

三十日哈爾賓特派員發

三十日我官憲は露國軍隊と共に哈爾賓に於ける朝鮮人の家宅捜索を行ひて七名
を捕縛せり

● 伊公最後の演說(同上)

哈爾賓日報は伊藤公の大連に於ける最後の演說を譯載し就中公が北滿に於ける
日露の利益は衝突せざるのみならず兩國相依りて利益は增進し淸國人を物質的
文明の恩澤に浴せしめ得べしと云へるは恰も吾人の主張と一致せり不幸公の生命
は哈爾賓の朝露と共に消剗しと雖も旣に日露の交情はめられたりと記せり

● 韓人隻影なし(同上)

探査益嚴密にして市中韓國人の影を見ず三十日十三名の憲兵長春より着警官等
と共に嚴重に監視中なり

倫敦タイムス特電

● 露半官報の弔辭(同上)[4]

露都=半官報ロシアは其社說に於て伊藤公は常に親善なる日露の結合を主張せる
政治家なり露國は朝野を舉げて忠心より伊藤公の薨去に對し日本に同情すと論
評せり

日本支那特電

● 伊藤公と支那新聞

二十九日上海特派員發

支那新聞の多數は同情を以て伊藤公の薨去に對し哀悼の意を表せり獨り新聞報
は其社說に於て兇漢を賞讚し朝鮮は亡國なりと謂はるるも朝鮮人の意氣は彼に依
つて表示されたりと評し更に又伊藤公は世界の平和の爲にあらずして只日本の爲

---

4 二十九日タイムス社發。

309

に朝鮮を統治したるものなれば偉人には非らず公は朝鮮人の憤激を買へる身なれば其遭難は避く可からざる運命なりと論じ最後に清國人たるもの滿洲の施政に於て伊藤公遭難の結果を熟廬せざる可からずと結論せり

猶民呼報[5]も亦同じ論調の社說を揭げり

國內電報(三十日發)

● 一進會副長(下關)

伊藤公の兇變を聞きて哀悼の情を表せる一進會長李容九氏は囊に其母を失ひ續いて自己も處疫に罹り豫後尙不良なるを以て浩副會長一進會員を代表して弔辭を捧げ國葬に参列せん爲め三十日朝張通譯外二名と共に來關零時半東上せしが一行は先づ宋秉俊氏の邸に至り弔辭並に供物等の打合せを爲すべく京城にて製造せし造花を携帶し居れり張氏の談に據れば京城の韓人は公の薨去を哀めり殊に宮中の哀悼は非常にして一般國民も亦今回の事件を重大なりとせり云々

● 中村滿鐵總裁(下關)

及び室田義文龍居滿鐵秘書等は十二時六連より下船上陸し二時四十分發車東上せり是れ東京着が一日早きを以てなり總裁は內閣へ委細の顚末を報告すべく室田義文氏は公爵家へ實況報告を爲すべしと其他秋津洲の士官一名電報により上陸陸行したり

● 秋津洲艦通峽(下關)

伊藤公の遺骸を乗せて歸航せる秋津洲は卅日午前十一時六連の海軍望楼より玄海灘遥に望み得られたり其信號を受たる福岡縣港務部六連出張所は先之を港務部に報じ用意の汽艇を乗出し軍艦の近くに從つて卽刻本部に報告し其艦側に就て大瀨戸に入る時に正午是より先西は興次兵衛岩附近より東は部崎燈臺の間を警衛區として海上の要所ママには半旗を揭げたる港務部關門兩水上署の汽艇部署して嚴重に海面を警衛し夫ママ便乗せる福岡山口兩縣官公吏關門兩市長市参事會員市會議員等送迎哀悼の意を表し又一般の船舶は航路を避け下關側の市民其他の迎送表弔船は嚴柳島の邊りにて表弔し商業學校の生徒は檀の浦長府の沿岸

5　民吁日報。

に整列し又高等女學校各小學校生徒は沿岸適宜の場所に整列して各弔禮を行ひ市中は各戶半旗を掲げたり又門司側にありては市民皆弔意を表し各學校生徒は海岸に並び郵船商船三菱の汽艇其他も表弔者を滿載して白木崎沖より迎送弔意を表し關門兩港碇泊の大小氣船は何れも半旗を掲げて弔禮を行ひ秋津洲は航海中絶えず半旗を掲げたり淋しき秋の浦風寒き早鞆の瀨戶に打つ波も力なく汽笛の聲も悲しく聞きなされ當年廳潮閣上大勳位の英姿は今見るべくもあらず關門兩岸に立ちて波上遥に弔意を表する幾萬の男女は潛然暗淚を呑む測らざりき月は十六日午後一時滿州行の途に就かれたるより僅に十五日目の今日恰も其時刻を同うして公の遺骸を迎へんとは雨降らざれど雲低う曇り勝なる秋の空當には勇ましき軍艦の浪切る音も哀れに午後一時と云ふに東を指して航走せり

● 韓廷代表者旅程(下關)

韓廷の特使宮内大臣閔丙奭承寧府總監朴載斌兩氏及韓國政府の代表濃商工部趙重應氏等の一行十名は三十一日朝到着一日午後三時新橋着の筈

● 暴徒蜂起公報

(統監府東京出張所着電)

廿九日午後十時頃伊院驛に暴徒數百名襲來、停車場及び官舍に向つて發砲し邦人數名死傷ある見込、直に軍隊を派したり暴徒間もなく退散す

● 韓國暴徒別報

韓國暴徒に關し一昨夜釜山發にて某所に達したる電報は左の如し

伊藤公薨去の報韓國內に傳はるや山間に潛伏せる暴民各所に集合、全羅道の形勢最も不穩、暴徒一千餘名

● 伊院の暴徒

二十九日の夜伊院停車場に襲來せる暴徒は曾て忠淸道に蜂起し討伐の爲め屛息したる者が伊藤公の暗殺されしを傳聞して俄に再起したるものなるか若くは全羅道の討伐隊に打洩されし暴徒が逃走の途次忠淸道に屛息したる同類を語らひたるものなるが未だ知るを得ざるも目下米穀收穫の時季なれば停車場には米穀の堆積あるを豫想し打洩らされの徒が逃走の途次同類を語らひ襲擊したるものと當局

者は判斷し居れり

● 暴徒の襲へる伊院驛

別項暴徒の襲來せる伊院停車場は忠淸南道にして釜山より百五十三哩京城より百二十哩、秋風嶺、太田官の一小驛にして有名なる軌道屈曲の地點なり停車場附近には驛長驛員の舍宅三四戸あるのみにて別に日本人の住居なき寒村なり暴徒が伊院の停車場を襲ひしは金品を掠奪せんとの目的ならんも小驛なれば多額の金品ある筈なきを以て其損害は頗る少額ならん又驛員も小數なれば是亦被害は少かるべし此報に接し太田(伊院、太田間十二哩)駐屯軍時を移さず討伐に向ひたりとあれば暴徒の大部分は討伐又捕獲したるならんと其向にては判斷し居れり

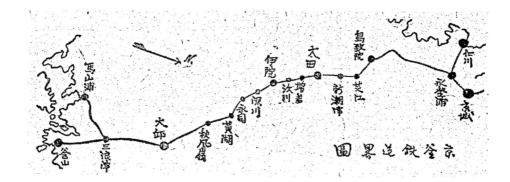

● 警戒を嚴にす

凶變後韓國人間に動搖の兆あり曾禰統監は井上軍司令官に移牒し司令官は各地駐屯軍に警戒を命令し又憲兵隊長、警察長も同樣の訓令を發したり其結果軍隊、憲兵、警察隊の配置地多數增加し一層嚴重なる警戒を爲す事となれり

● 犯人の取調

哈爾賓に在る兇行犯人に對しては一切都督府法院に於て審判を開く筈にて領事館にては唯警察上の取調をなしたるが之に依り多少其系統を察知するの端緒を得たるが如し尙犯人ガ田中滿鐵理事其他を狙擊したるは伊藤公を擊ちたる外れ彈

にあらずして同氏等も矢張り日本人の片割なるが故に之を覘ひ撃ちしたるやの言を
漏らしたりと

● 嫌疑者全部引渡

哈爾賓の兇行關聯者として露國官憲の手に捕縛せられたる韓人は二十日全部我
領事館に引渡しを了せる旨電報ありたり

● 藤公國葬と教育

文部省は伊藤公國葬當日全國の各學校に於て適當なる講話を爲して表弔せしむ
る爲め廿九日付を以て左の通牒を發したり

△ 直轄學校への通牒

樞密院議長伊藤公爵薨去に付國葬行はれ候に就ては國葬當日は貴校生徒に
對し故公爵の國家に對する功績に關し適當なる訓話をなし哀悼の意を表せら
れ度命に依り此段及通牒候也

明治四十二年十月二十九日
文部次官岡田 長平

△ 地方長官への通牒

樞密院議長伊藤公爵薨去に付國葬行はれ候に就ては貴官下小學校、中學校、
師範學校、高等女學校、實業學校等に於て國葬の當日國葬に關する事項井に
故公爵の國家に對する功績に關し適當なる修身訓話をなし哀悼の意を表せし
め候樣御取計ひ相成度命に依り此段及通牒候也

明治四十二年十月二十九日
文部省普通學務局長 松村 茂助
文部省實業學務局長 眞野 文二

● 憲兵巡査の北行

ハルビン病院に入院治療中なる川上總領事は關東都督府に向つて警官の派遣を
要求し來れるより命に依り憲兵十一名、巡査四名は廿七日旅順出發急行北上し
其後犯人嫌疑者護衛の任に服し居れるが法院傳送の途上護衛の任務をも帶べる
ものなるは勿論なるべし

● 安應七の出生

三十日其筋への來電に依れば兇行犯人たる安應七は平壤城外出生のものにして
三十一歳なり

● 國葬と儀仗兵

伊藤公遺骸新橋着より靈南坂官邸に入る間は陸軍禮式に由り元帥相當の儀仗兵
を附することとなり國葬當日の儀狀に關しては今三十日案を具し陸軍大臣より上
奏御裁可を仰げり該儀狀は小松宮殿下並に故三條公國葬當時の儀狀を參酌した
るものにて御裁可の上は直に發表せらるべきが多分第一師團よりは在京步兵二個
聯隊に騎兵及砲兵を附し猶聖上の特旨に由る近衛步兵一部隊に若干の騎、砲兵
を附せられ故參與團長たる仙波小將之が指揮官たるべしと

● 賜勅十七回

伊藤公が勅語及御沙汰を拜受したること實に十七回卽ち佐の場合なり

　　　一明治二年四月兵庫縣知事辭職(御沙汰)
　　　二明治三年十一月特命全權副使として歐米へ差遣
　　　三明治五年十月鐵道創建(御沙汰)
　　　四明治十五年三月憲法取調歐洲差遣
　　　五明治廿一年四月任樞密院議長特に內閣に列せしむ
　　　六明治廿二年十一月任宮顧問官大臣待遇
　　　七明治廿五年三月病氣に付宸翰を賜ひ樞相辭職を差止めらる
　　　八明治廿八年四月講話條約締結
　　　九明治廿九年八月首相辭職大臣待遇
　　　十明治卅一年六月同上

十一明治卅四年五月同上

十二明治卅六年七月任樞密院議長

十三明治卅七年三月韓國特派大使(御沙汰)

十四明治卅八年十一月同上

十五明治四十年二月皇室制度調査總裁

十六明治四十年八月日韓協約成立

十七明治四十二年四月任樞密院議長

● 清帝の弔電

清國軍機處は伊藤公の遭難に關し皇帝の勅命に依り左の弔電を我が政府に致さしめたり

奉旨日本伊藤公爵元老重臣環球著望

玆聞遇遭不測震悼殊深着胡憔德前徃致唁欽此

右弔電は二十八日胡公使に依りて外務省に捧呈されたり尚清庭文武百官の總代として慶親王の名に依り公の遺族に對し鄭重なる弔電ありしを以て胡公使は廿八日正午大磯の伊藤邸を訪問し親しく弔意を述べ併せて慶親王の弔電を遺族に傳へたりと云ふ

● 横須賀着後の靈柩

横須賀着港の上は同港內第二第三區は碇泊軍艦多きを以て比較的海岸に遠き第一區に投錨す可く柩は直にランチに移し臺灣より迎へ奉りたる故北白川宮殿下の例に倣ひ軍港より砲車にて海岸を直に停車場に送る可しと尤も都合によりては軍港正門より郵便局前通過となるやも知れず萬事は今卅日午後三時迄に確定の筈なり尚同日公爵夫人は同港へ出迎ふ可しと聞く(大磯電話)

● 教育總裁の後任

我天皇陛下には既報の如く岩倉宮內大臣を鳥居坂御用邸に遣はされ韓太子を慰

撫あらせられ朝夕二回同大臣を派遣相成る由なるが敎育總裁の後任には山縣公
が至極適當なるも公は近來兎角健康勝れざるにより多分桂侯を以て敎育總裁に
任ぜらるべしと云ふ

● 韓太子忌服御出さる
　韓國皇太子殿下には伊藤太師の薨去を御痛恨あらせられ向ふ三ケ月間服喪相成
旨仰出されたり

● 平壤方面の搜索
　伊藤公を暗殺したる兇漢ウンチアンは平壤居住の者たる事判明したるに付曾禰統
監は松井警視總監に平壤方面の搜査を最も嚴重に屬行すべき旨訓令し統監は警
視警部刑事巡査を平壤に急行せしめたり又兇變發生後平壤は最も警戒を嚴にし
殊に滿洲浦潮方面に旅行する韓人には一層主意を爲し居る由

● 藤公歿後の政界
　(原敬氏談)
　原敬氏は中國西國政友會大會に臨席の爲め下ノ關に滯在中今回の兇報に接し
二十八日午前九時下ノ關を發し二十九日午後大磯公爵邸に赴き弔辭を述べ午後
二時十四分の汽車にて歸京せり氏の談に曰く自分が最後に伊藤公に逢ひたるは
去十一日にして其際公が嘗て滿洲に行かれたる樣な氣がしたれば今度は二度目で
はありませんかと聞きたるにイヤ初めてなりとの事ゆゑ成程さうでしたかと笑ひ乍
ら分れた位にて毫しも心に懸けざりしが馬關に行きて始めて此事を聞き非常に驚
けり馬關にては我々一行を歡迎せんとて諸般の準備をなしたるも之れが爲め一切
中止し唯會の設備のみ行ひ尙弔辭を送りたるのみにて引返せり馬關は極めて公と
關係深き土地なれば町民一同驚駭し著るしく悲しみ居れり、何しろ公の此度の兇
變は實に日本政界の大打擊に相違なし日本帝國に取り大苦痛なるも今後の政界
には差したる大變動を來さざるべし又之に依つて對韓政策に變動起すべしと唱ふ
るものあれども予の考へにては目下の韓國政治は專ら公爵の方針を踏襲し居れる
ものなればる格別の事なし我政友會も同じく公の方針に依つて行動しつつあるも
のなれば今後も尙其遺訓に從つて行動し何等の變動なかるべし何分急遽歸京の

際とて斷片的の報に接したるのみなれば未だ之れ以外何等の纏まりたる考へなし

● 在外韓人の取締

韓國の外交權が日本に移りたる以上外國に在る韓人は當然日本外交官の保護の下に在るべき筈なれども今日の有樣にては日本外交官と其地在留韓人との間には何等の連絡なく韓國人は其保護を我公館に求めざるのみか寧ろ之を仇讎視しつつある次際なり之は致方なしとするも斯る狀態なるを以て海外に在る韓國人は其國の檢束を逃れ得る限り誰憚るものもなく勝手の振舞をなしつつあり而して桑港並に浦潮に在る韓人が常に我保護政に對する叛逆を目論見居るは既に顯著なる事實にして特に浦潮が今や韓國に於ける排日主義者の策源地となれるは知る人の知る所なり浦潮は韓國の境域よりは僅一跨ぎの距離にして交通極めて自由の土地なるに此處に斯る危險なる陰謀所を有するは我保護政に對する重大なる威脅なるも今日迄之に對し何等の匡救策をも施す能はざりしは遺憾の次第にはあれどこは我國が露國の領内に於て治外法權を有せざる限り已むを得ざる所なり然れども永く斯る不安の狀態に居るは我國の堪ふる所にあらずされば是等に對しては何とか取締の方法無かるべからざるが之に就ては露國政府に照會し其警察の活動を救むること當然の方法にはあれど其本國人に對してさへ充分の取締屆かざる露國警官に之を望みたりとて所詮其效果あるべしとも見えず依て同地居住の韓人に必ず一應我領事館に屆出るの義務を負はし我領事館の認知を得たるものにあらざれば一切其居住を許さざる事に露國官憲に於て計らはしむる事としたらば宜しからんと思ふ露國も浦潮が韓國に對して特別の地位にある以上是位の請求には應じても可なり而して一方韓國より海外に出るものには嚴重に旅行券を攜帶せしむる事とし之丈にても行はるれば何者が浦潮に入込如何なる動靜をなしつつあるや位は見當付き之に對する檢束方法を講ずるに至極便宜なるべし今回の凶變に對しては露國も切に遺憾の情を表し韓國浮浪の危險なる事を感知し居れば右の交渉を開くには好時機なるべしと思はるとは一韓國通の談なり

● 鳥居坂の愁雲
▽ 韓皇儲殿下の御勤愼
去二十日の第十二回御誕辰には盛大なる祝宴を開かせられ餘興のキネオラマ

には殊の外打興ぜさせ給ひ爾來御景色麗しく在したる韓皇儲殿下には廿六日
藤公の凶變を聞し食してより頓に御氣色勝れさせ給はず鬱々と樂み給はざる御
有様近侍の方々も察しまつるだに胸塞がる心地すと語り居れり今凶變當日の御
有様を詳しく承はるに同日午後四時半公の薨去愈確實となりしより高大夫嚴侍
從等は恐る恐る御前に進み出て『伊藤公が殺されました』と言上せしに殿下は
『爺を殺したとな、何處で』と言忙しく問ひ給ふより『哈爾賓にて』と答ふる間もな
く『何者に』と聲荒らげて重ね問ひ佩劍の柄を握つヂヤラヂヤラと鳴らさせ給ひ
ぬ侍從は口籠勝に『殺したのは韓國人で御座います』と答へ奉れば『何、韓國人
が、何故殺した』と猛りて連呼し給ふ御顔に朱を灑ぎ給ひ曾てなき御嚇怒の有
様に侍從はひれ伏さん許りに懼れ畏みて、電文簡にして詳しき事は不明なりと言
上し奉れるに殿下は『あの良い爺を何故殺したのだろう』と愀然として涙ぐませ給
ひぬ

▲ 末松子伺候

御幼少の御いたはしさに大夫等は慰め奉る言葉もなく御前を退きし間もなく大
磯に出立すべき末松子爵は遽しく驅けつけて伺候し事の由を申し上げしに殿下
は互角の言葉も出させ給はず『太師が殺されたと今聞いて驚いてゐる所お弔み
申す』とのみ宣はせて後は打ち濕らせ給ふに末松子は慰めまつりて退出し直に
大磯なる滄浪閣へ向ひたれば殿下はその夜金武官宋秉畯を遣はして御慰問の
御意を傳へさせられぬ

▲ 深き御憂愁

其の後殿下はいと深く愁へさせ給ひ御學友をだに御引見の事なく翌二十七日
は朝より打ち萎れて在はすより櫻井御養育係は言葉を盡して慰めまゐらせしか
ど殿下は獨り悲しませ給ふのみならず深く傷ませて御學課さへ廢させ給ふ程な
りしかば聖上陛下には宸襟を惱ませ給ふ既記の如く岩倉宮相を御用邸に差遣
はされ今は學業を勵まるべき秋なれば御學業を廢さるが如きことなき樣せられ
度しとの有難き勅諚を賜はりしより殿下には憂愁の間にも御滿悅あらせられ御
學課はいそしませ給ふこととなりしも御心の奧深く刻ませし悲愁の念はなかな
かに去りやらず師は父に次ぐ古例に泥みて近臣一同と共に深く御勤愼遊ばさる
る事となり爾來御裏庭に出でて、快活に散歩せさせ給ふこともなく日々行はせし
玉突やブランコの御遊戲は全く廢し給ひぬれは御用邸の内はいとど寂しく靜ま

りかへりて護衛の兵士の劍聲折々憂として外に聞ゆるあるのみ

● 國葬彙報

　▲ 祭官

　祭主副祭主の決定は既報の如くなるが其後祭官以下の決定せられたるもの左の如し

　(祭官)少敎正西村淸太郎權小敎正佐々木義房、同金光滿五郎、大講義河邊昇、大輔敎正宮光大、同靑木豊藏

　(準備員)權大敎正奥稻穗、同平岩重道

　(淸祓員)權中敎正男爵兒玉淸雄、大講義添原平藏

　▲ 入京後の遺骸

　遺骸は明一日午後二時靈南坂官邸到着と同時に階上の正室に安置し日比谷公園の式後馬車を以て大井町墓地に送るべしと

　▲ 伊藤家の出迎へ

　明日横須賀に遺骸到着の際伊藤家よりは隨員出迎へとして鶴原定吉及び石井属官を派遣する筈

　▲ 出棺時刻變更

　伊藤公出棺時刻は埋官地の距離遠き爲止む得ず靈前祭等を繰上げ四日午前九時靈南坂邸を出棺する事に變更せり

　▲ 公爵夫人の墓地檢分

　伊藤公爵夫人は昨日午後大森恩賜舘に入りたる後、末松子爵夫人、伊藤博邦氏夫人、西書記官、同夫人、井上大使等と直に公爵新埋葬地を檢分したり

　▲ 贈花は列外

　葬儀の節は諸家より贈らるゝ生造花等は總て列外として埋葬場に先着せしむる由

　▲ 葬儀道順

　▲ 新橋靈南坂町官新橋停車場より左へ川端右へ幸橋を入り内幸町電車通左へ虎の門右へ左へ榎木坂靈南坂邸へ▲ 靈南坂官邸日比谷齋場間靈南坂町官舎を出で左へ右へ榎木坂を下り葵橋を渡り永田町通獨逸大使館前右へ霞が關を下り右へ海軍省前左へ日比谷公園に沿て左へ日比谷門を入る▲ 日比谷墓地間正

門を出で右へ電車通薩摩原を右へ田町品川右へ青物横丁より順路墓地に至る

● 儀仗兵の編成

國葬に對する陸軍儀仗隊の編成は昨日左如く御裁可を得て確定發表されたり即ち

▲ 遺骸到着當時

横須賀驛出發の際は軍港停車場間に重砲兵一個大隊堵列し新橋驛到着の際は近衛騎兵一個小隊(中隊長指揮)を靈柩警護に附すると共に東京衛成歩兵三分の一を新橋停車場靈南坂官邸間沿道に堵列せしむ

▲ 國葬當日は儀仗として近衛歩兵一個聯隊、同騎兵、同野砲兵各一個中隊、近衛軍樂隊並に第一師團の歩兵二個聯隊騎兵一個聯隊、野砲兵一個聯隊(第一師團の部隊を旅團長指揮)を葬儀に列せしめられ、野砲兵一個中隊として分時弔砲を發せしむ儀仗の諸兵指揮官川村衛成總督之に當る

▲ 日比谷より大森

墓地間は騎兵一個中隊をして柩車を護衛せしむべく尚儀式當日は上長官以上は勤務に差支えなき限り出場會葬す

● お墓は大井村

▽ 畑中の千三百餘坪

墓地の選定に就いては種々の憶説傳へられしが杉子井上候より大井町恩賜舘附近に適當の地所買入れの儀同町へ交渉ありたる末遂に恩賜舘を距る西北六町府下荏原郡大井村宇原五千八百五十五番地なる南西向の畑地千三百八十坪の地と確定したり該地所は東に農兼荒物商田中源次郎西に眼鏡職工中村留八の住宅ある外附近は畑と山林のみにて極めて閑静の地にて今迄同村石黒利兵衛、櫻井金次郎兩人の所有地なりしを公爵家にて私有墓地として買入れたるなり其周圍は石垣を築き其上に高さ三尺五寸の土手を築き常磐木を植付ける筈にて係員多数出張準備に忙殺され居れり

▲ 元地主等

選定地の大部分を有したる石黒は曰く彼の地所は先祖より傳來の地所で決して賣らぬ積でしたが伊藤様には此村の者がお世話様もなりました上今度の事は實にお気の毒ですから御用になるなら此村の仕合せでとお請致しました私の坪

數は千百四十二坪餘で七圓坪で御買上げになりました又櫻井金次郎は曰く私の地所は八畝許りですから總て石黒さんに取計らひを願つて置きました代價を下さるとは實に難有いことです云々

▲ 小作人の期待

同畑地に小作し居たるは前記田中源次郎といふ地主石黒の弟にて同所には大根葱菠薐草を植付けありたり同人曰くハイ私はお隣に伊藤様がお出でになるのは難有いことで作物などは何うでも構ひません何時も此前をお通りになつたのですが今度はお姿が更るのは何とも申上げられませんと語る傍より七歳はかりの女の子が「トッチャン」伊藤様がお出でかい?

▲ 道しるべ

品川宿南馬場を西へ入り南品川を經て小阪を登り詰むれば左右の家並粗らにして空地には早草紅葉の色に染み今を盛りと咲き亂れたるコスモスの垣根に沿へる田舎道をだらだらと下りては又爪先上りに二町許り左手に茂る竹藪の奥に見ゆるは恩賜舘なり此處より西は馬込めへ通ふ村道にて槻の森を左にし右手にも杉やら竹藪やら晝猶暗らき木の下道を通りぬくれば扱も廣々としたる末枯の野の狀かな、秋を澄みたる細流の土橋渡れば雜木の紅葉も眺められ又半町ばかり爪先上り畑の間の中凹道を辿り行けは忽ち目に付く赤松二本此處こそ公の霊柩を葬る可き所なれ恩賜舘よりは約六町を距る可し

大井村伊藤公墓地檢分

(左方に立てるは井上侯、俯して標木を樹てつつあるは片山東熊氏)

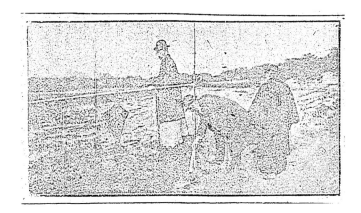

●藤公と官弊社祭神

▽ 藤公と官弊社に祀る議

▽ 多分實現されざるべし

伊藤公を奉祀して別格官弊社に列せんとの議目下隨處に起り其筋にても略内定せるやに噂するものあれどそは至極結構なる希望に止まり到底實現せらるる事は有るまじ之に就き祭祀の事に精しき某氏は述べて曰く

▲ 吾邦の祭神は天つ遠つ御祖を始め奉り皆現實の神人にて皇室及び國家の為めに功勞ありし者及び代々の高徳の天皇なり夫の西洋の如く宗敎的色彩を帶べるものと異なり無形の神にあらずして元は有形なりし人々なり湊川神社は楠正成公を祀り梨木神社は三條實萬公を祀り奉れる等祭神は何れも現實のものなり大功臣を別格官弊社に列して奉祀されんとは臣下より請願することを得るも御裁斷は一に陛下に出づ維新後臣下にして官弊社に列せられたるものは一人も有るなし但し

▲ 靖國臺灣兩神社は特別なり別格官弊社たる靖國神社は戰爭の為めに倒れし功臣を合祀せる所にして官弊大社臺灣神社には故北白川宮能久親王殿下を奉祀しあれど尚他に大國魂神、大巳貴神、少彦名神を合祀しありされど他の場合に於いては現代の功臣が官弊社に祀らるることは多分六ケ數かるべし故三條實美公は維新功臣中の大功臣、元勳中の大元勳なれば梨木神社に合祀せんとせしも詮議の末御裁可あらせられず又故岩倉具視公を松戸に祀るの儀も許されざりき

▲ 伊藤公の場合は如何と云ふに公の德は現代無比にしてその死は殆ど戰死に比すべきものなれど之を官弊社に列する事の詮議は如何あるべき三條、岩倉二公と共に伊藤公は維新の大功臣なれば後代或は官弊社に列せらるることはあるべきも陛下の御治世に於ては此の事萬あるべからず予の考へにては先伊藤神社を建てる建物、敷地、資金など他日十分別格官弊社たり得るやうに成し差し當り

▲ 一戸鎮守として公の靈を祀るが最も穩當なる仕方なりかくして歳月を經るに從ひ別格官弊社或は官弊大社に列するがよかるべし墳墓敷地は大森に決したる由なれど公の英靈はその遺志と共に長く韓國に在るべければ韓國の一地點に廟を建て畏くも須佐男神の神靈と共に奉祀するが可なるべく若し能ふべくんは

哈爾賓市外に宏大なる廟を營むは尚更よかる可し要するに公の靈を神として祀
り別格官弊社に列する議は許されざる可し

● 藤公と韓國の基督教

▽ 信徒に對する同情

兇漢雲知安に關係ありとの風説ある平壤の市街に巍然たる基督教の一會堂あ
り美以派の中央教會にして此は日本人が傳導の衝に當り居るものなるが伊藤公
統監たりし時之が建築費に五千圓を送りて傍人傳導の結果頗る良好なるを賞揚
し且一面に某々教會信徒たる韓國青年等の日本に對する謬想を解き故なき反
感の融化に努めん事を望みしが昨年十二月にも京城の黄城基督青年會館基礎
式擧行の際皇太子と共に之に臨席し其落成式には一場の大演説を試み列席の
韓國信者等を感動せしめたる事あり尚セベランス病院附屬醫學校の卒業式に
は公の手より證書を授與する抔深く韓國の基督教に同情し青年の宗教心を啓
發せし事尠からず然るに名ばかりにもせよ基督教信者なりと稱する一兇漢の毒
手に斃れたるは遺憾なる事なり右に就て既載『平壤の基督教』の談者日本基督
教幹部貴山氏は曰く、韓國青年信徒中にて今尚心中勃々の不平を懷く者ある可
きも表面は餘程沈静し平壤抔も昨今さして過激なる排日運動の爲に困難し居る
様子なし彼地に在住する邦人傳導者は組合及美以派より各一人なるが前記の
如く嘗て伊藤公の賞せられし程あり概して成績好く米人宣教師と雖も韓人に同
情するの餘り自ら他の批難を蒙る事はあれ开は皆偶然の結果にて決して他意あ
るにはあらず且統監政治に對して被治者たる韓人側にこそ種々の不平も出づれ
我は飽迄善政を布かんとなし居る事無論なれば平壤の基督教徒中より兇漢を
生じたりとて置に以て宣教者若くは統監政の罪なりとは云ふ可らず云々と語れり

● 大磯の昨今

▲ 藤公の遺詠

公爵邸にては昨日に至り公の遺詠一首を發見せり是は公が先般韓太子に扈從し
て東北巡遊の際、藤田東湖の常陸帶を讀みそれに題せるものにて左の一首なり

常陸帶よめば涙の玉ぞちる

人を動かす人の眞心

▲ 可憐の弔文
相州鎌倉在川口村字片瀬なる川口小學校尋常三年小池きぬは今回の兇變を聞
き子供心にも太く公の死を嘆き二十八日附にて一昨日左の如き可憐の弔文を大
磯公爵邸に送れり

公爵伊藤様此度ハルピンにて賊の爲に御なくなりになりまして何んとも申しやう
もない悲しみに思ひます私は新聞を拝見致しまして胸がはりさけるやうになり涙
が頬を傳ひました尚公爵閣下の菩提を祈つてゐます

▲ 昨日の見舞客
山根正次、荒川一郎兩氏は大同倶樂部を代表して弔詞を述べ大島大將、松田
中將、清浦子爵、花房子爵、高崎子爵、原敬、大岡育造其他五十名の諸氏何も
來磯弔詞を述て歸京せり

● 公爵夫人の歸京
▽ 伊藤公爵夫人は三十日午後零時五十八分發の汽車にて大森に向け出發せり此
日末松子、西源四郎、岩井醫師等は零時三十分公爵邸を出で停車場に赴き諸
般の準備を爲し公爵夫人は零時四十五分頃彌吉と云へる車夫に助けられ末松
夫人博邦夫人等と共に停車場に至りプラットホームなる設けの椅子に腰を下し
て暫時汽車を待てり末松夫人は眼を泣き腫らし居たるが公爵夫人は病後の褻
れ未だ去らざれど絶えず見送り人に會釋して肅然と容を改め雄々しげに見受け
られたり夫人の服装は頭を無雜作に卷附け藤色の半襟に鐵色お召しの綿入黑
羽二重の被布を着し紫色の小さき包と洋傘を携へたり聽て、汽車着するや西夫
人に助けられて貸切一等車に入り北側の片隅に末松、博邦兩夫人を前にし末
松夫人及岩井の諸氏傍に坐し徐々發車せり町民は百名許り何れも羽織袴にて
見送りたるが見送りの夫人連れ何れも涙に顔さへ得上げず最と打濕りて見えた
り(大磯電話)

324

●藤の落葉(四)

▽ 故公爵思出のかずがず

▲ 晝寝の前後

公爵は大抵毎日午後二時から三四時迄の間晝寝をせられるが例なつてゐて餘程繁忙の時の外は之を廢せられたことがない、而して晝寝の前には屹度書物を手にして居られた、書物は多くは其時々の新刊物で云ふ迄もなく政治に關した物が大部分を占めたゐたが何しろ趣味の廣い且讀書好の人であつたから政治以外の物も多く朝鮮邊で買集めた古い文書類も少くなかつた、併し雜志は餘り見受けだことが無い、又公爵の書物好は遠く外國に迄門えてゐたことで珍らしい新刊物等が出ると歐米の書肆から直接に好意を以て贈呈して來たことも度度であつた(内田良平氏談)

▲ 書齋の模様

は極めて質素で寧ろ亂雜と云ふべき方であつた、一體大磯の滄浪閣は世間に名高いものであるが其建築の粗末なると來ては實に言語道斷で、出來上ると間もなく天井が割れるやら壁が剥げるやら其は其はお話にもならぬ有様であつた、併し公爵は衣食住の事などには一向無頓着の方であつたから其書齋の亂雜であつたのも異しむには足らぬ、卓子の上やら床の間には種々様々の書籍が堆く積まれて公は其中から必要なものを手に任せて拔取つては平氣で讀んで居られる、偶書齋に來客などを通すことがあつても足の踏場からして明けなければならぬやうな有様であつた

▲ 臺所から酒の御持參

然し氣を利かせて之を片付けたりなんかすると劫て置場所が分らなくなつたと叱られるから女中なども其儘にして之に手を付けない、餘り亂雜になつて來ると公自身で整理して居られた、一體公爵は何事に付けても餘り人手を煩はさぬ性質で酒でも飲みたくなると自ら墓所へ出がけて行つて酒杯を取上げ或は酒罇を提げながら座敷へ戻つて來ると云ふ萬事が斯うした鹽梅式であつた(同上)

▲ 貞永式目を愛讀す

統監となつて韓國へ赴任された當座などは北條泰時の制定した貞永式目まで持つて行つて非常に之を愛讀し鎌倉幕府に於ける北條氏が執政の模様丼に其の朝政に對する態度等を極めて精細に研究されつつあるのを見た公が韓國の

325

統監に用意周到であつた事は此一事を見ても分ることと思ふ(同上)

▲ 最初は嫌ひ

藤公壯年の頃は揮毫が大嫌ひで是非書かねば濟まぬ時は拙者に代筆を命ぜられた事もある夫が晩年には自ら進んで揮毫せられ書體も追々定まつて來たので公は己も揮毫が好きになつたと云はれて居た(龍居滿鐵祕書長談)

▲ 藝妓室に御亭氣取

工部卿時代の話だが其頃には折々單衣の着流しか何かでブラリと出掛け南鍋町の藝妓祝家おてい(故守田勘彌未亡人)の許へ入り込み下座敷八疊の間に御亭然と構へて親友を呼びに遣り大に見せつけたものだ近所では何處の玄關番かと思つて居たが或時急用が起つて馬車が迎へに來だので始めて藤公と知へた(同上)

▲ お遊びの時は心配

明治八年頃でした伊藤さんが三田にお住居の頃或夜六七人の大の男が覆面拔刀で押入り座敷の隅隅まで探しましたが幸ひにも其晩お不在であつたので立去つた翌朝御前がお歸りになり此話を聞いて笑つて入らしつたさうです其夜新橋の狐鰻でお目に掛ると昨夜はコレコレとお話しの跡でこんな首を取つたつて價値はあるまいとお笑ひでしたが其樣な譯で伊藤樣の遊びの時は妾達まで實に心配でした(祝家おてい談)

● 伊藤公の前半生(五)

初陣は太閤と同齡

公は十六歳の春を迎へぬ、志かも天下は春ならず、花の御江戸の德川幕府、三百年覇圖漸くにしてぐらるき始め、嘉永六年北米合衆國の軍艦浦賀に來りしより騒ぎとなり、幕府は諸大名に命じ相、武、房、總の海を固めさす、長州毛利家も其軍役を命じられ、嘉永六年以來數年浦賀表の警固を爲せり、一家中の侍申すに及ばず、足輕、奉公人に至るまで、苟くも士族卒族と名のつく者は、悉く徴に應じて出張に及ぶ、公は伊藤利輔の名を以て、始めて一人前の卒と爲り、この浦賀陣屋詰を命ぜらる、時に生年十六歳、臍の緒切つて初役なり、五十三驛三百里草鞋に食はるる足曳摺り忽ち邊城征戌の人と爲る、豊太閤秀吉が、獨り遠州に赴きて松下嘉平次に仕へし年と同齡なり

公が屬せし陣屋の重役に、來原良藏といふ人あり、長州八組の士族にて、狀年有爲と稱せらる、公が微役年少の身にて、學問好なるを殊更に愛し、いろいろ目を掛けて使ひ、毎朝暗き内に公をたたき起し、自分役向に出る前、或は馬上提灯を置き、或は蠟燭を皿に立て、懇切に書物を敎へるを常とし、なほ雪の降る時は、殊更に白き上を跣足で歩けと命じ、寒いといふ事は決して言てはならぬと戒め、苟も武家奉公をする以上は、長上の命に背かず、少しは無理な事も堪忍して愚痴をこぼさず、私を捨て公に殉じ、廉潔にして利を求めず、平生は成るべく穩和にして、スワ鎌倉といふ時は十分の勇氣を出すべし、之を武士道の奧儀とすといふやうな事を書物に合せて説き聞かせ、恰も一種の興味を以て公の心身を鍛練し、一廉の人物に仕立てんとする者の如くなりしといふ、公が來原に受けたる敎訓は、まだ白絲の浮世に染まぬ少年の腦にヒシヒシと沁み込み、公の一代の人格を陶冶する本と成れり、見よ公が六十九年の全生涯は、この來原の敎訓を大規模として活動せし者なるを

この來原良藏といふ人は、尊王攘夷は唱へながらも、決して頑冥偏見の輩にあらず、夙に長州軍制の改良に志し、曾て西洋調練の眞似事をして、潘より大變な御叱りを受け、僭越なる致方と有つて浦賀より國元を追下され、暫く蟄居せしが、藩論漸く西洋調練の必要を感ずるに及び四十人頭と爲り、西洋銃陣研究の爲、在長崎蘭人の許に差遣はされし事あり、後に時事の非なるを憤慨して切腹して果たるが、是れ亦當時の血氣の士が、つまらぬ事に業を煮やし、腹を切るを大根を切るやうに思ふ輩の切腹とは異り、すこしも無理の無き立派な武士の覺悟なりしなり、委しく云へば話が枝になる故、ここには語らず、この後公の心身の上に少からぬ恩を受けたる吉田松蔭は實にこの來原の親友にして、桂小五郎(木戸孝允)はまたこの來原の妻の兄なり、ことわりや公は終生來原の恩を忘れず、いつも其話を仕出して、涙を催ほし、其人物を賞賛せり

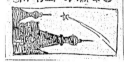

이토공의 전반생(前半生)(5)

이토의 낙엽(落葉)(4)

公 藤の落葉 (四)

공작 부인의 귀경

公爵夫人の歸京

이토공과 한국 기독교

오이소(大磯)의 어제와 오늘

이토공과 관폐사(官幣社) 제신(祭神)

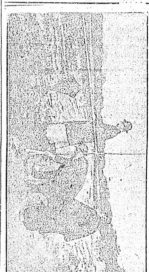

묘지는 오이촌(大井村)

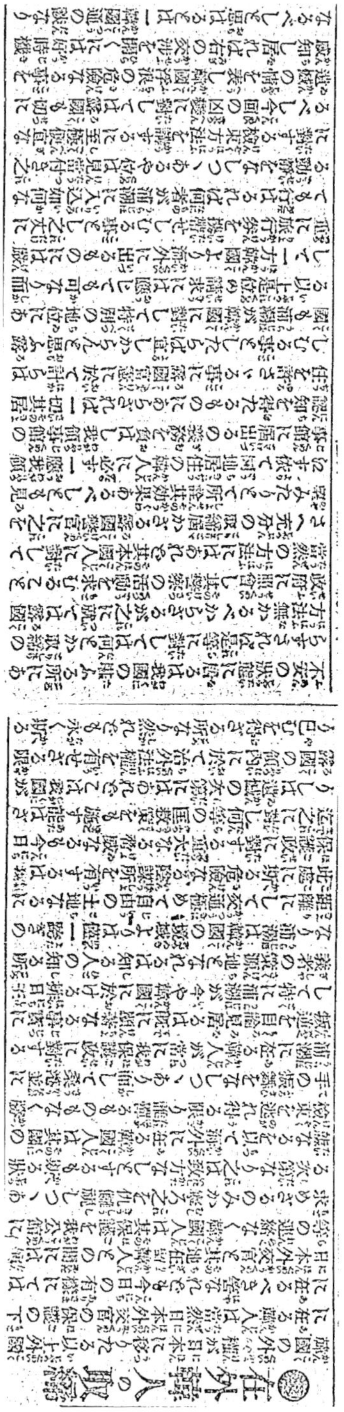

재외 한인 단속

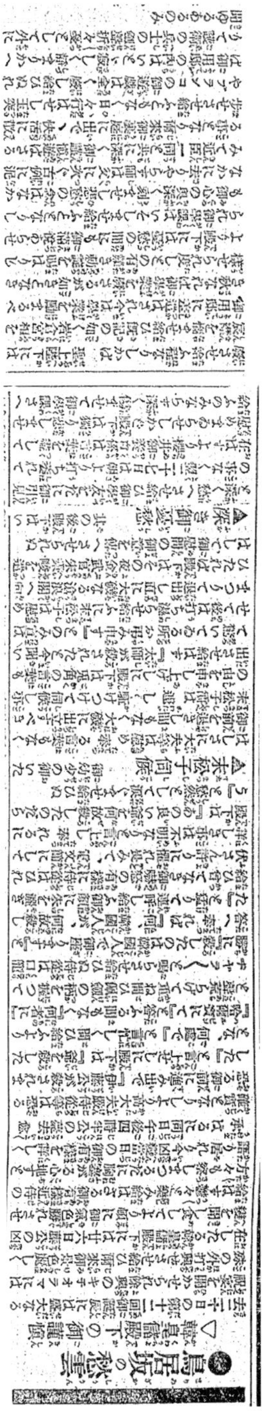

도리이자카(鳥居坂)의 울한 기운

한국 태자 기복(忌服) 분부하시다

韓太子忌服仰出さる

韓國皇太子殿下には伊藤太師の薨去を御痛恨あらせられ向ふ三ケ月間服喪相成旨仰出されたり

평양 방면의 수색

平壤方面の搜索

伊藤公を暗殺したる兇漢ウンチアンは平壤居住の者たる事判明したるに付曾禰統監は松井警視總監に平壤方面の搜查を最も嚴重に励行すべき旨訓令し統監は警務部刑事巡查を平壤に急行せしめたり又た凶變發生後平壤は最も警戒を嚴にし殊に滿洲浦潮方面に旅行する韓人には一層注意を爲し居る由

이토공 몰후의 정계

藤公歿後の政界（原敬氏談）

原敬氏は中國四國政友會大會に臨席の爲め下ノ關に滯在中今回の凶報に接し二十八日午前九時下ノ關を發し二十九日午後大磯公爵邸に赴き弔辭を述べ午後二時十四分の汽車にて歸京せり氏の談に曰く自分が最後に伊藤公に逢ひたるは去十一日にして其際公が嘗て滿洲に行かれたる樣な氣がしたれば今度は二度目ではありませんかと聞きたるにイヤ初めてなりとの事ゆゑ成程さうでしたかと笑ひ乍ら分れた位にて少しも心に懸けざりしが馬關に行きて始めて此事を聞き非常に驚けり馬關にては我々一行を歡迎せんとて諸般の準備をなしたるも之れが爲め一切中止し唯會の設備のみ行ひ尚弔辭を送りたるのみにて引返せり馬關は極めて公と關係深き土地なれば町民一同驚駭し著るしく悲しみ居れり、何しろ公の此度の凶變は實に日本政界の大打擊に相違なし日本帝國に取り大苦痛なるも今後の政界には差したる大變動を來さゞるべし又之に依つて對韓政策に變動を起すべしと唱ふるものあれども予の考へにては目下の韓國政治は專ら公爵の方針を踏襲し居れるものなれば格別の變化なし我政友會も同じく公の方針に依つて行動しつゝあるものなれば今後も尚其遺訓に從つて行動し何等の變動なかるべし何分急遽歸京の際とて斷片的の報に接したるのみなれば未だ之れ以外何等の纏まりたる考へなし

교육 칙재의 후림

사칙(賜勅) 17회

요코스카(橫須賀) 도착 후의 영구

국장과 의장병

청제(淸帝)의 조전

흉악자 전부인도

●嫌疑者全部引渡

범인 취조

●犯人取調

경계를 엄중케 하다

인천항의 출생

함병 순사의 북행

이토공 국장과 교육

藤公國葬과 教育

이원(伊院)의 폭도

伊院の暴徒

二十九日の夜伊院停車場に襲來せる暴徒は曾て忠淸道に蜂起し討伐の爲め屛息したる者が伊藤公の暗殺されしを傳聞して俄に再起したるものなるか若くは全羅道の討伐隊に打洩されし暴徒が逃走の途次忠淸道に屛息したる同類を語らひたるものなるか未だ知るを得ざるも目下は米穀收穫の時季なれば停車場には米穀の堆積あるを豫想し打洩らされの徒が逃走の途次同類を語らひ襲擊したるものと當局者は判斷し居れり

폭도가 습격한 이원역(伊院驛)

暴徒の襲へる伊院驛

別項暴徒の襲來せる伊院停車場は忠淸南道にして釜山より百五十三哩京城より百二十哩、秋風嶺、太田間の一小驛にして有名なる軌道屈曲の地點なり停車場附近には驛長驛員の舍宅三四戸あるのみにて別に日本人の住居なき寒村なり暴徒が伊院の停車場を襲ひしは金品を掠奪せんとの目的ならんも小驛なれば多額の金品ある筈なきを以て其損害は頗る少額ならん又驛員も少數なれば是亦被害は少かるべし此報に接し太田（伊院、太田間十二哩）

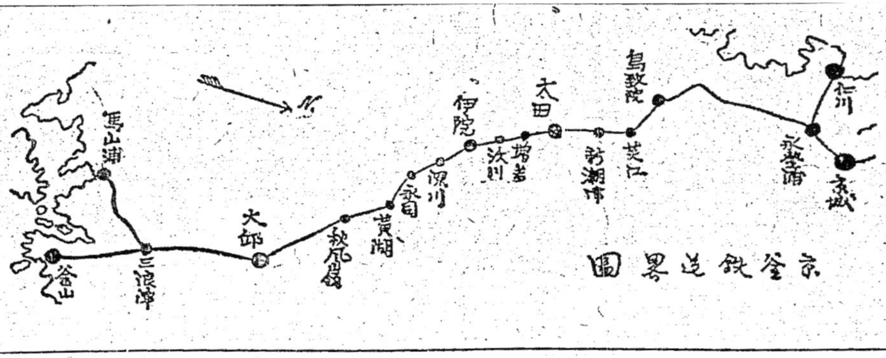

駐屯軍時を移さず討伐に向ひたりとあれば暴徒の大部分は討伐又は捕獲したるならんと其向にては判斷し居れり

아키츠시마(秋津洲)바쿠칸(艦通峽)

秋津洲艦通峽（下關）

伊藤公の遺骸を乘せて歸航せる秋津洲は卅日午前十一時六連の海軍望樓より玄海灘遙に望み得られたり其信號を受たる福岡縣港務部六連出張所は先之を港務部に報じ用意の汽艇を乘出し軍艦の近くに從つて即刻本部に報告し其艦側に就て大瀨戸に入る時に正午是より先西は與次兵衛岩附近より東は部崎燈臺の間を警衛區として海上の要所々々には半旗を掲げたる港務部關門兩水上署の汽艇部署して嚴重に海面を警衛し夫々便乘せる福岡山口兩縣官公吏關門兩市長市參事會員市會議員等送迎哀悼の意を表し又一般の船舶は航路を避け下關側の市民其他の迎送表弔船は巖柳島の邊りにて表弔し商業學校の生徒は壇の浦長府の沿岸に整列し又商等女學校各小學校生徒は沿岸適宜の場所に整列して各弔禮を行ひ市中は各戸半旗を掲げたり又門司側にありても市民皆弔意を表し各學校生徒は海岸に並び郵船商船三菱の汽艇其他も表弔者を滿載して白木崎沖より迎送弔意を表し關門兩港碇泊の大小氣船は何れも半旗を掲げて弔禮を行ひ秋津洲は航海中絶えず半旗を掲げたり淋しき秋の浦風寒き早鞆の瀨戸に打つ波も力なく汽笛の聲も悲しく聞きなされ當年[illegible]潮閣上大勳位の英姿は今見るべくもあらず關門兩岸に立ちて波上遙に弔意を表する幾萬の男女は潸然暗涙を呑む測らざりき月は十六日午後一時滿洲行の途に就かれたるより僅に十五日目の今日恰も其時刻を同うして公の遺骸を迎へんとは雨降らざれど雲低う曇り勝なる秋の空常には勇ましき軍艦の浪切る音も哀れに午後一時と云ふに東を指して航走せり

한정(韓廷) 대표자 여정(바쿠칸)

韓廷代表者旅程（下關）

韓廷の特使宮内大臣閔丙奭承寧府副總監朴齊斌兩氏及韓國政府の代表農商工部大臣趙重應氏等の一行十名は三十一日朝到着一日午後三時新橋着の筈

폭도 봉기 공보(公報)

暴徒蜂起公報

（統監府東京出張所着電）

廿九日午後十時頃伊院驛に暴徒數百名襲來、停車場及び官舍に向つて發砲し邦人數名死傷ある見込、直に軍隊を派したり暴徒間もなく退散す

한국 폭도 별보

韓國暴徒別報

韓國暴徒に關し一昨夜釜山發にて其所に達したる電報は左の如し

伊藤公薨去の報韓國内に傳はるや山間に潛伏せる暴民各所に集合、全羅道の形勢最も不穩、暴徒一千餘名

일본 지나 특전 이토공과 지나 신문

支那特電

伊藤公

支那新聞

럼던 타임스 특전 러시아 반관보(半官報)의 조사(등성)

露国官報特電

同上

휴인 그림자 하나 없다(등성)

韓人隻影

同上

나가무라(中村) 만철 총재(마쿠기)

中村滿鐵總裁

일진회 부장(마쿠기) 국내 전보(30일 밤)

進鐵國長報

内国電報

（三十日発）

법인 8명 도착

가와카미(川上) 총영사의 응대

어디까지나 무법

본사 만주 특전

폭도 내습 상보(詳報)

이토공 조후의 연설(동상)

한인 7명 포박

법인 취조 훈의(동상)

공직 부인의 답전(答電)(동상)

한정(韓廷)의 답전

답전(答電)(동상)

의화궁(義和宮) 중지

칙사 귀전

홍도의 그 답어(동상)

유길준의 내조(동상)

한정(韓廷)의 무책임한 변명(등상)

1909년 10월 31일

이토 공 유해 조위로(弔慰使派遣) (등신)

한정韓廷의 의향

한국 목도 분사 조선 특전

수색 단서(등신)

한국 정사(正使) 기타(등신)

소네(曾禰) 통감(등신)

이토공의 전반생(前半生)(4)

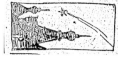

요리사가 본 이토공

이토공 낙업(落業)(3)

동상 설립의 의견

◎銅像建設の議

伊藤公が初めて大磯に別荘を設けられたるは去る三十一年にして以來公が同町の爲めに盡されたるは殆ど一再に止まらず極めて平民的に同町の有志と屢々會合され教育費として五百圓を送られたる事あり當時樺山伯は文部大臣にて此地に別荘を有し山縣公も別荘を設け度々來磯され何れも公爵と同時に金圓を寄附されたれば同町民は是を基本金として目下の小學校を建築せり公は尚小學生に貯蓄心を養成せしめんが爲是に百圓を與へ是を基本として月々多少に拘はらず貯蓄を勸められたる結果目下は其數既に四千五百圓の巨額に及べり尚別に一千圓を公共事業に寄附せられ其他陰に陽に大磯町の爲に力を注がれたれば初め三十戸なりし寒村が公によりて一躍三百戸の町となり大磯と云へば有數の避暑地として知らるゝに至れる有樣にて町民の蒙れる恩惠は殆んど計り知る可からず されば同町民有志は今回の凶變を聞き非常に落膽しせめては此大政治家の別莊地たる名譽を擔へる大磯町民の志として哀悼謝恩の爲十萬餘圓の費用を投じて地をトし一大銅像を建設すべく一昨日有志會を開きて議決せり此銅像問題に就きては曾て公の銅像を深川に建立せられたる時公自よりも前大磯町長宮代謙吉氏に向ひ余の歿後は是非大磯に銅像を建て呉るべしと語られたる事あり斯る因縁あれば是非共至急に公の意志を果すべしとて町民は非常の意氣込にて近々再び有志會を開き諸般の準備に着手すべしと云ふ

이토공의 머리

◎伊藤公の頭

大磯町郵便局の前に小さやかな理髪店がある主人は水間與三松とて三十一年公が初めて此地に別荘を設けられてから以來昨年頃まで、公が大磯に行かれると何時も同邸に罷り出て公の散髪を仰付かつてゐた、一寸一風變つた男だ

「左樣初めて公爵樣に伺ひましたのは三十一年でしたがね、別段何うも何とも思やしませんや然し伊藤さんは（此男口癖のやうに伊藤さん〳〵と友人のやうに云ふ）中々の話好きの方でね、行くと何時でも町の事を色々御尋ねになりました、散髮は極りはありませんがね、何うも御客人の多い方だから、方々に御客を逃げ逃げ刈込みをやるので、たまには客と話しながら其横を刈りました、夏は大概御椽側あたりで冬になると二階のストーブの横でやります、髮の刈方ですか、何元來もう頭には殆んど毛がありませんし其上に極めて無造作な方でしたから、只短く遣つて呉れと云はれる切り、何んなにしやうが無頓着なもんです、尤も顔を剃る事はお嫌ひでしてね、顔には一度も剃刀を當てません、然し何時でしたか顔に少々許り物が出てね、其時は髯でと剃つちやいましたが、それからは決して剃られた事はありません、夫れにいつでもさう永く此方に被居らないから餘り度々は伺ひませんでしたが例の光菊さんと御一伴の時は可成永う御座いました光菊さんが顔を剃るのが好きだから此時にはよく上りました、時には富貴樓の女將さん等が來て、私が行つて仕事をしてゐますと橫から揶揄いたり濟むと煙草を付けたりして能く二人で色々の事を尋ねられました」

평양의 개신교

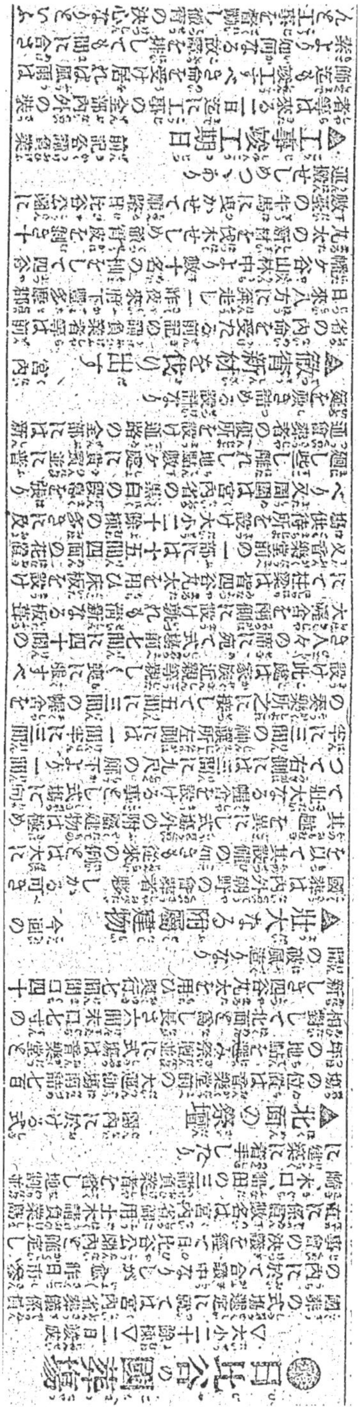

히비야(日比谷)의 국장 장소

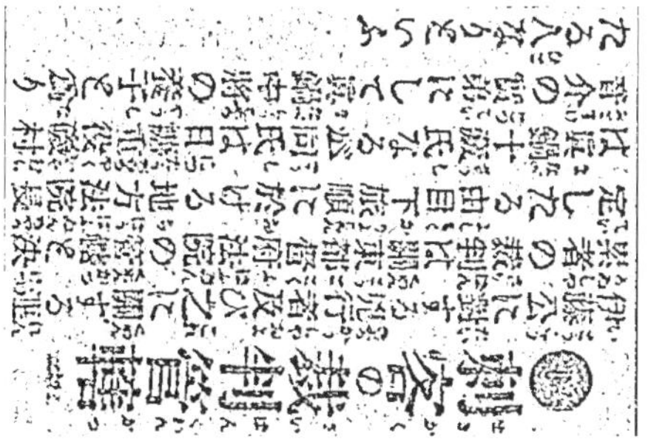

자객 재판 관할

장의는 5일

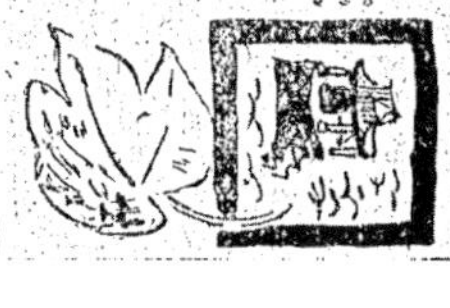

葬儀は五日

▲遺骸着京時刻

▲因縁深き

▲霊柩車

頼るべきの必然なるを察し居たる次第にて此邊が公の處世術に妙なるところと知らる憲政黨の方にては此際伊藤公を逸しては局面展開の機を逸して仕舞ふ事なれば何とか妙策を考へねばならぬ破目にて彼是と思案して一層の事憲政黨を解散し伊藤公を戴いて新しく政黨を組織するの形式を取る事に取極め星亨氏其委員として伊藤公に交渉し伊藤公も其儀ならばと承諾して愈伊藤公の政黨組織の望みは茲に現實となりたるなり

▲政友會成る　斯くて伊藤公は芝ケ池の渡邊國武子を創立委員長として公然と新政黨組織の準備を爲し創立委員會を開き宣言、政綱を發表したるは明治三十三年八月廿五日なり過般政友會十年紀念會の折會場にて横川幹事が讀み上げたる政綱は卽ち此委員會にて發表したるものなり委員會後準備は着々進行して同年九月十五日を以て新に政友會は成り發會式を帝國ホテルに擧げ伊藤公は一場の演説を爲したり伊藤公が其唱道し實行したる超然主義を捨て政黨を組織したる經過は以上の如し其後三十六年七月を以て伊藤公は政友會を去り又々以前の政黨以外の人となれり

스기하라 테이이치(杉田定一)씨의 이야기

◉杉田定一氏談

心身壯健なる公の發程を送りたるはツイ此間のことだつたに今突如として此凶報に接す唯意外と云ふの外なし長白山下に骨を埋めんとは常に公の口にせられた所なれば或は此方が公の本懐なるや知らねども今回の滿洲行の如きも其觀察と言ひ露國藏相との會見と云ひ公の平生より見れば必ずや日露の國交及東洋政策の上に大なる何物をか齎すべかりしに、返す返すも惜しき事をしたりけり、只公が目下比較的閑職にあるの故を以て今回の凶變は政治上にはさしたる影響はなく最も損失を被ると大なるものありとすれば开は政友會なるべしと思ふは抑甚だしき謬見と云ふべし固より政友會に取りては頗る大なる損害なれども政友會の損害は直に以て憲政治下に於ける各政黨の打撃と見るを至當とす換言すれば公の斃れたるは憲政上の損害なり公は憲政創設者にして又之を誘導發展せしめたる第一人なり今後の吾人の懸念は公の如き溫和なる文治的政治家の喪失に依りて政黨の不均衡を來さゞるかにあり云々

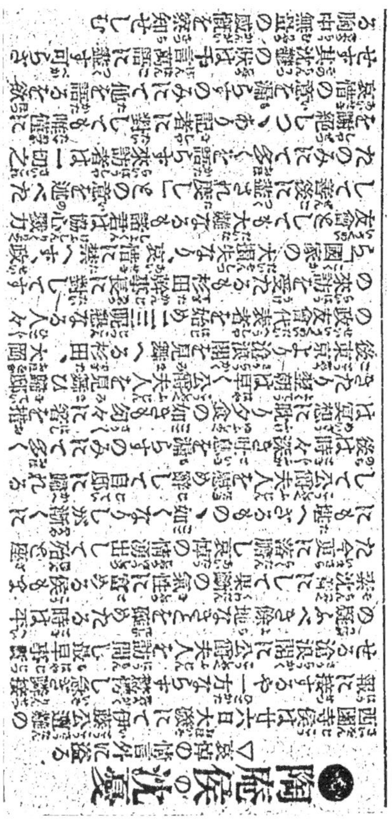

토인(陶庵) 후작의 침울

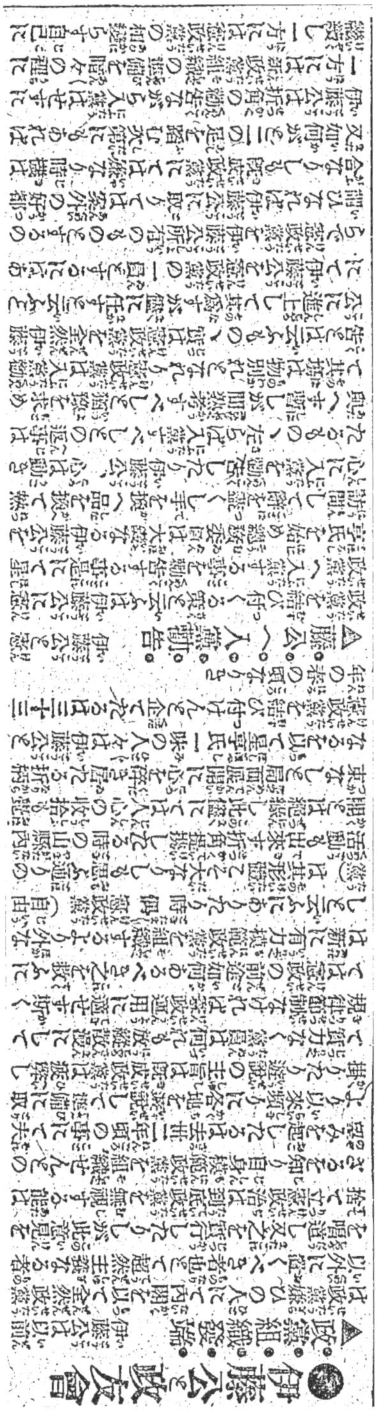

이토공과 정우회

이토 공과 의원(議院)

이토가문 정의 계정 이토 미요지(伊東巳代治) 이들
이토 공 정의 상주 대리 이토분기지(伊藤文吉) 씨

이토 공의 기관

이토 공의 기념

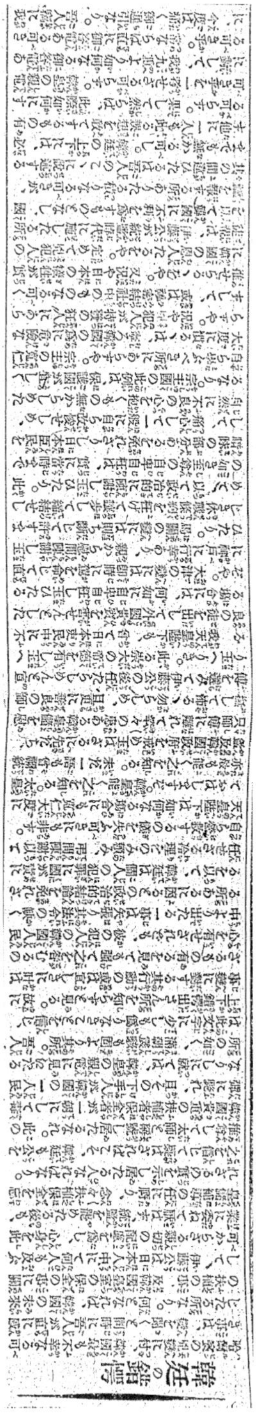

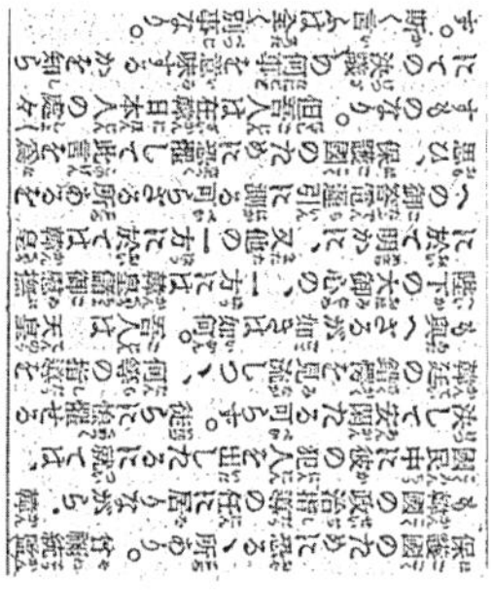

한정(韓廷)이 당황하여 어찌할 바 모름

귀족원과 이토 공

협의자 이갑(李甲)

추밀원 사용

을밀되 이관(李甲)

을진회 특사

어제의 강의

러시아 장상(藏相)의 보고

후위경관을 불러다

이토공 조루의 태도(극히 태연하고 침착함)

이토공과 장중당(張中堂)

독일신문의 이토공 조도(弔悼) 분사 지나 특전

가쓰라 겐 연설(동상)

국장과 흑교 생도

이토공 유해 회항 통과 기일(汽關) 국내 전보(28일)

이토공 암살과 러시아(동성)　런던 타임스 특전

특사 파견(동성)

문충공(文忠公)이라고 시호하다(동성)

미국신문의 애도 (동성)

영국 외상 조사(동성)

영제(英帝)의 애도　로이터 전보

한황의 친전(동산)

분사 조선 특전

韓皇親電

한황 계속 포박

韓人續々捕縛

한황 칙사 도착(동산)

韓皇勅使到着

연무지 수색(동산)

搜査者

정조(停朝) 3일(동산)

停朝三日

한황의 조서(동산)

韓皇詔書

게시판과 이토공

黒板新聞と伊藤公

▽小學生の哀悼の涙

京橋第二尋常高等小學校では二十六日藤公暗殺の新聞號外を見ると同時に左の如き黒板新聞が掲げ出された男子部のには

嗚呼伊藤公　公は若い時から國の爲めにつくされたこと五十餘年一日でも國家のことを忘れたことはありません、我國今日の文明も公の力によるところ大きなるのであります、しかし二十六日滿洲ハルビンで韓人の爲に狙撃され遂に薨去せられたとのことです何と惜いことではありませんか

又女子部の黒板新聞は報ずらく

大勳位公爵伊藤博文といふ方は二十六日露國ハルビンで撃たれて終に薨去になりました、このお方は明治維新の時から今日まで永い間國のために働いて忠義を盡されましたから天皇陛下の御信任のたいそう厚いお方でありました此度のことがあつたため陛下はどの樣に思し召さるゝでありませうか、誠に恐れ多いことでございます、この樣な忠義なえらいお方が俄に薨去されたのは日本のために實に惜いことではございませんか

と是と同時に同受持教師は生徒に對して藤公薨去を教室にて語り生徒の同情心涵養に資したが、各生徒とも極て靜粛に聞き居り中には涙を流したものさへある、是は獨り京橋小學校許りでなく全市各小學校殆ど皆で七つ八つの子供が家に歸るや直ぐ父母に向つて『偉い方がなくなりました』と告げたのは此結果である、斯くして伊藤公の忠君愛國の赤誠は永久に小學兒童の腦裡に刻み込まれたのである

1909년 10월 30일

이토공 유해 출발　**본사 만주 특전**

本社 滿洲特電

藤公遺骸出發

二十八日大連特派員發

二十七日夜藤公薨去發表されしに就き二十八日朝葬儀令を以て午前十時大和ホテル別館發兒玉町日本橋新部通を經て順路大棧橋に着き軍艦秋津洲に搭乘午前十一時發横須賀直航の途に就けり葬儀の順序は先驅の騎兵三騎儀仗兵二個大隊花環柩（柩の右には室田古谷郷小山其左には中村龍居松木小林）文武官民總代十名即ち伊地知師團長富岡鎭守府司令長官星野都督府參謀長太田旅團長三浦都督府軍醫部長江頭鎭守府參謀長小石高等法院長大内都督府事務官佐藤警視總監久保田理事隨從、儀仗兵一個大隊後驅一般會葬者一千名大連在住日本人老幼の別なく皆沿道に立ち涙を呑みて見送りたり

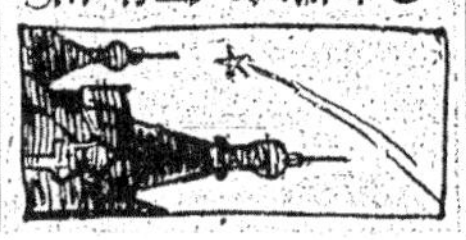

◉伊藤公の前半生（三）

▽一癖ある郷里の氣風

이토공의 전반생(前半生)(3)

◉山根氏の診斷

야마네(山根) 씨의 진단(診斷)

京都の五女将

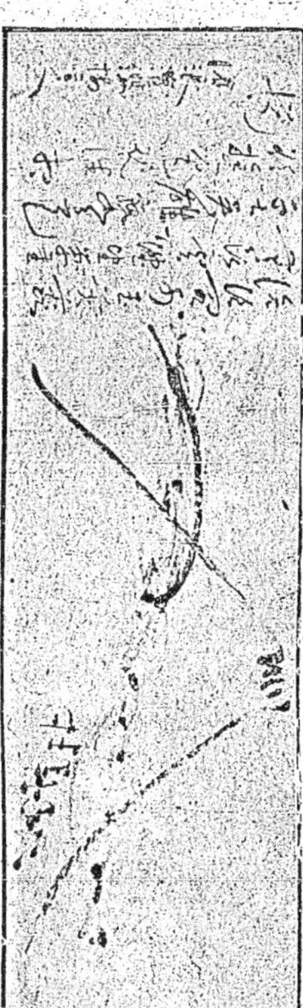

이토공의 훈위

카이난(槐南) 씨 가족의 안도

이토공의 자객관

도만(渡滿) 전날 밤의 공

渡滿前夜の公

▽子女を集めて戒飭す

藤公が此度大磯を出發せし前夜例により東京より女將藝妓等の伺候せるあり宴を張りて少時の名殘と杯を擧げたるが例になく公は少しも醉を發せず酒數行にして杯を納め女將等は即夜歸京せしめたるを一同不審に思ひ居たるが同夜公は梅子夫人を始め末松西兩夫人等の子女を一室に集めて坐を正し予が結婚したる時は梅子僅に十七歳なりき爾來四十有五年梅子が嘗め來れる辛酸は殆ど言語に絶す予が今日あるに於て其内助の功に負ふ所最も多し然るに卿等は幼より貧困辛苦の味を知らず而かも未だ内助の功の擧ぐ可きなし卿等は母を見て自ら深く警めざる可らず予萬一の事あらん後は母を仰ぐ事恰も父を見るが如くせよと儼然たる口調にて訓誡を垂れたりといふ測らずも此言遂に遺訓となれる今日夫人等の胸中如何なる可き

기차 안의 니시(西) 부인

滊車中の西夫人

▽今度は何分にも不意……

一昨午後一時十分新橋發濱松行列車一等室に發車數分前に至り乘込みたるは伊藤公爵の愛孃今の西源四郎氏夫人朝子の君にてありしかば記者は有賀博士の紹介にて刺を夫人に通じ心からなる悔詞を述べしに新愁又も加はりしものにや夫人は坐ろに手巾を濕はさるゝ、稍暫時、扨物語らるゝやう「妾は少々加減が惡い爲赤十字社病院に入院して居たのですが凶變の報知に接しましても第一報の時までは夫でも急所を外れゝば……との果敢ない望みに繋がれて幾許か心丈夫の所もありました、尤も末松の兄杯からは今度は覺悟をせいとの事でございましたが……」と云ひさして暫らくは聲を呑まれぬ、頓て又途切れ〳〵の語を續けて「今となつては丸で夢の樣で御座います此前朝鮮に居りました時は始終萬一の事は覺悟して居ましたが今度は何分にも不意であつたものでしたから……でも御出立前は妾の身體もまだ何とも無かつたので見送り丈は出來ました……ハイ母の病氣も今日邊りの報知では左程でも無い樣なので安心して居りますが是から大磯へ參つて顏を見ましたなら又悲しさが増すだらうと存じます」とて堪へ得ずなりて鼻打ちかまれぬ

한국태자 일과 폐지

●韓太子日課廢止

昨日鳥居坂御用邸は御門前に司衛の人を見るのみにして一輛の車だに見えず寂々として殊の外愁雲に閉ざゝれ居たるが是なん韓太子殿下の引籠り居らせ給ふなる殿下には二十七日愈伊公の薨去を發表せらるゝや其日より全く御日課を廢せられ御學友の參殿する者あるも何時もの如く御居間に延かせられず只管御謹愼遊ばされ居る樣洵に御痛傷の極みなりとぞ承たまはる殿下が凶報を得給ひし當夜直に近臣宋秉畯を遣はして滄浪閣に御慰問の御意を傳へさせられしが宋氏は廿七日歸京復命に及び同時に公爵夫人の最と平穩なる旨併せて言上せしに愁眉を開かせ給ひ深き御愁きの中にも聊か御安堵の體にて見卒られしとぞ因に近臣一同も今は皆深く謹愼を表し居れり

장의계(葬儀係)와 이토 가(家)

●葬儀係と伊藤家

▽末松子の入京を待つ

靈南坂の伊藤邸には廿八日午前九時前後より掛長杉子爵以下各掛員出席式場、庶務、會計の三部に分ち掛員は內閣宮內樞密院の屬官を召して開會の手筈なりたれど何分主なる公爵夫人は大磯に臥床尚又親戚中の重なる末松子の入京もまだなれば墓地其他に關しては先方伊藤家とも合議を要すること多々なれば午後一時に至るも開會の運びに至らず一同午後入京すべき末松子を待ち居れり尚伊東子は朝來引も切らざる慰問客の重なる者に接し閒を待ては同邸樓上の一室に九時頃來邸の井上侯爵及び杉子爵と鼎座葬儀諸般の熟議中なれども是れ亦末松子の入京を待ち居れり

昨日の滄浪閣

흉기의 예자(曳子)

흉악한 흉변

철령진(鐵嶺鎭) 위의 이토공

同年同鄉の親友

야마가타(山縣) 공의 비애

미우라(三浦) 자작의 이토공관

부상자의 현황

●負傷者の現狀

中村滿鐵總裁より後藤遞相に宛たる廿七日附電報に依れば各負傷者現狀左の如し

△田中理事　の負傷は左足內方踝の下より外方踝の下に貫通したるものにて彈丸は靴下の內に留まり居たるも彈丸の尖を十文字に切りありたる爲其切口に靴足袋の毛を挾み居りたり尚本日（廿七日）大連に到着の上傷口を檢せるに傷口にも靴足袋の毛を發見せり熱は目下三十八度にて多少の痛みを覺ゆ昨夜汽車中痛み甚だしく睡眠困難を感ぜり

△森槐南氏　は右腕上膊部を貫通し併せて胸後の皮膚をも貫通したるも發熱せず本人は强て歸京を望まるゝを以て醫師の許可を得廿八日同船歸國せしむべし

△川上總領事　は森氏と同樣の負傷なるも骨を碎きたる模樣にて昨夜醫師及看護婦二名を送り置けり

又別報に據れば中村副總裁は其衣類を改めたるに外套並に右ヅボン膝下約一寸位の箇所に右より左に貫通したる彈痕を發見せるも幸ひに擦過傷だも被らざりしとは好運と云ふべし室田義文氏も外套に三四箇所の彈痕と右ヅボン膝下及ヅボン下にも右より左に貫通したる彈痕ありしも是亦擦過傷だも負はざりしとは不思議と云ふの外なし

독일신문의 조사

●獨逸新聞の弔詞

二十七日東京着珍田獨逸大使發電に依れば伊藤公の薨去に關し北獨日報は左の如き記事を掲げて弔意を表したり

伊藤公が刺客の手に斃れたる悲報は獨逸全國の痛恨措く能はざる所なり日本現時の政治家中第一位を占め其偉大なる人格并に其政治上の功業は我國に於ても深く欽貸する所にして日本の憲政及將來の進運の爲め貢獻したる此偉業は日本歷史に特筆大書すべき事實なり吾人は深く此偉大なる愛國政治家の死を悲み茲に日本政府并に同國民に對し熱誠の弔辭を呈す

아! 이토 공작

●嗚呼伊藤公爵

●井上侯と語る

一昨廿七日午前八時三十分新橋發の急行列車は大磯驛に一分間停車の便宜を得たる爲め同車中には大磯なる滄浪閣に伊藤公爵未亡人を見舞ふ多數の貴顯紳士を見受けたるが中にも井上侯は最も親しき友の奇禍に老躯をも打ち忘れ前夜來の疲勞を物ともせず一等室の中央に座を占むるを見たれば同乘せる記者は老侯に向つて藤公の遭難に就き其感想の一二言を求めたるに老侯は憮然として語り出でらるゝやう「國事に身命を盡して七十に垂んとする老伊藤の病死は元より自然のとならんも遥にハルピンに遠旅し其生命を兇手に託して失はんとは實に意外にて人の運命程測られざるはなし又翻つて考ふれば人に生るゝてふとのなかりせば又死すてふとのなき筈にて生れ出でたる時てそ即ち死の約束の始めなれ老伊藤にしても余にしても常に生死の間に往來したるものはさして死の恐るべきを知らされど昨年余が大患の節寢食を忘れて余を介抱しくれたる伊藤の後事を今日余が引き受くるに至るとは聊か意外の感なき能はず余は今日より暫時大磯に滯在して萬事世話せん考へなるが子息博邦君は海外に在り又西夫人も目下病氣のため入院中なれば伊藤家に取りて萬事都合あしき譯なり宮內省よりは本日電報を以て博邦氏を呼び返す筈なり海外にて凶音を聞く人の心や如何ならん、偖老伊藤の死を見るに如何にもスチーブンス氏の死と能く似たり兇漢も餘程腕のきゝたる者なりしと思はる此の兇漢により日本國は忠誠なる人物を失ひ余自身に取りては無二の親友を奪はれたる譯なれば余が心中實に堪へ難きものあるも亦致し方なし且老伊藤の橫死は余をして坐ろに余が往年の遭難を追想せしめ運命の不思議なるを感ぜしむ余が遭難の當時は十一名の兇漢余を追尾し來り一人余が名を問ふ故余は明白に井上と答へしに後より余が足を取るものありたれば余は直に前方に倒れたる刹那に余は拔き打ちに背を切られたり然るに不思議にも此籠に同車する杉君が余が身を庇りて與へたる一刀は偶然にも敵の刃を防ぎて余が體は兩斷せられずそれより兇漢は滅多打ちに切り付けて逃げ去りたるが暫時にして余は人心地付き頭を擧げたれど眼眩みて見えず唯だ前方に小屋の如きものあるを認めたり且咽喉渴して水を欲することを頻なれど腰立たず其儘人事不省に陷りたるが其のうち余を呼ぶものありて曰く「汝の背を抱へつゝあるものは汝の母なり、汝は國家には忠者ならんも家にとりては實に大不孝者なり」と是れより余は家人の親切なる介抱に依り今日あるを得たる次第なるが當時の事を想起すると共に老伊藤及其家族に對する感情は實に得堪へず當時既に死すべかりし余が死せずして今回老伊藤が死するとは實に感慨無量なり」と老眼に涙を湛へたり

음모의 재판

陰謀の制裁

今回の兇行が韓國の政府とは何の關係なきこと既に明かなる以上夫に就ての責任が韓國政府に存せざることを言ふ迄も無けれど既に韓國民の一人の所爲たる以上は全體としての韓國は如何にしても其責任を逃るべきにあらず況や兇行者には若干の連類あり而して其陰謀は更により多數なる同國民の間に計畫せられたりとの嫌疑も未だ全く打消す能はざるに於てをや又よし今回の陰謀は其本國に於ける一種の仲間と通謀したる事實なしとするも右の仲間が平素我保護政治に對して慊焉の情を懷くはまたしも常に妨害の機會を覘ひ居り今回に類じたる非行の禍心を抱藏し居ることは隱れもなき事實なれば彼是れ思ひ合せて今回の兇行に對する善後の處分には深く意を用ひざるべからず夫に就ては今度の兇行の責任を實體的に韓國の上に負はしむることも肝要なり其方法は當局者の考案に待つてと、し兎も角も彼等が斯る陰謀は毎に彼等の國家に取りて非常の不幸にして斯る邪道に踏入り足掻けば足掻く程其國の命脈を縮むる所以なるを痛切に感得せしは彼等の不逞なる陰謀を打破するに就ての極めて良き教訓なるべし固より今回の事の爲めに我對韓政策の根栽の變ずべからざるは勿論なれども如上の手段は決して之と背馳するものにあらずして寧ろ其施行を滑かにするものなれば決して躊躇するを要せず要するに一部韓國人の間に潛める危險なる思想に就ては充分に注意を拂ふ所無くば由々しき大事を仕出かす事あらんとの說一部政客の間に行はる

러시아 관헌의 조전

露國官憲の弔電

伊藤公の遭難に關し露國大藏大臣コ、フツフ氏並に東淸鐵道總裁ウエンチエル氏より後藤遞相に對し左の弔電を送り來る

伊藤公遭難に對し余は如何に驚愕せしか筆紙の盡す所に非ず凶變の際余は公の傍に居たり委細の事は我が大使より御聞取を乞ふ謹で深厚の弔詞を呈す嗚呼運命の道は時として豫知し難し

大藏大臣 コ、フツフ

非常なる兇行の爲伊藤公並に二三の貴國人犧牲となられしこと洵に驚愕に堪へず不取敢貴閣下に此の異變に對し衷心弔詞を呈す

東淸鐵道總裁 ウエンチエル

尙別に東淸鐵道總裁ウエンツエル氏より後藤遞相並に中村總裁に對し左の電報あり

總裁後藤中村閣下茲に再び今回の不幸に對し最も深く最も厚く痛惜の意を表す田中君(理事)の狀態其後如何氣遣ひ居れり此の不幸なる事件のため閣下と相互協商の事件に關し意思交換疏通するの機を失したるを痛惜するものなり

右に對し中村總裁より左の通り返電を發せり

田中理事は發熱し居るも御心痛に及ばず小官は幸に災害を免かれ居るを以て重て御面會を得て交通上の謀に關し御高教を仰ぎ得るの機を與へられんことを祈る

영구 네덜랜드 함대 사령장관 조사

英蘭艦隊司令長官弔詞

△在橫濱和蘭艦隊司令官テードマン海軍大佐は廿八日桂首相、東鄕軍令部長、齋藤海相等を橫濱オリエンタルホテルに招待して晚餐會を開くべき豫定なりし處之を見合せ特に悼惜の意を海軍大臣に表し來れり

△英國支那艦隊司令長官ラムトン中將より海軍大臣へ左の弔電あり

伊藤公の薨去に對し深厚なる哀悼の意を表す依て此の際伊集院長官の有明灣に於ける狩獵を辭退す右同長官に電報せられたし

이토공 지필 영문

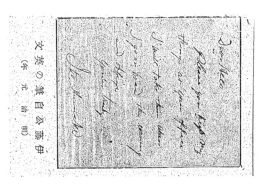

文夫の筆自公藤伊

(本元 尚 即)

へども、亦其人格の平允にして且正大なるに因らずんばあらず。世或は藩閥の執着者を以て之を目する者ありと雖も、吾人は取らず。執着者ありとせば、別に之あらん。公が淡泊無私、政權を其政敵たる大隈卿に讓りたる事あるに徴すれば、事實の自ら明白なるものあらん。而して公の對立者は内に於ては則ち一時は大隈卿たり、又一時は山縣公たり、外に於ては則ち故李中堂たりしこと、世人の大抵知る所の如し。李失意中に死して、而して公は則ち其終りを令くす。然り、吾人は視て以て其終りを令くすと爲す。非常に似て而して決して非常ならず。一世の英物、公の如きものに於ては則ち決して非常ならず。故に吾人は公の爲には悲しむものにあらず。只國のために悲しむのみ。而して私に於ては則ち竊に大隈卿のために悲しむ所あり、又大に山縣公の爲に悲しむ所なきと能はず。故にて、には謹んで弔詞を此に公一轜に上る。

한국 황태자의 위무

韓皇儲御慰撫

聖上陛下には伊公の凶變に對しては畏れ多き迄軫念を勞せさせ給へるが更に畏きは韓國皇儲殿下の御上にも聖慮を惱まし給ひ廿七日特に岩倉宮内大臣を御用邸に差遣はされ左の意味の御沙汰を傳へさせられたりと承はる

教育總裁伊藤博文は今次兇手に殪れ愁傷の程察するに餘りあり左れど今は最も學業を勵まるべきの秋なれば之れが爲めに一日たりとも學業を廢さるゝが如き事なき樣せられたく日ならず朕は適當の材を得て總裁たらしむべし

소위 배일파

所謂排日派

▽各方面氣脈を通ず

伊藤公を銃擊せる兇漢は韓人『ウンチアン』と許りにて其素性の如何なる者なるかは未だ知るに由なしと雖も曩にスチーヴンス氏を殪したる者と同一の筆法に出で殊に一行六七名と共に浦潮方面より哈爾賓に入り込みたりと言ふ以上排日派中の最も過激なる分子なることは明白なり抑此排日派なるものは殆んど秘密結社に類する徒黨を組み時に觸れ時に臨んで出沒自在の行動を取れることは既に事實の證明するところなるが其所在地と言へば主として桑港、布哇、浦潮の三ヶ所にして其他は京城、平壤を始め北韓各地に散在し居るものゝ如く就中桑港、布哇、浦潮等の各方面を通じては無形の本部を置き互に相連絡を取り機宜を愆らざらんことに努めつゝあるは掩ふべからざるの事實なり、而して現に桑港にては新韓民報、布哇にては新韓國報、浦潮にては大東共報京城にては大韓毎日申報の發刊せらるゝあり一たび其内容に接せんか驚くべき暴言を以て日本及び日本の爲政家を攻擊して已まざるものあり試みに其論調を大別する時は

第一國權回復に名を藉り日本の保護に反對して陰に陽に反旗を揭げんとて

법의 차별

▲犯人▽裁判
法學博士

▲犯人は日本の法廷

▲裁判所は何處

이토 훙거와 미국 신문

伊公薨去
米紙

이토 훙거와 영국 신문

伊公薨去
英紙

장의는 4일로 결정

葬儀は四日と決定

伊藤公の國葬は十一月四日靈南坂の官邸に於て擧行するに決定し葬儀委員は廿八日より準備に着手したり其墳塋は芝白金瑞聖寺即ち先代十藏翁の墓地なり

범인의 심판

犯人の審判

現場に於て捕へられたる一人の兇行者は目下哈爾賓にて我領事の手中に在るが之に對しては川上總領事が入院中なるを以て未だ正式に豫審を開くに至らず普通の順序より云へば同領事館に於て豫審を決定し滿洲に在留する邦人の管轄裁判所は都督府法院なるを以て之に引渡し公判を開くべき譯なれども今回は事態頗る重大なるを以て豫審も都督府地方法院に於て之を開くに至るやも知れずとなり

범인의 내력

犯人の素性

兇行者ウンチアンは平壤の者にて加特力教の信者たると並に今回兇行の目的を以て平壤を發し浦潮を經て二十五日哈爾賓に着したることは既に疑ふべからざる事實なれども其以上に於て同人平素如何に動作をなし又其の交友の範圍如何等に就ては未だ正確なる實證を得るに由なきを以て其陰謀の根原を突留むるに至らざれど由來平壤は韓國に於ける基督教の根據地にして其寺院等も古く建立され教徒の數も少からず從つて我邦の施設に對しては同地よりは常に苦情の種を持出し京義鐵道敷地買收當時の如きも最も困りたるは同地なり斯る事情なれば今回の兇行の底には意外なる事實の潜むやも知るべからざるが是等は取調べの進むに從つて明かなるに至るべし但し犯人は飽迄自分一己の決心にて兇行を敢てしたりと陳述し居る由

선후 조치는 어떻게

善後の處置如何

今回の兇行に對し目下我政府の取る處は一に犯人を取調べ兇行の原由を糺明するに在りて其以上には何等及ぶ所無きが如し而して我政府の態度が更に展開して韓國の上に及ぶや否やは一に取調べの結果に依らざるべからず若し今回の事件は偶發の特立事實にあらずして其事件の根底には脈絡あり系統あり而して之を放置するときは其禍測るべからざるに至るべきを確めたる上は我政府は無論直に犯人を處刑するのみを以て已むものにあらざるべし統監府法院の中川檢事正が哈爾賓に急行したるも兇行の根原を糺して統監の決心に資せんとしたるや知るべく要するに最後の決定は犯人取調べの結果に待たざるべからずとなり

장의계(葬儀係)

국장

유해의 영구

유해 도착시기

독제(獨帝)의 조전(弔電)

아쿠츠人(秋津洲) 대련

영국인의 동정 분사 미국 특전

英國人の同情

카즈의 조사(弔辭)

伊藤公哀辭

태임스의 이토 대도(동상)

伊藤公哀悼

이토 공 암살과 구미 베를린전보(일독 우보사(郵報社) 중개)

歐洲

영제(英帝)의 슬픔(동상)

華府の悲報

워싱턴의 경악(동상)

상해 지푸 내외인의 통도(備悼)

이토공에 대한 애도 본사 지나 특전

외상의 이토공관(弔問)

독지(篤志) 신문의 애도

이토공 암살과 러시아 런던 타임스 특전

発信（發信）후의 동정(?)

十八日發京城
一、朝鮮統監府ニテハ昨
十八日伊藤公ノ兇變ニ
付、今朝來各地方官へ
左ノ如ク電報シ各新聞
社ニモ配布セリ

흉변과 평판

今回ノ
兇變ヲ
聞キテ
ハ一般ニ
韓人ヲ
憎ムノ
情ヲ發
スル者多シ

한국단체의 태도(동성)

大一進會其他ノ
韓國團體ハ今回ノ
事件ニ付、其ノ罪ヲ
天下ニ謝セント
スルモノアリテ韓國
ノ悲境
（上）

한국정부(韓政府)의 연회 정지

韓廷ニテハ
一進會ノ宴會
其ノ他各種
ノ宴會ヲモ
同ジク中止
セリ

기자단과 시민 대회

韓京ノ
記者團ハ
昨日午後
三時ヨリ
某倶樂部
ニ於テ市民
大會ヲ開
キ二十八日
釜山マデ
記者特派
スル事ニ
決セリ

한제 조문(동성)

韓帝
弔問
（同上）

한내각의 밀의(동성)

韓
内閣
の密議
（同上）

통변과 소녀(曾禰) 통감(동상) 본사 조선 특전

兇變　朝鮮特電

법인연루제포(동상)

犯人連累捕縛(同上)

헤일인의 기도회

은활죽사 이하 출발

韓皇勅使山出發

대한매일신의 축역(親愛)(동상)

조선인의 기쁨과 무리

朝鮮人

통감저택 경계(동상)

統監邸

1909년 10월 29일

유해 도착

遺骸到着者

이토공 유해 통과

伊藤公遺骸通過

이토공의 임종 분사 만주 특전

伊藤公薨去
満洲特電

도독부 법원 북행

都督府法院北行

러시아 대사(大使)의 배웅(동상)

露國大使の見送り（同上）

홍한의 동류(同類)인가(동상)

兇漢の同類か（同上）

아키 쓰시마(秋津洲) 출발(동상)

秋津洲出發（同上）

藤の落葉（一）

▲公の清廉　伊藤公の金錢に淡泊なるは今更云ふ迄もなけれど現に昨年の事夫人は家計の經費五百圓を請求せしに公は小抛中にある三千圓（十圓札三十束）の中より五百圓（五束）を取出し渡されたり夫人は一々其數を算せんとせしに公は已に百圓宛束ねあるに勘定する必要なしといふ夫人は聞かずして數へしに何ぞ計らん百圓束皆何時の間にか一枚宛拔取あり都合五十圓の不足を生ぜり事の次第を公に告しにマサカと云ひつゝ殘る二千五百圓を夫人に渡して改めしに全部皆一枚宛拔取りありしが公は一笑したるのみにて別に詮議も爲さゞりし公の金錢に淡泊なりしは此一事にても知るべし（一記者）

▲滄浪閣を賣れ　又其後の事なり夫人は又一ケ月の經費を請求せしに公は持合せがない金が要るなら此滄浪閣を賣り放して大森の恩賜館に引込まうよと云ふ夫人も其言の餘りの可笑しさに今差當つての家計の入用あるに此家を賣れと仰られても間に合はぬと笑へば夫れならお前の手にて如何とも都合し置くべしだと云ひ更に意に介せざりしと云ふ

▲韓國留學生の緘默　麴町區中六番町の監督事務所を訪ふ申監督は去月歸國の途次門司船中にて虎疫に罹りて死し目下は李昌煥外數氏のみ事務を執れり記者を見て曰く貴下の談にて伊藤公の遭難を確めたり公は我皇太子殿下の太師素より尊崇すべき人なり然れども藤公を談ずるは政治に渉る嫌あり我等學生として政談は嚴禁なれば我等は藤公について語る資格なけれど其訃を聞く追悼の情に禁へず今敢て語らざる心事は深く洞察ありたしとて口を噤めり（一記者）

▲公の節酒　公も一時は隨分強烈な酒を飲まれ健康を甚だしく害したから私は井上侯を介して爾來葡萄酒に更ためられん事を乞ふた、其後は强烈な酒を廢され日本酒を少量づゝ用ひられたが概して葡萄酒のみとなつた（高島多米次氏談）

▲公の齒　自分が米國から公と一緒に歸つたのは明治三十五年であつたが爾來公の齒は自分が手當をして居た、元老中で一番立派な齒で僅に前齒二本半を某宮家の馬車と衝突して大地へ投出された時折つて了つた其外與齒が少し惡い位で他は皆丈夫、實に古稀に近い老人とは思へぬ、此間は猪を食はれて少し痛められた、今度出發前にも公が「彼地は氣候が惡いから能く診て置いて吳れ」と云はれた其聲がまだ耳に殘つて居る（同氏談）

▲天子樣は難有い　今度の御旅行についての御宴會には凡て當家の料理で私が始終召されましてお立まで御傍に居りましたがア、いふ御氣性ですから私共にも餘り隱さないでお話しがありました、今度國への御奉公で滿洲へ行くのだ　天子樣は難有いから死ぬまで御奉公する、今度も天子樣から旅費を頂戴したが夫れはチヤンと旅費に充て、斯うして遊ぶ金を其中から出しては相濟まぬから自分のを遣ふのだと仰やつてゐした（濱町大常盤老女中神崎きよ談）

▲公の嗜好　召上り物は決して好嫌ひを仰やりませんが御酒を召上るので淡泊したものに御箸がつきます、索麵のやうな麵類は凡てお好でした、御飯の代りにお粥を召上るのがお好で夫も三度程炊立て、湯を絞り新規にお湯を入れたのを召上ります大磯にお出での中は夫人が御自身で夫を拵へて差上げます（同上）

▲口癖の端唄　公爵樣は御酒の揚も賑やかなのがお好きで都々逸や端唄淸元なぞをお聞きになり一杯きこしめすと御自分で口癖のやうに唄はれる端唄は『浮氣同志がつい斯うなりてア、でもないと四疊半、湯のたぎるより音もなくアレさかしやんせ松の風』といふのでした今度も舞子の驛でお見送り申した節歸りには是非寄るからと申されましたのに此度の御遭難は只々夢のやうです（舞子萬龜女將松下みつ談）

▲たゞモウ豪い方　元老方で一番御贔屓を受けたのは伊藤樣と井上樣ですが天秤にかけて見ると伊藤の御前の方がズッと豪いお方です唯モウ豪い方なのです伊藤の御前は全く男らしい所がありゆす井上樣は商人なぞを近づけて隨分出入りする人も多いが伊藤樣には夫がありません何だか昔の豪いお役人がアンナ風であつたらうと思はれます（新橋長樓おくら女將談）

▲大磯の白兎　高い聲では申されませんが御前のお好は全く豪いものでしたよ餘程以前の事ですが一夜大磯の松林でヒヨックリ御前にお會ひ申すと眞白に塗り立てた白兎のやうな女を連れて入らつしやるでせう嫌になるぢやありませんか跡で聞くと女義太夫だといふので私は、何うか是ばかりはお止し遊ばせと御意見を申上げて凋頭私の言條を通した事がありますよ（同上）

▽伊藤公の前半生(二)

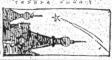

화류계의 직업

미인, 침묵하다

쥰스케(俊介)씨절의 이토

이토공의 전반생(前半生)(1)

신키라쿠(新喜樂)의 마담 대성통곡하다

●新喜樂女將大に泣く

▽心持の綺麗な方

伊藤公奇禍の報を聞くや否や取敢ず例の新喜樂の女將の驚愕や如何と直に築地三丁目の同家を訪ふた、折柄女將おきんは他から歸つた、歸つて泣ながら出て來た

「ママ、何といふ事でせう泣いても〳〵泣き盡せませんよ、今日は斯な事とは知らず氣が塞ぐから大森の月見から歌舞伎座を見やうと唯今三州屋へ行くと自宅より電話、聞いて見ると御前様がお打れなすつたとの急變、妾は餘の事に吃驚して背くなりがたく〳〵慄ゑ出したので何かしやしないかと皆さんが心配して呉ましたが何にしても芝居處ではないから直に歸宅したのですが夫人も定めし御心痛で在つしやらうから今夜十一時の汽車で直に大磯へお悔みに伺ふ積です、凶事を暗に知らせる抔といふ事もあるさうですが朝か●知

ら氣持の悪かつたのも或ひは夫な事かと悲しくてなりません、妾が御前様に御贔屓になつたのは明治十七年蠣殼町に居た頃からの事で妾の方には別に婦人などの關係もなく只面白い奴だ義俠な奴だとおつしやつて特別に眼を掛けて下さいますから夫人も妾には御安心下すつて同じく御贔屓を受けて居ました、御前様のお遊びは誠に淡泊したもので妾方へお出になつても幇間や料理番の老人に揶揄ひ臺所へもお出になるから勿體ないと申しますとナーニ夫んな事があるものかとお笑ひ遊ばす女中等にも召上り物にも終に一度お小言を仰やらずお氣に入らねば召上らぬ分で毎時陽氣にお騒ぎでサラリとお切上げになる、誠に粋なお心持の至つて綺麗なお方でありました、ですから同じ戯くお金でも六ケ敷いお客から戴くお金よりは甚麽に難有いか知れません遊びに來しやつて小理屈をいふお客様には御前様の爪の垢でも甜めさせ度いと想ふ位です、

今度の變事が國の爲め何うだとかいふ事は貴方がたが御存じですが妾共に取つても斯んな悲しい事はありません分けて常々韓太子殿下を大切に御奉養申上げ實に可愛いと仰やつて在しつたのに其韓國の人に殺されたのですから情ないたつて斯んな情ない事はありません私は十四日のお見送りが今生のお別れになりました」と手巾を顔に當て又潸々と泣いた

송병준 씨의 이야기

철저한 단속 이키조치 군다유(電權大夫)의 이야기

동양평화의 쐐기(楔)

東洋平和の楔

汽車中にて 韓國金東宮武官談

何うも飛んだ事が起りました、私は韓太子の御傍に居ましたが突然今回の凶變をお聞きになると非常に

▲韓太子は御驚悼 になり何分少しも事情が判らぬから一刻も早く御見舞に行つて來る樣にとの御下命で、實は取る物も取り敢ず五時半の汽車で大磯に向つて今歸る處です

▲兇漢の身分 暗殺の模樣は公爵邸の方でもまだ充分に判らない樣ですが兇行の下手人は韓國人の樣で實に殘念な事です、果して是が韓人の所爲とすれば私は前年米國でスチーブン氏を暗殺した連中と同じ連ではあるまいかと思ひます、斯る事の起るのも何方かと云へば

▲淺墓な根性 が原因するので畢竟するに蒙昧無賴漢の所爲だらうと思ひます誠に心得違の事で今後は何うしても吾黄色人種は一致協同して行かなければならぬ位の事は少し世界の事情を見ると了解し得る事なんです此點から見ると伊藤公の如きは徹頭徹尾

▲東洋平和を主眼 として居られ何事を經綸さるゝにも悉く此主義から割り出されてゐた事は實に感佩に堪へません公は實に

▲圓滿平和の人 で公の説に反對を唱へるものでもあれば是を威壓すると云ふ事をせずして諄々として是を説き諭された一例を擧げて見ると彼の韓國皇帝の御巡遊の際の如き到る處頑冥の徒を集めて懇諭し眞に心から兩國民の調和を計られたと云ふ事は流石に世界の大政治家としての政策であると皆感服しました

저격당한 공작

狙はれたる公爵

▽鶴原定吉氏談

▲暗殺の噂 統監府開始頃から伊藤公初め長谷川大將等暗殺の噂は度々あつた、初めの一年間は最も甚だしく愈々來る何日何處の韓人が伊藤公暗殺の爲京城に來るなど、云ふ報告は月に何本來たか判らぬ中にも現皇帝即位式の當日の如きは最も激烈で或は事實になりはしないかと危ぶんだが、汽車に投石したものが有つた而已で一度も實行したものはなかつた、近來は其數が非常に減じた樣であつたが今度の事には實に驚いた

▲排日黨の巣窟 隨分まだ排日黨は澤山ある彼のスチーブン氏の暗殺事件等も其一例で排日黨の最も激烈なのは米國、浦潮斯德、布哇と此三ケ所を本陣として巧に聯絡を通じてゐるから今度のもの或は其仲間の奴等ではあるまいかと思はれる、幾何頑冥な朝鮮人でも内國に居るものは伊藤公の性質を知つてゐる筈だから何うしても生囓りの無賴漢に相違ないと思ふ

◎一昨日の恩賜館

大森なる恩賜館には(公爵夫人は常に大磯別邸に在り)目下洋行中なる嗣子博邦氏夫人のみ留守居し居たるが同夫人も再昨日午後三時七分の汽車にて末松夫人と共に大磯に赴き執事一人のみ殘り居れり

▲最後の消息 公爵よりの消息は日々外務省より同館に通知し秘密の事件のみ直接大磯に通知する事となり居れるが同館に達せる公爵の消息は再昨日午後「本日奉天に向ふ」と云ふ極めて簡單なる物なるが是難て最後の消息一昨日午後三時に至り外務省其他より初めて今回の兇變を知れるものなり然れども唯留守居一人のみなれば見舞客は何れも大磯に赴き館は格別の混雜をも來さゞりしもの丶如く日比翁助其他數氏のみ取敢ず同館に參し見舞を述べて歸宅せり

그제의 은사관(恩賜館)

◎大磯に行ける末松子

▽悲痛なる汽車中の談話

末松謙澄子は一昨夜七時五十分新橋發の汽車にて大磯の伊藤公爵邸に急行せり同乘せる記者は伊藤公遭難の弔意を述たるに「エ、誠に……」と云ひたるのみにて少時は言葉もなく此驚く可き急激なる世界的出來事を胸に浮かべて感慨に堪へざるもの丶如し車中人少く薄暗き汽車のランプは愁多き子の顔を照して更に悲み深く彼方の隅に蹲まれる痩せたる一婦人と子と記者と何れも默して胸に去來する此大事變を悲むのみ、軈て記者は「韓太子は隨分お驚きなすつたでせう」と尋ねたるに子は「誰でも驚かないものはありませんが韓太子の驚愕は殊に非常なもので此報を聞いて夕飯も碌々上りませんでした然し私は申上たのです岩倉さんも居らつしやるし外にも頼りになさる方が澤山居られるのだから左う御心配なさらないが好いと、私は先刻漸く御用を濟ませて拔られない處を無理に是から大磯へ參るのです妻は昨日から向ふへ行つて居ります

人夫公藤伊

勿論此事件とは關係ないのだが偶出つくわしたのです公爵夫人が卒倒したと?そんなとはないでせうが驚いたには違ありません」唯之を思ふだに胸も塞がる可き悲しみを子は之を口にするに堪へざる者の如し記者は「公爵夫人は先日から御病氣だつたさうですがひどくお惡かつたのですか」と問ひたるに子は曇りたる面を上げ「何そんなでもなかつたのですが何か少し食物の中毒の氣味で臥せつて居たのです其處へ此凶報なんですから東京の者も驚いて醫者を連れて行かうの何のと非常に騷いだのですが私はまア餘り騷がない方が好いと云つたのです」平生快活にして磊々たる子も今宵ばかりは流石に其俤げさへなきも氣の毒なりランプの光益暗くして子の面は益曇る、記者は重ねて此事件を語るの勇氣なかりき

오이소(大磯)로 간 스에마츠(末松) 자작

凶報と巷浪閣（巷浪閣）

▲凶報　大活浪閣

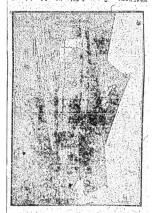

국제법상의 의견

국제법상의 의견

○博士の意見

國際法上の意見

한국 태자 전하의 비탄

韓太子殿下の御愁嘆

何
我
國
人

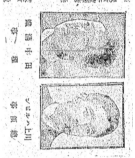

외국인의 이토 관(觀)

하얼빈 사건의 이토공

하야시(林) 백작의 감개

하얼빈 정거장의 일부

하라타카시(原敬) 씨의 이야기

입헌정치의 회신

오사이 쿄(大西 鄕) 이래의 청렴(清廉)

大西郷以來の清廉

▽犬養毅氏の藤公觀

意外く只氣の毒と云ふの外なし予は今日まで個人として伊公と交際したる事なし現今政界に多少名を爲したるものにて一度も公の門を潜りたる事なき者は恐らく予一人なるべし而も予は過去に於て其政見上絶えず反對したるに拘らず公に學ぶべき所多かりしを斷言す第一大西郷逝いて後金錢に冷淡なる政治家即ち死するまで清廉の德を傷つけざりしは恐らく唯一の伊藤公のみならん又公は長州閥の隊長にてありながら比較的公平なる思想を有し努力の爭奪よりも理窟に重きを置きたり故に公の內閣の時には袞龍の御袖に隠る丶の譏はありしも未だ嘗て山縣公等の如く黃白を以て議員政黨を腐敗せしめたる事又は暴力を以て世論を壓したる事なし而して公は世界の政治家として內外人の信用を得確に日本の信用を更に重大ならしめたる要素なりき今や要素の一を缺く國家の損害大なりと云ふべし勿論統監を辭し目下閑職にあるを以て其死が直に政治界に影響を及ぼすとなからんも從來文治派の棟梁と仰がれたる公なれば今後或は多少の武斷派の横行を見ることなきやを危ましむ進歩黨には何等の關係なきも政友會には大打撃ならん又今回の滿洲行は果して如何なる用務を帶びたるや又單に汗漫の遊なるや知らざれども好し單なる漫遊とするも其結果は決して漫遊に止まらず將來日露間の平和の爲め又滿洲に於ける日本の政策が實際何等非開放的の行動なきにせよ列國間に多少の疑惑を抱かしめ居る折柄伊藤公の旅行を聞かば彼等外人は必ずや同公の公平なる視察と善後の處置あるべきを信じて少からず安心を得たるべきに更に又公が哈爾賓の歸途北京に立寄り清國が今や熱心從事中の憲法施行に就て生ける日本の立憲政史とも見るべき公の助言を與ふるを得ば兩國の親交上如何に多大の利益を得たるべきに今や即ち空し、桂等も懼くは思ふ事あらんも其代り又困難の場合には公の指揮助言によりて困難を切り抜けたる事幾千ぞ、併し公が過去の歴史は順潮に帆を擧げて光輝榮華に滿ちたり今回の兇變により更に世の同情を深うすべく公亦以て瞑すべし云々

오이시 마사미(大石正己) 씨의 이야기

大石正己氏の談

伊藤公が不慮の災難に遭遇せられ終に薨去せられたるは誠に痛惜の至りなり元來伊藤公は進んで事をなすの人にあらずして退いて事を守り全きを持すると云ふ主義の人なりしが故に守成の時代に當りては必要缺くべからざる人なりき我維新更始後は徐々に事物の整理をなしつゝ進歩發達を圖るべきの時代なりしを以て公の穩和的政策は最も時代に適當し從つて國家に貢獻したるの功績は實に偉大なりしなり此穩和的政策は外交上に於ては平和主義となりたるが爲に時に或は不決斷の人なりと譏られたる事ありたれども全局より公の施設したる事柄を觀察すれば能く事宜に適し居りたり伊藤公薨去後の形勢如何に就て一考せんにビスマルクの死後獨逸の政策が何等の變化なかりしと同じく公が薨去したればとて日本の政策に變動を來し東洋の平和が動揺する等の事は決して之なきのみならず寧ろ公の遂行したる政策を繼續して變る事なきを信ずるものなり併しながら我憲政發達の上より觀察し來れば伊藤公の薨去は我憲政上の一大損失なり何となれば公は政治的に於ては別して感情を斥け道理に據りて事を判斷するの人にして其在朝の時と在野の時とを問はず常に眼を大局に注ぎ公平の見を持し假令政敵と雖も其言ふ所の意見が道理に合すれば之を採用し味方と雖も其云ふ所不合理なれば之を斥くると云ふ風の人にして日夕憲法を圓滑に運用せん事に腐心し居りたり或は時の勢ひに依り憲法を無視すべしと云ふ議論の起りたる時の如き遂に右等の不祥事を發現せしめざりしは一に公の力なりと云はざるべからず又公は個人としては極めて文明的の人にして常に餘暇さへあれば內外の新著に眼を曝らし新智識の養成に怠らざりしが故に朝に在つても野に在つても政策を誤らざりしなり特に今後は支那も萬事更革の時代となり我日本に學ぶ所多かるべきの時に當り且又種々なる交渉事件の發生せんとするの時に當り公の如き新智識を備へたる最も信用厚き代表的人物を失ふは實に惜みても猶餘りある次第なり

초연한 오쿠마(大隈) 백작

◎悄然たる大隈伯

▽今日は喋舌らぬ

一昨日の大隈伯は年來未だ曾て見ざる悄然たる伯であつた、應接室に通ると何時ものアームチエーアに依り掛つて居るが和服で裳足も取つてシートの上に横になりに坐つて居るので何小さく淋しく見ゆる、後へ凭れて天井を睨みながら默つて居る時に主客四人動もすれば話しが杜絶る、壁には狩野風の仙人の軸が二幅更に海岸松林の一幅、一室寂として無常の松風も聞ゆそう、マンテルピースの上には花瓶一對に黄白の菊花やがて藤公への手向の姿である、伯の面には例の快濶な色は少しもなく徐ろに口を開いて『今日は駄目だ、お喋舌の俺れも先刻から二十人近くの訪問客に迫られたが一向に喋舌れない、只茫然たるのみだ、我々仲間では伊藤が一番元氣だつた此間も出發前銀行集會所へ招かれて愉快に話して居たのが忽ち此悲報だ、彼の時が最後の別れだつた』……暫らく言葉が切れる記者連も今日は根問ひ葉問ひの勇氣も出ない、伯は又『前年ステーブンも此手でやられた、伊藤も朝鮮では一度汽車に石を投げられ昨年の韓帝御巡遊の時も何か無禮を加へられたが先づ今日まで無難で濟んだ、大體朝鮮人は石を投げるのが上手ぢや奴等は石位投げて居るのが分相應だが米國や哈爾賓などに居るのはハイカラでピストルを持ち居る、到頭思はぬ處で倒れて仕舞つた、長白山頂に骨を埋めると謂つたが全く讖を爲したよ、左樣俺の始めて伊藤に會つたのは長崎で彼れが二十七八の時ぢや何らも書生の元氣盛りで好く議論をやり居つた。其後東京では今の築地本願寺の隣邸に我々が梁山泊を造つて居たが、伊藤が丁度兵庫縣令であつた、大分反對黨がやかましいので之れを呼び寄せて賑かな事だ、何しろ食客が又數十人の食客を引連れて來るんだから豪儀だ、彼の時分が一番面白かつたよ、伊藤も世間からひどく敵視せられ狙ひ廻されて居る時は死ないが有らゆる紛糾を通り越して山の頂に上りかけた今日突然こんな命に會ふ、妙なものだ、伊藤は幸運ではあつたが今の若い者の樣な樂な生涯では決してない、東奔西走の苦勞は並大抵ではない、今の子供でも末松のお德さんだけだ其時代を知つて居るのは、此お德さんが如何したものか生れて四歲位まで身體がシヤンと立たない、伊藤が始終抱き詰めで困つたものだ〳〵と云つて居たが遂に彼んな立派な奥樣になつた』……話は餘程いつもの調子とは違つて居る、併し何處までも默つて聞いて居る、すると誰かゞ『昔築地の長屋に伯と公と隣合つて住んだ時分邸内に小さな稻荷の祠があつたのを何かの時取り壞すと伊藤公附の馬丁が忽ち狐憑になつて大に其不法を怒り出し猛り狂つて始末に了へなんだ』と云ふ突拍子もない事を云ひ出すと流石鬱いで居た伯も思はず笑ひ出して『イヤ彼の時は伊藤も困り居つた、お家の寶刀をスラリと拔いて馬丁を切り付けんと追ひ廻す騷ぎぢや……死にかけた井上が殘つて介抱した伊藤が死んだ、井上の本復祝ひの時二人が相擁して泣いたが彼の光景は今も眼前に彷彿する、國家は非常な損だ俺れも無二の交友を喪つて仕舞た喃』

오호(嗚呼) 이토 공작

嗚呼伊藤公爵

이토 공과 한인

헌병 읽은 이토공

우치다(內田) 대사 귀조(歸朝)

○内田大使歸朝

遭難公報

當時の光景

露國の同情

조난 공보

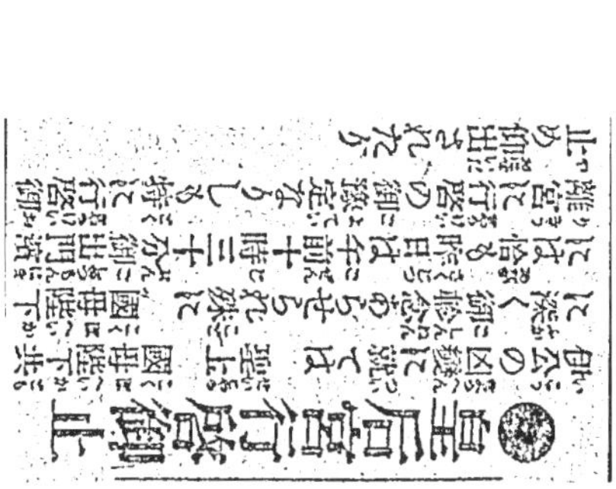

皇后宮行啓御止

황후궁 행계(行啓)를 멈추다

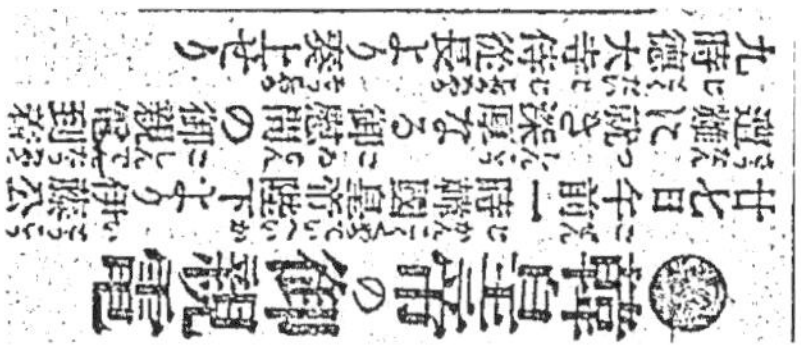

韓皇帝の御親電

한황제의 친전(親電)

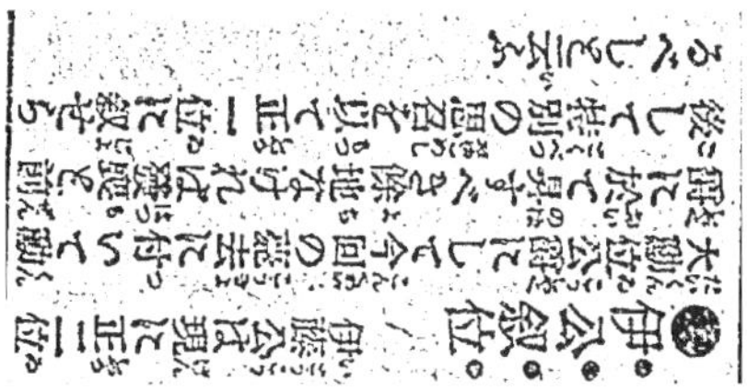

伊藤公敍位

이토공 서위(敍位)

伊藤公遭難

공의 절필

公の絶筆

左に掲ぐるは伊藤公の絶筆の一とも謂ふ可きものならん時は本月十一日夜桂內閣總理大臣は國際新聞協會員を其官邸に招きて宴を開きしが公は賓客の第一位を占め主人が其滿洲行送別の意を籠めたる祝杯を擧げたるに答へ例よりも更に快活にして且圓轉を極めたる演說を爲したるのみならず宴果てゝ後、協會員の誰れ彼が紀念の爲の揮毫を其夜のメニュの裏面に

乞ひたるを亦快よく引受けて何枚となく書きたる中、『忠』の一字を書きたるもの一枚、當夜の筵に列したる記者の一人の手に落ちたるが是なり忠の一字の揮毫が絶筆とならんとするも何かの因緣と思ひてこゝに揭ぐ

因に記す其時會員の一人は其絹の手巾を出してこれへ揮毫をと差出したるに公は極謹愼なる筆法を用ひて七絶一首を書き付けたれば之を獲たる某氏は大慶至極、これが最初の最終の獲物と打喜びたるを傍に在りし小村外務大臣口輕く『最初は宜しいが最終はひどい』と無遠慮に呵々と笑ひ消したり公は之を聞流して少しも氣にも留めざる風なりしが一語讖を爲したりけり

사이온지(西園寺)의 담화

西園寺侯の談話（政友會に對して）

政友會は廿七日午後各團體聯合協議會を開き杉田幹事長は西園寺總裁より左の意味の談話ありたる旨を披露したり

伊藤公の兇變は誠に哀悼の至りに堪へず此際黨員諸君は意氣を沮喪せず一難を經る毎に一倍し來る底の勇氣を以て吾黨の本領を發揮し國家の爲め憲政の爲め盡瘁せられんとを切望し且其本領を固守すると共に自重自任努めて輕忽を避け愼重の態度に出んとを望む

이노우에(井上) 후작의 통탄

井上侯の痛嘆

井上侯は伊藤公の凶報に接するや直に外務省に至り元老大臣會議に列席し午後六時過會議の散するや共に歸邸し末松子及勝之助氏と公爵家今後の處置に關し凝議する所あり折しも大磯なる公爵夫人卒倒の報もあり侯の心痛は一方ならず病後の身をも打ち忘れ善後の處置に就ては萬遺漏なきを期せざる可からずとて諸般の政の任に當る筈にて兎に角昨廿七日午前八時三十分新橋發汽車にて大磯に公爵夫人を訪問することゝなりたり

이토공 부인 졸도

伊藤公夫人卒倒

大磯なる伊藤公爵夫人は先頃來病氣の處此度の凶報を聞くや愁傷の餘り卒倒し家人の介抱に依り直に覺醒せるも病勢漸進の虞あり宮內省侍醫寮御用係岩井禎三氏は診察の爲め一昨午後大磯に急行せり

위계 승서(位階 陞叙)

叙　位階陞敍
二十六日
一位勳二等公爵に
位階勳等を追陞せられ正
二位に敍するの御沙汰
あらせられたるに故
伊藤博文

국장

期なるを以て之を以て
朝旨を奉し國葬を賜
ひ十一月四日東京に於
て執行せらるると同時
に關釜聯絡及鐵路を
以て朝鮮に向ふこと
を一般に知らしめこと
に決せり之を期の
義を以て當分の
公表に止めたり

國葬

흥거 발표

て慶尙道に赴かれ
し伊藤公は二十六日
に至り凶變に接し
今日内閣に於て會議
を開かれしが其結果公は
明日午前七時○○分（
同十一時五十分）同地
を出發し關釜聯絡
並に東海道線に據り
海軍軍艦にて其遺骸を
護送すべしといふ

운송 군함 변경

海軍
運送
軍艦
変更

中止して先に出帆し
たる御召艦に代り
引き返し次に來るべき
運送船にて此度の大
凶變の遺骸を護送せ
しめらるることとなせり
公の御遺骸は六日
保定を出發し同夜
大連に着せられ其翌
朝軍艦にて旅順より
仁川へ廻航し同港にて
總督官邸に一泊し其
翌日再び軍艦にて
行く○れば出棺は十一
月四日大連にて執行
すること○定せり

犯人ˑ引渡

(범인 인도되다)

● 伊藤公

(이토공에게 사지를 보내다)

● 御親電

(친전 親電)

● 伊藤公

(이토공의 호위자)

伊藤公殺害兇報

(이토공 살해 전보)

● 凶變別報

(흉변 별보 別報)

런던 타임스 특전
러시아인 해임빈 회견 관관(觀觀)

哈爾賓會見
（時電）

베를린전보(일독 우체서(郵遞社) 중개)
이토의 암살과 독일

伯林發電
（日）

藤公暗殺

본사 미국 특전
흉변과 미국

米國特電
（日）

送米國

흉변 상보(詳報)

凶變詳報

거류민의 분개

홍범의 홍범 특전

◉凶變と香港
北米 香港特電

홍범에 대한 결의(동상)

은제(韓帝)의 진노

韓廷

홍범과 러시아 분사 블라디보스토크 특전

◉凶變と露國
浦潮特電

거류민의 조전(弔電)

유해 순환 함정(艦艇)

露艦隊退送

러시아인과 순행원의 부상

露人陸員ノ負傷

경성의 동요

京城ノ動摇

한국정부의 특파 / 문사 조선 특전

韓國政府ノ特派

朝鮮特電

1909년 10월 28일

유해 용천 통과

이토공 조난 상보 본사 만주 특전

하얼빈에 모이다

이토공 죽고 눈이 내리고

석총독 총협의 조사

봉천에서 온 소식

奉天よりの報

奉天より後藤遞相の許に達したる報道に依ば伊藤公は今朝哈爾賓停車場下車の際プラットホームに於て韓人の爲に狙撃され生命危篤なり事實取調中なりとあり

이토공 즉사설

伊藤公即死說

三井鑛山部への着電に依れば伊藤公爵は田中滿鐵理事と馬車に同乘して東清鐵道當局者の招待會に臨まんとする途中に於て韓人のために爆裂彈を投ぜられ伊藤公爵は即死したりとあり

내각 임시 참집(參集)

內閣臨時參集

廿六日伊藤公遭難の報に接したる內閣は各大臣直に參集して凝議したり

원로대신 회의

元老大臣會議

伊藤公遭難の報達すると共に昨日午後四時頃より外務省に於て山縣公、井上侯、桂首相、寺內陸相、齋藤海相參集し俄に會議を開き夜に入る迄散會の模樣なし

이와쿠라(岩倉) 궁상(宮相) 참내(參內)

岩倉宮相參內

廿六日午後四時岩倉宮相は坂下門より入りて直に參內御座所に於て伊藤公遭難に就き奏上せり

이토공 조난과 주식

伊藤公遭難と株式

伊藤公遭難の飛報は株式市場を震駭せしめて名狀すべからざる混亂情態に陷り爲に引跡の氣配は著るしく崩落し新東直は百六圓五十錢の安直あり引直より實に五圓方の暴落なりとす東鐵の直取引亦一圓方低落し公債は九十五圓五十錢を呼ぶに至りたるが些か狼狽に過ぎたりとの自覺にて午後四時頃の人氣は稍落付て新東直は八圓五七十錢を唱へたり

이토의 별보

● 伊藤公別報

이토의 조난 속보

● 伊藤公遭難續報

6열받고 절명

● 公逐ニ薨去

유해 출발하다

● 伊藤公遺骸發

홈 드디어 죽다

● 公逐ニ薨去

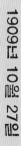

1909년 10월 27일

이토 곡 석중독 회견 논평

●伊公勤話

이토공

이토

이토공 암살 보사 지나 특전

●伊藤公遭難　支那特電

이토공 살해되다 보사 만주 특전

●伊藤公薨る

哈爾賓にて伊藤公薨る

다나카(田中) 만철 이사

●田中滿鐵理事

이토공 위독

●伊藤公

伊藤公の生命は危險なり

이토공 저격하다

●伊藤公狙撃せらる

哈爾賓にて伊藤公狙撃せらる

露國藏相

러시아 장상(藏相)

1909년 10월 26일

이토공 특행

이토공 미중(동상)

러시아 장상 회견

러시아 장상 도착

이토공 석총독(錫總督) 회견 블사 만주 특전

伊藤公北行

露國藏相會見

伊公滿洲特電

이토공과 러시아 장상(藏相)

1909년 10월 25일

이토공 봉천 도착 봉사 만주 특전

청국 영사 허얼빈 행동설

우치다(內田) 대사 귀조(歸朝)

모이타 전보

이토공과 러시아 장상(藏相)

1909년 10월 23일

伊藤
満洲特電

●

日本

이토공 일행 보사 만주 특전

姿は至つて元氣にて
大に面白きを感じ
既に民心も安定し
官吏經濟の能力
總督能十四日
り
既に經歷の旅
修學北特旅
班北征電
に征せ見ヶ縱覽

이토공 일행 보사 만주 특전

1909년 10월 24일

이토 여정 보사 만주 특전

伊藤公
満洲特電

●

日本

이토공 일행 외인(동성) 보사 지나 특전

伊藤公
支那特電

●

日本

1909년 10월 21일

이토공 접대 위원　보사 지나(支那) 접대 위원

伊藤公　支那　特電

伊藤公爵は特に滿洲視察の爲め此の程北京を發して滿洲に赴きたるが同公爵の接待委員として外務省より田邊某氏を派したり

1909년 10월 22일

이토공의 연설

伊藤公　演說

이토공 일행　보사 만주 특전

伊藤公一行　滿洲　特電

露國藏相
用事

러시아 장상藏相의 용무 본사 블라디보스토크 특전

1909년 10월 18일

러시아 장상藏相의 용무 본사 블라디보스토크 특전

露國藏相
伊藤公

러시아 장상藏相과 이토

1909년 10월 19일

伊藤公特電

이토 직접 예정(등성) 본사 만주 특전

1909년 10월 16일

내국전보(15일 밤)
이토공 출발(오사카 大機)

붓사 블라디보스토크 특전
러시아 장성에게 위임

베를린 전보(일독 우보사(郵報社) 중개)
러시아 장성 연설(동상)

로이터 전보
러시아 장성 극동행(동상)

1909년 10월 17일

이토공 발선(發船)(마칸下關)
국내전보(16일 밤)

러시아 장상(藏相) 연설
런던 타임스 특전

1909년 10월 13일

이토 공 수행원

러시아 장상(藏相)과 이토 공

본사 블라디보스토크 특전

1909년 10월 14일

이토 공에게 하사

이토 공 하사

423

1909년 10월 11일

이토 민족함과 미국 본사 미국 특전

이토·야마가타(山縣) 양공 회견

이와쿠라(岩倉) 궁상의 방문

1909년 10월 12일

베를린전보(일독우보사(日独郵報社)) 증거)

유체사(郵遞社) 증거

러시아 장상(藏相) 극동행

1909년 10월 6일

이토 공의 종도설에 대하여

러시아 장상(장상) 극동시찰(동성) 런던타임스 특전

이토 공의 걸가 참내(參內)

1909년 10월 9일

이토 공의 출발

이토 공의 만주행의 의미(동성) 본사 조선 특전

1909년 10월 3일

러시아 장상(藏相) 본사 블라디보스토크 특전

露國藏相浦潮特電

本社
九日露國藏相出發ハ總て日前よ豫定
ニ依る
の旅費發

1909년 10월 4일

러시아 장상 극동 행동설

런던 타임스특전

露國藏相極東行
（上同）
東京特電
露國藏相ハイ
ストックナ
民トコロ豫定
大藏大臣コ
コ回ス國ハ

일본 신문 중 안중근 기사 I

-도쿄 아사히신문

원본(原本)